Sommario

Come utilizzare la guida

La **Carta dei Principali Quartieri e Monumenti** permette di localizzare i punti di maggiore interesse e la Carta **A spasso per Parigi** aiuta a scoprire gli angoli meno conosciuti, le zone commerciali e i negozi paticolari.

L'**Introduzione** racconta per sommi capi la storia, l'arte e la letteratura; mentre **Vivere la città** suggerisce i mille diversi volti di Parigi, con i suoi quartieri, i locali tipici, le zone abitate e caratterizzate da etnie straniere, i negozi.

Alla scoperta della città è suddivisa in capitoli che descrivono nella maggior parte dei casi non un solo quartiere, ma una zona, seguendo quando possibile un percorso logico. Per facilitare l'individuazione dei luoghi e l'orientamento sul posto, abbiamo scelto di mantenere i nomi propri e geografici in lingua francese ogni volta che questo potesse a nostro avviso essere utile. La maggior parte dei capitoli è corredata di una piantina che illustra la zona e sulla quale sono messe in evidenza le fermate della metropolitana, la cui pianta completa si trova alla fine del volume. Nei capitoli in cui la pianta non era necessaria, abbiamo indicato le principali fermate della metropolitana subito sotto il titolo. All'inizio di ogni capitolo si fa riferimento alle Carte Michelin Parigi n° 12 e 14. Vengono inoltre proposte due escursioni, St-Denis e Versailles, nei **Dintorni di Parigi.**

Nei **Consigli pratici** si trovano indicazioni su trasporti, alloggio, telefono, posta, ristorazione, orari ed indirizzi dei musei, un calendario delle principali manifestazioni ed un piccolo glossario.

LA PIANTA DELLA METROPOLITANA SI TROVA ALLA FINE DELLA GUIDA.
Buon viaggio!

S0-AZK-657

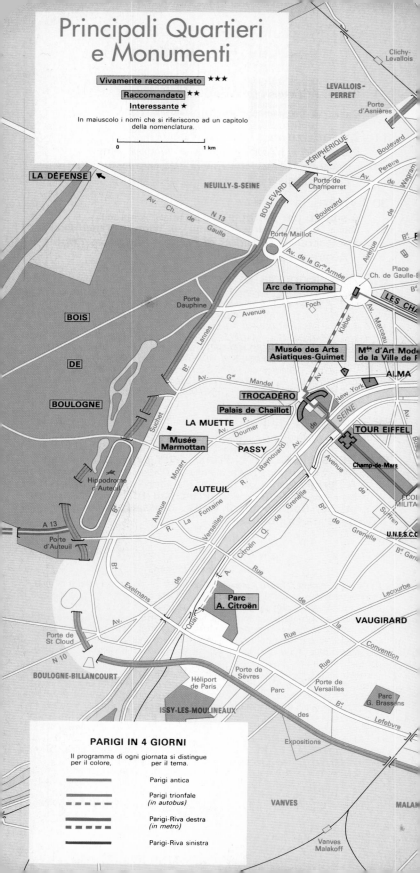

Principali Quartieri e Monumenti

Vivamente raccomandato ★★★
Raccomandato ★★
Interessante ★

In maiuscolo i nomi che si riferiscono ad un capitolo della nomenclatura.

0   1 km

LA DÉFENSE

Clichy-Levallois

LEVALLOIS-PERRET

Porte d'Asnières

PÉRIPHÉRIQUE

Boulevard

Pereire

Av. de Wagram

NEUILLY-S-SEINE

Av. Ch. de Gaulle N 13

BOULEVARD

Porte de Champerret

Boulevard

Porte Maillot

Av. de la Gde Armée

Place Ch. de Gaulle-É

LES CHA

Arc de Triomphe

Foch

Av. Marceau

BOIS

Porte Dauphine

Avenue

Kléber

Musée des Arts Asiatiques-Guimet

Mée d'Art Mode de la Ville de P

DE

Lannes

Bd

Av. Gal Mandel

Av.

New York

ALMA

BOULOGNE

Suchet

TROCADÉRO

Palais de Chaillot

SEINE

TOUR EIFFEL

LA MUETTE

Av. P. Doumer

de

Musée Marmottan

Mozart

PASSY

R. Raynouard

Av.

Champ-de-Mars

Hippodrome d'Auteuil

AUTEUIL

R. La Fontaine

Avenue

de

ÉCOL MILITA

A 13

Avenue

Versailles

Bd de Grenelle

Suffren

Grenelle

U.N.E.S.C.O

Porte d'Auteuil

Bd

Citroën

Bd de Grenelle

Bd Gari

Exelmans

de

A.

Rue

Parc A. Citroën

VAUGIRARD

Porte de St Cloud

N 10

Av.

de

la

Rue

Convention

BOULOGNE-BILLANCOURT

Héliport de Paris

Porte de Sèvres

Parc

Porte de Versailles

Bd

Parc G. Brassens

ISSY-LES-MOULINEAUX

des

Lefebvre

Expositions

VANVES

MALAN

Vanves Malakoff

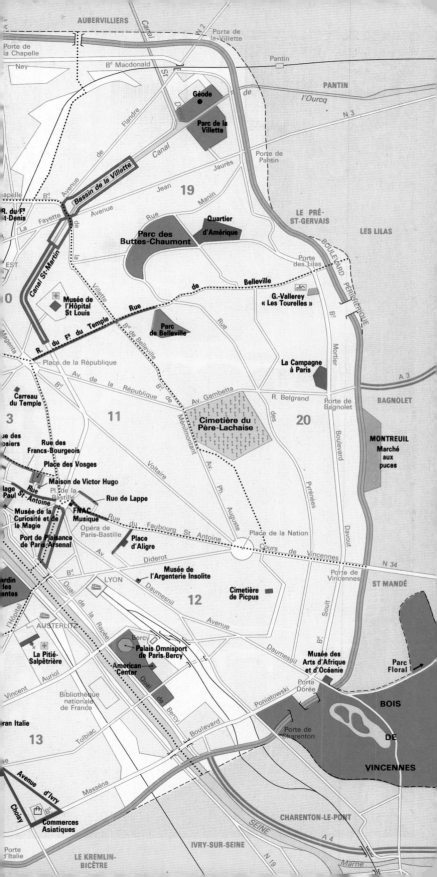

Parigi: vista aerea

Introduzione

Parigi ieri

Il cosiddetto «bacino parigino» venne creato dalla Senna che, scorrendo a 35 m sopra l'attuale livello, scavò gli strati calcarei e sabbiosi dell'era terziaria.

Le mura gallo-romane: 1 – La tribù celtica dei Parisii, grazie al periodo di pace sotto il dominio dei Romani, poté lasciare la Lutezia gallica, protetta dalla Senna e dalle paludi, per stabilirsi sulla riva sinistra del fiume; tuttavia, nel 276 d.C. ca., questa popolazione fu costretta dai barbari a ritirarsi nella Cité, che venne cinta di mura.

Le mura di cinta di Filippo Augusto: 2 – Dal 6° al 10° sec. si prosciugano e coltivano paludi, sono fondati conventi e si sviluppa l'attività portuale e commerciale. Tra il 1180 e il 1210, Filippo Augusto fa cingere la città con massicce mura, rinforzate, a monte, da uno sbarramento di catene attraverso la Senna e, a valle, dalla fortezza del Louvre e dalla torre di Nesle.

I bastioni di Carlo V: 3 – Le strade in direzione di Montmartre, St-Denis, il Temple e Vincennes danno impulso allo sviluppo della città sulla riva destra (in contrapposizione all'Università, sulla riva sinistra, e alla Cité). Alla fine del 14° sec., Carlo V fa erigere una nuova fortificazione *(si veda il Louvre)*, difesa ad est dalla Bastiglia. Parigi copre a quel tempo una superficie di 440 ettari, con oltre 150 000 abitanti.

I bastioni di Luigi XIII: 4 – Nel 16° sec., nonostante la Lega Santa, le guerre di religione e il terribile assedio di Enrico di Navarra, Parigi continua ad estendersi, al punto da rendere necessario per Carlo IX e Luigi XIII l'ampliamento verso ovest della cinta risalente al 14° sec., per proteggere ora anche il Louvre, ossia il proprio palazzo.

Le barriere degli Esattori Generali (Mur des Fermiers Généraux): 5 – La Corte si trasferisce a Versailles, mentre Parigi, la cui popolazione raggiunge ora i 500 000 abitanti, si orna di sontuose costruzioni: gli Invalides, l'Osservatorio, la Salpêtrière, le porte di St-Denis e St-Martin. La campagna retrocede rispetto alla città. Poiché nel frattempo è divenuto sempre più difficile riscuotere le imposte daziali, occorre erigere nuove mura di cinta (1784-1791); il compito è affidato a Ledoux che, intorno a Parigi, costruisce 57 *barriere*, creando un grande scontento tra i parigini.

Le fortificazioni di Thiers: 6 – Durante la Rivoluzione, le grandi proprietà sono tutte frazionate, ma, parallelamente, non sono intrapresi nuovi progetti. Sotto l'Impero, esistono già problemi di densità e di approvvigionamento. All'epoca della Restaurazione, è introdotta per la prima volta l'illuminazione pubblica a gas. Grazie allo sviluppo dell'industria, delle ferrovie e dell'economia nel suo complesso, nascono i sobborghi di Austerlitz, Montrouge, Vaugirard, Passy, Montmartre, Belleville: Thiers farà cingere questi villaggi con una nuova fortificazione (1841-1845), rinforzata, alla distanza di

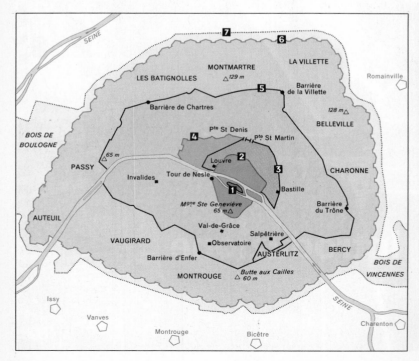

una cannonata, da 16 ulteriori bastioni distaccati, confini ufficiali della capitale dal 1859. La suddivisione dei 7 800 ettari di superficie in 20 *arrondissements* (circoscrizioni) ed il riassetto urbanistico operato dal prefetto Haussmann hanno conferito a Parigi il suo aspetto moderno (1 050 000 abitanti nel 1846, 1 800 000 nel 1866).

Il confine attuale della città: 7 – Nel 1871, dopo aver difeso validamente la città, i bastioni di Mont-Valérien, Romainville, Ivry, Bagneux rimangono intatti. Nella III Repubblica, durante la quale è costruita la metropolitana, vengono demolite le fortificazioni (1919) e, dal 1925 al 1930, viene definitivamente stabilito il confine della città: i boschi di Boulogne e di Vincennes, a cui si aggiunge una stretta fascia intorno alla capitale. In tal modo la superficie di Parigi raggiunge i 10 540 ettari.

TAVOLA CRONOLOGICA

Periodo Gallo-Romano

3° sec. a.C.	I Parisii si stabiliscono sull'isola della Cité.
52 a.C.	Labieno, luogotenente di Giulio Cesare, sconfigge i Galli di Camulogeno che abbandonano la loro isola dopo averla incendiata.
1° sec. d.C.	I gallo-romani erigono Lutezia.
250 ca.	Martirio di San Dionigi, primo vescovo della città *(si veda Montmartre)*.
280	Distruzione di Lutezia ad opera dei barbari.
360	Giuliano l'Apostata, prefetto della Gallia, è proclamato dai soldati alla Cité imperatore d'Occidente. Lutezia prende il nome di Parigi.

Alto Medioevo

451	Santa Genoveffa allontana Attila da Parigi.
508	Clodoveo sceglie Parigi come residenza e si stabilisce alla Cité.
8° sec.	Carlo Magno trasferisce la Corte ad Aquisgrana; Parigi decade.
885	Parigi, assediata per la quinta volta dai Normanni, è difesa dal conte Eudes, incoronato re di Francia nell'888.

I Capetingi

Inizi del 12° sec.	Abelardo studia e successivamente insegna a Parigi. Suger, abate di St-Denis e ministro di Luigi VI e Luigi VII, ricostruisce l'abbazia.
1163	Maurice de Sully inizia la costruzione di Notre-Dame.
1180-1223	Filippo Augusto costruisce intorno a Parigi una fortificazione ed erige il Louvre.
1215	Fondazione dell'Università di Parigi.
1226-1270	Regno di Luigi IX il Santo – Pierre de Montreuil costruisce la Sainte-Chapelle, lavora a Notre-Dame e a St-Denis. Il re amministra la giustizia a Vincennes.
1253	Fondazione del Collegio della Sorbona.
1260	Il prevosto dei Mercanti diviene Prevosto di Parigi.
1307	Filippo il Bello scioglie l'ordine dei Templari.

Rubens, *Matrimonio per procura di Maria de' Medici ed Enrico IV*

I Valois

1358	Rivolta di Étienne Marcel. La Cortè si stabilisce al Marais e al Louvre.
1364-1380	Carlo V fa costruire la Bastiglia e cinge Parigi di nuove mura.
1393	Carlo VI impazzisce in seguito al Ballo degli ardenti.
1407	Assassinio del duca Luigi d'Orléans per ordine di Giovanni senza Paura.
1408-1420	Lotte tra gli Armagnacchi e i Borgognoni. Parigi è nelle mani degli inglesi.
1429	Carlo VII assedia invano Parigi – Giovanna d'Arco è ferita presso la porte St-Honoré.
1430	Enrico VI d'Inghilterra si fa incoronare re di Francia a Notre-Dame.
1437	Carlo VII riconquista Parigi.
1469	Alla Sorbona è allestita la prima tipografia francese.
1530	Francesco I fonda il Collegio di Francia.
1534	Ignazio di Loyola fonda a Montmartre la Compagnia di Gesù.
1559	Enrico II è mortalmente ferito durante un torneo.
1572	Massacro della notte di San Bartolomeo.
1578-1604	Costruzione del Pont-Neuf.
1588	La Lega si rivolta contro Enrico III e lo caccia da Parigi nella «giornata delle barricate» (12 maggio).
1589	Parigi è assediata da Enrico di Navarra e da Enrico III; quest'ultimo viene assassinato a St-Cloud.

I Borboni

1594	Enrico IV si converte al cattolicesimo: Parigi gli apre le porte.
1605	Realizzazione della place des Vosges.
14 maggio 1610	Enrico IV è ucciso da Ravaillac.
1615-1625	Costruzione del Palazzo del Lussemburgo per Maria de' Medici.
1622	Parigi diviene arcivescovado.
1627-1664	Sistemazione dell'Ile St-Louis.
1635	Richelieu fonda l'Académie Française.
1648-1653	La Fronda agita Parigi.
1661	Mazzarino fonda il Collegio delle Quattro Nazioni, che diverrà poi l'Institut de France.
1667	Colbert fonda l'Osservatorio e la Manifattura dei Gobelins.
17° sec.	Sistemazione del Marais.
Fine del 17° sec.	Costruzione del Colonnade al Louvre e dell'Hôtel des Invalides.
Inizi del 18° sec.	Sistemazione della place Vendôme e del Faubourg St-Germain.
1717-1720	Banca di John Law.
1722	Creazione della prima Compagnia dei Pompieri.
1727-1732	Fine della crisi del giansenismo: i Convulsionari di San Medardo.
1760 ca.	Luigi XV fa costruire l'École Militaire, il Panthéon e place de la Concorde.
1783	Ascensioni di Pilâtre de Rozier e di Charles e Robert.
1784-1791	Costruzione delle barriere degli Esattori Generali.

Luigi XIV, busto del Bernini

La Rivoluzione e il Primo Impero

14 luglio 1789	Presa della Bastiglia.
17 luglio 1789	Luigi XVI all'Hôtel de Ville: adozione del vessillo tricolore.
14 luglio 1790	Festa della federazione.
20 giugno 1792	Il popolo invade le Tuileries.
10 agosto 1792	Presa delle Tuileries e caduta della monarchia.
2-4 settembre 1792	La Patria è in pericolo. Massacri di settembre.

21 settembre 1792	Proclamazione della Repubblica.
21 gennaio 1793	Esecuzione di Luigi XVI.
1793	Inaugurazione del Musée du Louvre.
	Installazione del Musée National d'Histoire Naturelle nel Giardino botanico.
1793-1794	Il Terrore.
8 giugno 1794	Festa dell'Essere Supremo.
5 ottobre 1795	Napoleone Bonaparte reprime una rivolta di realisti.
9-10 novembre 1799	Caduta del Direttorio.
1800	Bonaparte crea la Prefettura di Polizia e del Dipartimento della Senna.
21 marzo 1804	Esecuzione del duca d'Enghien a Vincennes.
2 dicembre 1804	Incoronazione di Napoleone I a Notre-Dame.
1806-1814	Napoleone fa ampliare il Louvre e costruire l'Arc de Triomphe e la colonna Vendôme. Soggiorna alla Malmaison.
31 marzo 1814	Gli alleati occupano Parigi.

La Restaurazione

2 maggio 1814	Luigi XVIII firma la Carta di St-Ouen.
1815	Il maresciallo Ney è fucilato vicino all'Osservatorio.
1821-1825	Creazione dei canali dell'Ourcq, St-Denis e St-Martin.
1830	Le «Trois Glorieuses» (27, 28 e 29 luglio) rovesciano il trono di Carlo X.
1832	Una epidemia di colera uccide 19 000 parigini.
1837	Prima linea ferroviaria: Parigi-St-Germain.
1840	Ritorno delle ceneri di Napoleone I.
1841-1845	Costruzione delle fortificazioni di Thiers.
Febbraio 1848	Caduta di Luigi Filippo. Proclamazione della II Repubblica.

Victor Hugo

Dal 1848 al 1870

Giugno 1848	La soppressione delle Botteghe nazionali causa alcune sommosse al Faubourg St-Antoine. Morte di Monsignor Affre.
1852-1870	Gigantesco riassetto urbanistico sotto la direzione del barone Haussmann: mercati generali, stazioni, Buttes-Chaumont, bois de Boulogne e bois de Vincennes, Opéra, rete fognaria, completamento del Louvre, apertura dei boulevard. Parigi è divisa in 20 arrondissement.
1856	Costruzione delle Halles su progetto di Baltard.
1855, 1867	Esposizioni universali.
4 settembre 1870	Proclamazione della Repubblica all'Hôtel de Ville.

Barone Haussmann

La Terza Repubblica

Inverno 1870-1871	Parigi, assediata dai prussiani, deve capitolare. Incendio del castello di St-Cloud.
Marzo-maggio 1871	La Comune di Parigi è repressa dalle guardie governative di Versailles nel corso della «settimana di sangue» (21-28 maggio): incendi e distruzioni (Tuileries, Corte dei Conti, Hôtel de Ville, colonna Vendôme), massacri.
1885	Funerali nazionali di Victor Hugo.
1889	Esposizione universale ai piedi della Tour Eiffel.
1892	Costruzione del primo edificio in cemento armato di François Hennebique in rue Danton.
1900	Inaugurazione della prima linea di metropolitana: Maillot-Vincennes. Costruzione del Grand e del Petit Palais. Al Bateau-Lavoir nasce il cubismo. Sulla collina di Montmartre è eretta la basilica del Sacré Cœur.

7 aprile 1901	Il presidente Loubet inaugura il famoso ristorante della gare de Lyon «Le Train Bleu».
1914-1918	Parigi, minacciata dalle truppe tedesche, è salvata dalla battaglia della Marna. Un bombardamento danneggia la chiesa di San Gervaso.
1920	Inumazione del Milite Ignoto.
Novembre 1920	Inaugurazione del teatro nazionale di Chaillot che dal 1930 al 1972 ospiterà il Teatro Nazionale Popolare (TNP).
1927	Inaugurazione delle *Ninfee* di Monet all'Orangerie (da parte di Clemenceau).
Febbraio 1934	Cruente manifestazioni intorno alla Camera dei Deputati.
Giugno 1940	Parigi è bombardata e poi occupata dalle truppe tedesche. Ostaggi e partigiani sono incarcerati al Mont-Valérien.
19-26 agosto 1944	Liberazione di Parigi.
1950	Inaugurazione del porto di Gennevilliers.

La Quinta Repubblica

1958-1963	Costruzione della sede dell'UNESCO, del Palazzo del CNIT, della Maison di Radio-France.
1965	Definizione del Piano Regolatore per il Riassetto urbanistico della Regione di Parigi.
Settembre 1967	Esposizione «Toutankhamon» al Petit Palais (1 260 000 visitatori).
Maggio 1968	Manifestazioni (Nanterre, Quartiere Latino, boulevard, Champs-Élysées).
1969	Trasferimento dei mercati generali a Rungis.
1970	Inaugurazione della metropolitana veloce (R.E.R.). Nella regione parigina, sono fondate tredici università autonome.
1973	Completamento del raccordo anulare e della torre Montparnasse.
Febbraio 1974	Inaugurazione del Palazzo dei Congressi.
25 marzo 1977	Elezione del 12° sindaco di Parigi (J. Chirac). Tra il 1789 e il 1871, già undici personalità avevano rivestito tale carica, senza tuttavia essere direttamente eletti dai cittadini.
1977	Inaugurazione del Centro Georges-Pompidou.
1979	Inaugurazione del Forum des Halles.
Maggio-giugno 1980	Visita del papa Giovanni Paolo II.
1984	Inaugurazione del Palais Omnisport di Paris-Bercy.
1986	Inaugurazione del Musée d'Orsay.
Aprile 1989	Inaugurazione della Pyramide del Louvre.
1989	Feste del Bicentenario, inaugurazione della Grande Arche della Défense e dell'Opéra-Bastille.
1992	I Lungosenna, le grandi prospettive della Concorde, la Madeleine, l'Assemblea Nazionale, il pont Alexandre III, il Champ de Mars ed il Palais de Chaillot vengono iscritti al Patrimonio Mondiale.

Per apprezzare il fascino di Parigi si deve visitare la città a piedi.
Ventotto secoli di storia e di arte hanno bisogno di tutta la vostra energia fisica e mentale:
solo la vostra mente può aiutarvi a svelare il complesso susseguirsi delle epoche che hanno contraddistinto con il loro stile i monumenti della città.
Solo i vostri piedi possono condurvi nei luoghi più intimi e segreti della «più bella città del mondo».
Tutto ciò, molto spesso, immersi nella frenesia e nel brusio caratteristici di una capitale moderna e di una popolazione che ama l'automobile.

L'arte

ABC DELL'ARCHITETTURA

Per rendere più interessanti le visite e facilitare la lettura a coloro che non possiedono una conoscenza approfondita dei termini architettonici, forniamo qui di seguito alcune indicazioni generali sull'architettura religiosa e militare, nonché l'elenco alfabetico dei termini artistici impiegati in questa guida.

Architettura religiosa

◀ illustrazione I ▶

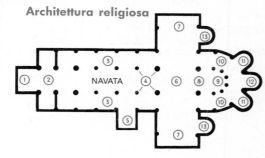

Pianta tipica di una chiesa : è a croce latina ed i due bracci della croce formano il transetto.
① Atrio – ② Nartece – ③ Navate laterali (talvolta doppie) – ④ Campata (spazio trasversale della navata compreso tra due pilastri) – ⑤ Cappella laterale (spesso situata nella parte posteriore dell'edificio) – ⑥ Crociera del transetto – ⑦ Bracci del transetto, in aggetto o no, spesso con portale laterale – ⑧ Coro, quasi sempre « orientato », ossia rivolto verso Est ; molto ampio e riservato ai monaci nelle chiese abbaziali – ⑨ Abside semicircolare – ⑩ Deambulatorio: prolungamento delle navate laterali che fiancheggia il coro, consentendo ai fedeli di sfilare davanti alle reliquie nelle chiese di pellegrinaggio – ⑪ Cappelle a raggiera o absidiole – ⑫ Cappella absidale o assiale. Nelle chiese non dedicate alla Madonna, spesso le è consacrata questa cappella, disposta nell'asse principale dell'edificio – ⑬ Cappella del transetto.

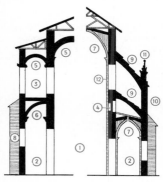

Romanico   Gotico

◀ illustrazione II

Sezione di una chiesa : ① Navata centrale – ② Navata laterale – ③ Tribuna – ④ Triforio – ⑤ Volta a botte – ⑥ Volta a semibotte – ⑦ Volta a ogiva – ⑧ Contrafforte che puntella la base del muro – ⑨ Arco rampante – ⑩ Contrafforte di arco rampante – ⑪ Pinnacolo di equilibrio del contrafforte – ⑫ Finestra superiore.

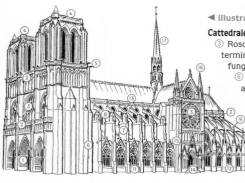

◀ illustrazione III

Cattedrale gotica : ① Portale – ② Galleria – ③ Rosone – ④ Torre campanaria, talvolta terminante con una guglia – ⑤ Doccione che funge da scarico per l'acqua piovana – ⑥ Contrafforte – ⑦ Contrafforte di arco rampante – ⑧ Rampa di arco rampante – ⑨ Arco rampante a doppia rampa – ⑩ Pinnacolo – ⑪ Cappella laterale – ⑫ Cappella a raggiera – ⑬ Finestra superiore – ⑭ Portale laterale – ⑮ Ghimberga – ⑯ Guglia – ⑰ Guglia sulla crociera del transetto.

◀ illustrazione IV

Volta a crociera : ① Grande arcata ② Costolone ③ Arco doppio.

illustrazione V ▶

Volta a catino : chiude le absidi delle navate con volta a botte.

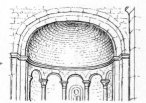

17

illustrazione VI

Volta a chiave pendente :
① Ogiva – ② Nervatura – ③ Costolone – ④ Chiave pendente – ⑤ Peduccio.

illustrazione VII

Volta su crociera ogivale :
① Arco diagonale – ② Arco doppio – ③ Formeret – ④ Arco rampante – ⑤ Chiave di volta.

▼ **illustrazione VIII**

Portale : ① Archivolto ; può essere a tutto sesto, ad arco spezzato, ad ansa, a carena e ornato talvolta di ghimberga – ② Intradossi (a cordoni, modanati, scolpiti o ornati di statue) che formano l'archivolto – ③ Timpano – ④ Architrave – ⑤ Piedritto o stipite – ⑥ Strombature, ornate talvolta di statue – ⑦ Trumeau, a cui è generalmente addossata una·statua – ⑧ Bandelle.

illustrazione IX ▶

Archi e pilastri : ① Nervature – ② Abaco – ③ Capitello – ④ Fusto o colonna – ⑤ Base – ⑥ Colonna incassata – ⑦ Costola – ⑧ Architrave – ⑨ Arco di scarico – ⑩ Fregio.

Architettura militare

illustrazione X

Cinta muraria fortificata : ① Bertesca (galleria di legno) – ② Piombatoi (merli in aggetto) – ③ Barbacane – ④ Mastio – ⑤ Cammino di ronda coperto – ⑥ Cortina – ⑦ Cinta esterna – ⑧ Postierla.

illustrazione XI

Torri e cortine : ① Bertesca – ② Merlo – ③ Merlone – ④ Feritoia o saettiera – ⑤ Cortina – ⑥ Ponte « fisso » in opposizione al ponte levatoio (mobile).

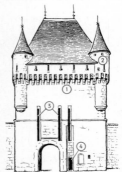

◀ **illustrazione XII**

Porta fortificata :
① Piombatoi – ② Garitta di vedetta – ③ Sede dei bracci del ponte levatoio – ④ Postierla : piccola apertura nascosta, di facile difesa in caso di assedio.

illustrazione XIII ▶

Fortificazioni classiche :
① Entrata – ② Ponte levatoio – ③ Spalto – ④ Mezzaluna – ⑤ Fossato – ⑥ Bastione – ⑦ Torretta di guardia – ⑧ Città – ⑨ Piazza d'armi.

TERMINI D'ARTE UTILIZZATI IN QUESTA GUIDA

Abside: estremità generalmente semicircolare della navata principale di una chiesa contenente il coro.

Abside esterna: illustrazione I.

Affresco: pittura murale applicata sull'intonaco fresco.

Aggetto: sporgenza rispetto all'allineamento.

Apparecchiatura: taglio e distribuzione delle pietre che costituiscono la muratura di una costruzione.

Archivolto: illustrazione VIII.

Arco Trionfale: in una chiesa, arco antistante l'area del coro.

Ansa (arco ad): arco schiacciato, molto utilizzato nel tardo Medioevo e nel Rinascimento.

Arcatella: serie di piccoli archi affiancati; quando sono addossati ad una parete decorativa o portante, che non delimita alcuna apertura, si chiamano arcatelle cieche.

Arcatella (banda) lombarda: decorazione lievemente in aggetto, composta da arcatelle cieche che collegano bande verticali *(o lesene)*, caratteristiche del romanico lombardo.

Atlante: statua maschile di sostegno.

Balaustro: ciascuna delle colonnine dal fusto sagomato, che si dispongono in serie per costituire la balaustrata.

Baldacchino: opera di coronamento dell'altare maggiore, sostenuta da colonne.

Bassorilievo: scultura lievemente in rilievo su un piano di fondo.

Bertesca: illustrazione X.

Binato: raggruppato a due elementi per volta (archi binati, colonne binate).

Bugnato: motivo o rivestimento ornamentale architettonico costituito da bugne, ossia pietre tagliate in modo uniforme che sporgono dalla parete esterna e sono contornate da cesellature profonde o linee divisorie. Il bugnato era molto di moda nel Rinascimento.

Cammino di ronda: illustrazione X.

Capitello: illustrazione IX.

Cassettone: riquadro geometrico ricavato nei soffitti piani e nelle volte in muratura a scopo decorativo.

Catino: illustrazione V.

Chiave di volta: illustrazione VII.

Ciborio: edicola di pietra, marmo o metallo che corona il tabernacolo dell'altare maggiore.

Coro: illustrazione I.

Cortina: illustrazione XI.

Costolone: illustrazione VI.

Cripta: chiesa sotterranea.

Crociera: illustrazione IV.

◀ illustrazione XIV
Cupola su pennacchi a tromba:
① Cupola ottogonale –
② Pennacchio a tromba –
③ Arcata della crociera del transetto

illustrazione XV ▶
Cupola su pennacchi:
① Cupola circolare –
② Pennacchio – ③ Arcata della crociera del transetto

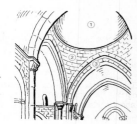

Deambulatorio: illustrazione I.

Ex voto: oggetto offerto ad una chiesa per grazia ricevuta o in adempimento di una promessa.

«Fabrique»: costruzione decorativa che si trova generalmente in un parco.

Feritoia: illustrazione XI.

Festone: ornamento a forma di ghirlanda di foglie, frutti o fiori.

Fiammeggiante: stile decorativo dell'epoca tardogotica (15° sec.), così chiamato per l'intaglio a forma di faville presente nelle armature interne delle finestre.

Garguglia: doccione. Illustrazione III.

Ghimberga: illustrazione III.

Gloria: aureola che circonda un personaggio: se di forma allungata, può anche essere chiamata mandorla.

Guglia: illustrazione III.

Imposta: superficie intermedia di appoggio tra un arco o una volta e i suoi piedritti.

Intradosso: illustrazione VIII.

Istoriato: ornato di scene con personaggi.

Lavabo: in un chiostro, fontana destinata alle abluzioni dei monaci.

Lesena: pilastro parzialmente sporgente dal muro con funzione solo decorativa.

Mastio: illustrazione X.

Merlone: illustrazione XI.

Nartece: illustrazione I.

Navata: illustrazione I.

Navata laterale: illustrazione I.

Organo: illustrazione XIV.

Piedritto: illustrazione VIII.

Pietà: nell'iconografia cristiana, l'immagine della Madonna addolorata che tiene in grembo Cristo morto.

Pinnacolo: illustrazioni II e III.

Piombatoio: illustrazione X.

Plinto: elemento quadrato di appoggio alla base della colonna.

Postierla: illustrazioni X e XII.

Retablo: parte verticale di un altare che sovrasta la mensa; il retablo, dipinto o scolpito, presenta spesso vari scomparti mobili (polittico). Illustrazione XVII.

Rosone: illustrazione III.

illustrazione XVI
Organo:
① Grande cassa d'organo – ② Piccola cassa d'organo – ③ Cariatide – ④ Cantoria

illustrazione XVII
Stalli: ① Dorsale o schienale superiore– ② Bracciolo divisorio – ③ Pannello laterale o fianco – ④ Misericordia

illustrazione XVIII
Altare con retablo:
① Retablo – ② Predella – ③ Corona – ④ Mensa – ⑤ Paliotto. La liturgia contemporanea tende a farli scomparire

Stallo: ciascuno dei seggi di legno con alto schienale allineati sui due lati del coro di una chiesa e destinati esclusivamente ai membri del clero. Illustrazione XVIII.

Timpano: illustrazione III.

Transetto: illustrazione I.

Tribuna: illustrazioni II e XIV.

Trumeau: illustrazione VIII.

Tutto sesto (Arco a): arco a semicerchio.

Volta a botte: illustrazione II.

illustrazione XIX ▶

Decorazione rinascimentale: ① Conchiglia – ② Vaso – ③ Racemi – ④ Drago – ⑤ Putto – ⑥ Cupido – ⑦ Cornucopia – ⑧ Satiro

ARCHITETTURA

Ad eccezione delle ampie volte a botte delle terme di Cluny, del periodo gallo-romano Parigi ha conservato solo i resti delle arene di Lutezia, sottoposte a troppi restauri per essere veramente apprezzate nel loro valore.

Romanico – A Parigi e nelle immediate adiacenze il romanico non ha sicuramente vissuto lo stesso impulso e sviluppo che nelle altre zone della Francia. Le colonnine del coro, il campanile e l'atrio di St-Germain-des-Prés, l'abside di St-Martin-des-Champs, alcuni capitelli di St-Pierre-de-Montmartre o della cappella di St-Aignan sono le poche testimonianze di questo stile architettonico.

Gotico – Il passaggio tra lo stile romanico ed il gotico non è avvenuto bruscamente. L'arte gotica è nata dall'esigenza di erigere chiese in cui convergessero vari elementi: ampiezza, altezza e luminosità. Questo stile è caratterizzato da volte su crociera ogivale (coro di St-Germain-des-Prés) e da contrafforti esterni (abside di St-Julien-le-Pauvre), divenuti poi archi rampanti.

Gotico primitivo (12° sec.) – Notre-Dame offre il migliore esempio per poter seguire l'evoluzione di questo stile, dal 12° sec. agli inizi del 14° sec.: l'ampio coro, il transetto leggermente aggettante, le cupe tribune dietro il triforio (stretta galleria di passaggio) sono le caratteristiche del gotico primitivo. I capitelli sono decorati con motivi vegetali e floreali tipici del paesaggio parigino, a volte con semplici fasci di foglioline. L'illuminazione dell'interno si limita ancora a piccole finestre alte sulla navata, sormontate da aperture circolari (oculi), visibili dalla crociera del transetto.

Gotico raggiante (13° e 14° sec.) – Sotto il regno di Luigi IX il Santo, il gotico raggiunge l'apogeo grazie soprattutto all'architetto Pierre de Montreuil. Le pareti piene sono sostituite da enormi vetrate che inondano di luce l'interno dell'edificio; le finestre sono separate da esili colonnine che sostengono la volta, rinforzate solamente all'esterno da contrafforti o archi rampanti (refettorio di St-Martin-des-Champs). La leggerezza e la luminosità favoriscono lo sviluppo artistico della lavorazione delle vetrate.
L'abside di Notre-Dame, la Sainte-Chapelle nel Palazzo di Giustizia e la Cappella Reale del castello di Vincennes sono i capolavori del gotico raggiante a Parigi.
Gli sconvolgimenti causati dalla guerra dei cent'anni spiegano il permanere di una architettura profana ancora massiccia e cupa, di stile feudale, come mostra la Salle des Gens d'Armes alla Conciergerie (seconda metà del 14° sec.).

Gotico fiammeggiante (15° sec.) – Ancora nel 15° sec. si hanno manifestazioni del gotico, giunto tuttavia ad un sovraccarico di decorazione interna. Le volte sono spezzate da archi di puro valore ornamentale, detti nervature e costoloni (transetto di St-Merri, atrio di St-Germain-l'Auxerrois); le armature interne delle vetrate disegnano una serie di fiamme; il triforio scompare per far posto alle finestre alte; i pilastri, senza capitelli, lanciano le nervature fino al soffitto (deambulatorio di St-Séverin), da cui pendono gigantesche chiavi di volta (St-Étienne-du-Mont).
Le testimonianze di questo gotico fiammeggiante (detto anche tardogotico) sono la tour St-Jacques e le gallerie del chiostro delle Billettes, contemporanee agli hôtel di Sens e di Cluny, prime grandi residenze private di Parigi (fatta eccezione per la dimora di Jacques Cœur), i cui elementi difensivi (torrette a sporto, merlature, garitte di vedetta agli angoli) presentano ricche decorazioni scolpite (balaustrate, abbaini ripartiti), simili a quelle dei primi castelli della Loira.

Rinascimento – Le guerre d'Italia risvegliano l'interesse per l'Antichità e la decorazione profana. Sempre più frequentemente, le volte a botte o a cassettoni (St-Nicolas-des-Champs) sostituiscono quelle a crociera ogivale. Finestre a tutto sesto (St-Eustache) poggiano su capitelli ionici o corinzi su colonne scanalate (St-Médard).
Il pontile (*jubé*) di St-Étienne-du-Mont rappresenta a Parigi l'esempio più mirabile di decorazione interna.
Pierre Lescot adotta nelle sue costruzioni, soprattutto al Louvre, la struttura italiana: facciate regolari sono interrotte da avancorpi coronati da frontoni curvilinei (cour Carrée del Louvre, hôtel Lamoignon). Tra i pilastri scanalati, le nicchie sono ornate di statue; i portali e l'intero edificio sono sovrastati da cornicioni e fregi. Infine, le volte interne presentano spesso cassettoni decorati (scala Enrico II nel Pavillon de l'Horloge del Louvre).

Classicismo – Dopo le guerre di Religione, l'influenza dell'Antichità cresce parallelamente al rafforzamento dell'autorità del re, come mostra la solidità del Pont-Neuf. L'architettura religiosa, detta classica, copre il 17° e 18° sec. e, ispirandosi alle chiese romane, è contraddistinta da profusione di colonne, frontoni, statue e cupole.
Durante la Controriforma si sviluppa a Parigi lo stile «gesuita», che si manifesta con la sovrabbondanza di cupole (St-Joseph-des-Carmes, Sorbonne, Val-de-Grâce, St-Paul-St-Louis). Tuttavia il vero e proprio stile barocco è realizzato dagli architetti di Luigi XIV e Luigi XV: Hardouin-Mansart (Invalides, St-Roch), Libéral-Bruant (Salpêtrière), Le Vau (St-Louis-en-l'Ile), Soufflot (Panthéon).
Gli edifici civili sono invece caratterizzati da simmetria classica e semplicità di linee. I migliori esempi di stile Luigi XIII, con la tipica alternanza di pietra e mattoni, si riscontrano in place des Vosges, place Dauphine e nell'ospedale St-Louis, mentre

Salomon de Brosse unifica nel Palazzo del Lussemburgo elementi italiani e francesi; Mansart, Androuet Du Cerceau, Delamair, Le Muet creano al Marais la tipologia dei palazzi aristocratici francesi, gli *hôtels*.

Tra il 1650 e il 1750, l'architettura classica raggiunge il suo apogeo con le imponenti costruzioni di Perrault (Colonnade del Louvre), Le Vau (Institut de France), Gabriel (Concorde, École Militaire).

La linearità e semplicità dello stile Luigi XVI è simboleggiata a Parigi dal palais de la Légion d'Honneur e dai padiglioni delle barriere erette dagli Esattori Generali, realizzati da Ledoux.

Secondo Impero e nuove tendenze – Durante l'Impero e la Restaurazione poche sono le novità: la Madeleine, gli archi di Trionfo del Carrousel e dell'Étoile, uniche testimonianze di quel periodo, sono infatti imitazioni dell'antichità.

Durante il Secondo Impero invece il barone Haussmann modernizza la città e dà impulso a nuove realizzazioni architettoniche, che ora si basano sull'introduzione massiccia di costruzioni metalliche: Baltard erige la chiesa di St-Augustin ed i padiglioni dei mercati generali, di cui uno è stato trasferito a Nogent; Labrouste realizza la Bibliothèque Ste-Geneviève e Hittorff la gare du Nord. La maggiore testimonianza di tale tendenza architettonica è naturalmente offerta dalla torre di Gustave Eiffel.

Quest'epoca, dominata da progresso industriale, scoperta di nuovi materiali e nuove tecniche, privilegia la costruzione delle abitazioni rispetto ai monumenti, imponendo al contempo la collaborazione tra ingegnere ed architetto; una delle più prestigiose creazioni è il teatro dell'Opéra di Garnier.

Nonostante alcuni personaggi di primo piano (Baudot a St-Jean-de-Montmartre, i fratelli Perret al Théâtre des Champs-Élysées) sollecitino con le loro mirabili opere l'uso innovativo di materiali quali il cemento armato (che troverà un'interessante applicazione intorno al 1937 al palais de Chaillot ed al palais de Tokyo), il Sacré-Cœur, il Grand e Petit Palais ed il pont Alexandre-III risultano ancora completamente ancorati al passato.

Urbanistica moderna – Dal 1945, Le Corbusier (di cui peraltro a Parigi esistono poche opere: villa la Roche, padiglioni della Città Universitaria) esercita una grande influenza sull'architettura, con un conseguente forte rinnovamento sul piano estetico: nuove forme (Maison di Radio-France), costruzioni su piloni (UNESCO), volte di grande portata (CNIT). Nel corso degli ultimi anni, la città ha assistito ad una proliferazione di grattacieli con facciate in vetro (tour GAN e Manhattan, Centre Georges-Pompidou, Institut du Monde Arabe). L'utilizzo di cemento armato precompresso consente di realizzare costruzioni veramente audaci (Palais des Congrès, Tour Montparnasse). L'aspetto più interessante e significativo è tuttavia la progressiva trasformazione dell'architettura in urbanistica: sempre più consapevolmente i singoli edifici sono considerati e concepiti come elementi di un più vasto complesso; ciò ha comportato la completa ristrutturazione di quartieri (Maine-Montparnasse, Les Halles, la Villette) oppure la creazione di nuovi (la Défense).

Inoltre sono stati realizzati altri grandi progetti urbanistici che interessano l'Opéra alla Bastiglia, il ministero delle Finanze a Bercy, la città della musica alla Villette, Grande Arche alla Défense ed anche la Bibliothèque de France in costruzione a Tolbiac.

La Défense

SCULTURA

Il pilastro gallo-romano dei nauti, conservato a Cluny, è la scultura più antica della capitale ed è opera di anonimi, così come le statue ed i bassorilievi di Notre-Dame e delle chiese medievali, che consentirono al popolo incolto di «leggere» la Bibbia.

Dal Rinascimento e per tre secoli, i sovrani abbellirono la loro città con magnifici e sontuosi monumenti religiosi e civili, decorati dai maggiori scultori: Jean Goujon (fontaine des Innocentes), Germain Pilon (St-Paul-St-Louis), Girardon (tomba di Richelieu), Coysevox (giardino delle Tuileries), Coustou (Cavalli di Marly), Le Lorrain (hôtel de Rohan), Bouchardon (fontaine des Quatre-Saisons), Pigalle (St-Sulpice). E' comunque durante il Secondo Impero e la Terza Repubblica che Parigi diviene gradatamente un vero museo all'aperto.

Carpeaux (fontaine de l'Observatoire) e Rude (la Marsigliese all'Arc de Triomphe) precedono i grandi maestri della fine dell'800 o quelli vissuti nel periodo tra le due guerre: Rodin (statue di Balzac e Victor Hugo), Dalou (place de la Nation), Bourdelle (Palais de Tokyo, Théâtre des Champs-Élysées), Maillol (Jardin des Tuileries), Landowski (Santa Genoveffa al pont de la Tournelle, sculture di animali alla porte de St-Cloud).

L'art nouveau è rappresentata dalle numerosissime pensiline della metropolitana create intorno al 1900 da Hector Guimard.

La stessa scultura astratta ha ottenuto il diritto di cittadinanza a Parigi: mobile di Calder all'UNESCO, sculture di Agam, Philolaos, Calder, Louis-Leygue alla Défense. Più recenti sono le statue di personaggi famosi, erette nelle strade e nei giardini della capitale (Georges Pompidou, Jean Moulin, Arthur Rimbaud), le opere simboliche ed infine le sculture a fontana (fontaine Stravinskij).

La fontaine Stravinski

J. Sierpinski/SCOPE

PITTURA

I miniaturisti, i pittori e gli incisori hanno trasmesso nel tempo l'immagine della Parigi medievale e classica, a volte frutto della loro interpretazione o fantasia.

Il 15° sec. ci offre una prima rappresentazione minuziosa della città grazie alle miniature colorate dei fratelli de Limbourg *(Les Très Riches Heures del duca di Berry)* e di Jean Fouquet (*Libro d'ore* di Étienne Chevalier).

Fino alle guerre di Religione, immagini di questo genere scompariranno per poi rinascere solo all'epoca di Enrico IV e Luigi XIII con alcune incisioni di Callot e di un gruppo di paesaggisti olandesi (de Verwer, Zeeman), alquanto sensibili alla luce ed alle dolci rive della Senna. Il Pont-Neuf ed il Louvre, cuore della capitale, insieme alla zona di campagna intorno agli Invalides e all'Observatoire, costituiscono i soggetti preferiti per la pittura di tutto il 17° sec. A lungo gli artisti disdegnano la rappresentazione del paesaggio urbano, ad eccezione di qualche piccolo maestro e di J.-B. Raguenet con le sue interessanti viste di Parigi. Col pre-romanticismo, si risveglia la nostalgia per il passato (rovine e incendi notturni di Hubert Robert e Antoine de Machy).

Dopo l'Impero, Bouhot e Georges Michel proseguono la tradizione di questo genere. Tuttavia, solo con le belle acqueforti di Méryon (1850 ca.) e successivamente con la scuola degli impressionisti, Parigi diventa il tema centrale nella pittura. Corot privilegia i Lungosenna e, fuori città, Ville-d'Avray. Sul suo esempio, la collina di

23

Montmartre, i boulevards, la Riva destra sono i paesaggi prescelti da Jongkind, Lépine, Monet (St-Germain-l'Auxerrois, Stazione St-Lazare), Renoir (Moulin de la Galette, Moulin Rouge), Sisley (Ile St-Louis, viadotto di Auteuil), Pissarro (il Pont-Neuf), pittori che riescono a valorizzarne sia le atmosfere luminose che il grigiore della vita quotidiana.

Parigi rappresenta una parte importante anche nell'opera di Lebourg (Notre-Dame), Seurat (Torre Eiffel), Gauguin (La Senna al Pont d'Iéna), Cézanne e Van Gogh (viste di Montmartre). Toulouse-Lautrec mostra un interesse più vivo per i cabaret ed i bassifondi da lui frequentati che per i poetici paesaggi della capitale. Tra i nabis, Vuillard riesce a ricreare la magia dei giardini e delle piazzette. Con i loro tratti realisti, commoventi o caustici, i disegni di André Gill, Forain, Willette e Poulbot ottengono una enorme popolarità.

Quest'ultimo diede il proprio nome a un tipo di personaggio, frequente soggetto dei suoi disegni, il bambino povero di Montmartre.

Agli inizi del 20° sec., Parigi è la capitale mondiale della pittura. Dal Bateau-Lavoir, la Ruche e dalla Scuola di Parigi nasce una enorme rivoluzione nel campo artistico, anche grazie alla genialità di alcuni artisti (Modigliani, Chagall, Soutine) provenienti da altri paesi. I veri pittori di Parigi sono tuttavia il vecchio *fauve* Marquet, la cui ispirazione nasce soprattutto dal panorama sul Pont-Neuf che gli si offre dal suo balcone, ed il modesto figlio di Suzanne Valadon, Utrillo, amante dei quartieri poveri, del cielo grigio e della collina di Montmartre.

Contemporaneo di quest'ultimo, Robert Delaunay propone una nuova visione della città ed in particolare della Tour Eiffel, mettendo in risalto la forza espressiva del colore.

I pittori naïf (Blondel, Vivin, Bouquet, Vieillard) trovano loro stessi un'ispirazione inestinguibile in Parigi e le strade della capitale che loro dipingono sono testimonianza di un'arte popolare sensibile, immaginativa e colorata.

Infine, tra i contemporanei si ricordino Balthus (alcune fra le sue opere evocano immagini singolari di Parigi nel periodo tra le due guerre – I Lungosenna, il Passage du Commerce St-André), Yves Brayer e Bernard Buffet, che hanno saputo mostrarci Parigi sotto una nuova angolazione.

FOTOGRAFIA

Finalmente riconosciuta come arte a tutti gli effetti, la fotografia, per la sua peculiarità di registrare la realtà rispettando il soggetto ritratto, costituisce la memoria collettiva di persone ed avvenimenti.

Lasciandosi sorprendere dall'obiettivo di fotografi famosi, Parigi è stata il soggetto di superbe foto sia a colori che in bianco e nero (quest'ultime in particolare evocano una Parigi d'altri tempi). Questa preziosa raccolta iconografica del quotidiano e degli sconvolgimenti che hanno modificato l'atmosfera della città è dovuta in primo luogo a **Eugène Atget**, uno dei padri della fotografia moderna. Attento archivista, ha immortalato vie e mestieri tipicamente parigini, oggi scomparsi (fiaccherai, cantanti di strada, straccivendoli, mercanti di lacci). Prima di lui si possono nominare **Louis-Jacques Mandé**

Il carbonaio di Robert Doisneau

Daguerre, Henri Le Secq, Charles Nègre e Felix Nadar che realizzò alcuni fra i più bei ritratti del 19° sec. quali quelli di Baudelaire, Balzac, Gustave Doré e Gerard de Nerval. Charles Marville invece ci ha trasmesso immagini di Parigi prima delle imponenti trasformazioni decise da Haussmann.

Di epoca più recente sono invece **Édouard Boubat**, **Izis** e **Brassai**, chiamato il Toulouse-Lautrec della fotografia. **Marcel Bovis** che cercò di ricreare nelle sue foto la magia di Parigi di notte, **Jacques-Henri Lartigue**, **Cartier-Bresson**, autentico globe-trotter e uno dei fondatori della celebre agenzia *Magnum* le cui foto fanno a volte pensare ad acquarelli *(Ile de la Cité)* e **Albert Monier**, uno dei primi a trasformare le sue foto d'atmosfera *(Matin d'automne au quai d'Anjou)* in cartoline postali diffuse poi in milioni di esemplari. Altri autori che hanno contribuito a tramandarci immagini di una Parigi perduta sono **Willy Ronis** che ha fotografato soprattutto il villaggio di Belville-Ménilmontant come era una volta e **Robert Doisneau**, le cui immagini maliziose ed intimamente legate a testi di amici poeti come Prévert, sono al contempo piene di tenerezza. Tutti ci restituiscono la Parigi del tempo che scorre e visi familiari.

Impossibilitati a sfogliare tutti gli album di foto a colori ed in bianco e nero apparsi su Parigi, si può però ricorrere alle cartoline illustrate realizzate da fotografi che non hanno esitato a portare il loro talento per le strade. É questa una ragione in più per far scorrere i raccoglitori di alcune *carteries* (cartolerie di lusso) della rue St-André-des-Arts, del Beaubourg o del Forum des Halles.

MUSICA

Cenni storici – Alla fine del 12° sec., la scuola polifonica di Notre-Dame, con i suoi maestri Leonino e Perotino il Grande costituiva la raffinata espressione della fede medievale; la guerra dei cent'anni fece a lungo tacere le messe ed i mottetti a Parigi. Occorre attendere Francesco I perchè, nella capitale, rinascano impulsi artistici: è infatti fondata a quell'epoca la prima tipografia musicale francese, che stampa le *chansons* narrative di Janequin *(Les Cris de Paris)*. Al madrigale italiano del Rinascimento fa riscontro il nuovo genere dell'«aria», accompagnata da liuto o chitarra.

Nel 1571 Baïf fonda l'Accademia di Musica e Poesia, che tenta di rinnovare nei poemi della Pléiade l'antica armonia di versi e ritmo.

La Corte, prima al Louvre e poi a Versailles, fornisce un notevole impulso alla musica; infatti i sovrani offrono balletti, danze allegoriche, cori interrotti da recitativi, portando all'apogeo i caroselli (si veda il Louvre, Arc du Carrousel) e

Musicista con clavicembalo di Duplessis

l'opera francese. L'Académie Royale de Musique (1672), dominata in tutti i generi da Jean-Baptiste Lulli, fa rifiorire la musica sacra a Notre-Dame (con Campra), St-Gervais e alla Sainte-Chapelle (famiglia Couperin), a St-Paul-St-Louis (Charpentier) e Notre-Dame-des-Victoires (Lulli).

Durante la Reggenza, anche il popolo si entusiasma per la musica: le fiere di St-Germain e St-Laurent vedono infatti nascere l'opera comica (Mouret, Monsigny).

Rameau dà impulso alla sinfonia e all'opera di gusto francese, ma, in questo, incontra la decisa opposizione degli Enciclopedisti. Si tratta della famosa lite dei «buffoni» (querelle des Bouffons), condotta principalmente da Diderot (autore del Nipote di Rameau) e J.-J. Rousseau (compositore dell'opera *L'Indovino del Villaggio*).

Se il passaggio di Mozart dalla capitale resta senza grande influenza sulla sua opera, non si può dire la stessa cosa per Gluck, che compone nella capitale i suoi capolavori della maturità: *Orfeo ed Euridice, Ifigenia in Aulide, Alceste*.

Dalla Rivoluzione, spetta al Conservatorio Nazionale, fondato nel 1795, infondere vigore alla musica: lo dirigono Cherubini, Auber, Ambroise Thomas; nel 1830, Berlioz vi crea la Sinfonia Fantastica, manifesto della giovane scuola romantica; successivamente vi insegneranno César, Franck, Massenet, Fauré e vi studierà la maggior parte dei grandi maestri. Parigi diviene così anche capitale internazionale della musica, esercitando una forte attrazione anche sugli italiani Rossini e Donizetti, sul polacco Chopin, l'ungherese Liszt, i tedeschi Wagner e Offenbach.

Dal 1870, Bizet, Saint-Saëns, Charpentier, Dukas, parigini di nascita o di adozione, rinnovano le composizioni sinfoniche e l'opera lirica; contemporaneamente d'Indy fonda la Schola Cantorum e Debussy e Ravel partecipano all'intensa attività dei Balletti Russi di Diaghilev. Dopo il 1918, a questi fa seguito il Gruppo dei Sei (Honegger, Tailleferre, Auric, Milhaud, Poulenc, Durey), che entra in competizione con la scuola di Arcueil (Satie e Sauguet).

La musica a Parigi dal 1929 ai giorni nostri

Dopo il 1920 Parigi continua ad essere aperta alle innovazioni musicali. Dalle «Ondes Martenot» al gruppo della Jeune-France, da Schaeffer, creatore della «musica concreta», a P. Henry, Boulez, Xenakis ed Oliver Messiaen, ciascuno, con la sua personalità, apporta un contributo decisivo alla musica. Inoltre Parigi, accogliendo favorevolmente i musicisti stranieri, vede costituirsi, a partire dal 1951, una «École de Paris» (Scuola di Parigi). Dal 1972, il Festival d'Autunno stimola i compositori sostenendo la creazione di spettacoli d'avanguardia (*Polytope II* di Xénakis).

Infine, con l'orchestra nazionale di Francia, la nuova orchestra filarmonica di Radio France e l'Ensemble Intercontemporain, Parigi resta fedele alle sue più nobili tradizioni musicali. L'audacia dei creatori va di pari passo con la grande qualità delle sale da concerto. L'Opéra Garnier (inaugurata nel 1875) vede come direttori amministrativi Ruché (dal 1915 al 1945) e poi, dal 1975, Rolf Liebermann. Essa resta la sala principale fino a quando, nel 1989, il luogo privilegiato dell'arte lirica e della direzione d'orchestra diviene l'Opéra Bastille, opera di Carlos Ott, con Myung Whun Chung quale direttore stabile.

Altro luogo d'eccezione è il Théâtre des Champs-Élysées (fondato ed inaugurato da G. Astruc), che, a partire dal 1913, mantiene uno spirito innovativo in materia di creazione musicale.

Gli amanti dell'operetta dal 1928 al 1970 ebbero il loro tempio al Teatro dello Châtelet. Ribattezzata Teatro Musicale di Parigi, questa sala, dal 1980, ospita concerti prestigiosi e opere.

D'altra parte una politica d'avanguardia ha permesso la creazione, a Sud del parco della Villette, della Cité de la Musique, concepita dall'architetto Portzamparc ove sono riuniti il Conservatorio nazionale superiore della musica, il Musée Instrumental, l'Istituto Nazionale di pedagogia musicale ed una sala da concerto.

Il laboratorio per eccellenza della musica moderna resta però l'I.R.C.A.M. (Institut de recherche et de coordination acoustique et musicale – Istituto di ricerca musicale e di coordinazione acustica e musicale), uno dei dipartimenti del Centre Beaubourg. Grazie al fervore di P. Boulez ed all'utilizzo di una tecnologia sofisticata che mette in gioco computer, laboratori di elettronica, camera anecoica (le cui pareti assorbono completamente i suoni) e processori di suoni, l'I.R.C.A.M. si dedica a lavori che hanno una portata a livello mondiale.

LETTERATURA

Anche nella letteratura Parigi occupa un posto importante, sia come fonte di ispirazione per poeti e scrittori sia come luogo stesso dell'azione per le loro opere.

Medioevo e Rinascimento – Fino al 12° sec., la vita intellettuale di Parigi è assai modesta, soprattutto in confronto alla ricchezza della lingua provenzale e della poesia dei trovatori in lingua d'oc. Solo quando viene fondata l'Università, rimasta a lungo l'unica della Francia del Nord, ed il dialetto parigino è adottato come lingua ufficiale, la capitale può entrare nel mondo letterario.

Il popolo parigino diviene protagonista delle epopee (tra cui quella famosa di Guglielmo d'Orange) e dei Misteri, mentre la vita dei bricconi e dei furfanti si rispecchia nelle cantilene di Rutebœuf e nei poemi di Villon. Rabelais, originario della Turenna, pur criticando violentemente il carattere parigino, fa tuttavia studiare Gargantua e Pantagruel alla Sorbona. Quanto più Parigi si afferma nel ruolo di capitale del regno, tanto più è considerata dagli scrittori come seconda patria: Montaigne le fa grandi dichiarazioni di amore, Guillaume Budé fonda il Collegio di Francia, Ronsard e tutta la Pléiade studiano il greco al Collegio di Coqueret.

Verso la fine del '500, Agrippa d'Aubigné è testimone dei conflitti religiosi che sconvolgono la città.

Grand Siècle – Sotto Enrico IV e Luigi XIII, mentre si stanno eseguendo i lavori di abbellimento della città e la Fronda incalza, nasce la moda dei salotti raffinati, teatro di conversazioni argute e colte: uno dei primi è la famosa «Camera blu» dell'hôtel de Rambouillet. Richelieu fonda l'Académie Française, grazie alla quale Parigi diviene il centro dell'attività letteraria. Alla retorica dei circoli preziosi fanno riscontro le satire di Saint-Amant, le lettere di Mme de Sévigné o le composizioni burlesche di Boileau sul traffico parigino. La Comédie-Française e l'Opéra divengono i primi teatri europei.

18° secolo – All'epoca di Luigi XV e Luigi XVI, la Corte non dà un grande impulso alle lettere; queste tuttavia fioriscono tra il popolo, nei caffè parigini (Procope, la Régence) e nei salotti filosofici (marchesa de Lambert, Mme du Deffand, Mme Geoffrin), da cui scaturiscono e si diffondono le nuove idee. Le commedie di Marivaux e di Beaumarchais portano sul palcoscenico la vita parigina; l'eclettico Voltaire (scrive con pari abilità racconti, storiografie, corrispondenze, memorie) è il parigino tipico, ironico e un po' frivolo. Rousseau non nasconderà invece il proprio disprezzo per questo ambiente e per questa leggerezza di spirito; accanto agli Enciclopedisti, legati indissolubilmente all'Illuminismo, Restif de la Bretonne e Sébastien Mercier testimoniano fedelmente il proprio amore per Parigi.

Dal 19° sec. ad oggi – I due maggiori romanzieri parigini, Victor Hugo e Honoré de Balzac, provengono dalla provincia. Nei loro capolavori *(I Miserabili e La Commedia umana)* rappresentano Parigi come una persona, con un proprio carattere, malattie e debolezze, a volte mostro a volte meraviglia, fogna e cattedrale. Le scene della vita parigina o di un semplice personaggio come Gavroche ne sono una testimonianza viva e commovente.
I veri scrittori parigini, schiacciati da questi due «titani», sono quindi destinati a passare in secondo piano: Dumas figlio, il dandy Musset, lo chansonnier Béranger, Eugène Sue *(I Misteri di Parigi)*, Murger *(Scene della Vita di Bohème)*, Nerval.
La città trasformata radicalmente da Haussmann è lo sfondo per le opere di Baudelaire, dei poeti parnassiani e simbolisti che vi trasmettono le loro immagini cupe e i loro sentimenti contraddittori. Certi romanzi di Zola sono un quadro di Parigi e dei suoi quartieri, che divengono in tal modo figure letterarie.
Anche più tardi Montmartre rimane legata alle canzoni di Bruant ed ai romanzi di Carco e di Marcel Aymé, così come Montparnasse rievoca ancora le poesie di Max Jacob e Léon-Paul Fargue. Colette e Cocteau al Palais-Royal, Simenon al quai des Orfèvres, Montherlant, Louise de Vilmorin, Aragon, Prévert, Sacha Guitry, Éluard rappresentano solo alcuni dei grandi riferimenti moderni della letteratura parigina.

Alcune citazioni

Scusatemi per il mio linguaggio
Rozzo, maleducato e selvaggio:
Non sono nato a Parigi (**Jean de Meung**, *Roman de la Rose*)

Si parla bene solo a Parigi (**François Villon**)

Parigi, soggiorno dei re, il cui fronte spazioso
Non vede nulla di simile sotto la volta dei cieli (**Ronsard**)

Sono Francese solo per questa grande città, grande di popoli, grande di nobiltà, ma soprattutto grande ed incomparabile in diversità e varietà, la gloria della Francia ed uno dei più insigni ornamenti del mondo (**Montaigne**)

Occorrerebbe essere l'opposto della ragione per non confessare che Parigi è il grande luogo delle meraviglie, il centro del buongusto, dello spirito arguto e della galanteria. Quanto a me, ritengo che, al di fuori di Parigi, non ci sia salvezza per i gentiluomini. (**Molière**, *Le Preziose Ridicole*)

Parigi è un grande pollaio, composto da tacchini che fanno la ruota e da pappagalli che ripetono parole senza sentirle (**Voltaire**)

Nascere a Parigi significa essere due volte Francesi (**Sébastien Mercier**, 1775)

Prima di avere il suo popolo, l'Europa ha la sua città, e questa città è Parigi (**Victor Hugo**)

Essere parigino non significa essere nato a Parigi, ma esservi rinato. E non significa esservi, ma esserne. E non significa vivervi, ma viverne. Perché se ne vive e se ne muore (**S. Guitry**)

ALCUNE PROPOSTE DI LIBRI

Brévan B. *Musica e Rivoluzione francese. La vita musicale a Parigi dal 1774 al 1779* (Le sfere n° 4, Ricordi, 1986)
Crespelle J.P. *La vita quotidiana a Montmartre ai tempi di Picasso* (Rizzoli, 1987)
Crespelle J.P. *Vita quotidiana a Parigi al tempo degli impressionisti* (Rizzoli, 1988)
Wescher P. *I furti d'arte. Napoleone e la nascita del Louvre* («Saggi», Einaudi, 1988)
Lemoine B. *Les Halles di Parigi* («Di fronte e attraverso», Jaca Book, 1983)
Marinelli G. *Il centro Beaubourg a Parigi: «Macchina» e segno architettonico* («Universale di architettura», no 12, Dedalo, 1978)
Geremek B. *I bassofondi di Parigi nel Medioevo. Il mondo di François Villon* («Storia e società», Laterza, 1991)
Mamone S. *Firenze e Parigi: due capitali dello spettacolo per una regina, Maria de' Medici* (Silvana, 1988)
Wilhelm J. *La vita quotidiana a Parigi sotto il re Sole* (Rizzoli, 1984)
Mousnier R. *Parigi capitale nell'età di Richelieu e di Mazzarino* («Biblioteca storica», Il Mulino, 1983)
Roche D. *Il popolo di Parigi: cultura popolare e civiltà materiale alla vigilia della Rivoluzione* («Saggi», Il Mulino, 1986)
Poisson G. *Parigi al tempo della Rivoluzione* (Bonechi, 1989)
Benjamin W. *Parigi capitale del XIX secolo* («I millenni», Einaudi, 1986)
Londei E.F. *La Parigi di Haussmann. La trasformazione urbanistica di Parigi durante il Secondo Impero* (Kappa, 1982)
Penzo P.P. *Parigi dopo Haussmann* (Alinea, 1990)
Piersanti G., Charles M. *Parigi fantastica e romantica* (Artemide, 1987)
Augé M. *Un etnologo nel metrò* (Eleuthera, 1992)
Siebeck. *Guida ai bistrot di Parigi* («Libri illustrati», Mondadori)

Parigi oggi

Dal Primo Impero al 1960 si è consolidata una tradizione di centralizzazione che ha reso Parigi non solo la capitale dal punto di vista amministrativo, ma anche sul piano economico e culturale. Nel corso del 20° sec., la metropoli ha vissuto uno sviluppo rapido, ma disordinato, che ha reso necessario l'approntamento di un piano regolatore per fronteggiare i problemi del traffico e dell'edilizia che minacciavano la regione parigina.

Amministrazione – Dal 25 marzo 1977, alla testa del **Comune di Parigi** siede un sindaco designato dal Consiglio di Parigi, composto da 163 consiglieri, eletti ogni 6 anni. Il sindaco di Parigi ha gli stessi poteri dei suoi colleghi degli altri comuni, ad eccezione dei poteri di polizia che spettano al Prefetto di Polizia. Ognuno dei 20 consigli di circoscrizione (arrondissement) possiede una commissione che fa da tramite tra la municipalità e la popolazione (legge del 31 dicembre 1982).

Archives Nationales

Sigillo della Corporazione
dei Battellieri (1210)

Il comune di Parigi copre una superficie di ca. 105 km², con una popolazione di 2 152 333 abitanti nel 1990 (ultimo censimento).
Lo stemma di Parigi rappresenta la nave raffigurata sul blasone dei Mercanti navigatori, a cui San Luigi affidò una parte dell'amministrazione della città. Nel 16° sec. si aggiunse anche il motto «Fluctuat nec mergitur» (è agitata dai flussi, ma non affonda).
Poiché Parigi è sia comune che dipartimento, il suo Consiglio si riunisce a livello tanto municipale quanto regionale.

Metamorfosi di Parigi – Uno dei più importanti problemi da affrontare è stata la salvaguardia dei tesori architettonici. Grazie a André Malraux (ministro degli Affari culturali dal 1958 al 1969) e ai suoi discepoli sono state restaurate le facciate dei monumenti, il quartiere del Marais è stato risanato e si è proceduto al restauro di vecchie dimore.
Di pari passo, gli ingegneri e gli urbanisti hanno contribuito alla soluzione delle attuali esigenze dei cittadini: circolazione e trasporti (raccordo anulare, superstrada, RER), approvvigionamento (Rungis, Garonor), servizi culturali (Centro Pompidou), impianti sportivi (Palazzo polisportivo di Bercy). A ciò si è aggiunta la costruzione dei grattacieli nei nuovi quartieri commerciali (Défense, Front de Seine, Maine-Montparnasse), mentre altri si stanno sviluppando laddove sorgevano abitazioni ormai troppo vecchie e fatiscenti (place d'Italie, Belleville, Bercy). Dopo l'espansione della metropoli, sono ora all'ordine del giorno il miglioramento e la salvaguardia del patrimonio edilizio.
Da alcuni anni, per arricchire la vita culturale della città, sono stati intrapresi, e in alcuni casi già portati a termine, grandi progetti urbanistici: la città delle Scienze e dell'Industria alla Villette, la trasformazione della vecchia stazione d'Orsay in importante museo dedicato al 19° sec., l'ampliamento del Louvre, il teatro lirico alla Bastiglia, la Fondazione Internazionale dei Diritti dell'Uomo nell'Arco della Défense.
Dopo aver subìto differenti metamorfosi, il Grande Louvre è oggi 40 volte più vasto che all'origine. Gli ultimi imponenti lavori, cominciati nel 1984 nella Cour Carrée, verranno ultimati nel 1996 con, inoltre, la ristrutturazione completa dell'ala Richelieu.
A queste importanti operazioni si affianca la realizzazione sempre più massiccia di nuove aree verdi e la sistemazione di quelle già esistenti: ai 400 000 alberi entro le mura della città, si aggiungono quelli del Giardino botanico di Vincennes e dei nuovi parchi (Georges Brassens, Belleville, la Villette, André Citroën).
Un altro obiettivo è la rinascita di alcuni quartieri finora trascurati; la Parigi del futuro dovrà infatti essere una metropoli vitale e dinamica e a tale scopo, già sono sorti importanti centri di attività (la Défense, Bercy, la Villette).
La tendenza generale prevede la stabilizzazione del numero degli abitanti e dell'occupazione nella città stessa.

Popolazione – Con oltre 2 milioni di abitanti, Parigi è una delle città più densamente popolate del mondo (mediamente, 20 421 persone per km²).
Tuttavia la tendenza presenta una diminuzione del numero di abitanti all'interno della città vera e propria. A lungo Parigi ha attirato molta gente dalla provincia; a questi nuovi residenti si è aggiunto un numero elevato di immigrati da paesi stranieri, con la conseguente formazione di «colonie»: russi (Montparnasse), spagnoli (Passy), maghrebini (Clignancourt, Belleville, la Villette, Aubervilliers), asiatici (nel 13° ar.). Nel Marais si è creato un quartiere ebreo.
Nonostante questa mescolanza di gruppi etnici, esiste ancora il «parigino tipico», sempre nervoso e di fretta, beffeggiatore, frivolo e mordace, pronto in ogni momento ad uno spiritoso gioco di parole, che ben si incarna in alcune figure familiari come lo chansonnier, il venditore ambulante, il monello (Gavroche).

I quartieri di Parigi – Come ai tempi delle corporazioni medievali, anche ai giorni nostri le diverse professioni artigianali o commerciali si sono spesso raggruppate per quartiere, caratterizzandolo in modo del tutto particolare: commercianti di sementi sul quai de la Mégisserie, editori e librai intorno all'Odéon, ebanisti al faubourg St-Antoine, grossisti di abbigliamento al Sentier e al Temple, antiquari nella rue Bonaparte e nella rue La Boétie, gallerie d'arte sull'avenue Matignon e al faubourg St-Honoré, negozi di alta moda al faubourg St-Honoré, avenue Montaigne e rue François-Ier, boutique di lusso intorno all'Opéra, fabbricanti di oggetti sacri a San Sulpicio, liutai nella rue de Rome, cristallerie nella rue de Paradis, gioiellerie nella rue de la Paix e in place Vendôme.

Anche i centri amministrativi (rue de Grenelle, Chaillot) e di affari (Borsa, Opéra, Champs-Élysées, la Défense), i grandi magazzini e le scuole hanno quartieri ben determinati. A ciò si affianca ovunque un mosaico ininterrotto di laboratori, magazzini, boutique che contribuiscono a creare l'immagine variopinta della città.

La prospettiva degli Champs-Élysées

A. Eii/MICHELIN

Montmartre, la place du Tertre

Vivere
la città

PICTOR

A spasso per Parigi

Chi si avventura per la prima volta per le strade di Parigi, si trova completamente immerso in una città dalle dimensioni dilatate, ingigantite. Le strade, i viali, gli edifici, i monumenti: tutto è immenso e disposto in maniera regolare, armoniosa, quasi la città fosse stata costruita tutta in un momento, e non avesse invece sostenuto il corso del tempo. Alla sensazione di piccolezza di fronte alla grandiosità di Parigi, si aggiunge lo stupore di veder improvvisamente apparire in fondo ai viali, nei punti di intersezione, monumenti, chiese, palazzi che si ergono solitari, in posizione centrale, completamente staccati da ciò che li circonda.

Fautore principale di questa immagine è un uomo di Napoleone III: il barone Georges E. Haussmann. Fu lui, con l'appoggio e sotto le direttive dell'imperatore, a decidere di «ristrutturare» la capitale dandole un assetto più geometrico, allargando ed aprendo grandi arterie che la tagliassero in linee rette e che creassero ampi spazi intorno ai monumenti. Questo progetto, osannato o contestato, ha comunque il pregio di aver donato a Parigi un aspetto peculiare, che quanto meno sorprende lo spettatore impreparato.

A. Éù MICHELIN

Fontana Wallace

Gli alti edifici ai lati dei grandi boulevard ed avenue hanno tutti lo stesso numero di piani ed una tipologia architettonica estremamente simile ed è questo a dare una forte sensazione di ordine ed armonia. Esempi ne sono il bd Haussmann, il bd Saint-Michel, il bd Saint-Germain ed il bd de Sébastopol e la stessa avenue des Champs-Élysées.

Camminando per le vie della capitale si incontrano ancora elementi di arredo urbano o particolari tipici realizzati sempre sotto la direzione di Haussmann, come ad esempio le **colonne Morris**, ideate per regolamentare l'affissione degli annunci di spettacoli teatrali (oggigiorno ospitano anche locandine cinematografiche), o i *becs de gaz* (lampioni a gas).

Sempre della seconda metà del 19° sec. sono sia le **fontane Wallace** (dal nome del donatore), in stile liberty e caratterizzate dalle quattro figure femminili che reggono una cupola, che le **entrate della metropolitana** in ghisa dipinta di verde ed a motivo vegetale, alcune più semplici ed altre più elaborate, di cui due (la station Abbesses e la porte-Dauphine) ancora corredate da una pensilina a vetri. Caratteristiche sono anche le vetrine dei negozi in legno colorato e laccato, in stile retro, che si incontrano un po' ovunque per le vie della città. Più difficile è invece incontrare i vecchi esercizi, come ad esempio la pâtisserie Stohrer *(51, rue Montorgueil)* o la confiserie «A la Mère de Famille» *(35, rue du Faubourg-Montmartre)* che risalgono al 18° sec. ed il cui arredo è rispettivamente del 18° e 19° sec.

La ricchezza della città in musei, monumenti e curiosità di ogni tipo la rende interessante per tutti i visitatori. In ogni stagione è piacevole passeggiare senza meta e divertirsi a scoprire gli aspetti più particolari e magari più insoliti offerti da ogni quartiere della città. Emozioni, sensazioni e sorprese di una Parigi quotidiana, di una Parigi dei parigini, pronte a svelarsi al visitatore più attento.

La maggior parte dei luoghi citati in queste proposte sono oggetto di una descrizione più dettagliata all'interno della guida. Per ritrovarli più facilmente, consultare l'indice alla fine del volume.

IL CIELO DI PARIGI

La topografia relativamente accidentata di Parigi offre una grande varietà di viste sul mare sconfinato di tetti di zinco e sull'incredibile densità delle sue costruzioni. Il viandante se ne accorgerà risalendo la Butte Montmartre (il sagrato del Sacré-Cœur o la place E. Goudeau nel 18° ar.), i colli di Belleville e di Ménilmontant, o discendendo la Butte-aux-Cailles (l'avenue des Gobelins partendo dalla place d'Italie nel 13° ar.), la Montagne Ste-Geneviève (la rue Soufflot nel 5e), le alture di Passy (la place du Trocadéro nel 16° ar.), il « Mont-Parnasse » (la place des Cinq-Martyrs-du-Lycée-Buffon nel 1° ar.). Il centro storico di Parigi è chiuso da un cordolo di alti edifici moderni formato dalle torri della Porte d'Italie (13° ar.) e della Porte de Crimée (19° ar.), dal complesso Maine-Montparnasse (14° ar.), dal cosiddetto *Front de Seine* (impressionante allineamento di 15 moderne torri di vetro e metallo che costeggiano il fiume) e dalla Bibliothèque de France; il quartiere della Défense apre invece una linea di fuga verso ponente.

Viste panoramiche: *consultare le condizioni di visita per conoscere l'orario di apertura dei singoli monumenti.*

Tour Montparnasse – Ⓜ *Montparnasse-Bienvenue*. Forse la più bella vista di Parigi, sia per l'altezza che per la posizione della torre che si erge a sud del centro storico, a metà strada fra la Torre Eiffel e la Gare d'Austerlitz. Visti da questo moderno torrione, il Val-de-Grace, St-Sulpice e il Palais du Luxembourg assomigliano a grossi giocattoli. Di notte, il cimitero di Montparnasse appare come un'immensa macchia buia e la prospettiva del Champ-de-Mars e della Tour Eiffel che si stagliano sul profilo delle torri della Défense è indimenticabile.

Tour Eiffel – Ⓜ *Bir-Hakeim e RER C Champ-de-Mars-Tour-Eiffel*. E' naturalmente «la vista panoramica per eccellenza» di Parigi, ma purtroppo, visti dall'alto della torre, molti dei monumenti della città sembrano appartenere al mondo dei Lillipuziani e spesso, la foschia o l'inquinamento atmosferico possono offuscarne l'immagine. Come peraltro è norma in tutta Parigi, se si desidera avere una vista d'insieme, il momento ideale è dopo un bell'acquazzone, durante una schiarita. Si possono allora scorgere i limiti estremi dell'agglomerato urbano (la grande Parigi) e, oltre, l'inizio della campagna.

Piattaforma panoramica dell'Arc de Triomphe – Ⓜ *e RER A Charles-de-Gaulle-Étoile*. Vista sulla Tour Eiffel e su alcuni dei «lavori» più significativi voluti dal barone Haussmann *(si veda la prima parte di questa stessa sezione):* la Voie Triomphale ed altri 10 viali che si irradiano dall'Arc de Triomphe.

Torri di Notre-Dame – Ⓜ *Cité*. Una delle viste più romantiche che permette di scorgere, in vicinanza immediata, la cupola del Panthéon, il campanile di St-Étienne-du-Mont e il Beaubourg. La successione dei ponti sulla Senna, lo scorcio sulla guglia e la navata della cattedrale sono altrettanti ricordi indimenticabili.

Centre Georges-Pompidou (terrazza del 5° piano) – Ⓜ *Châtelet o RER A e B Châtelet-les-Halles*. Una vista «a filo dei tetti» sui principali monumenti: Notre-Dame e, sullo sfondo, il Panthéon; la vicina chiesa di St-Merri; la Tour St-Jacques, il Louvre; l'imponente navata di St-Eustache e la cupola appiattita della Bourse de Commerce segnalano il quartiere delle Halles. Graziosa la vista notturna.

Cupola del Sacré-Cœur – Ⓜ *Anvers o Abbesses*. Con quella della Torre Eiffel, è l'altra grande vista panoramica di Parigi. Ai piedi del monumento si estendono il centro storico naturalmente, ma anche il popolare 18° ar.; le aree nord ed est di Parigi e la Plaine St-Denis.

Parc de Belleville – Ⓜ *Belleville o Pyrénées*. Così come Montmartre, Belleville è un universo a sé stante, diverso. In questo vecchio quartiere popolare, mosaico di culture diverse, la vista su Parigi assume un fascino particolare. Un belvedere è stato allestito alla sommità del parco, all'estremità della rue Piat.

Terrazza del grande magazzino n° 2 della Samaritaine – *19, rue de la Monnaie, 1er*, Ⓜ *Louvre-Rivoli. Accesso gratuito alla terrazza (ascensore) dalle ore 9.30 alle ore 19.00, tutti i giorni; il giovedì apertura serale fino alle 22.00; chiuso la domenica.* Le guglie dell'Ile de la Cité si presentano qui sotto il loro migliore profilo, così come il porticato di Perrault al Louvre, il Pont-Neuf e l'Institut. Una tavola di orientamento aiuta il visitatore ad individuare i principali monumenti.

Le Printemps – *64, bd Haussmann, 8° ar.*, Ⓜ *Havre-Caumartin o RER A Auber. Accesso gratuito dalle 9.30 alle 19.00 (scala mobile), tutti i giorni tranne la domenica.* La terrazza di questo grande magazzino offre una splendida vista sul campanile della chiesa della Trinité sovrastata dalla Butte Montmartre e dal Sacré-Cœur, nonché sulla prospettiva della Madeleine.

Il Panthéon – Ⓜ *Cardinal-Lemoine*. Tra le splendide colonne del tamburo che sorregge la cupola, si scoprono la Montagne Ste-Geneviève e *la Rive Gauche.*

Institut du Monde Arabe (terrazza del 9° piano) – Ⓜ *Jussieu*. Vista sull'abside di Notre-Dame, sull'Ile de la Cité e sull'Ile St-Louis.

Bar panoramico dell'Hotel Concorde-Lafayette – Ⓜ *Porte Maillot o RER C Neuilly. Porte-Maillot-Palais-des-Congrès*. Bella vista sulla Défense e il Bois de Boulogne.

La Grande Arche de la Défense – Ⓜ *Grande-Arche-de-la-Défense o RER A La Défense*. Divertente la salita e la discesa negli ascensori panoramici trasparenti. Dal tetto si gode un'eccezionale vista sul quartiere degli affari della Défense situato all'inizio della Voie Triomphale.

Trasporti in elicottero – **Hélifrance** 4, av. de la Porte-de-Sèvre, 75015 Paris, Hélicap: ☎ 01 45 54 95 11.

PARIGI SULLA SENNA

D'estate, le corse frenetiche dei celebri *bateaux-mouches* (battelli fluviali) sul fiume non hanno più niente di romantico, ma la gita resta comunque piacevole e permette di fruire di punti di vista originali sulle opere monumentali che costeggiano il fiume e le sue rive. Su alcuni battelli, più grandi e più lenti, viene servita la cena. Tutti sono predisposti con sistemi di illuminazione speciali (variabili a seconda del tipo di natante) che facilitano la visita notturna, certamente la più bella e la più suggestiva di Parigi.

Bateaux-Mouches – Imbarcadero del pont de l'Alma (rive droite), ☎ 01 42 25 96 10, Ⓜ Alma-Marceau.

Bateaux Parisiens Notre-Dame – Imbarcadero Pont au Double (da aprile a ottobre), ☎ 01 43 26 92 55.

Bateaux Parisiens Tour Eiffel – Imbarcadero port de la Bourdonnais, ☎ 01 44 11 33 44, Ⓜ Trocadéro.

Vedettes du Pont-Neuf – Imbarcadero square du Vert-Galant, ☎ 01 53 00 98 98, Ⓜ Pont-Neuf.

Vedette de Paris – Imbarcadero pont de Suffren, ☎ 01 44 18 08 03.

Batobus – Da aprile a ottobre, dalla Tour Eiffel (port de la Bourdonnais) al Louvre (quai du Louvre) con 4 possibili scali: port de Solferino (Musée d'Orsay), quai Malaquais (Institut de France), quai de Montebello (Notre-Dame) e quai de l'Hôtel de Ville. Per informazioni ☎ 01 44 11 33 99.

Gite sul canal Saint-Martin

Queste crociere hanno come punto di partenza il Bassin de la Villette (5, quai de la Loire, Ⓜ Jaurès), vasto specchio d'acqua situato nella parte orientale di Parigi.
Un servizio di navetta permette di recarsi dalla Rotonde de la Villette alla Cité des Sciences e de l'Industrie *(durata: 15 min.)*.

Canauxrama, 13, quai de la Loire, 75019 Paris ☎ 01 42 39 15 00.

Paris Canal, 19-21, quai de la Loire, 75019 ☎ 01 42 40 96 97 Paris Crociera da Orsay alla Villette. Partenza alle 9.30 da Orsay e alle 14.30 dalla Villette.

Sui ponti di Parigi

I 35 ponti della capitale, gioielli architettonici, imprese tecniche o semplicemente punti di passaggio, contribuiscono tutti alla sua ricchezza monumentale ed alla sua animazione. Alcuni offrono una visione spaziosa ed inabituale di Parigi, soprattutto al levar del sole o al tramonto, quando la luce soffusa avvolge i luoghi di una dolce atmosfera.

Pont Mirabeau – Vista sul Front de Seine e sulla Tour Eiffel. Di particolare interesse, l'arco centrale è un'autentica prodezza tecnica. Il ponte è anche stato immortalato da una celebre poesia di Guillaume Apollinaire, che recita così:

> «Sous le pont Mirabeau coule la Seine
> Et nos amours
> Faut-il qu'il m'en souvienne
> La joie venait toujours après la peine (1) ...»

Pont Bir-Hakeim – Su questo splendido ponte (magnifica vista sulla Tour Eiffel), transita la linea n° 6 della metropolitana (Nation – Charles-de-Gaulle – Étoile) che si insinua tra gli edifici e i palazzi patrizi dell'aristocratica Passy.

Pont Alexandre III – Coppie di cavalli alati e dorati fanno da cornice alla magnifica prospettiva degli Invalides.

Pont de la Concorde – Ampia vista panoramica sull'area urbana (riconosciuta di recente parte del patrimonio mondiale dall'Unesco), che abbraccia la place de la Concorde, con il suo maestoso ordinamento, sopra la quale si delinea la mole bianca del Sacré-Cœur, la vetrata del Grand-Palais che sovrasta sovrano gli ippocastani del Cours-la-Reine, il Palais Chaillot, la Tour Eiffel; lo sguardo scorre dolcemente dal Jardin des Tuileries all'Ile de la Cité incastonata tra argini del lungosenna.

Pont Royal – La Grande Galerie del Louvre si affaccia sul quai Voltaire di fronte al Musée d'Orsay. Dall'angolo del ponte con il quai des Tuileries, bella vista sull'Ile de la Cité.

---

(1) Sotto il ponte Mirabeau scorre la Senna
E i nostri amori
Che io me ne sovvenga
La gioia mai mancò dopo il dolor...

Da Alcools

Il Pont-Neuf

Pont des Arts – Bella vista romantica sul centro storico di Parigi: lo square du Vert-Galant e i suoi salici, il Pont-Neuf, le case che nascondono la place Dauphine, l'Ile de la Cité, dalla quale spuntano la guglia della Sainte-Chapelle e le torri di Notre-Dame.

Pont-Neuf – Sovrasta lo square du Vert-Galant, offrendo una piacevole vista sulla parte più attraente del Louvre, sul pont des Arts e sull'Institut.

Pont au Change – A sud, si erge maestosa la Conciergerie; a nord, i teatri della place du Châtelet; ad ovest il Pont-Neuf e la Tour Eiffel.

Pont St-Louis – Tra Notre-Dame e l'Ile St-Louis, una visione affascinante dell'Hôtel de Ville (sede del Municipio) e della cupola del Panthéon.

Pont de l'Archevêché – Dall'angolo sud ovest, si gode un punto di vista eccezionale su Notre-Dame, la sua navata e i suoi spettacolari archi rampanti.

Pont de la Tournelle – Splendida vista sulla parte absidale di Notre-Dame e sull'Ile St-Louis.

I lungosenna

La rive droite (riva destra)

Chi circola in macchina apprezzerà senz'altro la comodità e la scorrevolezza della voie express Georges-Pompidou, tra il pont du Garigliano e il pont d'Austerlitz. Essa permette infatti di attraversare Parigi da ovest ad est costeggiando il fiume e svelando uno ad uno i numerosi ponti della capitale ed i monumenti più prestigiosi.

Passeggiando sul lungosenna (quai du Louvre, de la Mégisserie e de Gesvres), si incontrano invece i *bouquinistes* che propongono dalla fine della mattinata fino a sera le loro raccolte di vecchi libri, cartoline e stampe antiche.

Dai quai de l'Hôtel-de-Ville e des Célestins, belle viste sulle antiche dimore dell'Ile St-Louis.

I *bouquinistes*

Inconfondibili con le loro cassette verdi, i *bouquinistes*, già venditori ambulanti di libri di magia, iniziarono la loro attività sui lungosenna. Trasferitisi poi sul Pont-Neuf, dove cresce il numero delle loro bancarelle, ne vengono cacciati nel 18° sec. e tornano a ristabilirsi sui lungosenna. Una passeggiata sui *quais* comporta immancabilmente una sosta davanti alle bancarelle dei *bouquinistes* per curiosare nei loro scatoloni: fanno parte integrante del paesaggio urbano di Parigi. Sembra ormai passato il tempo in cui uno studioso come Montval, bibliotecario della Comédie-Française alla fine del secolo scorso, poteva scoprirvi il manoscritto autografo del *Nipote di Rameau* di Diderot, o come Parison, il «re dei bouquiniste», un *Giulio Cesare* di Plantin arricchito di un ritratto del dittatore romano, disegnato da Montaigne.

Intorno all'Ile Saint-Louis

I quai de Bourbon e d'Anjou, che incorniciano l'isola, offrono lo spunto per una piacevole passeggiata lungo gli eleganti *hôtel* seicenteschi. Berthillon, in rue Saint-Louis-en-l'Ile, è una delle più rinomate gelaterie di Parigi. Dai quai de Béthune e d'Orleans, si gode una delle più belle viste dell'abside di Notre-Dame (di mattina presto oppure a fine giornata quando i pullman di turisti hanno sgomberato il quai de l'Archevêché).

L'Île de la Cité e Notre-Dame viste dall' Île St-Louis

Dal ponte Louis-Philippe, bella vista prospettica sul Panthéon.

Rive gauche (riva sinistra)

Anche su questa sponda della Senna, tra il pont du Carrousel e il pont de la Tournelle, si trovano i *bouquinistes*.

Dopo una sosta sul pont des Arts e dopo aver perlustrato, sotto lo sguardo di Condorcet, le bancarelle dei *bouquinistes* del quai Conti, scendere verso le banchine in riva al fiume.

Questa passeggiata, lontano dal frastuono del traffico automobilistico e dal brusio della folla, offre allo sguardo piacevoli viste prospettiche verso lo square du Vert-Galant, il Pont-Neuf e le torri di Notre-Dame.

In corrispondenza del quai St-Michel, lasciare per un momento l'argine ed inoltrarsi verso place St-Michel, ritrovo prediletto dei giovani del Quartier Latin, quindi in rue St-Séverin e nelle viuzze pedonali adiacenti: rue Xavier-Privas, rue du Chat-qui-Pêche, rue de la Bûcherie. Tocco di colore in mezzo al grigiore dei muri che la circondano, la libreria **Shakespeare & Company** è un'oasi di poesia per gli anglofili e gli amanti dei libri vecchi.

Giunti al pont au Double, scendere di nuovo sulle banchine del lungosenna (scalo Batobus) per ammirare il lato sud di Notre-Dame e l'incantevole square Jean-XXIII, dai parapetti ricoperti di edera rampicante.

Intorno al Bassin de l'Arsenal

Con i giardini a terrazza e i pontili dotati di passerelle galleggianti alle quali sono ormeggiate numerose barche a vela, il porto turistico dell'Arsenal de Paris è un luogo inaspettato per essere nel cuore di un grande centro urbano. Sorprende peraltro la sua presenza quando lo si scorge uscendo dalla stazione di metro Bastille.

Lungo il canale St-Martin

Anche se i cinefili potranno a fatica ritrovare lo scenario e l'atmosfera resi celebri nel film *Albergo Nord* di Marcel Carné, la passeggiata lungo il canale conserva ancora un certo fascino: dalle belle passerelle metalliche che attraversano il canale, i pedoni possono ammirare lo spettacolo dei battelli che superano le chiuse e sugli argini vi sono ancora pescatori con la canna che completano l'atmosfera.

PARIGI VERDE

Nell'ultimo decennio, Parigi si è tramutata in una città verde e fiorita che annovera circa 400 parchi, giardini pubblici e privati, giardinetti di quartiere (square), ed i boschi di **Boulogne** e **Vincennes**, che con la loro vasta superficie (rispettivamente 846 e 995 ha) e i numerosi specchi d'acqua (laghi e stagni) sono mete predilette.

E' nata così una nuova attenzione per il giardino che ha portato a vere e proprie creazioni artistiche per le quali vengono utilizzati acqua, pietra, vetro, essenze. Queste aree verdi che durante la bella stagione si vestono di splendidi manti floreali, divengono meta di passeggiate, o sono luoghi dove si concentra la vita del quartiere.

Certi luoghi propongono inoltre concerti (per conoscerne la lista e il programma chiamare il ☎ 01 42 76 50 00 o informarsi presso i municipi dei singoli *arrondissements*), mostre (arte floreale, scultura, autovetture da collezione). Molti di questi spazi durante l'anno «racchiudono» numerose opere d'arte sia classiche che d'avanguardia.

Parc Monceau

Tra questi innumerevoli spazi verdi, si consigliano in particolare: **Bagatelle**, con i suoi giaggioli e il suo roseto; il **Jardin des Plantes** (5° ar.), giardino botanico e giardino d'inverno (serre); il **Parc Montsouris** (14° ar.) e lo **square des Batignolles** (17° ar.), esempi di giardini all'inglese; il **Parc paysager des Buttes-Chaumont**, il più pittoresco e suggestivo; il **Jardin du Palais-Royal** (1° ar.), oasi di silenzio e di eleganza nel cuore di Parigi; il **Jardin japonais de l'Unesco** (7° ar.); **Jardin de la Cité Universitaire** con i suoi ciliegi; il **Jardin du Luxembourg**, luogo di svago degli studenti del Quartier Latin, che offre anche numerose possibilità di divertimento e gioco per i più piccini; il **Jardin du Musée Rodin**, che consente di prolungare la visita del museo scoprendo, passeggiando lungo i viali, altre opere scultoree e una splendida vista sul Dôme des Invalides; il **Parc Monceau** dove, una volta varcata la bella cancellata in ferro battuto, s'incontrano le statue di Musset, Maupassant, Chopin e le numerose *fabriques* (caratteristici edifici da giardino) sparse nel parco; le **serre di Auteuil**, giardino a vocazione botanica, e a due passi, il **Jardin des Poètes**, dove è bello vagare tra le steli che recano incisi i versi più famosi dei più grandi poeti francesi; il **Parc André-Citroën**, il più sofisticato; il **Parc Georges-Brassens** che, annidato nel cuore di un quartiere tranquillo, è caratterizzato da bei declivi erbosi, vite ed arnie, e il **Parc de la Villette**, il più grande di Parigi, punteggiato di costruzioni futuristiche.

Nuovi giardini e parchi stanno nascendo: il **Parc de Bercy**; il **Jardin de l'Atlantique** (15° ar.), allestito sulla lastra di calcestruzzo che copre i binari della Gare Montparnasse; la **Promenade du boulevard Richard-Lenoir** (11° ar.); il **Jardin des Tuileries**, ristrutturato.

Nei giardini di Parigi vengono organizzate visite guidate. Per informazioni rivolgersi a:

– **Direction des parcs, jardins et espaces verts de la Mairie de Paris**, che distribuisce un dépliant gratuito, disponibile al Municipio, presso l'Office de Tourisme de Paris e nei municipi dei singoli ar. Services des visites, 3, av. de la Porte-d'Auteuil, 16° ar. ☎ 01 40 71 75 23.

– **Association Paris Côté Jardin (Les Amis de la Terre)**, 38, rue Meslay, 75003 Paris ☎ 01 44 08 99 00.

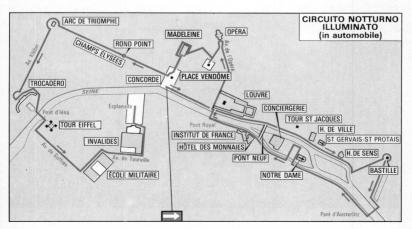

PARIGI DI NOTTE

Gli impianti di illuminazione di Parigi funzionano tutti i giorni dell'anno: dall'imbrunire (e cioè tra le 17.15 e le 22.20) a mezzanotte dalla domenica al venerdì e all'una il sabato e la vigilia dei giorni di festa (e tutti i giorni durante l'estate). Dal 1° gennaio al 1° aprile, il funzionamento delle fontane viene interrotto causa il rischio di gelo.

Appena calato il sole, Parigi si veste di luce ed offre un'immagine completamente diversa da quella diurna: luci ed ombre si alternano contrastandosi per meglio svelare la bellezza e la purezza architettonica dei monumenti, le sculture assumono forme irreali e le fontane si vestono di una semplice bellezza. Certe vie o viali, come i Champs-Élysées, l'avenue Montaigne, la rue Royale o il boulevard Haussmann, assumono una dimensione irreale, fiabesca, in particolare a Natale, quando alberi e vetrine si adornano di ghirlande luminose. Atmosfera bizzarra e poetica di certi vecchi quartieri dove la luce verdognola dei lampioni si riflette diffusa sull'asfalto delle strade e sulle facciate delle case secolari, giocando con il colore della pietra ed evidenziando gli innumerevoli particolari che sfuggono allo sguardo diurno.

Da vedere assolutamente, in auto o a piedi, i **lungosenna**; la **place de la Concorde** e le sue due fontane; la salita degli **Champs-Élysées** fino all'**Arc de Triomphe**; la **Cour Napoléon** e la **Pyramide** di **Ieoh Ming Pei**, che si rispecchia, così come le maestose facciate del Louvre, nell'acqua tremula delle vasche piramidali che la circondano; la **place André-Malraux** e il porticato della **Comédie-Française**; il quartiere di **St-Germain-des-Prés**, raccolto intorno alla chiesa omonima la cui torre, pur senza uguagliare il biancore marmoreo del **Sacré-Cœur**, sembra più bianca sotto la ribalta dei proiettori; gli **Invalides** e la splendente cupola della sua chiesa, avvistabile in lontananza; **Notre-Dame**, di cui si ha una vista ancora più suggestiva quando, dal fiume, i potenti fari dei *bateaux-mouches* rivelano l'eterea delicatezza delle sue facciate e delle sue innumerevoli sculture; l'**Esplanade du palais de Chaillot** che regala una bellissima vista prospettica sul Champs-de-Mars e sull'École Militaire, quindi sui sottostanti giochi d'acqua del Jardin du Trocadéro. Sull'altra riva della Senna, è doveroso fermarsi sotto la **Tour Eiffel** per coglierne appieno l'ingegnosa sottigliezza dell'armatura e l'intrecciarsi geometrico delle putrelle che le danno vita.

Les Invalides e place de La Concorde dalla rue Royale

PARIGI INSOLITA

I contrasti

Passeggiando per i suoi quartieri, Parigi riserva spesso al visitatore suggestivi contrasti e situazioni insolite.

Il Louvre – Innalzata nella Cour Napoléon, la Piramide di vetro e acciaio di Ieoh Ming Pei contrasta singolarmente con le pietre dell'antico palazzo.

L'Hôtel de Sens *(1, rue Figuier, 4° ar.)* e **l'Hôtel de Cluny** *(6, place Painlevé, 5° ar.)* sono dimore medievali nel cuore di Parigi.

Pagoda, Rue de Babylone

Muro di cinta di Filippo II Augusto – *Rue des Jardins-Saint-Paul, 4° ar.*, Ⓜ *Saint-Paul*. L'apparecchiatura grossolana del muro si contrappone al rigore classico della cupola della chiesa St-Paul-St-Louis. Altri frammenti consistenti di questa cinta di mura sono ancora visibili al n° 3 della rue Clovis (5° ar.), nel cortile interno del 62 in rue du Cardinal Lemoine, o anche al 47 della rue Descartes (oltrepassando il portone e costeggiando la volta interna a graticcio); Ⓜ Cardinal-Lemoine.

Forum des Halles – L'Église Saint-Eustache, commistione degli stili gotico e rinascimentale, emerge al di sopra degli archi di vetro e di acciaio del centro commerciale del Forum des Halles e del suo giardino.

Centre Georges-Pompidou – *3° ar.* Nel cuore di un pittoresco quartiere attraversato da stradine e angusti vicoli arginati da case ed edifici antichi, il Centre Pompidou sfoggia le sue vistose tubature colorate.

Palais Royal – Le colonne striate di Daniel Buren confrontate agli edifici di stile classico del Palais Royal alimentano le discussioni sulla creazione artistica contemporanea.

Cattedrale ortodossa russa St-Alexandre-Nevsky – *12, rue Daru 75008, 8° ar.*, Ⓜ *Ternes o Courcelles*. I suoi bulbi dorati ricordano la Santa Russia ed attirano lo sguardo quando, uscendo dal boulevard de Courcelles, ci si immette nella rue Pierre-le-Grand.

Tour Montparnasse – *14° ar.* Di giorno o di notte, è, con la Tour Eiffel, una delle componenti essenziali del cielo di Parigi; è l'unico grattacielo edificato nel centro della capitale francese.

Le pagode – La prima, di colore rosso ocra, è un emporio d'arte asiatica (place du Pérou, 17, Ⓜ Courcelles); la seconda, annidata in un'oasi di verde, funge da cinema e sala da tè (57 rue de Babylone, 7° ar., Ⓜ St-François-Xavier). Entrambe evocano l'Estremo Oriente e l'entusiasmo che suscitò all'inizio del secolo.

La moschea di Parigi – *Place du Puits-de-l'Ermite, 5° ar.*, Ⓜ *Monge*. L'architettura ispano-moresca, il minareto, il caffè moresco trasportano in un baleno il visitatore sull'altra sponda del Mediterraneo.

La vigna di Montmartre – *Rue Saint-Vincent, 18° ar.*, Ⓜ *Lamarck Caulaincourt*. Gamay e pinot nero vengono vendemmiati ogni anno a metà ottobre, creando l'occasione per vivaci festeggiamenti popolari.

Pitture murali

Gli amanti di *arte urbana* si diletteranno a scoprire, nel corso delle loro passeggiate, i dipinti dai colori forti e decisi che decorano e ravvivano i muri di certe case ed edifici. Utilizzati a volte come supporti pubblicitari, sfruttano il *trompe-l'œil* e gli effetti di prospettiva e creano un suggestivo effetto di sorpresa, ricordando un po' i «murals» di Los Angeles o i grandi «murales» messicani degli anni '20 e '30.

Localizzati perlopiù nella parte orientale di Parigi, possono apparire e scomparire dalla visuale a seconda dei lavori avviati nella città. Meglio quindi affrettarsi a vederli... Per menzionarne alcuni:

– rue Dussoubs (2° ar.) - J. Bertin, 1987
– 78, rue du Temple, 5 bis, rue des Haudriettes (3° ar.) - L. Hours, 1990
– 47, bd de Strasbourg (10° ar.) - T. Zanko, 1966
– 60, rue de Reuilly (12° ar.) - Puvis, 1989
– Passage Gatbois (12° ar.) - H. Cueco, 1986
– 53, rue Baudricourt (13° ar.) - Villegla, 1988
– 14, rue Castagnary (15° ar.) - N. Le Prince, 1988
– 148, rue de la Croix-Nivert (15° ar.) - Lanouvelle e Renty, 1996
– Place de Torcy (18° ar.) - D. Masson Solnon, 1989
– 52, rue de Belleville (20° ar.) - J.M. Albert., 1986

L'elenco dei *murales* ultimati o in procinto di esserlo può essere ottenuto presso la **Direction de l'Aménagement urbain de la mairie de Paris**, 17, boulevard Morland, 4° ar. ☎ 01 42 76 23 07.

I *passages couverts*

Costruiti in massima parte nei primi anni dell'800, questi portici interni o gallerie, furono un elemento importante della vita sociale parigina ed ebbero un notevole successo grazie alla qualità dei negozi che vi si erano installati. Ospitano tuttora boutique spesso insolite, a volte desuete, le cui vetrine, vecchio stile, conservano un certo fascino.

Galerie Vivienne – *4, rue des Petits-Champs (2° ar.)*, Ⓜ *Bourse*. Costruita nel 1823, è una delle gallerie più animate. Sotto le vetrate del tetto che diffondono una bella luce chiara, osservare le finestre a mezzaluna dell'ammezzato, la decorazione musiva del pavimento disegnata dall'italiano Facchina, che decorò diversi edifici di Parigi. Vecchie librerie (al n° 45 e, al n° 46, la libreria *Petit Siroux* fondata nel 1826), negozi di tessuti, sala da tè (*A Priori Thé*, al n° 35).

Galerie Colbert – *6, rue Vivienne, 2° ar.,* Ⓜ *Bourse*. Inaugurata nel 1826 e oggi ristrutturata, si apre sulla Galerie Vivienne e dipende dalla Bibliothèque nationale che vi organizza mostre, conferenze, dibattiti e, nell'auditorium sottostante la rotonda, concerti.

Passage Choiseul – *23, rue St-Augustin, 2° ar.,* Ⓜ *Quatre Septembre*. Aperto al pubblico nel 1827, meno signorile delle gallerie precedenti, ospita oggigiorno negozi di abbigliamento e di bigiotteria, tipografie e vi si affaccia la parte posteriore del Théâtre des Bouffes-Parisiens. Questo passage è stato immortalato dallo scrittore francese **Louis-Ferdinand Céline**, che vi abitò da bambino e ne diede una descrizione alquanto feroce in *Morte a credito*.

La galleria Véro-Dodat

Passage des Panoramas – *11, bd Montmartre, 2° ar.,* Ⓜ *rue Montmartre.* E' il vero primo passaggio di Parigi, descritto da **Émile Zola** nel suo celebre romanzo veristico *Nana.* Costituito da diverse gallerie, ospita oggi boutique di prêt-à-porter, rivenditori di carte telefoniche, filatelisti ed incisori.

Passage Jouffroy – *10, bd Montmartre, 2° ar.,* Ⓜ *rue Montmartre.* Adiacente al Musée Grevin, fu il primo passaggio riscaldato di Parigi. Accoglie boutique di vario tipo, tra cui dei negozi orientali (in uno di essi si possono anche degustare caffè turco, *cornes de gazelle* – dolce a forma di corna – e altri pasticcini e dolci esotici) e un'antica libreria.

Galerie Véro-Dodat – *19, rue Jean-Jacques-Rousseau, 2° ar.,* Ⓜ *Palais-Royal.* Aperta nel 1826, conserva indubbiamente una delle più belle decorazioni interne: negozi raffinati con facciate incorniciate da modanature in rame e ricostruite identiche ai modelli originali, che conservano spesso un fascino un po' retrò, come il negozio di giocattoli antichi di *Robert Capia,* la libreria *Gauguin* o il liutaio al n° 17. Da osservare anche la libreria *FMR,* le cui opere dalle copertine nere si sposano armoniosamente con il bianco, nero ed oro delle scaffalature e l'insolita vetrina del *Chasseur de Pierres* (Cacciatore di pietre).

Passage Verdeau – *6, rue de la Grange Batelière, 9° ar.,* Ⓜ *Richelieu-Drouot o rue Montmartre.* Situato vicino all'Hôtel Drouot, nel prolungamento del Passage Jouffroy, propone ai visitatori antichità e vecchi libri (vedi la libreria *La France ancienne* o quella di *Roland Buret,* una vera miniera per gli amanti di fumetti).

Passage du Grand-Cerf (1825) – *145, rue St-Denis, 4° ar.,* Ⓜ *Étienne-Marcel.* Costruito tra il 1825 e il 1835 sull'area in cui si ergeva un tempo l'Hôtellerie du Grand Cerf, è stato restaurato di recente: pavimento in marmo, vetrata superiore elegante e stranamente alta, passerelle in ferro battuto, vetrine con cornici di legno. Moderno è invece l'allestimento dei negozi.

Passage Brady (1828) – *18, rue du Faubourg St-Denis, 9° ar.,* Ⓜ *Strasbourg-Saint-Denis.* Aleggiano gli aromi e le fragranze dell'India in questo passaggio dove abbondano ristoranti e negozi di generi alimentari.

Atelier di artisti – Case di personaggi famosi

In questi luoghi impregnati di ricordi, avvolti di un'aura intimista, il visitatore ritrova l'anima di: Honoré di Balzac, Henri Bouchard, Antoine Bourdelle, Georges Clemenceau, Eugène Delacroix, Gustave Eiffel, Victor Hugo, Gustave Moreau, Louis Pasteur, Ary Scheffer, Ossip Zadkine. *Consultare l'indice della guida per localizzarli.*

Numerosissime targhe commemorative ornano le facciate degli edifici di Parigi. Testimoni del passaggio di personaggi celebri o caduti nell'oblio (scrittori, musicisti, pittori, uomini politici) e oggi scomparsi, queste targhe raccontano al passante attento un po' dell'aneddotica storica di Parigi e scalfiscono un po' l'anonimato delle case. Passeggiando per esempio in St-Germain-des-Prés, basta alzare gli occhi ed ecco che si scopre che in questo quartiere abitarono Richard Wagner, il naturalista Alexander von Umboldt, Jean-François Champollion, i poeti Janos Batsanyl e Robert Denos, Auguste Comte, Prosper Mérimée e Jorge Luis Borges; che vi nacque il pittore Édouard Manet; che Racine e Oscar Wilde vi morirono e che Balzac vi insediò la sua stamperia.

L'arte contemporanea

Per gli amanti di architettura e di arte contemporanea, Parigi è da sempre terra di ricche scoperte. Ecco una selezione di realizzazioni importanti da vedere nella capitale francese. Tra le opere monumentali: il **Forum des Halles;** il **Centre Georges-Pompidou;** la **Cité des Sciences et de l'Industrie** e la **Cité de la Musique** alla Villette; l'**Institut du Monde Arabe;** l'**Opéra Bastille;** la **Pyramide du Louvre;** il **CNIT** e la **Grande Arche** della Défense; il **Palais Omnisports,** il palazzo del **Ministero delle Finanze** e la **Bibliothèque de France** a Tolbiac; la **Fondation Cartier** vicino alla place Denfert-Rochereau; il **Ponant,** edificio-scultura costruito sull'antico sito delle fabbriche Citroën di Paris-Javel (15° ar.).
Tra le opere scultoree: il *Défenseur du temps* (Difensore del tempo), orologio realizzato da Jacques Monestier nel quartiere dell'Horloge, a due passi dal Centre Georges-Pompidou; il *Centauro,* di César, all'angolo della rue du Cherche-Midi e della rue du Four; le opere del **Musée Zadkine** (rue d'Assas) e, dello stesso artista, *Il messaggero* (sul quai d'Orsay, all'inizio del ponte degli Invalides; il **Musée des sculptures en plein air** (quai St-Bernard); la *Figura distesa* di Henry Moore (Maison de l'Unesco); *Écoute* di Henri de Miller (place René-Cassin, antistante il portale di Saint-Eustache); il gruppo di sculture disposte sul grande spiazzo della Défense.
Tra le fontane: il *Canyoneastrate* di Singer (vicino al Palais Omnisports di Paris Bercy); *Le Creuset du Temps* fontana-scultura di Shamaï Haber dominata dagli edifici progettati da Ricardo Bofill (place de la Catalogne); la *fontana Igor Stravinski* (place Igor-Stravinski) opera di J. Tinguely e Niki de Saint-Phalle.

Spettacoli

Il programma completo degli spettacoli di Parigi viene pubblicato ogni mercoledì sull'**Officiel des Spectacles** e su **Une semaine de Paris-Pariscope**, che include inoltre una versione *Time Out* in inglese. Il dépliant mensile *Paris Sélection* pubblicato dall'Office de Tourisme, presenta le principali manifestazioni ed eventi; la selezione è anche accessibile 24 ore su 24 attraverso la segreteria telefonica del ☎ 01 49 52 53 55. Create il secolo scorso da uno stampatore di cartelloni teatrali, le **colonne Morris** segnalano ai passanti gli spettacoli in programma a Parigi.

Parigi sul grande schermo

Il 28 dicembre 1895, i fratelli Lumière organizzavano nel Salone Indiano del Grand Café, boulevard des Capucines, la prima proiezione pubblica della storia del cinema. Da allora, Parigi ha continuato ad inebriarsi delle sue immagini e a favorirne lo sviluppo. La città annovera oggigiorno più di 400 sale cinematografiche. Particolari sono la **Géode** della Villette e il **Dôme Imax**, sul Parvis de la Défense che hanno schermi emisferici che entusiasmeranno gli amanti di sensazioni forti e di brividi.

J. Sierpinski/SCOPE

Colonna Morris

I teatri

La regione di Parigi annovera più di 100 teatri – nazionali, sovvenzionati o privati – insediati soprattutto nei quartieri dell'**Opéra**, **Montparnasse** e sui **boulevard**. La maggior parte di questi teatri godono di una salda reputazione. Se i teatri di «boulevard» perpetuano con successo una tradizione tipicamente parigina, il gusto del pubblico si apre sempre di più a nuove forme di espressioni teatrali.

E' possibile procurarsi biglietti a prezzo ridotto per gli spettacoli della sera, presso due *Kiosques Théâtre*, tra le 12.30 e le 20.00 (fino alle 16.00 la domenica), salvo il lunedì:
– sullo spiazzo ovest della chiesa della Madeleine, Ⓜ Madeleine
– di fronte alla Gare Montparnasse, Ⓜ Montparnasse-Bienvenue.

Per saperne di più telefonare direttamente ai singoli teatri.

Musica classica, opera lirica e balletto

Luogo deputato dei concerti di musica classica è sicuramente l'Opéra, ma Parigi è ricca di sale dalle più grandi a quelle più piccole, ai concerti tenuti nelle chiese, nei musei e perfino sulle chiatte. Parigi è per tutti i solisti e le orchestre di fama internazionale una capitale mondiale della musica.

Concerti e spettacoli di balletto si svolgono in molti teatri (teatro degli Champs-Élysées, de la Ville, de la Madeleine, Théâtre Musical de Paris, Essaïon, Gaîté-Montparnasse), al Louvre, all'Unesco ed al museo d'Orsay.

Musica classica:
– **Salle Gaveau**, 45, rue de La Boétie, 8° ar., Ⓜ Miromesnil
– **Salle Pleyel**, 252, rue du Faubourg-St-Honoré, 8° ar., Ⓜ Ternes
– **Opéra-Comique**, 5, rue Favart, 2° ar., Ⓜ Richelieu-Drouot, chiamata anche **Salle Favart**
Vanno altresì ricordati: il **Théâtre des Champs-Élysées** (15, av. Montaigne, 8° ar., Ⓜ Alma-Marceau), la **Maison de Radio-France** (116, av. du Président Kennedy, 16° ar., Ⓜ Passy) e l'**Auditorium St-Germain** (4, rue Félibien, 6° ar., Ⓜ Mabillon).
Concerti e recital di organo vengono spesso organizzati a **Notre-Dame**, alla **Sainte-Chapelle**, alla **Madeleine**, e nelle chiese di **St-Eustache**, **St-Germain-des-Prés**, **St-Gervais**, **St-Julien-le-Pauvre**, **St-Louis-en-l'Île**, nonché nell'ambito del museo **Cognac-Jay**.

Balletto e opera lirica:

– **Opéra-Bastille**, place de la Bastille, 12° ar., Ⓜ Bastille

– **Opéra-Garnier**, place de l'Opéra, 9° ar., Ⓜ Opéra

– **Châtelet-Théâtre Musical de Paris**, place du Châtelet, 1° ar., Ⓜ Châtelet.

Locali notturni, cabaret, musica leggera

Oltre al cinema ed al teatro tradizionale, Parigi offre tutta una serie di locali ove è possibile trascorrere una piacevole serata. Ecco gli indirizzi di alcuni tra i più significativi:

Cafés-théâtres: vi hanno esordito alcuni celebri attori di cinema

– **Au Bec Fin**, 6, rue Thérèse, 1° ar., Ⓜ Pyramide

– **Le Café de la Gare**, 41, rue du Temple, 4° ar., Ⓜ Hôtel-de-Ville

– **Le Double Fond**, 1, place du Marché-Sainte-Catherine, 4° ar., Ⓜ Saint-Paul.

J. Moatti/EXPLORER

Balletto di Roland Petit

Parigi nei film

Sotto i tetti di Parigi (1930) di René Clair - Una commedia brillante.

Albergo Nord (1938) di Marcel Carné - L'hôtel du Nord esiste ancora nei pressi del canale St-Martin, i cui ponti e le cui chiuse sono diventate ormai indissociabili da questa pellicola, sebbene sia stata interamente girata in studio.

Les Enfants du Paradis (Amanti perduti) (1943-45) di Marcel Carné - con Arletty / Garance, Jean-Louis Barrault / Baptiste, Frédéric Lemaître / Pierre Brasseur, Maria Casarès, dialoghi di Prévert, uno dei massimi capolavori del cinema.

Zazie nel metrò (1959) di Louis Malle - Commedia grottesca, adattamento cinematografico del celebre romanzo di Raymond Queneau.

Fino all'ultimo respiro (1959) - Cinepresa mobile e scenario naturale: Jean-Luc Godard firma con questo film il manifesto della **Nouvelle Vague.**

I 400 colpi (1959) di François Truffaut - Un monellaccio di Parigi, finisce in un riformatorio. Splendide le immagini di Parigi e delle sue vie, che ricordano l'arte di Doisneau.

Paris Blues (1961) di Martin Ritt - L'incontro di due jazzisti americani (Paul Newman e Sidney Poitier) con due belle connazionali. Memorabile jam session di Louis Armstrong con brani di Duke Ellington.

Sciarada (1962) di Stanley Donen - Audrey Hepburn, ricercata a Parigi da malviventi viene tratta in salvo da Cary Grant. Non sarà per caso interessato anche lui dai 250.000 $ scomparsi?

Cléo dalle 5 alle 7 (1962) di Agnès Varda - Nelle vie di Montparnasse e nel Parc Montsouris, il sensibile e commovente ritratto di una giovane donna.

Ultimo tango a Parigi (1972) di Bernardo Bertolucci - Drammatica storia di amore e morte fra un americano sradicato (Marlon Brando) e una ragazza della borghesia parigina (Maria Schneider).

L'inquilino del terzo piano (1976) di Roman Polanski - Un giovane solitario vittima di un'oscura macchinazione in un edificio ostile.

L'ultimo metrò (1980) di François Truffaut - L'atmosfera opprimente nella Parigi occupata dai nazisti.

Subway (1985) di Luc Besson - Filmato come un videoclip, su una musica di Éric Serra, racconta la storia d'amore che s'intreccia tra i protagonisti Isabelle Adjani e Christophe Lambert sullo sfondo labirintico del metro di Parigi.

Frantic (1987) di Roman Polanski - Frenetica e drammatica avventura di Harrison Ford alla ricerca della moglie per le strade di Parigi.

Gli amanti del Pont-Neuf (1991) di Léo Carax - La scenografia artificiale rafforza l'atmosfera irreale della vita di questi due giovani amanti-barboni sul Pont-Neuf scompigliato dai lavori.

Incontri a Parigi (1995) di Eric Rohmer - Tre storie ambientate nella capitale francese.

French Kiss (1995) di Lawrence Kasdan - Divertente storia d'amore tra un ladro francese ed un'americana che riuscirà a redimerlo.

Tutti dicono I love you (1996) di Woody Allen - Omaggio ai musical del passato, girato tra New York, Venezia e Parigi.

Chansonniers:
- Le Caveau de la République, 1, bd St-Martin, 3° ar., Ⓜ République
- La Vieille Grille, 9, rue Larney, 5° ar., Ⓜ Place-Monge
- Les Deux Anes, 100, bd de Clichy, 18° ar., Ⓜ Blanche.

Cabaret:
- Le Lapin Agile, 22, rue des Saules, 18° ar., Ⓜ Lamarck-Caulaincourt
- Don Camillo, 10, rue des Saints-Pères, 7° ar., Ⓜ Saint-Germain-des-Prés.

Varietà e musica leggera:
- Olympia, 28, bd des Capucines, 1° ar., Ⓜ Opéra
- Casino de Paris, 15, rue de Clichy, 9° ar., Ⓜ Trinité
- Palais des Congrès, Porte Maillot, 17° ar., Ⓜ Porte-Maillot

Rock, pop, folk:
- Zénith, Parc de la Villette, 211, av. Jean-Jaurès, 19° ar., Ⓜ Porte-de-Pantin
- Palais Omnisports de Paris-Bercy, 8, bd de Bercy, 12° ar., Ⓜ Bercy
- La Cigale, 120, bd de Rochechouart, 18° ar., Ⓜ Pigalle
- Le Bataclan, 50, bd Voltaire, 11° ar.; Ⓜ République.

Jazz: club, cantine e night animano le notti del Quartier Latin, dei Champs-Élysées, di Montmartre e di Montparnasse. Tra i locali più in vista, troviamo nel 1° arrondissement (Ⓜ Châtelet): **Le Baiser Salé**, 58, rue des Lombards; **Les Bouchons**, 19, rue des Halles; **Au Duc des Lombards**, 42, rue des Lombards; **Le Petit Opportun**, 15, rue des Lavandières-Ste-Opportune, **Sunset**, 60, rue des Lombards. Nel 5° arrondissement: **Caveau de la Huchette**, 5, rue de la Huchette, RER B e C St-Michel; **Chez Félix**, 23, rue Mouffetard, Ⓜ Monge; **Les Trois Maillets**, 56, rue Galande, RER B e C St-Michel; **Petit Journal Saint-Michel**, 71, bd St-Michel, Ⓜ e RER B Luxembourg. Nel 6° arrondissement (Ⓜ St-Germain-des-Près: **Latitude Jazz Club**, 7-11, rue St-Benoît, **Montana**, 28, rue St-Benoît. Inoltre: **New Morning**, 7-9, rue des Petites-Écuries, 10° ar. Ⓜ Château-d'Eau; **Petit Journal Montparnasse**, 13, rue du Commandant-Mouchotte, 14° ar. Ⓜ Montparnasse-Bienvenüe o Gaîté.

A notte tarda, dopo il normale programma, capita spesso che i musicisti presenti in sala si uniscano alla formazione che si esibisce per fare, secondo l'espressione francese, *un bœuf* (una jam-session, un'improvvisazione).

E per una serata all'insegna dell'audacia e di un pizzico di follia:

- **Crazy-Horse**, 12, av. Georges-V, 8° ar., Ⓜ George-V o Alma-Marceau (una delle più belle riviste di Parigi, con ballerine di leggendaria bellezza)
- **Folies-Bergère**, 32, rue Richer, 9° ar., Ⓜ Cadet o Rue-Montmartre
- **Lido**, 116, av. des Champs-Élysées, 8° ar., Ⓜ George-V (piume di struzzo e strass per le celebri Bluebell Girls).
- **Moulin-Rouge**, place Blanche, 18° ar., Ⓜ Blanche (cene-spettacolo alla luce degli strass e al ritmo del french-cancan)

I quartieri di Parigi

I pub – La simpatica socievolezza dei nostri vicini irlandesi e britannici si è ben ambientata a Parigi, dove attira, in locali un po' rustici e grezzi, un pubblico aperto, estroverso e di ogni età: il *Caveau Montpensier* (1° ar.), *Flann O'Brien* (1° ar.), il *Jame's Ulysse Bar* (1° ar.), l'*Irish Pub* (2° ar.), *Kitty O'Shea* (2° ar.), *Quiet Man* (3° ar.), *Connoly's Corner* (5° ar.), *Finnegans Wake* (5° ar.), *Le Requin Chagrin* (5° ar.), *James Joyce Pub* (17° ar.).
Altri locali dedicati agli appassionati della birra sono il *Sous-Bock* (1° ar.), *Le Baragouin* (2° ar.), il *Pub St-Germain* (6° ar.), la T*averne de Nesle* (6° ar.), il *Falstaff* (14° ar.).

I bistrò – L'espressione *bistro, veloce* in russo, era utilizzata dai cosacchi, che occupavano la capitale francese dopo la caduta di Napoleone I, quando entravano in un bar o caffè. Parigi ha poi recuperato e fatto suo questo vocabolo al quale deve una buona parte della sua reputazione. Oggigiorno, la parola bistrò indica esercizi pubblici estremamente diversi che spaziano dal piccolo «*zinc*» (bar di quartiere) ai ristoranti che propongono una cucina tra le più elaborate.

Le enoteche – I must sono: *Le Relais Chablisien* e il *Willi's Wine Bar* (1° ar.), *La Cote* (2°), *Ma Bourgogne* (4°), *Au Soleil d'Austerlitz* (5°), *La Tour de Pierre* (6°), *Au Sauvignon* (7°), il *Val d'Or* (8°), *Les Bacchantes* e *Le Relais Beaujolais* (9°), *Les Fernandises* (11°), *Au Vin des Rues* (14°), *Au Père Tranquille* (15°), *Les Caves Angevines* (16°), *Le Pain et le Vin* (17°), *Le Moulin à Vins* (18°) e *Le Saint Amour* (20°).

I locali storici – Spesso situati in un quadro storico, sono tipicamente parigini per la loro caratteristica atmosfera, ma soprattutto per il ricordo di eventi e di personaggi singolari che vi sono legati. La maggior parte ha purtroppo perso gran parte della sua autenticità e il decoro originale ha subito significative alterazioni, ma è difficile allontanare l'ondata di nostalgia e di emozione che stringe la gola quando si entra in questi luoghi che hanno accolto un tempo pittori, scrittori, poeti, filosofi e avventurieri di ogni tipo.
Sul boulevard St-Germain, si succedono i *Due Magots, Le Flore, La Brasserie Lipp, Le Procope;* nella zona di Montparnasse, *Le Sélect, Le Dôme, La Coupole, La Rotonde, La Closerie des Lilas;* nei pressi dell'Opéra, l'*Harry's New York Bar*, il *Café de la Paix;* sui Champs-Élysées, il *Fouquet's* e, verso la Bastille, il *Bofinger*.

Design – Architetti e designer rinomati non hanno esitato a curare il decoro delle caffetterie, divenute istantaneamente punti di riferimento: **Café Marly** e il **Café Richelieu** (1° ar.) nell'ambito del Grand Louvre, il **Café Beaubourg** (4° ar.); l'**Iguana** (11° ar.).

Studenti – I ritrovi preferiti di giovani visitatori, studenti della Sorbona e ragazze alla pari sono: il *Baraguoin* (2°), *Au Petit Fer-à-cheval* e *Pick-Clops* (4°), *Le Piano Vache, Le Violon Dingue* e *Le Cloître* (5°); *Chez Georges* e il *Dix* (6°); il *Moloko* e l'*Hard-Rock Café* (9°); *La Folie-en-Tête* (13°).
Le discoteche più gettonate sono *La Scala* (1°), il *Rex-Club* (2°), il *Saint* (5°) e *La Locomotive* (18°).

I Cybercafés – Per gli amanti di Internet: *Web Bar* (3°), *Cybéria* (4°), *Net Coffés* (5°), *Orbital Rive Gauche* (6°), *High Tech Café* (14°) e *Planet Cyber Café* (15°).

Le sale da ballo – Per i nostalgici di tango, rumba e delle vecchie balere: *L'Évasion* (2°), *Le Club 79* (8°), *Le Rétro République* (10°), *Le Balajo* (11°), *La Coupole* (14°) e *La Bohème du Tertre* (18°).

Battelli sulla Senna
Quai de la Gare: *La Guinguette Pirate* e *Le Blues Café Bateau* propongono musica e concerti.
Quai de Montebello: al *Kiosque Flottant* ristorante e animazione musicale, al *Métamorphosis* spettacoli di magia.

Tex-Mex – Cucina e alcoolici texani o messicani (tequila, margarita) trovano facilmente estimatori tra gli avventori notturni della *Perla* (4° ar.) o del *Mustang Café* (14° ar.).

La Spagna e i suoi *bar de tapas* sono degnamente rappresentati in rue de Lappe (11° ar.) e sulla Butte-aux-Cailles (13° ar.).

Afro-antillano – *Vedi Parigi cosmopolita.*

America Latina – Bande di musicisti dilettanti si esibiscono al Café-Corail (2° ar.).

Jazz – *La Paillotte* (6° ar.) e il *Birdland* (6° ar.) sono rinomati per le loro favolose collezioni di dischi *(si veda anche la sezione dedicata ai club di jazz).* Il *Café de la Plage* (11° ar.), la *Folie-en-Tête* (13° ar.) propongono puntualmente concerti dal vivo.

Rock-blues – Il *Corail-Café Concert* (2° ar.) e l'*Utopia* (14° ar.) hanno una programmazione di concerti rock e blues.

Bastille e Faubourg St-Antoine

L'inaugurazione dell'**Opéra Bastille** ha dato nuovo lustro a questo antico quartiere artigianale colonizzato da cittadini dell'Alvernia e dell'Aveyron, dove ai negozi di mobili e di abbigliamento si affiancano le gallerie d'arte e gli studi degli artisti installati nei numerosi *passages*. Questa ritrovata vivacità induce nuovamente il pubblico chic a ritirarsi nel quartiere della «Bastoche». Le numerose brasserie, quale **Bofinger** creata nel 1864, hanno trasformato la place de la Bastille in un luogo di passaggio obbligato per i nottambuli in cerca di ristoranti, caffè, birrerie, enoteche e discoteche tra il Marais e la rue de Charonne, de la Roquette, de Lappe, St-Sabin e Keller. Vi si può sorseggiare una tequila sunrise, un buon bicchiere di bordeaux o di Valdepenas accompagnato da qualche *tapas* (stuzzichini), a meno che si preferisca cenare tranquillamente in riva al **porto** ammirando i velieri ormeggiati lungo le banchine.

Place de la Bastille vista dall' Arsenal

Le Balajo – *9, rue de Lappe, 11° ar.,* Ⓜ *Bastille; aperto dalle 23.00 all'alba, lunedì e da giovedì a sabato.* La più antica balera di Parigi, fondata nel 1936 da Georges France (soprannominato Jo, da qui il nome Bal-à-Jo), attrae un folto pubblico, specie di lunedì e giovedì, grazie all'ambiente rétro e ad una programmazione eclettica di successi degli anni '50, '60 e '70.

Le Bar Sans Nom – *49, rue de Lappe, 11° ar.,* Ⓜ *Bastille; aperto tutti i giorni dalle 20.00 alle 2.00.* L'illuminazione con lampade a forma di fiaccole e le pareti ricoperte da una tappezzeria di piante verdi ricreano una piacevole atmosfera intimista in questo bar dove si servono ottime spremute di frutta.

Le Bistrot du Peintre – *116, av. Ledru-Rollin,* Ⓜ *Ledru-Rollin.* Gli specchi della sala fanno pendant alle stupende vetrate incastonate in telai di legno in puro stile *Nouille*. Bello il bancone.

Café de la Plage – *59, rue de Charonne, 11° ar.,* Ⓜ *Ledru-Rollin; aperto tutti i giorni dalle 13.00 alle 2.00.* Atmosfera di bohème urbana, ravvivata da concerti jazz (nello scantinato) o da qualche musicista dilettante.

La Chapelle des Lombards – *19, rue de Lappe, 11° ar.,* Ⓜ *Bastille; aperto dal lunedì al sabato, dalle 20.00 all'alba.* Discoteca con musica delle Antille, sudamericana e africana, non più così autentica come in passato. Frequentata da clienti di tutte le età attirati dai ritmi tropicali.

Iguana – *15, rue de la Roquette, 11° ar.,* Ⓜ *Bastille, aperto tutti i giorni dalle 9.00 alle 4.00.* Una sorta di mini *Café Beaubourg* che si affaccia sull'incrocio strategico formato dalla rue de la Roquette e la rue de Lappe.

La Galoche d'Aurillac – *41, rue de Lappe, 11° ar.,* Ⓜ *Bastille.* Bar-enoteca che propone prodotti artigianali tipici della regione dell'Alvernia, fra cui vari tipi di zoccoli.

Pause-Café – *41, rue de Charonne, 11° ar.,* Ⓜ *Ledru-Rollin; aperto tutti i giorni dalle 9.00 all'1.00, eccetto il lunedì e la domenica sera.* Un caffè tranquillo, classico. Bel bancone a «U» al centro della sala. Soffitto alto con una serie di lampadari che diffondono una luce soffusa, ideale per la lettura di un libro.

Batignolles-Ternes

Il villaggio di Batignolles, quartiere di Verlaine e di Mallarmé, segna il confine tra il 17° ar. commerciale e popolare ed il 17° ar. residenziale. Questa zona è una vera miniera per il visitatore interessato agli aspetti pratici. La rue des Batignolles e la rue des Moines sono molto commerciali. La prima sbocca sulla bella **place du Docteur-Lobligeois**, dinanzi alle bianche colonne della chiesa Ste-Marie-des-Batignolles. Più ad est, attraversando l'avenue de Clichy si raggiunge, in corrispondenza della rue Cardinet, la **Cité des Fleurs**, una delle più belle ville di Parigi.

Ad ovest di Batignolles, oltre la ferrovia, i principali poli di attrazione sono i negozi della rue de Lévis e della rue de Tocqueville, la place e l'avenue des **Ternes** (che ospita una stupenda libreria FNAC) e la rue Poncelet sulla quale si affacciano numerosi negozi e boutique tradizionali.

L'Endroit – *67, place du Docteur-Félix-Lobligeois, 17° ar.,* Ⓜ *Rome; aperto tutti i giorni, eccetto la domenica, dalle 12.00 alle 2.00.* Questo bar dall'illuminazione molto sofisticata si affaccia su una graziosa piazzetta nel centro del villaggio di Batignolles.

James Joyce Pub – *71, bd Gouvion-St-Cyr, 17° ar.,* Ⓜ *Porte Maillot; aperto tutti i giorni dalle 12.00 all'1.00 (fino all'1.30 il venerdì e il sabato).* Ogni sera, questo pub è frequentato da una clientela di ogni età e ceto sociale. Sulle vetrate sono rappresentati i grandi monumenti di Dublino.

La Main Jaune – *Place de la Porte-Champerret, 17° ar.,* Ⓜ *e RER C Péreire-Porte de Champerret; aperto di mattina il mercoledì, il sabato e la domenica dalle 14.30 alle 19.00. Aperto la sera il venerdì, il sabato e la vigilia dei giorni festivi dalle 22.00 all'alba.* Nel film *Il tempo delle mele*, si vede Claude Brasseur affannarsi a recuperare sua figlia e... a reggersi sui pattini. Perché è appunto su pattini a rotelle che si balla (per i più portati) in questa celebre discoteca, per la gioia degli studenti liceali. La decorazione ideata da Philippe Starck moltiplica gli effetti speculari ed accentua la profondità labirintica del locale.

Belleville-Ménilmontant

Come Montmartre, i villaggi di Belleville e di Ménilmontant si sono raccolti su una collina che l'agglomerato urbano di Parigi ha assorbito nel secolo scorso. Le grandi opere di Haussmann vi hanno relegato le classi lavoratrici alle quali si sono aggregati numerosi immigrati: ebrei, russi, polacchi, nordafricani, turchi, iugoslavi, pachistani ed infine asiatici, i cui ristoranti si concentrano in **rue de Belleville**. Si è dato il via a nuove costruzioni di cemento che confinano con le vecchie case di rue Ramponeau, rue des Envierges e rue des Cascades. Un po' più a nord, il pittoresco **Parc des Buttes-Chaumont** con il suo rilievo accidentato, fiancheggia il **«quartier d'Amérique»** eretto su antiche cave di gesso che veniva esportato negli Stati Uniti. Tra la rue David-d'Angers e la rue Mouzaïa (Ⓜ Botzaris, Danube e Pré-St-Gervais), sorge un curioso insieme di villette.

Le Baratin – *3, rue Jouye Rouve, 20° ar.,* Ⓜ *Belleville o Pyrénées; aperto tutti i giorni tranne il lunedì dalle 12.00 (17.00 durante il week-end) fino alle 2.00.* Un locale autentico di Belleville, a due passi dal parco e dai ristoranti cinesi. Osteria popolare, ambiente artistico.

Bistrot-Cave des Envierges – *11, rue des Envierges, 20° ar.,* Ⓜ *Pyrénées; aperto dalle 12.00 alle 24.00 (20.00 durante il week-end).* Il tempio del vino, come lo definisce il proprietario del locale che parte ogni anno alla ricerca dei suoi vini.

Per le strade di Belleville

Champs-Élysées

Un recente restauro ha ridato al viale il suo aspetto di passeggiata. Agli Champs-Élysées, ci si reca per farsi vedere, assistere alla proiezione di una novità cinematografica, gironzolare nelle gallerie commerciali o nel **Virgin-Megastore**, sedere alla terrazza di un caffè. Di sera, si viene perché c'è animazione, per cenare nelle strade adiacenti, assistere alle sfarzose riviste del *Lido* e del *Crazy Horse* o aspettare l'alba in un celebre club.

Café de Paris – *93, av. des Champs-Élysées, 8° ar.,* Ⓜ George-V. Terrazza molto gradevole d'estate. Con le sue poltrone rivestite in rosso e la sua atmosfera ovattata, la sala in fondo al caffè assomiglia ad un club inglese.

Fouquet's – *99, av. des Champs-Élysées, 8° ar.,* Ⓜ *George-V; aperto tutti i giorni dalle 8.30 alle 2.00.* Iscritto nell'elenco dei monumenti storici, il Fouquet's è una delle ultime grandi terrazze degli Champs-Élysées frequentata dalle personalità dello spettacolo. Gli attori «nominati» per il *César* vengono qui a festeggiare.

Planet-Hollywood – *78, avenue des Champs-Élysées, 8° ar.,* Ⓜ *George-V.* Il locale, che si ispira al mondo magico e affascinante del cinema e della televisione, è costituito da un bar, un ristorante diviso in varie sale tematiche e un negozio di souvenir.

Le Club 79 – *79, avenue des Champs-Élysées, 8° ar.,* Ⓜ *George-V.* Una sala da ballo d'altri tempi nella modernità degli Champs-Élysées.

Gobelins, Butte-aux-Cailles e Tolbiac

Come in tutti gli altri quartieri dei colli parigini – le cosiddette *buttes* – anche alla «Butte-aux-Cailles» aleggia uno spirito del tutto particolare. Vicino ai grattacieli del quartiere Glacière e a pochi metri dalla place d'Italie e del suo enorme cinema, qualche stradicciola di villaggio che ha mantenuto la sua pittoresca fisionomia originale (rue Samson, rue des Cinq-Diamants, rue de la Butte-aux-Cailles) continua ad attirare una folta folla di habitué. In continua ristrutturazione, il 13° ar., antico quartiere popolare ed operaio, ha visto le sue banali torri colorarsi e rinascere a nuova vita grazie all'insediamento del quartiere cinese.

La Folie en Tête – *33, rue de la Butte-aux-Cailles, 13° ar.,* Ⓜ *place d'Italie o Corvisart; aperto tutti i giorni, eccetto la domenica, dalle 10.00 alle 2.00.* Gli strumenti musicali appesi alle pareti abbelliscono questo locale estremamente gradevole per leggere, giocare a scacchi, disegnare, discutere o ascoltare i musicisti. Clientela giovane.

Papagallo – *25, rue des Cinq-Diamants, 13° ar.,* Ⓜ *Corvisart; aperto dalle 18.00 alle 2.00.* Grande *bar de tapas*, molto animato durante il week-end.

Grands Boulevards e Opéra

La notorietà di questo quartiere è stata immensa nell'Ottocento e si è protratta fino agli anni '50, come testimoniano le imponenti sedi sociali delle grandi banche che vi si sono stabilite: Crédit Lyonnais, BNP, Société Générale. Oggi, questa notorietà si è un po' affievolita. La moda ed il lusso si sono insediati nella parte ovest e lungo i *boulevard*: i negozi sono più eleganti verso la Madeleine e l'Opéra che non verso la place de la République. Lo scrittore austriaco **Stephan Zweig** ha descritto in modo sorprendente la vita di queste grandi arterie nel primo dopo guerra, osservando i movimenti di un borseggiatore in *Révélation inattendue d'un métier*.

A due passi dai grandi magazzini, i boulevard costellati di cinema, di *brasseries*, di caffè e di teatri propongono un'ampia gamma di attività: fare acquisti al **Printemps**, alle **Galeries Lafayette** o da **Marks & Spencer**, sorseggiare una bibita alla terrazza del famoso **Café de la Paix**, recarsi in uno dei numerosi cinema (il **Grand Rex**, il **Max Linder**...), cenare in una delle brasserie adiacenti prima di andare all'**Opéra**, a teatro, all'**Olympia** per ascoltare il cantante favorito, a meno che non si preferisca assistere all'ultimo spettacolo delle **Folies-Bergère**.

New Opus Café – *167, quai de Valmy,* Ⓜ *Jacques-Bonsergent; aperto tutti i giorni, tranne domenica, dalle 20.* Un locale interessante in cui, a partire dalle 22, si può ascoltare musica jazz.

Café de la Paix – *12, bd des Capucines, 9° ar.,* Ⓜ *Opéra; aperto tutti i giorni dalle 10.00 all'1.30 (dalle 11.00 alle 2.00 per il bar).* Questo caffè inaugurato nel 1862 si affaccia su uno dei più bei *carrefour* disegnati da Haussmann, nonché uno dei più animati della capitale. Fu frequentato da numerosi artisti tra cui Maurice Chevalier, Joséphine Baker e Mistinguett.

Le Corail Café-Concert – *140, rue Montmartre, 2° ar.,* Ⓜ *rue Montmartre; aperto tutti i giorni 24 ore su 24, salvo il lunedì.* Il locale notturno sotterraneo presenta concerti di musica brasiliana a fine settimana, e concerti di rock e blues il mercoledì e il giovedì.

The American Dream – *21, rue Daunou, 2° ar.,* Ⓜ *Opéra; aperto tutti i giorni dalle 11 all'1.30.* Tre piani di bar e ristoranti che propongono esclusivamente specialità « made in the USA ». Spettacoli dal vivo e concerti.

Hard-Rock Café – *14, bd Montmartre, 9° ar.,* Ⓜ *Richelieu-Drouot; aperto tutti i giorni dalle 11.30 alle 2.00.* Il tempio del rock'n roll con le sue immancabili reliquie: il bustino di Madonna, la giacca di Prince, i pantaloni di Michael Jackson, la paglietta di Maurice Chevalier... Menu Texano-Messicano.

Harry's New York Bar – *5, rue Daunou, 2° ar.,* Ⓜ *Opéra; aperto tutti i giorni dalle 10.30 alle 4.00.* Il ritrovo degli americani di Parigi e dei patiti di *Bloody Mary e Blue Lagoon.*

Kitty O'Shea – *10, rue des Capucines, 2° ar.,* Ⓜ *Madeleine o Opéra; aperto tutti i giorni fino all'1.30.* Un pub molto accogliente con una splendida decorazione in legno importata direttamente dall'Irlanda (*Kitty O'Shea* è il nome di un famoso pub di Dublino). Frequentato da tutte le generazioni; musica irlandese in sottofondo.

Rex-Club – *5, bd Poissonnière, 2° ar.,* Ⓜ *Bonne-Nouvelle; aperto dalle 23.00 all'alba (chiusura in agosto).* Una grande sala buia, metallica – la tenue illuminazione si concentra sul bancone e sul palcoscenico – accoglie spettacoli eclettici.

Le Rétro-République – *23, rue du Faubourg-du-Temple, 10° ar.,* Ⓜ *Goncourt.* La fisarmonica è la padrona di casa del sabato sera.

L'Évasion – *28, boulevard Bonne-Nouvelle, 2° ar.,* Ⓜ *Bonne-Nouvelle.* Nella sala da ballo dei Grands Boulevards si danza a ritmo di tango, rumba e musica « retro ».

Au Limonaire – *18, cité Bergère, 9° ar.,* Ⓜ *Rue-Montmartre; aperto dal martedì al sabato dalle 18 alle 24.* Wine bar con programmi musicali che ben rappresentano la canzone francese.

Les Halles – Beaubourg

I padiglioni in ferro disegnati da Baltard sono scomparsi, e con loro una parte non indifferente della pittoresca atmosfera di quell'area che Émile Zola chiamò il *ventre di Parigi.* Il nuovo Forum estende le sue ramificazioni nel sottosuolo, creando nel tessuto urbano un vuoto tra la rotonda della Bourse du Commerce e le tubature multicolori del Centre G.-Pompidou. La metamorfosi di quest'area di Parigi ha giovato soprattutto alla chiesa di St-Eustache, inquadrata oggi in una prospettiva più ariosa e evidenziata da una suggestiva illuminazione notturna.

L'ombelico di Parigi resta comunque uno dei principali punti di confluenza e d'incontro multietnici, percorso da una fiumana di visitatori attirati dagli innumerevoli negozi, musicanti, mimi e personaggi eccentrici di ogni tipo e natura.

Di giorno, l'animazione si concentra all'interno del Forum e nelle strette vicinanze: **place des Innocents,** rue Pierre-Lescot; le piccole vie perpendicolari (rue des Prêcheurs, rue de la Grande-Truanderie) fiancheggiate da gioiellerie, negozi di suppellettili *art nouveau,* negozi di dischi; **rue St-Denis** che propone un vasto assortimento di negozi di calzature o di *fringues* (abbigliamento), e **rue du Jour** gremita di boutique di moda femminile. L'animazione notturna si sposta un po' verso est, tra la chiesa St-Merri e la fontaine des Innocents (rue des Lombards).

Le Baragouin – *17, rue Tiquetonne, 2° ar.,* Ⓜ *Les Halles o Étienne-Marcel; aperto tutti i giorni dalle 17.00 alle 2.00 (la domenica dalle 19.00 all'1.00).* Un ritrovo per tutti gli avventurieri alla ricerca dello spirito bretone o filibustiere. La sala interna, a forma di stiva e apparecchiata con un lungo tavolo centrale, ricrea un ambiente ideale per sorseggiare un boccale di birra.

Café Beaubourg – *100, rue Saint-Martin, 4° ar.,* Ⓜ *Châtelet o Hôtel-de-Ville; aperto dalle 8.00 all'1.00 (fino alle 2.00 il venerdì e il sabato).* Splendido caffè progettato da Christian de Portzamparc, arioso e confortevole, si allarga davanti al Centre G.-Pompidou. Se piove, ci si può sedere al caldo, vicino alla vetrata, fra due scaffali colmi di riviste.

Le Bistrot d'Eustache – *37, rue Berger, 1° ar.,* Ⓜ *Louvre-Rivoli, aperto tutti i giorni fino alle 2.00.* Un po' isolato di notte, di fronte al giardino deserto, ma dall'atmosfera calda ed accogliente.

Flann O'Brian – *6, rue Bailleul, 1° ar.,* Ⓜ *Châtelet o Louvre-Rivoli; aperto tutti i giorni dalle 16.00 alle 2.00.* La notte di San Patrizio viene letteralmente preso d'assalto. Lo spirito della verde Irlanda si materializza nella sala; il suo colore ne riveste le pareti. Dopo le 22.00 dei cantanti ripropongono i motivi tratti dal repertorio folcloristico irlandese.

Le Petit Marcel – *65, rue Rambuteau, 4° ar.,* Ⓜ *Rambuteau; aperto tutti i giorni dalle 7.00 alle 2.00.* Un bistrò formato tascabile, ritrovo di un pubblico di *habitués,* tra le Halles e Beaubourg; graziosa decorazione all'antica.

Quigley's Point – *5, rue du Jour, 1° ar.,* Ⓜ *Les Halles; aperto tutti i giorni dalle 10.00 alle 2.00.* Di fronte alla chiesa di St-Eustache; atmosfera tranquilla e decorazione raffinata (banco, rivestimenti lignei, sedie rivestite d'arazzo, ritratti di scrittori accuratamente allineati alle pareti); animazione più viva nelle ore diurne.

Le Sous-Bock – *49, rue St-Honoré, 1° ar.,* Ⓜ *Châtelet; aperto tutti i giorni dalle 11.00 alle 5.00.* Alle pareti di questa simpatica birreria, le insegne delle 400 qualità di birre proposte all'assaggio; gioco delle freccette.

Cybéria – *23, rue du Renard, 4° ar.,* Ⓜ *Rambuteau; aperto tutti i giorni tranne il martedì dalle 12 alle 22.* Situato nel mezzanino del Centre Beaubourg, il locale fa parte di una catena di cybercafés inglesi.

Île Saint-Louis

Le sue aristocratiche dimore secentesche hanno ispirato Beaudelaire che alloggiava all'Hôtel Lauzun. La passeggiata sugli argini o sulle banchine dell'isola è una delle più romantiche di Parigi.

Berthillon – 31, Saint-Louis-en-l'Ile, 4° ar., Ⓜ Pont-Marie, aperto dalle 10.00 alle 20.00, dal mercoledì alla domenica; la sala all'interno è aperta dalle 13.00 alle 20.00 il mercoledì, giovedì, venerdì e dalle 14.00 alle 20.00 il sabato e la domenica. Chiuso durante l'estate. La famosa gelateria di Parigi, rinomata per i suoi gelati vellutati ed i suoi squisiti sorbetti.

Le Flore en l'Ile – 42, quai d'Orléans, 4° ar., Ⓜ Pont-Marie; aperto tutti i giorni dalle 10.00 all'1.00. Offre una splendida vista sull'abside di Notre-Dame.

Marais

Questo vecchio quartiere salvato da Malraux è uno dei centri prediletti della comunità gay di Parigi. Moltissimi bar «in» (incrocio fra la rue Vieille-du-Temple e la rue Sainte-Croix-de-la-Bretonnerie) e le boutique alla moda in rue des Francs-Bourgeois. Il Marais è stato anche il quartiere ebraico di Parigi, ed ancora oggi in rue des Rosiers si respira la tipica atmosfera. I negozi tradizionali si concentrano intorno al mercato dei Blancs-Manteaux, alla rue St-Antoine e alle piccole vie adiacenti. La deliziosa **place du marché-Ste-Cathérine** è circondata da caffè. Nel fondo dei giardini dell'Hôtel de Sully, un piccolo passaggio si riconnette con il porticato della **place des Vosges**, i suoi negozi di moda, i suoi antiquari e le sue gallerie. L'area settentrionale del Marais è più tranquilla e riservata prevalentemente ai musei; più oltre, verso nord, il vecchio quartiere del **Temple** è l'eldorado dell'abbigliamento in pelle e accoglie alcuni locali famosi della notte parigina.

Au Petit Fer à Cheval – 30, rue Vieille-du-Temple, 4° ar., Ⓜ Saint-Paul o Hôtel-de-Ville; aperto tutti i giorni dalle 9.00 (dalle 11.00 il sabato e la domenica) alle 2.00. Un piccolo bistrò squisito. Da notare in particolare il lampadario e la vetrata che nasconde la sala interna.

L'Ébouillanté – 6, rue des Barres, 4° ar., Ⓜ Pont-Marie o Hôtel-de-Ville; aperto dalle 12.00 alle 21.00. La più piccola sala da tè di Parigi (sala al primo piano) in una viuzza dietro la chiesa di St-Gervais-St-Protais. Entrando, sembra di essere tornati indietro nel tempo di qualche secolo; l'ambiente ideale per girare un film di cappa e spada. Al tè si accompagnano pasticcini, insalate e bricks (crêpes).

Les Enfants Gâtés – 43, rue des Francs-Bourgeois, 4° ar., Ⓜ Saint-Paul; aperto tutti i giorni dalle 12.00 alle 19.00. Decorato con cartelloni cinematografici e fotografie di attori, è il luogo ideale per riposarsi in un'accogliente poltrona dopo lo shopping, fare una partita a scacchi o di tric-trac o semplicemente leggere una rivista.

Le Loir dans la Théière – 3, rue des Rosiers, 4° ar., Ⓜ Saint-Paul; aperto tutti i giorni, tranne in agosto, dalle 12.00 alle 19.00. L'ambiente ospitale di questa sala da tè dominato da tinte verdi pastello induce ad un momento di relax.

Mariage Frères – 30, rue du Bourg-Tibourg, 4° ar., Ⓜ Hôtel-de-Ville; aperto tutti i giorni dalle 12.00 alle 19.00. 400 qualità di tè in una deliziosa piccola bottega. Si possono anche comprare vari tipi di souvenir, tutti legati al tè e ai suoi accessori. Nella sala di degustazione, ottimi dolci e pasticcini, e, naturalmente, i 400 tè in assaggio. Merita una visita il piccolo museo al primo piano dove, tra squisite fragranze, si possono scoprire sorprendenti teiere a forma di dromedario oppure decorate con smalti art déco, nonché una splendida collezione di scatole, etichette pubblicitarie, cassette da tè.

Le Piano-Zinc – 49, rue des Blancs-Manteaux, 4° ar., Ⓜ Rambuteau; aperto dalle 18.00 alle 2.00. Buonumore, umorismo e canzoni su tre piani. Atmosfera simpaticissima e grande animazione in questo locale, uno dei più aperti del «gay Paris».

Le Pick-Clops – All'angolo della rue Vieille-du-Temple e della rue du Roi-de-Sicile, 4° ar., Ⓜ Hôtel-de-Ville o Saint-Paul; aperto tutti i giorni dalle 7.00 (dalle 15.00 la domenica) alle 2.00. Un locale rock facilmente individuabile con i suoi neon rosa fluorescente.

La Tartine – 24, rue de Rivoli, 4° ar., Ⓜ Hôtel-de-Ville o Saint-Paul; aperto il lunedì e dal giovedì alla domenica. Un autentico bistrot parigino.

Ma Bourgogne – 19, place des Vosges, 4° ar., Ⓜ Bastille o Saint-Paul; aperto tutti i giorni fino all'1. Ambiente molto piacevole sotto le arcate della place des Vosges e grande scelta di Beaujolais.

Montmartre-Pigalle

Alla fine del secolo scorso, poco dopo l'annessione del comune alla Grande Parigi, un giornalista scriveva : «Le guinguettes (trattorie di campagna con balera) sono chiuse, i lilla sono stati tagliati, le pietre hanno sostituito le siepi, i giardini sono ridotti ad aree edificabili, ma Montmartre emana sempre un fascino singolare, che la distingue dagli altri sobborghi, un fascino che nasce dalla sua varietà e dalla sua complessità.» Questi molteplici volti si ritrovano nella Montmartre odierna che conserva quel suo portamento da cittadina provinciale.

Tra la **place de Clichy**, certamente una delle più animate di Parigi, dove si aggregano intorno all'ineludibile brasserie *Wepler* numerosi ristoranti e cinema, e la **place Pigalle**, si alternano sale di spettacolo, teatri, night e sexy-shop. Oltre la place Pigalle e le vie adiacenti, variamente frequentate, s'incontrano il boulevard Rochechouart, i grandi magazzini Tati, il pittoresco e cosmopolita quartiere Barbès.

Ai piedi dello square Willette, l'animatissimo **mercato St-Pierre** offre l'opportunità di scovare tessuti e capi d'abbigliamento a prezzi stracciati. Dall'altra parte del boulevard, il quartiere della **Goutte d'Or** propone stoffe e tessuti arabi ed africani, generi alimentari all'ingrosso, ferramenta, articoli di pelletteria e gioiellerie.

Sotto il boulevard Montmartre, il 9° arrondissement, che scende verso la **place St-Georges**, è una delle mete predilette dei protagonisti della vita notturna di Parigi e annovera alcune delle vie più caratteristiche della città.

Au Virage Lepic – *61, rue Lepic, 18° ar.*, Ⓜ *Blanche; aperto tutti i giorni tranne il martedì fino alle 2 (chiuso in estate).* Tipico bistrò di Montmartre, da «apprezzare» sorseggiando un bicchierino o cenando.

La Locomotive – *90, bd de Clichy, 18° ar.*, Ⓜ *Blanche; aperto tutti i giorni, salvo il lunedì, dalle 23 all'alba.* A due passi dal *Moulin Rouge*, alla *La Loco* si accalcano numerosi turisti e giovani. Concerti rock ogni martedì e venerdì.

Le Moloko – *26, rue Fontaine, 9° ar.*, Ⓜ *Blanche; aperto tutti i giorni dalle 14.00 alle 6.00.* Il locale più frequentato del *carrefour:* pista da ballo al pianterreno; comode poltrone al piano superiore; luce tenue e discreta.

Le Pigalle – *99, bd de Clichy, 18° ar.*, Ⓜ *Pigalle; aperto dalle 8 alle 5.* Grande brasserie di fronte al *Folie's.* La decorazione stile anni '50, tutta in arancione, giallo e nero, fa parte dei beni culturali protetti dallo Stato.

Le Sancerre – *35, rue des Abbesses, 18° ar.*, Ⓜ *Abbesses; aperto dalle 7 alle 2.* Uno dei grandi indirizzi di Montmartre, sia di giorno che di notte.

La Bohème du Tertre – *2, place du Tertre, 18° ar.*, Ⓜ *Abbesses.* Piccola sala da ballo aperta la domenica pomeriggio.

Montparnasse-Alésia

All'inizio del secolo, questo quartiere, ancora campestre, divenne il luogo d'incontro degli artisti della Scuola di Parigi. Oggi, sembra schiacciato dalla mole della torre e soprattutto dell'enorme complesso edilizio **Maine-Montparnasse**. La leggenda tuttavia è ancora viva e Montparnasse rimane frequentatissima, di giorno come di notte. La rue de Rennes concentra i negozi; la rue de la Gaîté, i teatri (e i sexy-shop); la rue Montparnasse e la rue d'Odessa, le crêperie che ci ricordano, come peraltro il nome di alcune vie adiacenti, che le linee ferroviarie della Gare Montparnasse servono la Bretagna (la cui specialità sono appunto le crêpes) e tutta la Francia occidentale. La rue du Maine è nota per i suoi ristoranti. Lungo il viale, le grandi brasserie dove si servono le ostriche, i famosi caffè e i cinema garantiscono un'animazione permanente. A sud del cimitero, il 14° ar. è un quartiere discreto, ravvivato dai negozi della rue Daguerre (verso Denfert-Rochereau), delle rue Didot e Raymond-Losserand (verso Pernety) e dell'avenue du Général-Leclerc.

Alcuni locali che furono nel primo dopoguerra il ritrovo degli scrittori americani della «generazione perduta» sono entrati nella leggenda.

La closerie des Lilas – *171, bd du Montparnasse, 14° ar.*, Ⓜ *Vavin: aperto tutti i giorni dalle 11.00 alle 2.00.* Il suo bar dall'atmosfera ovattata ha visto sfilare alcuni dei grandi protagonisti delle belle arti e della letteratura del primo Novecento, come indicano le targhette commemorative in rame disposte su alcuni tavoli.

Le Dôme – *108, bd du Montparnasse, 14° ar.*, Ⓜ *Vavin; aperto tutti i giorni, eccetto il lunedì, dalle 12.00 alle 15.00 e dalle 19.00 alle 0.45.* Ritrovo preferito dei *bohémien* americani negli anni '20 e poi nel secondo dopoguerra.

Le Sélect – *99, bd du Montparnasse, 14° ar.*, Ⓜ *Vavin; aperto tutti i giorni dalle 8.30 alle 12.30.* Molto in voga sin dalla sua inaugurazione nel 1924. Sebbene sia vicino a grandi brasserie, questo caffè ha saputo conservare un'atmosfera calma e intimata.

La Coupole – *102, bd du Montparnasse, 14° ar.*, Ⓜ *Vavin; aperto tutti i giorni dalle 7.30 alle 2.00.* Interamente rinnovato nel 1988, questo locale è oggi ancora una delle mete predilette della Parigi notturna, dove un pubblico folto e animato viene a cenare la sera o anche a notte tarda.

La Rotonde – *105, bd du Montparnasse, 14° ar.*, Ⓜ *Vavin; aperto tutti i giorni dalle 8.00 alle 2.00.* Foujita, Derain, Modigliani, Vlaminck e Van Dongen si incontravano qui per condividere le loro speranze.

High Tech Café – *66, boulevard du Montparnasse, 14° ar.*, Ⓜ *Montparnasse-Bienvenüe; aperto tutti i giorni dalle 12 alle 7.* Sulla terrazza sopra il centro commerciale, ai piedi della torre, questo locale molto spazioso mette a disposizione 24 computer. Vengono organizzate serate a tema (concerti, karaoke...).

Le Falstaff – *43, rue Montparnasse, 14° ar.*, Ⓜ *Monparnasse-Bienvenue; aperto tutti i giorni dalle 12.00 alle 4.30.* Birreria molto frequentata in una strada piena di crêperies. Atmosfera allegra.

Mustang Café – *84, bd du Montparnasse, 14° ar.*, Ⓜ *Montparnasse-Bienvenue; aperto tutti i giorni dalle 9.00 alla 5.00.* Bar e cucina Texana-Messicana, di fronte al *Falstaff.*

Le Rosebud – *11, bis rue Delambre, 14° ar.,*  *Vavin; aperto tutti i giorni fino alle 2.00.* L'abito con cravatta non stona in questo bar elegante decorato con manifesti di Mistinguett e ubicato in una strada elegante.

L'Entrepôt – *7-9, rue Francis-de-Pressensé, 14° ar.,* *Pernety; aperto tutti i giorni dalle 12 alle 24.* Situato in un vecchio magazzino (*entrepôt* in francese), questo locale dal design molto moderno comprende cinema, ristorante e bar. Nei week-end vengono organizzati concerti jazz e blues.

L'Utopia – *79, rue de l'Ouest, 14° ar.,* *Pernety; aperto dalle 22.30 all'alba il venerdì e il sabato, fino alle 3.00 o alle 4.00 in settimana; chiuso la domenica e il lunedì.* In un quartiere un po' abbandonato, rock e blues s'incontrano in questo locale per concerti simpatici in un'ottima atmosfera.

Palais-Royal – Saint-Roch

I giardini del Palais-Royal sono certamente tra i più belli di Parigi. La sala da tè *Muscade*, in fondo al parco, propone deliziosi gelati. Sotto ai portici, è piacevole curiosare davanti alle vetrine dei negozi e delle boutique: soldatini di piombo, medaglie, antiquari, la sofisticata vetrina dei *Salons du Palais-Royal Shisheido*, antiche librerie, il delizioso negozietto di giocattoli sotto la Galerie du Beaujolais, all'angolo di uno dei passage che portano alla via omonima. Dalla **place des Victoires**, punto focale della moda *(Kenzo)*, all'**avenue de l'Opéra**, è tutto un susseguirsi di piccoli ristoranti, bigiotterie e boutique di arredamento, nonché negozi di alimentazione giapponese *(Kioko)*.
La **rue Saint-Honoré** è un'arteria commerciale ricca di negozi e boutique.

Angelina – *226, rue de Rivoli, 1° ar.,* *Tuileries; aperto tutti i giorni dalle 9.30 alle 19.00.* Una splendida sala da tè, dal decoro classico, di fronte al Jardin des Tuileries, rinomata per i suoi dolci e la vellutata (e nutriente) cioccolata *L'Africain*.

Caveau Montpensier – *15, rue Montpensier, 1° ar.,* *Palais-Royal; aperto tutti i giorni dalle 16.00 all'1.00.* Successione di piccole sale a volta dove si può sorseggiare una birra in un'atmosfera molto *british*.

La scala – *188 bis, rue de Rivoli, 12° arr.,* *Palais-Royal; aperto tutti i giorni dalle 22.30 alle 6.00.* Tre livelli di discoteche, bar, laser e uno schermo gigante calamitano una clientela di giovanissimi.

Café Marly – *Cour Napoléon, 99, rue de Rivoli, 1° ar.,* *Palais-Royal; aperto tutti i giorni dalle 8 alle 2.* La posizione eccezionale, all'ombra di un porticato che dà sulla piramide di Peï e che si apre sulla cour Napoléon, fa di questo caffè un salotto tipicamente parigino.

Café Richelieu – *Musée du Louvre, Ala Richelieu, 1° piano; aperto negli orari del museo.* Un ambiente molto particolare: una volta che pare uscita da un dipinto del Beato Angelico marchiata dal simbolo del nucleare, fotografie appese a muri blu e strisce bianche e blu disegnate da Daniel Buren.

Quartier Latin

Quartiere studentesco, covo dei cinematori con le sue numerose sale *d'art et d'essai* (dedite al cinema sperimentale e d'autore), il Quartier Latin calamita gli estri curiosi. Il **Boul'Mich** (ovvero boulevard Saint-Michel) è un pittoresco susseguirsi di boutique, caffè, paninoteche e pizzerie segnalati da vistose insegne. La fontana Saint-Michel è un luogo di ritrovo. La turistica **rue Saint-André-des-Arts**, porta al quartiere dell'Odéon e ai suoi cinema (passare di preferenza per la pittoresca **Cour du Commerce-St-André** dietro al *Procope*). La statua di Danton è un classico luogo di appuntamento di Parigi. La rue de l'Odéon è rinomata per le sue librerie; la rue Monsieur-le-Prince, ricca di ristoranti esotici, vanta anche un antico bistrò parigino (il *Poulidor*); la rue de l'École-de-Médecine è famosa per la sua pasticceria viennese.

A. Wolf/HOA QUI

Fontaine Saint-Michel, dettaglio

Ad est, le piccole vie pedonali del quartiere St-Séverin, che irrigano il lungosenna, sono ravvivate dalle vetrine dei ristoranti greci. Immettendosi nella **rue Dante**, l'atmosfera si fa più serena; le librerie specializzate nella vendita di fumetti si succedono, l'una all'altra, fino e intorno alla place Maubert. Risalendo verso il Panthéon, si incontrano la rue de la Montagne-St-Geneviève e la rue Laplace, molto frequentate dagli studenti. La rue Mouffetard – detta popolarmente *La Mouffe* – nel suo tratto vicino alla place de la Contrescarpe, e il quartiere St-Médard, celebre per il suo mercato, sono altri due rioni pittoreschi di Parigi.

Le Bateau Ivre – *40, rue Descartes, 5° ar.,* Ⓜ *Place Longe; aperto tutti i giorni dalle 16.00 alle 2.00.* Il titolo del famoso poema di Rimbaud dà il nome a questo piccolo bar, ma anche ad un cocktail ed al dipinto che troneggia nella sala.

Le Cloître – *19, rue St-Jacques, 5° ar., RER B o C Saint-Michel, uscita Notre-Dame; aperto tutti i giorni dalla 15.00 alle 2.00.* Bar simpatico, ricoperto di manifesti e aperto ad un pubblico di ogni età.

Connoly's Corner – *12, rue de Mirbel, 5° ar.,* Ⓜ *Censier-Daubenton; aperto tutti i giorni dalle 16.00 all'1.00; concerto di sabato sera alle 17.00.* Un po' discosto dalla rue Mouffetard, è un pub dall'atmosfera cordiale, dove le cravatte pendono dal muro come altrettanti trofei.

Finnegans Wake – *9, rue des Boulangers, 5° ar.,* Ⓜ *Jussieu o Cardinal-Lemoine; aperto tutti i giorni dalle 8.00 alle 12.00 in settimana, dalle 16.00 durante il weekend.* Uno dei più antichi pub irlandesi di Parigi. Atmosfera tranquilla.

La Fourmi Ailée – *8, rue du Fouarre, 5° ar.,* Ⓜ *Saint-Michel o Maubert-Mutualité; aperto tutti i giorni, salvo il martedì, dalle 12.00 alle 18.30.* Si entra in una libreria per poi sedersi in una sala da tè pervasa da un'atmosfera di grande serenità. Una piacevole sosta a due passi da Notre-Dame.

Le Piano Vache – *8, rue Laplace, 5° ar.,* Ⓜ *Maubert-Mutualité; aperto tutti i giorni dalle 12.00 alle 2.00.* Decorazione rustica con travatura apparente, per questi tre bar che vengono puntualmente presi d'assalto da un esercito studentesco. Nelle sere di grande affluenza, l'aria della sala interna si fa irrespirabile per il troppo fumo.

Café Oz – *184, rue St-Jacques, 5° ar.* Ⓜ *o RER B Luxembourg; aperto tutti i giorni dalle 12 alle 2.* È il primo bar australialiano di Parigi e propone una degustazione di vini provenienti da questa terra lontana.

La Restauration Viennoise – *8, rue de l'École-de-Médecine, 6° ar.,* Ⓜ *Odéon; aperto tutti i giorni, salvo il fine settimana, dalle 9.00 alle 19.15 (chiuso in estate).* Tutti gli studenti del Quartier Latin ne conoscono le squisite paste e si sono seduti almeno una volta in questa venerabla istituzione.

Le Saint – *7, rue St-Séverin, 5° ar., RER B o C St-Michel o* Ⓜ *Cluny-Sorbonne; aperto tutti i giorni, salvo il lunedì, dalle 23.00 all'alba.* Buona discoteca per studenti. Un locale a volta del 13° sec. si estende sull'intera lunghezza. Una stazione d'obbligo dell'itinerario notturno del Quartier Latin.

Le Violon Dingue – *46, rue de la Montagne-Ste-Geneviève, 5° ar.,* Ⓜ *Maubert-Mutualité; aperto tutti i giorni dalle 18.00 alle 2.00.* L'arena ideale per assistere alla finale del «Superbowl» americano.

Saint-Germain-des-Prés

Il più antico campanile di Parigi, che si può comodamente ammirare dalla terrazza dei *Deux Magots,* vigila su questo quartiere che sembra non conoscere tregua notturna. Il periodo aureo degli anni '50, quello dei cosiddetti «rats de caves» e degli «esistenzialisti» è ormai passato, ma il suo fascino rimane: i famosi caffè e le *brasseries* del **boulevard St-Germain**, i club di jazz in rue St-Benoît e rue Jacob, i pub di rue Guisardes, rue Bernard-Palissy e rue des Cannettes e le librerie, aperte tardi la sera, sono un po' l'anima di questo quartiere. Le numerose boutique di moda, i negozi di antichità e le gallerie d'arte conferiscono un'eleganza tipicamente «Rive Gauche» a strade, incroci e piazzette, quale l'incantevole **place de Fürstenberg**. Un'animata zona commerciale, con negozi tradizionali, si affaccia tutt'oggi sul **carrefour de Bucl**.

Brasserie Lipp – *151, bd St-Germain, 6° ar.,* Ⓜ *St-Germain-des-Prés; aperta tutti i giorni fino all'1.00.* Aperta nel 1880, fu in passato il ritrovo di scrittori e uomini politici. Hemingway vi scrisse *Addio alle armi*.

Café de Flore – *172, bd St-Germain, 6° ar.,* Ⓜ *St-Germain-des-Prés; aperto tutti i giorni dalle 7.00 all'1.00.* Aperto sotto il Secondo Impero, vide numerosi scrittori trascorrervi intere giornate (Apollinaire, Breton, Sartre, Simone de Beauvoir, Camus, Jacques Prévert).

Les Deux Magots – *6, place St-Germain-des-Prés, 6° ar.,* Ⓜ *St-Germain-des-Prés; aperto tutti giorni dalle 7.30 all'1.30.* Come il vicino *Café de Flore,* anche questo caffè fu frequentato dall'élite intellettuale alla fine del secolo scorso. Dal 1933, un premio letterario porta il nome di questo caffè e viene assegnato ogni anno a gennaio.

Le Procope – *13, rue de l'Ancienne-Comédie, 6° ar.,* Ⓜ *Odéon; aperto tutti i giorni dalle 12.00 all'1.00.* Fondato nel 1664, fu uno dei più popolari ritrovi letterari all'epoca di La Fontaine, poi di Voltaire e più tardi di Daudet, Oscar Wilde e Verlaine, il cui ritratto ci mostra lo scrittore addormentato ad un tavolo del caffè.

Les Deux Magots, la terrazza

La Rhumerie martiniquaise – *166, bd St-Germain, 6° ar.,* Ⓜ *St-Germain-des-Prés; aperto tutti i giorni dalle 9.00 alle 2.00.* Fondata nel 1932, propone le più svariate qualità di rum e i più inverosimili cocktail a base di rum: *ti', planteur, coco...*

Birdland Club – *20, rue Princesse, 6° ar.,* Ⓜ *Mabillon; aperto tutti i giorni dalle 18.30 (22.30 la domenica) all'alba.* In estate, apre sulla strada, costeggiata di caffè e ristoranti, come fosse un'altra stanza del club. Uno dei migliori indirizzi per ascoltare jazz.

Chez Georges – *11, rue des Canettes, 6° ar.,* Ⓜ *Saint-Germain-des-Prés; aperto tutti i giorni, salvo la domenica e il lunedì, dalle 18.30 alle 2.00.* Il ritrovo meno caro del quartiere, con interno piuttosto rustico, decorato con locandine rétro.

Dix – *10, rue de l'Odéon, 6° ar.,* Ⓜ *Odéon; aperto tutti i giorni dalle 18.00 alle 2.00.* Ritrovo degli studenti, decorato con manifesti e locandine della *Belle Époque*. Al piano sotterraneo, si trova una magnifica cassa d'organo del nord della Francia risalente al 1901, le cui canne sono state sostituite da specchi.

La Paillote – *45, rue Monsieur-le-Prince, 6° ar.,* Ⓜ *Odéon o* Ⓜ *e RER B Luxembourg, aperto dalle 21.00 all'alba.* Tavolini bassi e alcove arredate con altalene da giardino per lasciarsi cullare dalla musica di uno dei numerosi (2 000!), eccellenti dischi di jazz, selezionabili a richiesta.

La Palette – *43, rue de Seine, 6° ar.,* Ⓜ *Odéon; aperto tutti i giorni, salvo di domenica, dalle 8.00 alle 2.00 (chiusura in agosto).* Uno dei bistrò più noti di Saint-Germain e la cui piacevole terrazza si affaccia su un incrocio dall'atmosfera molto provinciale; decorato con tavolozze e dipinti.

Pub St-Germain – *17, rue de l'Ancienne-Comédie, 6° ar.,* Ⓜ *Odéon; aperto 24 ore su 24.* Il tempio della birra di cui si possono assaggiare ben 450 varietà provenienti dalle varie parti del mondo. Arredo kitsch, 2 piani in superficie e 2 piani seminterrati: scegliete la vostra «quota»!

La Taverne de Nesle – *32, rue Dauphine, 6° ar.,* Ⓜ *Odéon; aperta tutti i giorni dalle 20.00 alle 4.00 (5.00 durante il week-end).* Un'autentica taverna con una ampia scelta di birre internazionali.

La Bodéga de la soif – *11, rue Guisarde, 6° ar.,* Ⓜ *St-Sulpice.* Ambiente spagnolo, caratterizzato dal culto della tauromachia.

Orbital Rive Gauche – *13, rue de Médicis, 6° ar., aperta dal lunedì al sabato dalle 10 alle 22.* Nelle immediate vicinanze del Jardin du Luxembourg, è il primo cybercafé della capitale e offre agli amanti di Internet la possibilità di «navigare» in una vasta sala seminterrata.

Certi ristoranti offrono, oltre ai piaceri della tavola, anche suggestive viste panoramiche di Parigi. Consultare al riguardo l'edizione annuale di Parigi e dintorni - Alberghi e ristoranti, tratta dalla Guida Rossa Michelin Francia.

Parigi cosmopolita

Polo di attrazione culturale, Parigi ospita numerose comunità straniere: abitanti delle Antille, africani, slavi, orientali, latino-americani, ebrei, indiani, pakistani... Alcune di esse si sono insediate in un quartiere particolare, talvolta in condizioni difficili o addirittura precarie. Questi luoghi non sono propriamente «turistici»: ci si va al mercato, per prendere un pasticcino o scovare un disco raro, una stoffa o un oggetto artigianale specifico. Innumerevoli ristoranti, negozi alimentari, rosticcerie, ripropongono a Parigi le fragranze e le cucine del mondo: il tempo di un breve tragitto in metropolitana, ed ecco che si inizia un autentico viaggio intorno alla terra.

PARIGI "NERA"

Africani e abitanti delle Antille sono soliti raggrupparsi per etnia, professione, quartiere, dando talvolta vita ad una certa rigidità sociale che contribuisce a fenomeni di ghettizzazione urbana: il 18° arrondissement, le «porte» dell'area settentrionale di Parigi. All'inizio degli anni '80, nasce a Parigi lo «zouk», una musica lanciata dal gruppo *Kassav;* Radio Nova (101.5 FM) crea il concetto di «suono mondiale» che si diffonderà poi sotto la denominazione anglosassone di **«World Music»**, una tendenza ben rappresentata alla Fête annuelle de la Musique (21 giugno).

Images d'ailleurs, 21, rue de la Clef, 5° ar. – Prima e unica sala cinematografica permanente che propone, in un'atmosfera da cineclub, una programmazione incentrata esclusivamente sulle culture nere.

Harmattan e **Présences africaines,** rispettivamente al 16 e al 25 *bis,* rue des Écoles, 5° ar., Ⓜ Maubert-Mutualité o Cardinal-Lemoine – I due pilastri della letteratura africana a Parigi.

La FNAC Forum è il centro FNAC che vanta il miglior catalogo di musica «tropicale».

Le Muse africane – Capitale dell'arte africana degli anni '20, Parigi ha conservato interessanti musei *(si vedano i nomi nella parte centrale della guida)* e gallerie. Il **Musée des Arts d'Afrique et d'Océanie** (293, av. Daumesnil, 12° ar., Ⓜ Porte-Dorée), il **Musée Dapper** (50, av. Victor-Hugo, 16° ar., Ⓜ Victor-Hugo) ed il **Musée de l'Homme** (Palais de Chaillot, 1, place du Trocadero, 16° ar.). Le **gallerie** sono concentrate nei quartieri Bastille e St-Germain-des-Prés. Tra queste vi sono **Argiles** (61, rue Guénégaud, 6° ar., Ⓜ Mabillon), la **Galerie Majestic** (27, rue Guénégaud, 6° ar., Ⓜ Mabillon), la **Galerie de Monbrisson** (2, rue des Beaux-Arts, 6° ar. Ⓜ St-Germain-des-Prés) e **Mazarine 52, J.-P. Laprugne** (52, rue Mazarine, 6°, Ⓜ Odéon).

Negozi alimentari e mercati – La maggior parte dei negozi di generi alimentari è gestita da orientali, ma propone ciononostante tutti i prodotti base della cucina africana e delle Antille.

Izrael (30, rue François-Miron, 4° ar., Ⓜ St-Paul o Pont-Marie) è un'autentica grotta di Ali Baba ed è l'*épicerie* più famosa di Parigi. **Aux Cinq Continents** (75, rue de la Roquette, 11° ar., Ⓜ Voltaire) è un delizioso negozio esistente da più di 60 anni. **Au Jardin Créole** (18, rue d'Aligre, 12° ar., Ⓜ Ledru-Rollin) vende generi alimentari delle Antille a due passi dal famoso Marché d'Aligre. Il **Marché Dejean** (in rue Dejean, tra la rue des Poissoniers e la rue Poulets, Ⓜ Château-Rouge) è un mercato specializzato in pesci, carni e altri prodotti africani; le matrone africane vendono sul posto prodotti freschi o cucinati. **Spécialités antillaises** (14-16, bd de Belleville, 20° ar., Ⓜ Belleville) ha tutti gli ingredienti della cucina delle isole.

PARIGI MEDIORIENTALE

A Parigi vivono numerosi scrittori e giornalisti originari delle sponde meridionali o mediorientali del Mediterraneo; il loro sguardo critico si esercita sia sulla loro cultura di origine, sia sulla loro cultura adottiva. Lo scrittore Tahar Ben Jelloun, il comico Smain, il cantante Cheb Khaled, i drammaturghi Moussa Lebkiri o Fatima Gallaire fanno parte integrante del paesaggio culturale di Parigi. Alla stregua del successo del «raï», numerosi film franco-magrebini, come *Le Thé au harem d'Archimède* o *Hexagone* hanno suscitato l'interesse del pubblico.

La linea 2 del metro (Nation-Porte-Dauphine) attraversa alcuni luoghi emblematici di questa cultura mediterranea presente a Parigi: **Barbès e la Goutte d'Or** (18° ar.), sottoposti a graduale recupero edilizio, e **Belleville** (19° ar. e 20° ar.). Il quartiere di **Strasbourg-St-Denis,** tra la rue de Hauteville e il Passage Brady, è abitato dalla comunità turca.

La Grande Mosquée, 1-2, place du Puits-de-l'Ermite, 5° ar., Ⓜ Place-Monge – I bagni turchi della moschea hanno fatto da sfondo a innumerevoli film. Nel vicino Café Maure, viene servito il tè alla menta.

Arte e cultura – L'**Institut du Monde Arabe** (1, rue des Fossés-St-Bernard, 5° ar., Ⓜ Jussieu) ha una biblioteca particolarmente fornita. Il **Musée des Arts d'Afrique et d'Océanie** (293, avenue Dausmesnil) raccoglie produzioni artistiche del Magreb.

Letteratura e teatro – **Avicenne** (25, rue de Jussieu, 5° ar., Ⓜ Jussieu) è una libreria araba. **Ozgül** (19, rue de l'Échiquier, 10° ar., Ⓜ Strasbourg-St-Denis) è la libreria turca di Parigi.

Alcuni **teatri** di Parigi accolgono compagnie teatrali o allestiscono spettacoli provenienti dal Magreb e dal Vicino Oriente: il Théâtre du Renard (12, rue du Renard, 4° ar.), il Théâtre de l'Arcane (168, rue St-Maur, 11° ar.), il Théâtre du Lierre (22, rue du Chevaleret, 13° ar.).

Generi alimentari e mercati – Il Marché d'Aligre (place d'Aligre, Ⓜ Ledru-Rollin) è il grande mercato arabo di Parigi (tutti i giorni tranne il lunedì). **Marché de Belleville** (martedì e venerdì mattina), **Marché de Barbès** (mercoledì e sabato), **La Ville de Mogador** (16, rue du Vieux-Colombier, 6° ar., Ⓜ St-Sulpice).

Il raï

Questa melodia ripetitiva nata nei quartieri popolari di Orano, a metà strada tra il fado e il blues, ha conquistato il cuore di Parigi. I cantanti-poeti del raï vengono detti «cheb» (giovani): Cheb Khaled, re indiscusso del raï, Cheb Kader, Cheb Mami. I club più celebri sono il *New Raï*, 26, rue de la Montagne-Ste-Geneviève, 5° ar. e *Le Shéhérazade*, 3, rue de Liège, 9° *(serate organizzate ogni ultimo giovedì del mese)*. Il bar *Le Petit Lappe* (20, rue de Lappe, 11° ar.) propone le ultime novità in arrivo dalla capitale del raï: Marsiglia.

CHINATOWN

Dal 1975 si sono insediati a Parigi, sovrapponendosi ad un'immigrazione più anziana proveniente dalle aree meridionali della Cina, degli asiatici della diaspora indocinese, malese o filippina. Anche se più piccolo e meno noto della Chinatown di New York o di San Francisco, la parte del **13° ar.** delimitata dall'avenue d'Ivry, l'avenue de Choisy e dalla rue de Tolbiac, introduce il visitatore in un mondo a parte, diverso, lontano dall'atmosfera europea. Ci si sente quasi spaesati camminando per le vie che ospitano 150 ristoranti dalle pittoresche insegne policrome, le boutique e i negozi alimentari dove si accatastano i più svariati e i più insoliti prodotti esotici. La consueta e febbrile animazione che vi regna raggiunge l'apice in occasione del **capodanno cinese** (fine gennaio, inizio febbraio). La comunità, una delle più importanti d'Europa, ha sviluppato un'intensa attività commerciale, percepibile nel centro commerciale del complesso residenziale «Les Olympiades», labirinto di gallerie, negozi e ristoranti pervaso dei colori e delle fragranze dell'Asia *(accesso dalle scale, avenue d'Ivry)*.

Anche se in proporzioni più modeste, nel quartiere di **Belleville** si concentrano ristoranti (fra cui l'immenso *Nioulaville*, 32, rue de l'Orient) e negozi asiatici.

Una targhetta affissa al 13, rue Maurice-Denis (12° ar.) rende omaggio ai 120 000 cinesi venuti in Francia durante la prima guerra mondiale e ricorda che 3 000 di loro si stabilirono qui dopo la guerra e diedero vita ad un primo quartiere cinese nei pressi della Gare de Lyon.

Letteratura cinese – **Le Phénix** (72, bd de Sébastopol, 3° ar., Ⓜ Réaumur-Sébastopole) è una libreria specializzata in testi sull'Estremo Oriente, in particolare su Cina e Giappone. **You Feng** (45, rue Monsieur-le-Prince, 6° ar., Ⓜ Odéon) è la più grande libreria specializzata sulla Cina.

Musei *(si veda anche la parte centrale della guida)* – Il **Musée des Arts asiatiques-Guimet** (6, place d'Iéna, 16° ar.) e l'annesso **Hôtel Heidelbach-Guimet** (15, av. d'Iéna, Ⓜ Iéna) che, per la sua ricchezza e la sua diversità può essere considerato «il Louvre dell'Asia». Il **Musée Cernuschi** (7, av. Vélasquez, 8° ar., Ⓜ Viliers) è rinomato per la sua collezione di antichità cinesi. Il **Musée Kwok-On** (57, rue du Théâtre, 15° ar., Ⓜ Charles-Michels) ospita una ricca collezione di costumi, strumenti musicali e marionette, rappresentativa delle tradizioni teatrali e festive dell'Asia *(Riapertura prevista per il 2000. Per informazioni ☎ 01 45 75 85 75)*.

L'«alveare commerciale»: supermercati, grandi negozi alimentari e botteghe artigianali – Alcuni fra i più noti sono: **Tang Frères** (48, av. d'Ivry, 13° ar., Ⓜ Porte d'Ivry e 168, avenue de Choisy, 13° ar., Ⓜ Porte-de-Choisy); **Paris Store** (44, av. d'Ivry, 13° ar., Ⓜ Porte d'Ivry e 12, bd de la Villette, 19° ar., Ⓜ Belleville); **Mandarin du Marché** (33, rue de Torcy, 18° ar., Ⓜ Marx-Dormoy); **Hang Seng Heng** (18, rue de l'Odéon, 6° ar., Ⓜ Odéon) specializzato in artigianato; **Odimex** (17, rue de l'Odéon, 6° ar., Ⓜ Odéon), un negozio di porcellane; **Phu-Xuan** (8, rue Monsieur-le-Prince, 6° ar. Ⓜ Odéon) specializzato in medicina cinese.

LE INDIE A PARIGI

La maggior parte degli immigrati non sono indiani bensì pakistani, tamul del nord Sri-Lanka o abitanti del Bangladesh arrivati di recente a Parigi.

L'area «indiana» di Parigi si concentra lungo la rue St-Denis: tra la Gare du Nord e la Porte de la Chapelle, rue Jarry, Passage Brady, rue et place du Cœur. Numerosi i negozi alimentari ed i ristoranti in rue Gérando, ai piedi del Sacré-Cœur, accanto al Lycée Jacques-Decour (M° Anvers).

Arte e cultura – Il **Centre Culturel Mandapa** (6, rue Wurtz, 13° ar., Ⓜ Glacière) presenta ogni anno un centinaio di spettacoli di teatro, danza e musica indiana mentre la **Maison des cultures du monde** (101, bd Raspail, 6° ar., Ⓜ Notre-Dame-des-Champs) propone spettacoli di musica, danza e teatro tradizionali indiani, pakistani o del Bangladesh.

Librerie e musei – **Librairie de l'Inde** (20, rue Descartes, 5° ar., Ⓜ Cardinal-Lemoine). Il **Musée Guimet** ha una splendida sezione dedicata all'India.
La libreria offre una vasta selezione di titoli sulla civiltà e sull'arte indiana, del Gandhâra (arte greco-buddista del Pakistan e Afganistan) e dell'Estremo Oriente.

Negozi alimentari – **Shah et Cie** (33, rue Notre-Dame-de-Lorette, 9° ar., Ⓜ St-Georges) è il più vecchio negozio di generi alimentari indiani di Parigi.
Mourougane (al 71 del Passage Brady, 10° ar., Ⓜ Château-d'Eau) è specializzato nei prodotti pakistani d'importazione.

IL SOL LEVANTE A PARIGI

La comunità di uomini d'affari, dipendenti di imprese giapponesi, studenti e artisti nipponici, si raccoglie soprattutto intorno al quartiere dell'**Opéra** e della **rue St-Anne**, dove non mancano le buone occasioni per lasciarsi tentare dai sashimi, sushi e altre tempura.

Librerie – **Tokyo-Do**, 4, rue St-Anne, 1° ar., Ⓜ Palais-Royal-Musée-du-Louvre o Pyramide) ha tutta la stampa nipponica, e migliaia di *bunko* (i nostri tascabili) e di *mangas* (l'equivalente dei nostri fumetti). **L'Harmattan** *(si veda Parigi "nera")* e **L'Asiatèque** *(si veda Chinatown)* dispongono ugualmente di sezioni dedicate al Giappone.

L'arte giapponese – Del **Musée Guimet** è da visitare soprattutto l'annesso Hôtel Hedelbach-Guimet e la sua meravigliosa collezione di Buddha e Bodhisattva costituita da Émile Guimet. Per il **Musée Kwok-On** si veda Chinatown. Il **Musée d'Ennery** (59, av. Foch, 16° ar., Ⓜ Porte-Dauphine o Victor-Hugo) ha un suggestivo scenario orientale per ospitare la più bella collezione di *nestuke* del mondo. Da non dimenticare il **Musée départemental Albert-Kahn**, con il suo giardino giapponese e la sua casa da tè, 14, rue du Port, 92100 Boulogne *(si veda la Guida Verde Ile-de-France in francese o inglese)*.

Le boutique di moda – Gli stilisti giapponesi hanno acquisito una reputazione mondiale. Le loro boutique sono concentrate essenzialmente intorno alla place des Victoires e nell'area di St-Germain-des-Prés: **Kenzo** (3, place des Victoires, 1° ar.; 16 e 17, bd Raspail, 7° ar.; 18, av. George-V, 8° ar.); **Comme des garçons** (40-42, rue Étienne-Marcel, 2° ar.); **Yohji Yamamoto** (47, rue Étienne-Marcel, 1° ar.; 69, rue des Saints-Pères, 6° ar.); **Issey Miyake** (201, bd St-Germain, 6° ar.; 17, bd Raspail, 7° ar.; 3, place des Vosges, 4° ar.); **Irié** (8, rue du Pré-aux-Clercs, 7° ar.).

Negozi alimentari – **Kioko** (46, rue des Petits-Champs, 2° ar., Ⓜ Pyramide) è un negozio alimentare zeppo di bustine multicolori di stuzzichini, salse, sakè, pesce crudo congelato.

LA COMUNITA' EBRAICA

Storicamente, il suo quartiere è quello del **Marais** (4° ar.). Decimata durante l'occupazione nazista, si èricostituita con l'arrivo degli ebrei nordafricani che si sono stabiliti nella zona del **Sentier** (2° ar.) e soprattutto nella periferia parigina, dove abita oggigiorno la metà della comunità ebraica francese.

Panetterie-Pasticcerie – Come resistere agli strudel di mele alla cannella? **Sacha Finkelsztajn**, 27 rue des Rosiers, 4° ar., e 24, rue des Écouffes, Ⓜ Saint-Paul.

Sinagoghe – *Union libérale israélite de France*, 24, rue Copernic, 16° ar. e grande sinagoga, 44, rue de la Victoire, 9° ar.

Memoriali – *Mémorial du Martyr Juif inconnu*, 17, rue Geoffroy-l'Asnier e *Monument à la mémoire des déportés de Buna, Monowitz e Auschwitz*, opera di Tim, al Cimetière du Père-Lachaise.

Musée d'art juif – *42, rue des Saules, 18° ar.* Ospita oggetti rituali e di culto, modelli di sinagoghe e opere di Chagall, Lipschitz, Mané-Katz e Benn. *(Visita dalle 15 alle 18. Chiusura: venerdì, sabato, festività ebraiche e mese di agosto. 30 FF. ☎ 01 42 57 84 15).*

Nelle pubblicazioni Michelin
le carte sono orientate con il Nord in alto.
Per utilizzare al meglio la Guida Michelin
consultate la legenda a pag. 2.

Acquisti

I GRANDI MAGAZZINI

Certamente la soluzione più comoda per chi ha poco tempo a disposizione. La maggior parte delle grandi marche (abbigliamento, profumeria, pelletteria) vi sono rappresentate. Aperti dal lunedì al sabato incluso, questi grandi magazzini praticano l'esenzione di tasse per le vendite all'esportazione ed offrono, nella maggior parte dei casi, possibilità di ristoro (ristoranti, bar, sala da tè).

Eccone una selezione: **Bazar de l'Hôtel-de-Ville**, 52, rue de Rivoli, 4° ar., Ⓜ Hôtel-de-Ville, apertura serale fino alle 22.00 il mercoledì; **Au Bon Marché** e la sua **Grande Épicerie de Paris**, rue de Sèvres, 7° ar., Ⓜ Sèvres-Babylone; **Galeries Lafayette-Haussmann**, 40, bd Haussmann, 9° ar., Ⓜ Chaussée-d'Antin (ristorante panoramico sulla terrazza al 8° piano). Apertura serale fino alle 21.00 il giovedì; **Au printemps Haussmann**, 64, bd Haussmann, 9° ar., Ⓜ Havre-Caumartin, apertura serale fino alle 22.00 il giovedì; **La Samaritaine**, 19, rue de la Monnaie, 1° ar., Ⓜ Pont-Neuf, apertura serale fino alle 22.00 il giovedì; **Mark & Spencer**, 35, bd Haussmann, 9° ar., Ⓜ Havre-Caumartin, e 88, rue de Rivoli, 4° ar., Ⓜ Châtelet. Da segnalare anche **Les Trois Quartiers**, 23, bd de la Mode, Madeleine.

NEGOZI DI LUSSO

Parigi gode di una reputazione mondiale senza pari in fatto di moda, alta moda e accessori (gioielli, profumi, pelletteria), e propone ai visitatori un autentico itinerario della raffinatezza e dell'eleganza parigina.

Grandi sarti e maestri profumieri – **Place des Victoires** (1° ar.) funge da sfarzosa cornice Grand Siècle (Luigi XIV) per il più parigino dei creatori giapponesi, *Kenzo*. Anche le vie adiacenti (rue des Petits-Champs, rue Coquilière, rue Hérold, rue Étienne-Marcel) sono affollate di boutique di moda: in **Rue Cambon**, 1° ar. *Chanel*; nella **Galerie Vivienne** (2° ar.), di fronte alla Bibliothèque Nationale, l'estrosa stravaganza di *Jean-Paul Gautier*; in **Place des Vosges** (4° ar.), sotto i portici, *Issey Miake*; in **Place Saint-Sulpice** (6° ar.) che, con le vie circostanti, forma una bomboniera di lusso, si annida *Yves Saint-Laurent Rive Gauche*; la **rue du Cherche-Midi** (6° ar.) è un'antica e pittoresca via dove si trova il mistico *Paco Rabane*; in **avenue des Champs-Élysées**, al n° 66, si erge splendida la facciata della casa madre di *Guerlain* (le altre boutique *Guerlain* – i prodotti della marca non sono reperibili nei grandi magazzini – sono ubicate place Vendôme (1° ar.), rue de Sèvres e rue Bonaparte (6° ar.), rue Tronchet (8° ar.). Il **Rond-point des Champs-Élysées** (8° ar.) è la posizione prestigiosa per *Torrente*. **Rue du Faubourg-St-Honoré** (8° ar.) è la via più elegante e vi si affacciano *Courrèges, Grès, Gucci, Guy Laroche, Hermès, Hiroko Koshino, Karl Lagerfeld, Lanvin, Louis Ferraud, Versace, Yves Saint-Laurent*. **Rue François-1ᵉʳ** (8° ar.), nel cuore del «Triangolo d'oro», delimitato dalle avenue Montaigne, George-V e Champs-Élysées, vi sono *Pierre Balmain, Ted Lapidus, Francesco Smalto;* in **Avenue George-V** (8° ar.), *Givenchy, Fer Spook;* in **avenue Montaigne** (8° ar), non a caso gemellata con Madison Avenue a New York, vi sono *Guy Laroche, Christian Lacroix, Dior, Hanae Mori, Nina Ricci, Céline, Chanel, Ungaro, Jean-Louis Scherrer*.

Inoltre: *Yves St-Laurent* in **avenue Marceau** (16° ar.); *Salons du Palais Royal Shiseido* in **Galerie de Valois** (1° ar.); *Jean-Charles de Castelbajac* in **rue des Petits-Champs** (1° ar.); *Sonia Rykiel, Daniel Hechter* nel **bd St-Germain** (6° ar.); *Cerruti 1881* in **rue Royale** (8° ar.); *Ralph Lauren* in **avenue de la Grande-Armée** (16° ar.).

Gioiellerie, oreficerie e bigiotterie – **Place Vendôme** (1° ar.) è l'impero dei gioiellieri con *Boucheron, Chaumet, Mauboussin, Alexandre Reza, Van Clef & Arpels, Buccelatti;* in **rue de la Paix** (2° ar.) vi sono *Cartier, Mellerio, Poiray;* in **rue Royale** (8° ar.), *Fred.*

Pelletterie – In **place Vendôme** (1° ar.), *Morabito;* in **rue Cambon** (1° ar.), *Céline;* in **rue St-Honoré** (1 ar.), *Goyard;* in **place de l'Opéra** (2° ar.), *Lancel;* in **rue du Faubourg-St-Honoré** (8° ar.), *Hermès, Didier Lamarthe, La Bagagerie;* in **avenue Montaigne** (8° ar.), *Louis Vuitton.*

Articoli per la casa – In **rue Royale** (8° ar.) si affacciano le vetrine di *Lalique, Christofle, Villeroy & Bosch, Bernardaud, Cristallerie St-Louis;* al **Carrousel du Louvre**, *Lalique;* in **place de la Madeleine** (8° ar.), *Baccarat;* in **avenue Matignon** (8° ar.), *D. Porthault;* in **rue du Paradis** (10° ar.), *Cristallerie St-Louis, Baccarat, Bernardaud.*

Arredamento – In **rue Bonaparte** (6° ar.) vi sono *Nobilis, Besson;* in **place de Füstemberg** (6° ar.), *Manuel Canovas, Pierre Frey;* in **bd St-Germain** (6° ar.), *Yves Halard.*

Fiori – In **rue Royale** (8° ar.), la vetrina di *Lachaume* è bellissima in ogni stagione.

CENTRI COMMERCIALI

Moltissimi i centri commerciali in questa grande città. Eccone una selezione: **Galerie marchande des Champs-Élysées** (8° ar.) Ⓜ George-V e Franklin-Roosevelt; **Galerie Élysées Rond-Point, Galerie Élysées 26, Galerie du Claridge, Galeries Arcades du Lido** (la più antica galleria degli «Champs»), **Galerie des Champs-Élysées; Carrousel du Louvre**, 99, rue de Rivoli (1° ar.), Ⓜ Palais-Royal-Musée du Louvre (accesso diretto); **Centre Commercial Maine-Montparnasse** (14° ar.), Ⓜ Montparnasse-Bienvenüe; **Centre Commercial Italie II** (13° ar.), Ⓜ Placed'Italie; **Les boutiques de Paris**, Palais des Congrès, Porte Maillot (17° ar.), Ⓜ Porte Maillot; **Forum des Halles**, 1-7, rue Pierre-Lescot (1° ar.), Ⓜ o RER Châtelet-les-Halles; **Les Trois Quartiers**, 23, bd de la Madeleine (8° ar.), Ⓜ Madeleine; **Centre Beaugrenelle**, rue Linois, (15° ar.), Ⓜ Charles-Michels; **Les Quatre Temps**, Parvis de la Défense, Ⓜ RER A la Défense.

ANTICHITA', GALLERIE D'ARTE

Alla fine dell'800, la compravendita di articoli d'arte si limitava ad alcuni mercanti, stabiliti soprattutto sulla riva destra della Senna. Oggi invece, i negozi di antichità e le gallerie d'arte, ai quali si unisce poi qualche libreria, fioriscono rigogliosi sulle due rive, organizzando manifestazioni di prestigio che attirano un crescente numero di appassionati esperti o profani. Di norma, i negozi di antichità e gallerie d'arte non aprono prima delle 10.30 e chiudono all'ora di pranzo (tra le 12.00 e le 14.00).

Rive droite

Louvre des Antiquaires – *2, place du Palais-Royal, 1° ar.,* Ⓜ *Palais-Royal.* Uno spazio espositivo di 10 000 m², distribuito su tre piani, che spazia dall'antichità classica allo stile Liberty *(Visita dalle 11 alle 19. Chiusura: domenica, lunedí e feste nazionali.* ☎ *01 42 97 27 00).*

Triangle rive droite – *Av. Matignon, rue du Faubourg-St-Honoré, rue de Miromesnil, rue de Penthièvre e rue de La Boétie, 8° ar.,* Ⓜ *Miromesnil.* Una volta all'anno, le gallerie d'arte organizzano la stessa sera il loro *vernissage* di riapertura. Alcune di esse propongono esposizioni temporanee molto interessanti.

Village St-Paul – *Rue St-Paul, 4° ar.,* Ⓜ *Saint-Paul.* Nella zona del Marais, tra la rue St-Paul e la rue Charlemagne.

Hôtel Drouot – *9, rue Drouot, 9° ar.,* Ⓜ *Richelieu-Drouot.* Certe vendite all'asta attirano un pubblico numeroso.

Intorno al **Centre Beaubourg** (rue Chapon, rue Quincampoix, rue de la Verrerie), 4° ar., Ⓜ Rambuteau o Hôtel-de-Ville.

Bastille – *Rue de Charonne, rue de Lappe, rue Keller, 11° ar.,* Ⓜ *Bastille.* Le gallerie presentano gli esponenti di spicco dell'arte contemporanea internazionale.

Rive gauche

Carré rive gauche – *Rue du Bac, de Beaune, de Lille, des Saints-Pères, de l'Université, de Verneuil e quai Voltaire, 7° ar.,* Ⓜ *Rue-du-Bac e RER C Musée-d'Orsay.* Ogni anno, in occasione dei *Cinq jours de l'objet extraordinaire*, più di cento antiquari e galleristi espongono nelle vetrine il meglio delle loro collezioni (ceramiche, arazzi e tappeti, dipinti, maioliche e stagni, mobili antichi).

Village Suisse – *78, av. de Suffren, 15° ar.,* Ⓜ *La Motte-Picquet (Visita dalle 10.30 alle 19. Chiusura: martedí, mercoledí, Natale e agosto.* ☎ *01 40 65 00 97).*

Boulevard St-Germain – *7° ar.,* Ⓜ *Rue-du-Bac.*

Rue Bonaparte e **rue de Seine** – *6° ar.,* Ⓜ *Saint-Germain-des-Prés.* Le numerose gallerie che si lasciano scoprire su entrambi i lati di queste vie raccolgono oggetti di sorprendente creatività – art déco, scultura moderna, pittura – per non parlare delle librerie che propongono incisioni originali, stampe e libri antichi. Tra la rue de Seine e la rue Mazarine, altra via fiancheggiata da bei palazzi, la piccola rue Jacques-Caillot è, nella bella stagione, un luogo particolarmente piacevole.

Libreria Shakespeare and Co.

A tutti questi luoghi si aggiungono le *brocantes* di quartiere (mercati di anticaglie), molto apprezzate dai parigini per la loro caratteristica atmosfera di mercato di villaggio, e gli studi di artisti di cui alcuni sono aperti al pubblico.

Infine, gli appassionati non si lasceranno sfuggire all'inizio dell'autunno la **Biennale internationale des Antiquaires**, effimero museo che attira i collezionisti di tutto il mondo e dove gli antiquari svelano gli oggetti più rari, più preziosi e più curiosi rinvenuti nelle loro continue ricerche.

LIBRI E DISCHI

I «supermercati» del disco e del libro: **FNAC Étoile**, 26-30, av. des Ternes (17° ar.), Ⓜ Ternes; **FNAC Montparnasse**, 136, rue de Rennes (6° ar.) Ⓜ St-Placide o Montparnasse-Bienvenüe; **FNAC Forum des Halles** (1° ar.), Ⓜ o RER Châtelet-les-Halles; **FNAC Italiens**, 24, bd des Italiens (9° ar.), Ⓜ Richelieu-Drouot; **FNAC Bastille**, 4, place de la Bastille (12° ar.), Ⓜ Bastille. Questi ultimi due *FNAC* vendono solo dischi e videocassette.

Inoltre: **FNAC Micro**, 71, bd St-Germain (5° ar.), Ⓜ Cluny-Sorbonne (specializzato in informatica); **Virgin Megastore**, 52-60, av. des Champs-Élysées (8° ar.), Ⓜ Franklin-Roosevelt; **Virgin Megastore**, Carrousel du Louvre (1° ar.), Ⓜ Palais Royal-Musée du Louvre; **Joseph Gibert**, 26-30, bd St-Michel (6° ar.), Ⓜ Cluny-Sorbonne; **Joseph Gibert**, 5, place St-Michel (5° ar.), RER B o C St-Michel. Le altre librerie *Gibert* in place St-Michel sono specializzate in testi scolastici e universitari.

Seguendo le vie di Parigi...

Oltre a questi grandi magazzini del libro e del disco, i bibliofili possono attingere anche alle librerie di libri antichi e usati ed alle librerie specializzate.

Al 224 di **rue de Rivoli**, *Galignani*, una delle più vecchie librerie di Parigi, propone un'ampia scelta di libri inglesi e francesi.

Intorno a **St-Germain-des-Prés**, **St-Sulpice** e all'**Odéon**, 6° ar., gravita il quartiere dell'editoria per eccellenza, ed in particolare: in **bd St-Germain**, accanto ai *Deux Magots*, le librerie *La Hune* e l'*Écume des Pages* permettono ai nottambuli di appagare la loro sete di letteratura... fino a mezzanotte; in **rue de l'Odéon**, la vetrina della libreria *Monte-Cristo*, con le splendide rilegature rosse dei romanzi di Jules Verne, invitano a viaggi fantastici e fantasiosi, mentre la libreria *Guénégaud* offre circa 100 000 titoli di volumi esauriti, vecchi o recenti, sulle province francesi; in **place de l'Odéon** la libreria *Le Monsieur* è specializzata in architettura e urbanistica; in **rue Bonaparte**, *Le Coupe-Papier* specializzata in testi su teatro e cinema, *La Licorne* per i documenti storici e la vicina *Porte Étroite* per i testi di pittura e architettura; in **rue Jacob** la libreria *Maritime Outremer* è per gli appassionati di mare e navi; in **rue St-Sulpice** le librerie *Claude Buffet e Jean-Claude Vrain* sono ricche di volumi antichi mentre *La Chambre Claire* è una libreria internazionale di fotografia; sui **lungosenna**, oltre ai bouquinistes, si segnalano *Arenthon* (documenti storici, stampe) e *Honoré Champion*, quai Malaquais, a pochi metri dall'Institut de France.

Librerie dei musei

La *Libraire des musées* (10, rue de l'Abbaye, 6° ar., Ⓜ Saint-Germain-des-Prés), la *Librairie des Galeries nationales du Grand Palais*, la *Librairie du Musée d'Orsay*, la *Librairie du Musée du Louvre*, specializzate nelle Belle Arti dalle origini al 1845, e il *Virgin Megastore* consacrato all'arte contemporanea e alle novità letterarie, la *Librairie du Musée Carnavalet* e la ricchissima *Librairie du Patrimoine* (Hôtel de Sully, 62, rue du Faubourg-St-Antoine, 4° ar., Ⓜ Saint-Paul).

Librerie straniere

W.H. Smith (248, rue de Rivoli, 1° ar.) specializzata nelle pubblicazioni in lingua inglese; *Brentano's* (37, av. de l'Opéra, 2° ar.), il suo omologo americano; la *Librairie Polonaise* (123, bd St-Germain, 6° ar.); *Village Voice* (6, rue Princesse, 6° ar.) e *Shakespeare & Co* (37, rue de la Bûcherie, 5° ar.) luoghi carichi di poesia dove gli anglofili e altri appassionati di vecchi libri ameranno curiosare; *Marissal Bücher* (42, rue Rambuteau, 3° ar.), *Calligramme* (8, rue de la Collégiale, 5° ar.) e *Buchladen (13, rue Burq, 18° ar.)* invitano alla scoperta della letteratura e della cultura tedesca; la *Tour de Babel* (10, rue du Roi-de-Sicile, 4° ar.), nel cuore del Marais è dedicata alla letteratura italiana.

PARIGI GHIOTTA

Gastronomie: Fauchon, 26, place de la Madeleine, 8° ar.; **Hédiard**, 21, place de la Madeleine, 8° ar.; **Comptoir de la Tour-d'Argent**, 2, rue du Cardinal-Lemoine, 5° ar.; **Pétrossian**, 18, bd de la Tour-Maubourg, 7° ar.

Il pane – Agli amanti della *baguette* casereccia, di pane casereccio al lievito di Grenoble, di pane alle olive e altri tipi di pane dall'antico sapore, consigliamo: **Lionel Poîlane**, 80, rue du Cherche-Midi, 6° ar. e 87, rue Brancion, 15° ar.; **René St-Ouen**, 111, bd Haussmann, 8° ar.; **Michel Moisan**, 114, rue de Patay, 13° ar.; **Granachaud**, 150, rue de Ménilmontant, 20° ar.

Pasticceria, gelati, cioccolato – All'ora della merenda o del tè, è d'obbligo una sosta in uno dei templi della ghiottoneria parigina, dove attendono appetitosi *macaron* (variante transalpina dei nostri amaretti), dolci al cioccolato, *palet au moka, feuillantine* (sfogliatine), *fraisier* (genovesi alla fragola) o gelati al croccante: **Berthillon** (gelateria), 31, rue St-Louis-en-l'Ile, 4° ar.; **Paul Bugat**, 5, bd Beaumarchais, 4° ar.; **Carette**, 4, place du Trocadéro, 16° ar.; **Carton**, 6, rue de Buci, 6° ar.; **Dalloyau**, 99-101, rue du Faubourg-St-Honoré, 8° ar.; **Duc de Praslin**, 44, av. Montaigne, 8° ar.; **Ladurée**, 16, rue royale, 8° ar.; **Lenôtre**, 44, rue d'Auteuil, 16° ar.; **La Maison du Chocolat**, 56, rue Pierre-Charron, 8° ar.; **Gérard Mulot**, 76, rue de Seine, 6° ar.; **Peltier**, 66, rue de Sèvres, 7° ar.; **Stohrer**, 51, rue Montorgueil, 2° ar.

I formaggi: Androuet, 41, rue d'Amsterdam, 8° ar.; **La Ferme St-Hubert** (ristorante-casa del formaggio), 21, rue Vignon, 8° ar.; **Barthélemy**, 51, rue de Grenelle, 7° ar.; **La Maison du Fromage**, 62, rue de Sèvres, 7° ar.; **La Ferme St-Aubin**, 76, rue St-Louis-en-l'Ile, 4° ar.

I MERCATI ALL'APERTO

Fitti allineamenti di bancarelle colorate, questi mercati offrono l'opportunità di guardare, ascoltare e sentire la città che vive. Ecco quelli tradizionali che si tengono più volte alla settimana in ogni quartiere di Parigi:
Place Monge, 5° ar.; **bd Raspail**, 6° ar.; **av. de Saxe**, 7° ar.; **bd Richard-Lenoir** alla Bastille e a Oberkampf, 11° ar.; **rue Place-d'Aligre**, 12° ar.; **bd Blanqui**, 13° ar.; **bd Edgar-Quinet**, 14° ar.; **rue de la Convention**, 15° ar.; il terrapieno dell'**av. du Président-Wilson**, 16° ar.; la **place de Joinville**, vicino al bassin de la Villette; la **place des Fêtes** ed il **bd de Belleville**, 19° ar.; la **place de la Réunion**, 20° ar.; **rue Montorgueil**, 2° ar.; **rue Mouffetard**, 5° ar.; **rue de Buci** e de **Seine**, 6° ar.; **rue Cler**, 7° ar.; **rue Cadet** e **rue des Martyrs**, 9° ar.; **rue du Faubourg-du-Temple**, 11° ar.; **rue Poncelet, de Lévis, de Tocqueville**, 17°; **rue Lepic, rue des Abbesses, rue du Poteau**, 18° ar.; **rue Daguerre**, 14° ar.; **rue St-Charles** e **rue du Commerce**, 15° ar.; **rue de Passy** e de **l'Annonciation**, 16° ar.

Il mercato di Aligre

A. Eit/MICHELIN

E. Baret

E. Baret

E. Baret

M. Guillot/MICHELIN

E. Baret

A questi se ne aggiungono altri, originali e piacevoli:

– **Le Carreau du Temple** (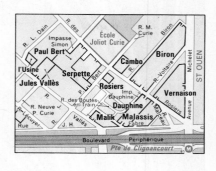 Temple o République), aperto tutti i giorni dalle 9.00 alle 12.30, salvo il lunedì. Abbigliamento, abiti in pelle.

– **Il mercato degli animali** (quai de la Mégisserie, Ⓜ Pont-Neuf o Châtelet).

– **I mercati dei fiori**: Place Louis-Lépine, Ⓜ Cité, aperto dal martedì al sabato dalle 8.00 alle 18.00; place Madeleine, M° Madeleine; aperto tutti i giorni, salvo il lunedì, dalle 8.00 alle 19.30; place des Ternes, M° Ternes; aperto dal martedì al sabato dalle 8.00 alle 13.00 e dalle 14.00 alle 19.30, e la domenica mattina.

– **Il mercato degli uccelli** (Place Louis-Lépine, Ⓜ Cité), aperto la domenica, tutto il giorno. Arrivare fino al quai de la Mégisserie.

– **Il mercato dei libri antichi e di seconda mano** (Parc Georges-Brassens, 15° ar., ingresso rue Brancion, Ⓜ Porte-de-Vanves), aperto il sabato e la domenica.

– **I mercati delle pulci**: Porte de Vanves (sabato e domenica dalle 7.00 alle 19.00, Ⓜ Porte-de-Vanves), St-Ouen (sabato, domenica e lunedì dalle 7.30 alle 19.00, Ⓜ Porte-de-Clignancourt), Porte de Montreuil (sabato, domenica e lunedì dalle 7.00 alle 18.00, Ⓜ Porte de Montreuil).

– **Marché Saint-Pierre** (ai piedi del Sacré-Cœur, Ⓜ Anvers), aperto dal lunedì al sabato dalle 8.00 alle 19.00.

– **Il mercato dei francobolli** (nell'area del «Carré Marigny», all'angolo dell'av. de Marigny e dell'av. Gabriel, Ⓜ Champs-Élysées-Clemenceau), aperto il giovedì, sabato, domenica e giorni festivi.

Lo sport

Con le sue ricche infrastrutture adatte alle più varie discipline sportive, le animazioni e gli incontri agonistici internazionali, Parigi è una delle grandi capitali mondiali dello sport.

Tra i templi parigini dello sport, vanno menzionati:

– il **Palais Omnisports de Paris-Bercy** (**POPB**, 12° ar.) che, oltre alle manifestazioni sportive di alto livello, ospita anche eventi perlomeno insoliti, quali: il Supercross Moto de Paris, spettacoli su ghiaccio, il Campionato mondiale di Fun Indoor, il Trialmaster di Paris, il Festival des arts martiaux, l'Open di tennis di Parigi o ancora la Sei giorni di Parigi;

– **Roland-Garros** (16° ar.), i famosi campi di terra battuta dove si svolgono gli Internazionali di Francia di Tennis;

– **Longchamp** (16° ar.), **Auteuil** (16° ar.), **Vincennes** (16° ar.) e i loro grandi appuntamenti ippici;

– il **Parc des Princes** (16° ar.), noto a tutti gli amanti di calcio e di rugby;

– la **Piscine des Amiraux** (18° ar.), riconosciuta monumento storico, o la **Piscine G.-Vallerey «Les Tourelles»** (20° ar.), teatro di numerosi primati sportivi;

– lo **stadio Pierre-de-Coubertin** (16° ar.), per i tornei internazionali di judo e quello di **Charlety** (14° ar.), tempio dell'atletica francese;

– l'**Aquaboulevard** (15° ar.), detto anche la «spiaggia di Parigi», funge da centro sportivo e di messa in forma, e da parco ricreativo acquatico.

Alla scoperta di Parigi

ALMA

Carte Michelin n° 12 e 14 (pp. 16-17 e 28-29): G 8, G 9, H 8.

La zona intorno alla **place de l'Alma** è una delle più eleganti di Parigi: ai lussuosi palazzi residenziali si affiancano le boutique di alta sartoria e profumeria. La piazza ed il ponte, creati ai tempi di Napoleone III, presero il nome dalla prima vittoria franco-britannica in Crimea (1854).

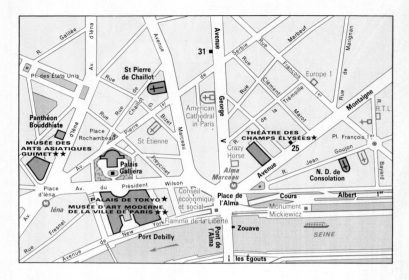

Pont de l'Alma – Lentamente eroso dalla Senna, nel 1972 il ponte è stato sostituito da una costruzione in acciaio ed è attualmente il più largo di Parigi (42 m). Dei quattro soldati che lo ornavano all'epoca del Secondo Impero, è rimasto solo il popolare **zuavo** *(zouave)* posto davanti all'unico pilone della nuova costruzione a fungere da «misuratore» del livello del fiume. Nel gennaio 1910, le acque della Senna raggiunsero il mento della statua.

Port Debilly – *Quai de la Seine*. E' qui, nel luogo un tempo chiamato *Les Bonshommes*, che l'ingegnere americano Robert Fulton presentò, il 9 agosto 1803, il suo *carro acquatico alimentato dal fuoco*, prototipo del battello a vapore. Per nulla impressionato, Napoleone non diede peso all'invenzione che avrebbe forse potuto costituire il mezzo con cui invadere l'Inghilterra due anni più tardi.

★ **Palais de Tokyo** – *11, avenue du Président-Wilson*. Venne eretto in occasione dell'esposizione del 1937 dove una volta sorgeva la famosa manifattura di tappeti della Savonnerie. Le due ali, collegate da un portico, incorniciano alcune terrazze ornate da statue di Bourdelle, tra le quali notare la *Francia★*, al centro.
L'**ala ovest** del Palazzo di Tokyo ospita l'Istituto di Formazione e d'Insegnamento dei Mestieri di Immagine e Suono (FEMIS), che prepara alle più alte professioni nel settore del cinema e degli audiovisivi. Vi sono allestite mostre fotografiche e cinematografiche che vengono rinnovate periodicamente.

★★ **Musée d'Art Moderne de la Ville de Paris** ⊙ – *Ala est, lato Alma*. La collezione illustra le diverse correnti artistiche della prima metà del 20° sec. Il fauvismo, contraddistinto da violenti colori puri stesi a larghi strati, è rappresentato da Matisse e Derain. Braque e Picasso, i maggiori esponenti del cubismo, tradussero la loro visione pittorica in un insieme di linee e volumi geometrici ed influenzarono Delaunay, Léger, Gromaire ed Ozenfant. Le opere di Rouault, Utrillo e Suzanne Valadon, sua madre, si collocano a margine di questi movimenti. Alla Scuola di Parigi fanno capo numerosi artisti stranieri, venuti nella grande metropoli all'inizio del secolo: Modigliani, Soutine, Foujita, Chagall. Subito dopo la prima guerra mondiale si assiste alla nascita di grandi correnti artistiche: l'astrattismo, il surrealismo, le tendenze figurative, il nuovo realismo e la rappresentazione narrativa.
L'arte astratta rifiuta gli elementi figurativi, ricercando l'espressione nel solo gioco di linee e colori (Fautrier, Helion, Arp, Domela, Magnelli), mentre quella surrealista vuole inserire nella realtà alcune componenti oniriche. Una sala del museo è dedicata ai disegni di Brauner in preparazione dei suoi strani «conglomerati»; in un'altra sono raccolti i mobili e gli oggetti d'arte del periodo 1920-1937.
La *Fata Elettricità★* *(Fée Électricité)*, opera di Raoul Dufy composta da 250 pannelli, copre una superficie di 600 m ed è il quadro più grande del mondo: vi sono rappresentati allegoricamente gli scienziati che hanno scoperto e reso utilizzabile questa forma di energia. Altre grandi composizioni sono: la *Danza* di Matisse e le decorazioni di Delaunay.

La sezione A.R.C. (Animazione, Ricerca, Confronto) illustra gli aspetti più innovativi nel campo delle arti plastiche, musica e poesia.

Palais du Conseil Économique et Social – *Place d'Iéna*. In cemento armato, è opera di Auguste Perret (1937). Si notino sopra l'entrata gli undici pannelli a mosaico di Martial Raysse che rappresentano l'origine e la speranza, i primi tre numeri, le figure geometriche basilari (triangolo, cerchio e quadrato) ed i tre principi di libertà, uguaglianza e fraternità.

★★ **Musée National des Arts Asiatiques Guimet** ⊙ – *6, place d'Iena. Chiuso fino al 1998*. Questo museo, fondato dal collezionista ed industriale lionese Émile Guimet, si propone di far conoscere le opere d'arte orientali.

Al pianterreno sono esposti capolavori provenienti dall'Asia sud-orientale: arte dei khmeri (Cambogia), con un frontone del tempio di Banteay Srei ed alcune **teste di Budda** con occhi semichiusi e sorriso meditativo (stile del Bayon); arte del Vietnam centrale (Champa), con statua assisa di Siva dalle dieci braccia; le arti dei Lama sono presentate con una serie di bandiere tibetane e nepalesi *(thanka)*, oggetti rituali e bronzi dorati (in particolare la statua di **Dakhini danzante**).

Al 1° piano si può ammirare l'evoluzione dell'arte indiana dal 3° sec. a.C. al 19° sec.: gruppo di bassorilievi buddisti, sculture e bronzi indù, tra cui la stupenda *Danza cosmica di Siva*. Il Pakistan presenta il famoso Bodhisattva proveniente da Shabaz-Garhi; dall'Afghanistan, il tesoro di Begram (avori scolpiti di origine indiana, gessi ellenistici). Dalla Cina, bronzi rituali, giade, lacche, sculture buddiste e statuette funerarie.

Al 2° piano sono esposte le mirabili **porcellane** cinesi (collezioni Calmann e Grandidier), tra cui lo stupendo gruppo della *Famiglia rosa* del 18° sec.; inoltre, una serie di bandiere di influenza buddista (8°-11° sec.), scoperte in una grotta murata di Dunhuang. Si notino anche i gioielli (corona funeraria), provenienti dalla Corea, e, dal Giappone, le maschere per la danza *(gigaku)* ed il «Paravento dei Portoghesi» (16° sec.), che raffigura l'arrivo di una nave portoghese in Giappone.

Pantheon buddista ⊙ – *19, avenue d'Iéna*. Situato all'interno dell'hôtel Heidelbach, illustra la concezione personale che Guimet aveva di un pantheon buddista come esiste in Giappone. I pezzi risalgono essenzialmente al 17° e 18° sec. Al primo piano sono rappresentate le prime due categorie (su sei) di esseri venerati, secondo la progressione sulla via dell'immortalità e dell'illuminazione: il Budda (essere illuminato) ed il Bodhisattva (essere in procinto di raggiungere l'illuminazione e che possiede una grande saggezza), o gli assistenti alla via della liberazione.

La galleria a pianterreno, consacrata alle altre quattro categorie delle divinità, è dominata dall'impressionante **mandala** costituito da ventitré statue, replica del mandala To-ji di Kyoto, capolavoro dell'inizio del 9° sec. Il giardino è in stile giapponese.

Palais Galliera – *10, avenue Pierre-Ier-de-Serbie*. La duchessa di Galliera, moglie di un finanziere italiano e nota per i suoi atti di filantropia, fece costruire questo edificio dal 1878 al 1888 dall'architetto Louis Ginain secondo lo stile del Rinascimento italiano. Oggi ospita un museo dedicato alla moda e al costume.

Musée de la Mode et du Costume ⊙ – Nelle sale sono allestite esposizioni, rinnovate ogni due anni, che illustrano l'evoluzione della moda femminile, maschile ed infantile, dal 1735 ai giorni nostri. Le collezioni comprendono circa 12 000 costumi completi e 60 000 pezzi isolati.

Église St-Pierre-de-Chaillot – *35, avenue Marceau*. La chiesa venne ricostruita nel 1937 in stile neoromanico. La piatta facciata è ornata di un largo frontone con sculture di Henri Bouchard, che illustrano scene della vita di San Pietro.

Avenue George-V – Due sono gli edifici che hanno reso famosa questa via: il **Crazy Horse** (n° 12), con il suo famoso spettacolo di varietà e l'**hôtel George-V** (n° 35) frequentato dal jet-set internazionale.

Avenue Montaigne – Un tempo allée des Veuves, è un'elegante e prestigiosa via, ove sorgeva la sala da ballo **Mabilla** che attirò la buona società parigina fino al 1870. Oggi vi si affacciano lussuosi palazzi e boutique d'alta moda.

★ **Théâtre des Champs-Élysées** – *13, avenue Montaigne*. E' opera dei fratelli Perret e uno dei primi grandi monumenti in cemento armato (1912). **Antoine Bourdelle** disegnò la facciata in correlazione stretta con l'opera scolpita *(si veda il Musée Bourdelle): Apollo in meditazione, mentre le muse gli corrono incontro* in altorilievo e, al pianterreno, sopra le porte laterali, le allegorie della *Scultura* e dell'*Architettura*, della *Musica*, della *Tragedia*, della *Commedia* e della *Danza*. Il salone, con il soffitto decorato da **Maurice Denis**, è uno dei più belli di Parigi. *La Sagra della Primavera* (1913), messa in scena la sera dell'inaugurazione, scandalizzò a causa dell'audacia musicale e coreografica; ci fu un tale subbuglio che **Igor Stravinski**, il compositore, dovette fuggire dalla sala. Da allora, il teatro degli Champs Élysées ha ospitato tutte le stelle della musica e della danza: Richard Strauss, Paganini, i Balletti Russi di Diaghilev. Jean Cocteau mise in scena *Gli Sposi della torre Eiffel* nel 1921, mentre nel 1924 i balletti svedesi vi rappresentarono *La Creazione del mondo*, tratto da un libretto di Blaise Cendrars e da uno spartito di Darius Milhaud, con i costumi di Fernand Léger. E' qui che nel 1925, la Rivista Negra rivelò Josephine Baker che, vestita solo di un gonnellino di banane, si esibiva in contorsioni al ritmo del charleston del sassofonista Sidney Bechet. E' in questo teatro che nel 1960, Rudolf Noureiev danzò *La Bella Addormentata nel bosco* con i balletti del Marchese di Cuevas. Sei anni più tardi, i balletti di Roland Petit vi allestirono *L'Elogio della follia* con la scenografia di Nicky di Saint-Phalle e di Tinguely.

Hôtel Plaza-Athénée – *25, avenue Montaigne*. L'hôtel, frequentato da capi di stato, principi ed ambasciatori, è stato fondato nel 1867 e ricostruito nel 1911.
Al n° 22 della **rue Bayard** si trova la sede della Radio-Télé-Luxembourg (RTL) dalla bella facciata decorata da Vasarely.

Église Notre-Dame-de-Consolation – *23, rue Jean-Goujon*. Qui, nel 1897, scoppiò il terribile incendio del Bazar de la Charité che causò 117 vittime, tra cui la duchessa d'Alençon, sorella di *Sissi* (Elisabetta, imperatrice d'Austria).
La cappella commemorativa, eretta da Guilbert nel 1901, è decorata in stile neobarocco: si notino le belle colonne marmoree all'ingresso delle cappelle laterali. Alcune nicchie custodiscono cenotafi ad urna. Oggi è la chiesa della comunità italiana di Parigi.

Cours Albert-Ier – Nei giardini lungo la sponda del fiume si può ammirare il monumento al poeta polacco Adam Mickiewicz (1798-1855), di Bourdelle.

Oltre il fiume

Les Égouts (Le fogne) ⊙ – *Ingresso all'angolo tra il quai d'Orsay e il pont de l'Alma*. La realizzazione della gigantesca rete fognaria, destinata a risanare Parigi senza peraltro inquinare la Senna, iniziò sotto Napoleone III. Questo sistema di canalizzazione si snoda oggi attraverso 2 100 km di gallerie, passando a volte sotto il letto della Senna.
Un circuito organizzato attraverso la rete fognaria consente di vedere uno sfioratore per temporali, due bacini di dissabbiamento, un serbatoio di scarico automatico, una draga per l'estrazione di sabbia e apparecchi per la pulitura. Attraverso le gallerie passano anche le condotte di distribuzione dell'acqua, le canalizzazioni per l'aria compressa, i cavi telefonici. Nella galleria Belgrand, alcuni pannelli esplicativi illustrano l'evoluzione del sistema di approvvigionamento d'acqua della capitale, e di quello di evacuazione e depurazione delle acque reflue.

AUTEUIL

Carte Michelin n° 12 e 14 (pp. 26, 27, 38 e 39): J 4, K 4, K 5 – L 4.

Auteuil è stata unificata a Parigi durante il Secondo Impero e, solo verso il 1900, sono scomparsi gli ultimi vigneti che vi erano coltivati. E' una zona residenziale caratterizzata da villette monofamiliari e gruppi di edifici immersi nel verde.
All'estremità sud-occidentale dell'allée des Cygnes, sotto il ponte di Grenelle, si erge la **Statua della Libertà**, modello in bronzo dell'omonimo monumento di Bartholdi a New York, realizzato in scala ridotta con un metodo particolare. Fu offerta dalla colonia americana di Parigi nel 1885 e collocata in questo luogo in occasione dell'Esposizione Universale del 1889.
Sull'altra riva, si innalzano i grattacieli del Front de Seine.

★ **Maison de Radio-France** ⊙ – *116, avenue du Président-Kennedy*. Copre una superficie di ben 2 ettari ed è pertanto l'edificio più vasto di tutta la Francia. Fino al gennaio 1975, il tamburo di 500 m di circonferenza e la torre, alta 68 m ed eretta nel 1963 da Henri Bernard, ospitavano l'Ente Radiotelevisivo dello Stato francese (ORTF). Nei 60 studi e nel grande auditorio (studio 104), sono registrati i programmi per le stazioni radiofoniche France-Inter, France-Culture, France-Musique, FIP, Radio-Bleue e France-Info.
Questo complesso architettonico comprende un museo che ripercorre l'evoluzione delle comunicazioni radiofoniche e televisive, nonché dei diversi tipi di trasmettitori e ricevitori, dal telegrafo dei fratelli Chappe (1793) al ricevitore a galena ed agli ultimi modelli di transistor. E' anche presentata la nascita della radio-diffusione, resa possibile grazie alle ricerche di scienziati insigni: Maxwell, Hertz, Branly (ricostruzione del suo laboratorio), Popov, Marconi e Lee De Forest (inventore del triodo). Alcuni apparecchi sperimentali e la ricostruzione di uno studio televisivo della rue de Grenelle testimoniano inoltre lo sviluppo della televisione.

Front de Seine – *Oltre il ponte, sulla riva sinistra*. Tra l'avenue Émile-Zola e la rue du Docteur-Finlay, di fianco alla Senna, è nato questo enorme quartiere, occupato da alloggi, uffici, servizi pubblici e dal centro commerciale Beaugrenelle. Diverse generazioni di torri, alte 98 m, sono sorte tra il 1967 e il 1985: torri a parallelepipedo, torri a «vitino di vespa», torri a logge che rompono la monotonia delle facciate. Per limitare il traffico automobilistico, sopra il livello delle arterie stradali è

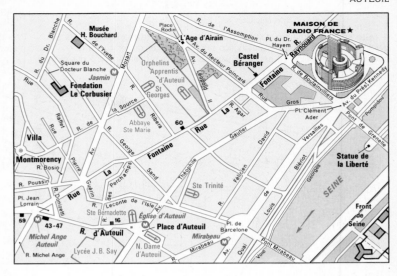

stata realizzata una gigantesca piattaforma pedonale che, grazie alla presenza di alcuni spazi verdi, offre la possibilità di piacevoli passeggiate e costituisce anche una tranquilla area giochi per i bambini.

Rue La Fontaine – La strada prende il nome da una sorgente che un tempo riforniva d'acqua il villaggio di Auteuil. Qui, in rue Agar, ci sono parecchi edifici di Hector Guimard, famoso architetto dell'*Art nouveau*: si notino, al n° 14, il singolare **Castel Béranger** e l'edificio al n° **60,** che risale al 1911.

Seguendo l'avenue du Recteur-Poincaré, si raggiunge la tranquilla place Rodin, ove si trova *L'Età del bronzo (l'Age d'Airain),* bella opera dello scultore.

Il quartiere

Place d'Auteuil – L'Église Notre-Dame (1880) è un'imitazione in stile romanico-bizantino. Sulla piazza si erge l'obelisco funerario del cancelliere d'Aguesseau e di sua moglie (1753), ultima tomba rimasta dell'antico cimitero.

Rue d'Auteuil – E' una stretta via commerciale. Al n° 11 bis si trova un castello del 17° sec. ora occupato da una scuola. Al n° **16** si trova l'hôtel de Puscher, mentre ai nn **43-47** si erge un bel palazzo settecentesco. Il n° **59** (oggi occupato da un moderno edificio) ospitò, dal 1762 al 1800, il famoso salotto letterario di Mme Helvétius, conosciuta come «Notre-Dame d'Auteuil», frequentato assiduamente da scrittori e filosofi.

Proseguendo verso rue Bosio, si incontra, sulla sinistra, la **villa Montmorency,** quanto rimane dell'antico hôtel de Montmorency, appartenuto alla contessa di Boufflers, amante del principe di Conti ed ammiratrice di Rousseau.

Fondation Le Corbusier ⊘ – *8-10, square du Dr-Blanche.* Le ville la Roche e Jeanneret, costruite nel 1923, ospitano un centro di studi sull'opera del famoso architetto svizzero Charles-Édouard Jeanneret, detto Le Corbusier (1887-1965).

All'interno della villa la Roche è allestita una mostra permanente che, insieme alla biblioteca ed alla fototeca, è meta obbligata per gli appassionati di architettura moderna.

Musée Bouchard ⊘ – *25, rue de l'Yvette.* L'atelier dello scultore Henri Bouchard (1875-1960) è stato conservato come si presentava quando l'artista, che vi lavorò per 36 anni, era in vita. Bouchard creò in modo estremamente eclettico: dalle medaglie e statuette al monumento commemorativo di grandi dimensioni. Si noti il gesso originale del gruppo dell'*Apollo* al Trocadero e la tavola a chiodi che utilizzava per la lavorazione di bassorilievi.

Rue Mallet-Stevens – *Oltre il Musée Bouchard, sulla destra, fuori pianta.* E' una vietta privata ed alberata, racchiusa tra palazzi di un «modernista» contemporaneo di Le Corbusier. Il design d'avanguardia degli edifici, geometrico, con utilizzo di forme cubiche che si alternano a superfici piane, è ancora estremamente attuale.

Per organizzare il viaggio, consigliamo di consultare la carta dei Principali Quartieri e Monumenti.

BASTILLE ★

Carte Michelin n° 12 e 14 (p. 33): J 17 – K 17

Il vasto spazio, dominato dalla colonna di Luglio, fu teatro dei più famosi avvenimenti del 1789. Oggi la piazza è un sibolico punto di partenza per cortei dimostrativi, marce e cerimonie pubbliche ed anche, il venerdì sera, punto di incontro dei giovani.

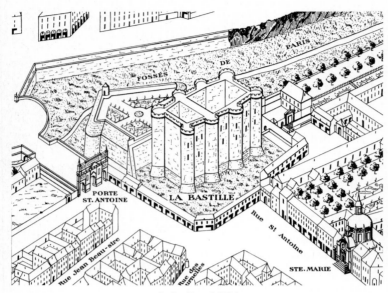

La Bastille nel 1734

PLACE DE LA BASTILLE

Costruzione della Bastiglia – La realizzazione dell'edificio viene decisa per consentire al re Carlo V, che risiede all'hôtel Saint-Paul, di avere una dimora fortificata e quindi più sicura. Per la costruzione si reclutano tutti gli uomini trovati a girovagare per la città e questo consente una realizzazione rapida e sicuramente economica. Nell'arco di dodici anni (1370-1382) l'edificio viene terminato.
La storia della Bastiglia non vede momenti eroici: assediata per sette volte durante le guerre civili, si arrende in sei casi senza opporre resistenza. L'episodio più rilevante avviene nel 1652: la Grande Mademoiselle, cugina di Luigi XIV, fa entrare attraverso la porte St-Antoine l'esercito della Fronda, capeggiato da Condé, e dirige il fuoco dei cannoni contro le forze reali di Turenne che la inseguono.

Il regime della prigione – La fortezza, adibita a prigione, rinchiude in genere quanti, senza alcun processo, sono stati incarcerati solo sulla base di ordinanze reali, le famose *lettres de cachet*. Ciò si verifica con l'uomo dall'enigmatica Maschera di Ferro, con il turbolento signore di Bassompierre, Voltaire, Mirabeau e Latude (quest'ultimo trascorrerà ventotto anni alla Bastiglia, evadendo ben tre volte).
Nel 1784, le arbitrarie lettere del re sono abolite e la Bastiglia si svuota. Il marchese de Launay, governatore del carcere, ha ormai ai suoi ordini solo 32 guardie svizzere e 82 invalidi.

La presa della Bastiglia – Il 12 luglio 1789, il popolare ministro Necker viene revocato e questo fa scoccare la scintilla dell'insurrezione. La Borsa è chiusa in tutta fretta, la gente si agita e ha paura. La mattina del 14 luglio, il popolo saccheggia l'Hôtel des Invalides e l'Arsenale in cerca di armi, poi si dirige verso la Bastiglia. Gli insorti, provenienti dalla rue St-Antoine, superano il primo bastione ed un ponte levatoio (oggi passaggio pedonale all'inizio del boulevard Henri-IV), ma, ai piedi delle mura, vengono fermati dalle guardie svizzere. Nel pomeriggio sopraggiungono le guardie francesi che, dopo aver disertato le caserme, si mettono a fianco della popolazione ed inducono il governatore de Launay alla resa. Quest'ultimo, assieme alla sua piccola guarnigione, sarà ucciso. Gli ultimi sette prigionieri sono liberati e portati in trionfo dalla folla.

Demolizione – Senza indugio si procede alla demolizione dell'edificio. 83 modelli della fortezza, scolpiti utilizzando le sue pietre originarie, sono inviati in provincia come simbolo della tirannia reale. L'anno successivo, dove sorgeva la Bastiglia, la gente danza.

La piazza attuale – Sul suolo sono state tracciate alcune linee che delimitano il contorno dell'antica fortezza. Poco mancò che, al suo posto, fosse collocata una fontana monumentale a forma di elefante, di cui comunque, fino al 1847, rimase il modello; ormai in rovina, questa era diventata la tana di migliaia di ratti e fu inoltre scelta da Victor Hugo per ambientare l'alloggio di Gavroche.

L'aspetto della piazza ha subito notevoli modifiche in conseguenza dell'apertura della rue de Lyon (1847), del boulevard Henri-IV (1866) e della costruzione della stazione della Bastiglia (1859).

Colonne de Juillet – Al centro della piazza, la Colonna di Luglio venne eretta tra il 1831 ed il 1840 in memoria dei parigini uccisi durante i moti del luglio 1830. Le loro spoglie, assieme a quelle delle vittime del 1848, sono state inumate nel basamento della colonna stessa ed i loro nomi incisi sul fusto di bronzo. Sul monumento si erge la statua del Genio della Libertà, alta 52 m dal suolo.

Colonne de Juillet

★ **Opéra-Bastille** – Questo teatro lirico e per concerti è stato costruito al posto dell'antica stazione della Bastiglia. L'architetto Carlos Ott ha realizzato un edificio funzionale ed armonioso, curando in special modo l'equilibrio delle forme e delle proporzioni e la scelta mirata del materiale. La sua originalità è nella flessibilità delle attrezzature: numerosi pannelli mobili per il cambiamento rapido delle scene, un laboratorio di decorazione, sale di prova. L'Opéra-Bastille è stata inaugurata nel marzo 1990 con l'opera *I Troiani* di Berlioz, direzione d'orchestra di Myung Whung Chung.

Boulevard Richard-Lenoir – Ideata da Haussmann nel 1859, questa ampia strada si dirama dalla piazza verso nord, dividendo il canal St-Martin *(si veda RÉPUBLIQUE)* dall'Arsenale, fin quasi a place de la République. Deve il nome ai due industriali francesi François Richard e Joseph Lenoir che introdussero il telaio meccanico in Francia sotto Napoleone.

Rue de Lappe – Qui un tempo sorgevano famose sale da ballo popolari e botteghe di commercianti spesso provenienti dall'Alvernia; da non molto vi sono allestite gallerie d'arte con annessi laboratori aperti al pubblico.

ARSENAL

Fin dal 14° sec. il luogo è occupato da una florida comunità benedettina. Nel 1512 il comune sottrae una striscia di terreno e vi allestisce un edificio destinato alla fabbricazione di cannoni. Il re Enrico II decide di appropriarsi della manifattura che diviene Arsenale reale. Dopo uno scoppio che ne determina la distruzione, l'edificio viene ricostruito e diviene la residenza di Sully, gran maestro di artiglieria. Luigi XIII smantella la fonderia di cannoni, mentre la fabbricazione della polvere da sparo è trasferita alla Salpêtrière.

Dal 1631 l'Arsenale ospita una corte di giustizia con il compito di giudicare i crimini speciali. Due fatti in particolare vi si svolgono: il processo a **Fouquet**, soprintendente alle finanze, che, inviso a Colbert, viene accusato di aver dirottato le entrate dello stato a proprio favore, e la cosiddetta **Corte dei Veleni**, sorta di tribunale speciale indetto per porre fine all'epidemia di avvelenamenti che si diffonde nella città dopo il caso della marchesa di Brinvilliers. La colpa ricade su Mme La Voisin, incolpata di vendere il veleno: sottoposta a torture coinvolge alte personalità e viene in tutta fretta condannata al rogo.

Biblioteca ⊙ – *20, boulevard Henri-IV*. Creata nel 1757, viene dichiarata biblioteca pubblica nel 1797 ed installata nell'ex residenza dei grandi maestri di artiglieria. Nel 19° sec. diviene il luogo di incontro di scrittori romantici quali Lamartine, Hugo, Vigny, Musset e Dumas. Intorno al 1900 ospita un salotto letterario frequentato dai parnassiani.

La biblioteca possiede più di un milione e mezzo di volumi, 15 000 manoscritti e 120 000 stampe. Interessante il settore dedicato alle arti dello spettacolo, in particolare per la storia del teatro.

L'edificio possiede sale decorate con dipinti del 17° sec. e saloni del 18° sec. In particolare il salone della musica presenta, sopra il vano della porta, una decorazione a grisaille che riproduce i bassorilievi di Bouchardon sulla Fontana delle Quattro Stagioni in rue de Grenelle.

L'Arsenale è fiancheggiato dal boulevard Morland. I mortai ed i cannoni sulla balaustrata del tetto testimoniano la funzione a cui un tempo era adibito l'edificio.

La statua sulla piazza raffigurante Arthur Rimbaud è di Ipousteguy.

Nel Medioevo, tra l'hôtel Fieubet e la biblioteca dell'Arsenale si trovava il convento dei Celestini, oggi trasformato in caserma.

★ **Pavillon de l'Arsenal** ⊙ – *21, boulevard Morland*. E' un edificio in vetro e metallo della fine del 19° sec., ed accoglie un'esposizione sull'urbanistica e l'architettura parigine, dalle cinta di mura fortificate e i loro resti, ancora visibili, fino alle realizzazioni contemporanee (quartieri Bercy, Citroën, La Villette). Un grande plastico aiuta a situare nell'agglomerato urbano i settori lottizzati, gli spazi verdi e i servizi pubblici, grazie ad un sistema a videodisco.

FAUBOURG ST-ANTOINE

Il quartiere è da secoli centro dell'industria del mobile.

La storia del quartiere – Il sobborgo nasce intorno all'abbazia reale di Sant'Antonio, fondata nel 1198 da Foulques, curato di Neuilly-sur-Marne e predicatore della quarta Crociata, e destinata alle peccatrici pentite. Intorno al convento viene poi eretta una fortificazione; l'acqua confluisce dalla Senna nei fossati attraverso alcuni canali. Per volere della badessa, soprannominata la «Signora del Sobborgo», alcuni soldati sono posti a difesa del convento.

L'abbazia gode dei favori del re Luigi XI. Uno dei più significativi è la possibilità di disporre di una propria giurisdizione. Viene inoltre concesso agli artigiani del quartiere di disporre della libertà di associazione. Quest'utima possibilità, che consente loro di

Musée de l'argenterie insolite

sottrarsi all'autorità delle corporazioni, rappresenta un grosso vantaggio, dal momento che la regolamentazione dei mestieri è estremamente rigida e diversificata. Ciò va soprattutto a beneficio degli artigiani mobilieri, che, numerosi nel quartiere, possono creare modelli originali ed utilizzare anche legni diversi dalla quercia. Nel 1657, su autorizzazione di Colbert, essi riprendono o adattano le creazioni delle botteghe reali e, grazie alle loro mirabili lavorazioni con legno di mogano, ebano, bronzo ed intarsi, riescono anche ad attirare gli appassionati di novità.

I laboratori artigianali si moltiplicano e si ingrandiscono a dismisura, come nel caso di **Reveillon,** commerciante in carta da parati, che ha nella sua fabbrica (al n° 31 di rue de Montreuil) ben 400 lavoranti. L'enorme numero è la causa principale di disagi sociali che sfociano, il 28 aprile 1789 (pochi giorni prima degli Stati Generali), in una rivolta: la gente del sobborgo saccheggia la fabbrica e Réveillon è costretto a fuggire. Il 19 ottobre 1783, **Pilâtre de Rozier** riesce a compiere, nel cortile della fabbrica, la prima ascensione aerea, a bordo di un pallone frenato (ossia una mongolfiera di carta gonfiata con aria calda).

La Rivoluzione abolisce le corporazioni, si assiste all'introduzione di utensili meccanici e si sviluppa la fabbricazione in serie: tutto ciò modifica radicalmente il modo di lavorare. L'operaio, prima abituato a costruire un mobile interamente, deve ora specializzarsi in una determinata lavorazione. Nonostante nel quartiere rimangano numerose botteghe artigianali, l'abolizione delle botteghe nazionali nel giugno 1848 provoca una rivolta durante la quale vengono innalzate numerose barricate.

Rue du Faubourg-St-Antoine – Fiancheggiata da negozi di mobili, fabbriche di «sedie in stile» ed animata da cortili e passaggi dai nomi caratteristici (*L'Étoile d'Or* – La stella d'oro –, *L'Ours* – l'Orso –, *Les Trois Frères* – i Tre Fratelli), l'arteria costituisce il regno parigino del legno, uno degli ultimi rifugi dell'artigianato.

All'angolo con la rue de Charonne, si trova la graziosa **fontaine Trogneux** (1710).

Poco più avanti il **Passage de la Main-d'Or** è un esempio caratteristico del vecchio quartiere. Di fronte al n° **151** di rue du Faubourg-St-Antoine fu innalzata la barricata da cui il deputato Baudin, per protesta contro il colpo di stato di Luigi Napoleone Buonaparte, si fece uccidere il 3 dicembre 1851.

Église Ste-Marguerite – *36, rue St-Bernard*. Eretta sotto Luigi XIII, venne ampliata nel 18° sec. L'interno presenta una navata bassa e semplice con arcate ad ansa che creano un forte contrasto con il coro, alto e luminoso.

Nel piccolo cimitero sconsacrato di fianco alla chiesa riposerebbero le spoglie di Luigi XVI, morto nella prigione del Temple nel 1795.

Place d'Aligre – Ogni mattina, un mercato secolare presenta alle massaie e ai curiosi le sue bancarelle di anticaglie, di frutta e di verdura.

Viaduc des arts – *Avenue Daumesnil, 12° ar.* L'antica linea Bastille-sobborghi percorreva questo viadotto di pietre e di mattoni rosa. Le sue sessanta volte accolgono gli artigiani dei mestieri artistici: oreficeria, ebanisteria, restauro di quadri o di marmi, oggetti in ferro battuto, arazzi, creazione di mobili. Sopra il viadotto, un viale alberato (**Promenade plantée**) completa quello che è già stato aperto al pubblico e che si estende tra Reuilly e il bois de Vincennes.

Petit Musée de l'Argenterie Insolite ☼ – *109, avenue Daumesnil, 12° ar.* – *Metrò Gare de Lyon o Reuilly-Diderot*. Si trova sotto una delle volte, all'insegna dell'orefice Plasait. Questo museo di curiosità riunisce pezzi piccolissimi che testimoniano la raffinatezza e l'arte del vivere oggi inconsueto: pinze per lische, manici per braciole, grattalingua, «pomander» (boccette con profumi secchi che si portavano sul petto o alla cintura), un piccolo vaso da notte portatile chiamato «Bourdaloue», for-

---

Alcuni grandi ebanisti

Durante i regni di Luigi XV e di Luigi XVI si distinsero abili ebanisti. Qui di seguito alcuni tra i più famosi.

André Boulle (1642-1732): fornitore di corte, apprezzato per le sue incrostazioni di rame e di tartaruga. Il suo «stile» venne ripreso durante il Secondo Impero.

Charles Cressent (1685-1768): lo stile Luigi XIV delle sue scrivanie e dei suoi comò acquistò maggior grazia: compaiono gli ornamenti curvilinei spesso in bronzo dorato.

B.V.R.B.: stampiglia di una famosa famiglia di ebanisti parigini, i Bernard Van Risen Burgh. Il secondo della stirpe introdusse le piastrelle di porcellana nella decorazione dei mobili accanto agli intarsi in materiali vari (legno, metallo, madreperla).

Jean-François Oeben (1720-1763): maestro di Riesener e di Leleu, rappresenta la transizione tra lo stile Luigi XV e lo stile Luigi XVI. Sono famosi i suoi intarsi a cubi e i suoi mobili con meccanismi.

Roger Lacroix (1728-1799): dopo aver fabbricato tavoli e stipi, dà il meglio di sé nei comò e nei piccoli scrittoi per signora dalla linea perfetta.

Jean-François Leleu (1729-1807): interpreta lo stile Luigi XVI nella sua maestosità, con i bronzi a sottolineare l'architettura del mobile.

Martin Carlin (ca 1730-1785): i suoi mobili si adattano ai pannelli in lacca o alle piastrelle di porcellana.

Jean Riesener (1734-1806): trenta botteghe e boutique in rue St-Honoré. E' uno dei creatori dello stile Luigi XVI. I suoi comò e le sue scrivanie in mogano decorati con bronzi trionfano grazie alla sobrietà che li distingue.

Léonard Boudin (1735-1804): libero operaio del faubourg, abile intarsiatore (motivi floreali) e specialista dei mobili con vani segreti.

Georges Jacob (1739-1814): era installato vicino alla porta St-Martin. Grazie al lustro incomparabile delle sue sedie, domina l'arte del mobilio da Luigi XVI fino al Primo Impero e crea le famose poltrone «à la reine».

Adam Weisweiler (1744-1820): inventa mobili esili con fini cesellature di bronzo e ornati da pannelli in lacca del Giappone.

---

chette-coltelli per monchi, saliera olandese, forchetta telescopica, servizio per sigari. Gli inglesi sono i grandi specialisti degli utensili per il tè. La collezione è raggruppata in sette temi: la tavola, i viaggi, la caccia, la moda, i profumi e la cura della persona ed illustra complessivamente l'arte del vivere in ogni epoca. Una visita del laboratorio completa la visita del museo.

NATION

Place de la Nation – Questa piazza, un tempo place du Trône, fu creata in occasione dell'ingresso a Parigi di Luigi XIV e della sua giovane moglie, Maria Teresa (26 agosto 1660); vi fu eretto un trono su cui il sovrano ricevette gli omaggi dei notabili della città. Nel 1794 la Convenzione vi innalzò la ghigliottina e ne cambiò il nome in place du Trône-Renversé, ossia piazza del trono capovolto.

Il 14 luglio 1880, quando per la prima volta fu celebrato questo anniversario della Rivoluzione, la piazza assunse il nome attuale.

Al centro, nel 1899, fu eretto il bel gruppo scultoreo in bronzo di Dalou, il **Trionfo della Repubblica**★, destinato originariamente alla place de la République. In questo contesto architettonico, questo monumento appare un po' esile.

Le due colonne che inquadrano l'avenue du Trône sono opera di Ledoux e, successivamente, furono sormontate dalle statue di Filippo Augusto e di San Luigi. I due padiglioni, anch'essi dovuti a Ledoux, erano gli antichi uffici destinati alla riscossione dei diritti daziali (si veda l'Introduzione).

Poco più avanti, sull'ampio **cours de Vincennes**, si allestì per oltre un millennio la popolare fiera dei Panpepati, detta anche **fiera del Trono**. Nel 957, i religiosi dell'abbazia di Sant'Antonio furono autorizzati a vendere durante la Settimana Santa un pane di segale, miele e anice da loro confezionato, in ricordo del cibo che aveva nutrito il loro santo patrono nel deserto della Tebaide. La forma di questo pane ricorda il maialino che fu fedele compagno dell'eremita. Nel 1965, la fiera del Trono è stata trasferita nel Bois de Vincennes *(si veda alla voce)*.

Cimetière de Picpus ◷ – *35, rue de Picpus*. Nel 1794, sulla place de la Nation, furono ghigliottinate 1306 persone, i cui corpi vennero gettati qui in due fosse comuni, scavate in una cava di sabbia. Tra le vittime, anche il poeta André Chénier e 16 carmelitane di Compiègne, la cui vicenda ispirò a Bernanos l'opera teatrale Dialoghi delle carmelitane.

Una principessa di Hohenzollern, sorella del principe di Salm, una delle vittime, acquistò il terreno mortuario e lo fece cingere da un muro. Successivamente, le famiglie degli uccisi fondarono una società che entrò in possesso del «campo dei Martiri» e lo trasformò in cimitero, con il diritto di sepoltura per i suoi membri.

Vi sono sepolti, per la maggior parte, famosi esponenti dell'antica nobiltà francese: La Fayette, Choiseul, Rohan, La Rochefoucauld, Montalembert, Beauharnais. Una tomba è stata riservata a Georges Lenôtre, lo storico di Picpus, morto nel 1934.

Il campo dei Martiri si trova in fondo al cimitero, dietro ad un cancello. Qui, sotto i cipressi, riposano le spoglie di alcuni membri della famiglia di Salm.

Il sito Internet www.michelin-travel.com
permette di creare itinerari personalizzati,
di stampare le carte degli itinerari prescelti
e di accedere alle informazioni delle Guide Rosse Michelin.

BELLEVILLE★

Carte Michelin n° 12 e 14 (pp. 22, 23, 34 e 35): da E 19 a G 21
Ⓜ *Belleville, Ménilmontant o Gambetta.*

Il quartiere di Belleville sorge sul colle più alto di Parigi dopo Montmartre (128 m) e possiede una topografia insolita che ne crea il fascino un po' speciale: salite ripide, vicoli strettissimi e sinuosi.

Nonostante negli ultimi anni, le costruzioni moderne abbiano proliferato in modo vertiginoso, Belleville ha conservato una certa fedeltà al suo passato che si traduce nelle viette tranquille, nella vita ritirata che vi si svolge, nei terreni ancora abbandonati e nelle piccole macchie di verde. Le strade principali, in ogni caso, sono piene di popolari ristoranti etnici.

Il 19 Dicembre 1915, in una povertà totale, Giovanna Gassion nacque sugli scalini del n° **72** di rue de Belleville. All'inizio fu una cantante di strada prima di conoscere, nel 1935, sotto il nome di **Édith Piaf**, il successo della radio, del disco, e del music-hall grazie alle inflessioni istintive ma sconvolgenti della sua voce *(La Vie en rose, Le Campane)*. Fu lei che permise a Yves Montand e Georges Moustaki di farsi conoscere.

Un altro personaggio famoso nasce in questo quartiere: **Maurice Chevalier** (1888-1974), attore cinematografico, scrittore di operette, ma soprattutto *chansonnier* di arie che lo hanno reso una delle figure più caratteristiche di Parigi. Partner della celebre Jeanne Mistinguett alle Folies Bergère (1909), nel periodo fra le due guerre partecipa a numerose riviste al Casino de Paris, un'altra famosa music-hall. La sua notorietà è legata alla sua immagine, in smoking paglietta e papillon ed alle sue canzoni: *Ma pomme, Prosper* e la *Marche de Ménilmontant*, che testimonia il legame affettivo di questo personaggio con il quartiere. Maurice Chevalier partecipa inoltre come comparsa in film di Max Linder e viene poi chiamato ad Hollywood ove gira parecchi film.

Un vecchio villaggio – Questo colle, dapprima soggiorno di campagna dei re merovingi, poi proprietà di abbazie e priorati, rimase a lungo abitato solo da operai delle cave e da qualche vignaiolo, raggruppati soprattutto nella vecchia frazione di Ménilmontant. Il nome del quartiere risale al 18° sec. come probabile deformazione di *belle vue* (bella vista) e, nel 1789, diviene comune. Oggi si estende tra le Buttes-Chaumont, il cimitero del Père-Lachaise ed i boulevard esterni.

Fino alla Restaurazione, ai piedi della collinetta nascono numerose sale da ballo, balere e bettole che attirano i parigini, soprattutto in occasione della festa che si svolge la sera del martedì grasso: un immenso corteo di vetture corre per la rue de Belleville, mentre gli equipaggi alla loro guida fanno a gara in quanto a travestimenti eccentrici ed a... ingiurie proferite. Nel 1860, il villaggio, la cui popolazione è aumentata con un ritmo incredibile, è annesso a Parigi e diviso tra il 19° ed il 20° arrondissement.

Passeggiando per Belleville

In questo quartiere si possono fare piacevoli passeggiate alla scoperta di caratteristici angoli e vie, come ad esempio la serie di cortili che formano la **Cité du Labyrinthe** tra la rue de Ménilmontant (n° 24) e la rue des Panoyaux, il **Passage de la Durée** (una delle viuzze più strette di Parigi) o il **Passage des Soupirs**. Una delle vie che ha maggiormente conservato il fascino del passato è la **rue des Cascades** ove si può notare il **Regard St-Martin**, un edificio costruito sul luogo in cui le acque sorgive venivano incanalate.

★ **Parco di Belleville** – Si estende sulla collina ed ha per asse principale il passage Julien-Lacroix. E' arricchito da giardini terrazzati e cascatelle che sfociano in un giardino acquatico. Dal belvedere si gode di una bella **vista★★** su Parigi.

BERCY

Carte Michelin n° 12 e 14 (p. 46): M 19, N 19 e N 20

Ⓜ *Bercy.*

Il settore Est di Parigi è in fase di rinnovamento e, in questo quadro, il quartiere di Bercy è oggetto di un'imponente operazione urbanistica che ne interessa una cinquantina di ettari, modificandone a fondo l'assetto: creazione di un parco di 13 ha e di un centro agro-alimentare nei depositi vitivinicoli risistemati. Gli imponenti edifici del ministero delle Finanze sono stati costruiti rispettando la configurazione del terreno. Contrariamente agli edifici pubblici eretti lungo la Senna, il complesso principale è stato collocato perpendicolarmente al fiume, nel quale sono immersi i due pilastri monumentali che lo fiancheggiano.

Nuovi scavi archeologici condotti sul posto hanno fornito la prova che le rive della Senna vennero abitate fin dal Neolitico (4 500 a.C.). Sono stati trovati numerosi oggetti in osso, corna di cervo, pietra ed argilla, oltre a tre canoe scavate in tronchi e perfettamente conservate.

Bercy, il Ministère des Finances

Palais Omnisports de Paris-Bercy – E' stato realizzato allo scopo di mettere a disposizione di Parigi una serie di impianti sportivi coperti in grado di rispondere alle esigenze delle grandi competizioni internazionali. L'aspetto esterno è simile a quello di una piramide enorme con fianchi inclinati di 45°, coperti da un tappeto erboso; il tetto possiede una gigantesca struttura in acciaio sostenuta da quattro fusti di una trentina di metri. Questa costruzione può ospitare fino a 17 000 spettatori e consente non solo lo svolgimento di 22 discipline sportive, ma anche l'organizzazione di manifestazioni artistiche e culturali; rappresenta pertanto un'interessantissima sfida dal punto di vista tecnico.

Sul piazzale Est si erge una enorme fontana quadrata di Gérard Singer, dal titolo *Canyoneaustrate*, ad evocare il paesaggio nord-americano (1988).

Poco distante (*51, rue de Bercy*), si trova un interessante edificio, un tempo sede dell'**American Center**. L'entrata, che si affaccia sul parco, assomiglia ad un'immensa scultura nel prolungamento degli stabili rettilinei. L'architetto californiano Frank Gehry lo definisce «una ballerina che alza la gonna e invita la gente ad entrare».

★ **Bibliothèque nationale de France François-Mitterrand** ⊙ – Opera di Dominique Perrault, l'insieme è costituito da un vasto spazio rettangolare, rivestito di legno d'ipé, ai cui angoli quattro torri-magazzino in vetro di 80 m di altezza simulano un libro aperto. Intorno al **giardino interno**, vera foresta di pini silvestri, si dispongono varie sale di lettura tematiche, una sala dedicata a riviste e periodici e uno spazio espositivo per mostre temporanee.

Bois de BOULOGNE★★
Carta Michelin n° 14 – pianta dettagliata

Questo grande parco, che copre una superficie di 846 ettari, offre l'opportunità di compiere passeggiate e gite a piedi, a cavallo, in bicicletta ed in auto. Gli specchi d'acqua all'interno del parco permettono inoltre di praticare il canottaggio. La presenza di caffè e ristoranti invita a piacevoli soste.

Due sentieri segnalati permettono di compiere il giro completo (percorso contrassegnato da strisce gialle e rosse) oppure semplicemente attraversarlo (strisce gialle e blu per la Diagonale des Ruisseaux).

Una foresta reale – In epoca merovingia, la foresta è un ambito territorio di caccia (orsi, cervi, lupi, cinghiali). Nel 1308, i boscaioli del luogo si recano in pellegrinaggio a Notre-Dame de Boulogne-sur-Mer ed al ritorno, con l'aiuto del re Filippo IV il Bello, costruiscono una chiesa simile a quella da loro visitata sulla Manica e la chiamano Notre-Dame-de-Boulogne-le-Petit. Da qui il nome di Boulogne.

Il bosco della Corona funge da rifugio per i banditi e pertanto, nel 1556, Enrico II decide di cingerlo con un muro in cui si aprono otto porte (le più importanti sono quelle di Maillot e della Muette). Questo terreno di caccia è sistemato nel 17° sec. da Colbert che fa tracciare strade rettilinee che formano incroci a stella, dove sono erette croci (ad esempio quella di Catelan). Il parco viene aperto alla popolazione, ma è solo durante la Reggenza che il luogo viene scelto come punto di incontro del bel mondo parigino che vi fa anche costruire sontuose dimore: Neuilly e la Muette, Bagatelle, il Padiglione St-James ed il Ranelagh.

Bagatelle: Orangerie e roseto

Devastazioni – Nel periodo della Rivoluzione, il bosco di Boulogne offre rifugio a ricercati, miserabili e bracconieri. Nel 1815, gli eserciti inglese e russo stabiliscono i loro accampamenti nella foresta, causandone la devastazione, al punto che una grande area deve essere rasa al suolo. In sostituzione delle querce, sono allora piantati ippocastani, sicomori, acacie.

Il bosco oggi – Nel 1852, Napoleone III cede il bosco al Comune di Parigi ed Haussmann compie con i suoi collaboratori un'opera di notevole impegno: il muro di cinta è demolito e la foresta è trasformata in parco, su modello di Hyde Park a Londra, tanto ammirato dall'imperatore. Viali sinuosi sostituiscono le precedenti strade rettilinee, si creano due laghi ed alcuni stagni per la cui alimentazione è utilizzato il pozzo artesiano di Passy. Si procede inoltre alla costruzione dell'ippodromo di Longchamp, chioschi, chalet, ristoranti. Di fronte ad una folla gioiosa ed ammirata si svolge l'inaugurazione dell'avenue de l'Impératrice, oggi **avenue Foch** *(si veda oltre)*, ed il bosco diviene di gran moda, luogo d'incontro della buona società. Nel 1870 termina anche l'allestimento dell'ippodromo di Auteuil, riservato alla corsa a siepi.

Visita ⊘

Jardin d'Acclimatation ⊘ – Si tratta essenzialmente di un parco di attrazioni per i bambini, ma anche di un giardino zoologico. Il **Musée en herbe** (Museo in erba) ⊘ propone due esposizioni all'anno e numerosi giochi pedagogici.

★★ Musée National des Arts et Traditions Populaires ⊘ – *6, avenue du Mahatma-Gandhi.* Il museo, grazie a ricche e suggestive collezioni, fa rivivere il mondo rurale della Francia prima della rivoluzione industriale.
La **galleria culturale** *(pianterreno)* mostra come l'uomo si sia adattato all'ambiente naturale ed abbia saputo trarne vantaggio utilizzando alcune tecniche (raccolta di prodotti della terra, caccia, pesca, allevamento, agricoltura); il materiale esposto illustra anche i riti e le feste religiose o profane che scandiscono la vita dell' umanità.
La nascita della società comporta la creazione di istituzioni che ne agevolano e regolamentano la vita. Nascono così la famiglia, il mercato, il commercio ambulante e le fiere. Non meno importanti sono altre manifestazioni sociali come i giochi, gli spettacoli (circo, marionette), la danza, la letteratura, la musica, i costumi. Sono anche stati ricostruiti, all'interno del loro contesto, locali di abitazione, botteghe artigianali, una barca da pesca sulla spiaggia.
Nella **galleria di Studio** *(seminterrato)*, sono presentati gli stessi oggetti, disposti però secondo la loro funzione o tecnica di applicazione: coltivazione, allevamento, trasporti agricoli, vita domestica, tecniche artigianali, usi e costumi locali, giochi e strumenti musicali, fiere.
La proiezione di audiovisivi e diapositive (accensione individuale) rende la visita al museo ancora più interessante.

★★ Parc de Bagatelle ⊘ – *Route de Sèvres-à-Neuilly.* Nel 1720, il maresciallo d'Estrées fa erigere in questo luogo un piccolo padiglione destinato a sua moglie. Nel 1775, il **conte d'Artois** (futuro Carlo X) acquista questo edificio, ormai in rovina, e scommette con sua cognata, Maria Antonietta, che, in meno di tre mesi, farà erigere una nuova costruzione. Incredibilmente vince la scommessa! L'architetto Belanger appronta il progetto in sole 24 ore e porta a termine i lavori in 64 giorni. Parallelamente, il famoso giardiniere Blakie conclude l'allestimento del parco, in stile inglese.
Nel 1806, Napoleone prende possesso di Bagatelle, sopravvissuto alla Rivoluzione, e prevede di farne un palazzo per il re di Roma. Durante la Restaurazione, la proprietà passa al duca di Berry.

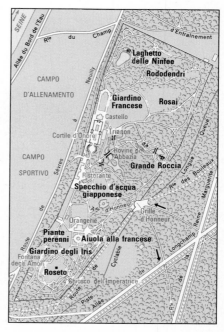

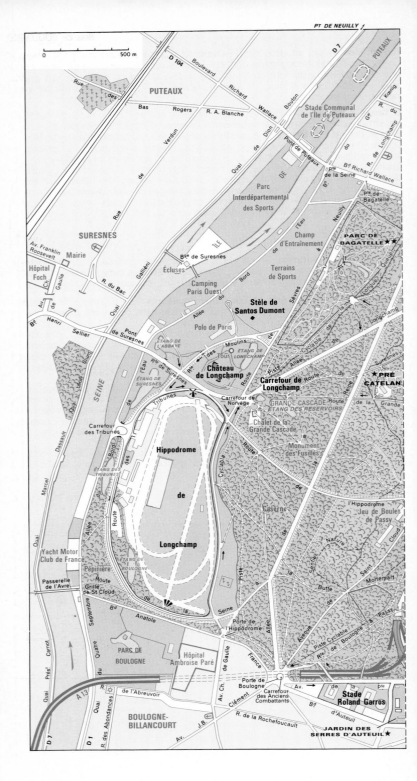

Nelle pubblicazioni **Michelin**
le carte sono orientate con il Nord in alto.
Per utilizzare al meglio la **Guida Michelin**
consultate la legenda a pag. 2.

78

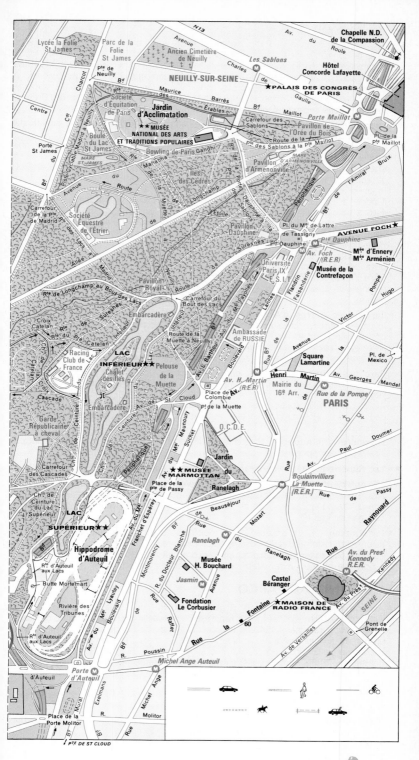

Nel 1905, il comune di Parigi l'acquista dagli eredi di Richard Wallace, a cui si deve la donazione delle famosissime fontane.

Bagatelle è un parco molto grazioso, che copre una superficie di 24 ettari. Da metà marzo a metà aprile, nelle aiuole, sbocciano magnifiche piante bulbose. A queste si aggiunge lo spettacolo stupendo dei giardini con i giaggioli *(a maggio)*, i roseti *(da giugno a ottobre)* e le ninfee *(in agosto)*. Nel Trianon e nell'Orangerie si tengono mostre di pittura e di scultura *(da maggio ad ottobre)*.

Longchamp – La Grande Cascata, artificiale, ma molto pittoresca, è situata nel carrefour de Longchamp.

All'interno dello **château de Longchamp**, dono di Napoleone III a Haussmann, è ospitato il Centro Internazionale dell'Infanzia.

Tra lo stagno di Longchamp ed il carrefour des Tribunes si ergevano fino al '700 gli edifici di un'abbazia, fondata nel 1255 da Santa Isabella, sorella di San Luigi. In un primo tempo fu chiamata abbazia di Nostra Signora dell'Umiltà, poi prese il nome di Longchamp. Dell'abbazia rimangono solo alcuni resti, tra cui una torre, ancora visibile dalla route des Moulins.

Nell'**hippodrome de Longchamp**, inaugurato nel 1857 da Napoleone III, si corrono ogni anno famosi «Grand Prix». Da un ristorante panoramico *(aperto nei giorni delle corse)* si può godere una vista su tutte le piste.

Dalla route de la Seine alla collinetta di Mortemart, lungo la linea della grande pista del campo di corse, si apre una bella vista sulla Défense.

Oltre il carrefour des Anciens-Combattants, si stende lo **Stade Roland-Garros**, famoso perché è lo stadio dove si svolgono le partite internazionali di tennis di maggio-giugno.

★ **Jardin des Serres d'Auteuil** ⊙ – *3, avenue de la Porte-d'Auteuil*. Conserva lo stesso fascino che gli venne conferito da Formigé, alla fine dell'800. La costruzione centrale racchiude una serra per palme e piante tropicali. Nelle altre serre sono coltivate numerose specie e varietà di piante da collezione. Di notevole interesse sono le esposizioni (azalee, piante carnivore) che si svolgono ogni anno.

Parc des Princes – *24, rue du Commandant-Guilbaud*. Costruito nel 1972, il nuovo stadio (Parco dei Principi) è sede di grandi manifestazioni sportive (calcio, rugby).

Al 3° piano dello stadio vi è il **Musée National du Sport** ⊙ che illustra lo sviluppo degli sport attraverso pannelli esplicativi e oggetti appartenenti a grandi campioni.

Hippodrome d'Auteuil – E' riservato alle corse ad ostacoli. *Si vedano le Principali Manifestazioni Sportive.*

★★ **Lac Supérieur** – Piacevole luogo ove sostare o passeggiare.

★★ **Lac Inférieur** – E' una meta molto frequentata dai parigini, soprattutto la domenica. Un battello a motore trasporta le persone sulle isole, dove possono sedere ad una terrazza-ristorante. Sono anche a disposizione alcune barche per compiere piccole **gite sul lago** ⊙.

★ **Pré Catelan** – E' un grazioso parco molto curato che dispone di bei prati, alberi e di un caffè-ristorante dove sostare piacevolmente.

Lo **jardin Shakespeare** ⊙, oltre ad un teatro all'aperto, offre all'ammirazione arbusti e fiori che recano i nomi citati dal grande drammaturgo inglese.

INTORNO AL PARCO

★ **Avenue Foch** – L'avenue Foch, larga ben 120 m, congiunge l'Étoile alla place du Maréchal-de-Lattre-de-Tassigny e rappresenta una delle più belle creazioni di Haussmann. Inaugurata nel 1854 con il nome di avenue de l'Impératrice e fiancheggiata ai due lati da una fila di aiuole alberate e da un controviale, divenne ben presto la passeggiata alla moda per coloro che si recavano al Bois de Boulogne. Ai bordi dell'enorme corso, furono eretti palazzi privati estremamente eleganti ed aristocratici. Il nome di avenue Foch le fu conferito nel 1929, alla morte dell'omonimo Maresciallo.

Al n° 59, l'hôtel d'Adolphe-d'Ennery (autore di melodrammi del 19° sec.) ospita due piccoli musei.

Musée Arménien ⊙ – *Al pianterreno*. La collezione include gioielli armeni, oggetti religiosi e tradizionali e dipinti, sculture e disegni moderni.

Musée d'Ennery ⊙ – *1° piano*. Le ricche collezioni appartenute al drammaturgo vengono presentate nella loro ambientazione originale, in stile Secondo Impero. Nelle sale, dai mobili in legno e madreperla, sono esposti bronzi, ceramiche, lacche, giade cinesi e giapponesi ed un numerosissimo gruppo di **Netsuke★**, piccoli bottoni in legno intagliato e dipinto a forma di personaggi umoristici, animali e maschere.

In rue de la Faisaderie, al n° 16 si trova un piccolo, ma interessante **Musée de la Contrefaçon** (Museo della Contraffazione) ⊙ che presenta falsi commerciali e materiale pubblicitario non autorizzato.

★ **Palais des Congrès** – *2, place de la Porte-Maillot.* Si trova vicino al Bois de Boulogne, all'incrocio del raccordo anulare (*périphérique*) con il prolungamento degli Champs-Élysées, in direzione Défense.

Il Palazzo dei Congressi è stato realizzato nel 1974, per offrire a Parigi un moderno complesso di servizi. La struttura si basa sul contrasto fra linee verticali ed orizzontali.

L'edificio comprende sale di esposizioni (1° piano), sale per riunioni, salotti per la trattazione di affari ed uffici, distribuiti su 7 piani. Una fitta serie di negozi, affacciati su due piani (rue Basse e rue Haute), cingono lo stupendo Auditorium. Vi sono inoltre ristoranti, cinema, una discoteca, un'autostazione e un parcheggio. Dalle terrazze del 5° e 7° piano si gode una bella vista sul Bois de Boulogne e sul quartiere della Défense.

Al centro del palazzo è stato costruito il **Grande Auditorium★★** *(la visita è consentita solo se si assiste ad uno spettacolo)*, una realizzazione unica in Europa. E' un immenso anfiteatro che può ospitare 3 700 persone. Il palcoscenico (600 m^2) è stato progettato per la rappresentazione di grandi spettacoli e per l'esecuzione di concerti sinfonici. Comunicante con il pianterreno del palazzo dei congressi, vi è l'hôtel Concorde La Fayette. In cima alla torre (140 m) dell'hôtel, vi è un bar panoramico da cui si gode di un'ampia **vista★** su Parigi, il Bois de Boulogne e, sull'estrema destra, la Défense.

Dietro il Palazzo dei Congressi, sulla place du Général-Kœnig, vicino al raccordo anulare, si erge la **Chapelle Notre-Dame-de-la-Compassion** (cappella commemorativa di Nostra Signora della Compassione), che ricorda la morte del duca Ferdinando d'Orléans, figlio primogenito di Luigi Filippo, avvenuta per un incidente di carrozza nel 1842. L'edificio possiede interessanti vetrate di Ingres.

Le chiese non si visitano durante le funzioni.

Parc des BUTTES-CHAUMONT★

Carte Michelin n° 12 e 14 (p. 22): D 19, D 20 – E 19, E 20
Ⓜ *Buttes-Chaumont.*

La spoglia collina di Chaumont (mont chauve = monte calvo) possedeva, fino al secolo scorso, una fama alquanto sinistra, a cui contribuivano la presenza di numerose cave ed il puzzo fetido proveniente dai depositi di immondizie.

Dal 1864 al 1867, Napoleone III affida a Haussmann il compito di crearvi un parco, la prima area verde nel settore Nord di Parigi. A favore di questo progetto concorre la conformazione stessa del terreno e la posizione collinare. Si procede anche a scavare un lago, alimentato dal canale St-Martin, da cui emergono enormi rocce, in parte naturali e in parte artificiali, alte ben 50 m.

Due ponti portano all'isola sulla cui cima si erge un tempietto classicheggiante. Da qui la vista si estende fino a Montmartre e St-Denis.

Ad ovest del parco, le stradine intorno alla Fondation Ophtalmologique A.-de-Rothschild, ospedale e sede della banca francese degli occhi, formano una collinetta tranquilla e graziosa da cui si gode una sorprendente prospettiva verso Montmartre.

Parc des Buttes-Chaumont

Les CHAMPS-ÉLYSÉES★★★

Carte Michelin n° 12 e 14 (pp. 16, 17, 29 e 30): da F 7 a G 11.

La prospettiva che si apre tra il palazzo del Louvre e l'Arc de Triomphe dell'Étoile è nota ai parigini come Voie Triomphale (Via Trionfale). Essa comprende lo Jardin des Tuileries, place de la Concorde, gli Champs-Élysées e l'Étoile.

★★★ ARC DE TRIOMPHE *Place Charles-de-Gaulle.*

Il monumento e la **place Charles-de-Gaulle★★★** che lo circonda costituiscono uno dei luoghi più prestigiosi della capitale francese. Intorno all'arco si dispongono a raggiera dodici viali e per questo motivo la piazza fu a lungo chiamata piazza dell'**Étoile**. L'Arco di Trionfo evoca l'epopea imperiale ed ospita la tomba del Milite Ignoto.

Cenni storici – Alla fine del 18° sec. la piazza disegna già una stella, sebbene dal crocevia circondato da prati a forma di anfiteatro si diramino solo cinque viali.

1806: Napoleone ordina di costruire un arco gigantesco in onore degli eserciti francesi. Viene accettato il progetto presentato dall'architetto **Chalgrin** che, dopo aver lavorato al Collège de France, al Luxembourg e a St-Sulpice, dà vita qui al suo capolavoro.

1810: la nuova imperatrice Maria Luisa deve fare il suo ingresso in città attraverso l'avenue des Champs-Élysées. Poiché, per fare le fondamenta dell'enorme monumento, sono stati necessari ben due anni, la costruzione dell'arco è appena agli inizi; Chalgrin deve quindi conferire l'aspetto che esso avrà al termine dei lavori, erigendo un «trompe l'œil» con struttura di legno e tela dipinta. La morte dell'architetto, nel 1811, e i rovesci militari frenano i lavori.

1832-1836: i lavori, abbandonati sotto la Restaurazione, vengono terminati durante il regno di Luigi Filippo.

Arc de Triomphe, *La marsigliese* di Rude

1840: nel corso di una commovente cerimonia, il carro su cui vengono traslate le ceneri dell'imperatore passa sotto l'Arc de Triomphe.

1854: Haussmann fa sistemare la piazza, creando sette nuovi viali che vi confluiscono. Hittorff disegna le facciate omogenee dei palazzi che circondano l'arco.

1885: la salma di Victor Hugo viene esposta per tutta la notte sotto il monumento, avvolta in un immenso drappo da lutto. Il poeta è condotto al Panteon nel carro funebre dei poveri.

1919: il 14 luglio sfilano le truppe vittoriose; i marescialli marciano alla testa della parata.

1920: l'11 novembre vi viene inumato il corpo di un soldato non identificato, morto durante la grande guerra.

1923: l'11 novembre viene accesa per la prima volta la Fiamma del Ricordo.

1944: il 26 agosto Parigi, liberata dall'occupazione tedesca, acclama il generale de Gaulle.

Il giro intorno all'arco – Si consiglia di compiere per prima cosa il giro intorno alla piazza. Ad una certa distanza si possono meglio ammirare le armoniose proporzioni dell'arco e l'equilibrio delle sculture che lo ornano.

Chalgrin ha realizzato un arco ispirato all'architettura dell'antichità, ma di dimensioni colossali: ha infatti un'altezza di 50 m ed una larghezza di 45 m. Presenta un interessante complesso di altorilievi. **Rude** era stato incaricato di scolpire i gruppi che decorano le facce principali; tuttavia Étex e Cortot, dopo intrighi con Thiers, ottengono l'incarico di realizzare tre gruppi su quattro. L'opera di Rude rimane comunque la sola da cui traspiri il soffio del vero genio. Sugli angoli delle facce principali si possono ammirare quattro statue della Fama nell'atto di suonare la tromba, opera di Pradier. Tutt'intorno all'arco corre un fregio, stupenda composizione animata da centinaia di personaggi alti due metri. Sopra, il coronamento è ornato da una serie di scudi con incisi i nomi delle più grandi vittorie della Rivoluzione e dell'Impero.

Di fronte all'avenue des Champs-Élysées: 1) Stupendo gruppo marmoreo *Partenza dei Volontari nel 1792,* chiamato comunemente **La Marsigliese★★**, capolavoro di Rude. Di stile romantico, è un'allegoria della Patria che incita i cittadini alla difesa della loro indipendenza. – 2) Funerali di Marceau (generale di Napoleone). – 3) Trionfo del 1810 (opera di Cortot) a celebrazione della pace di Vienna. – 4) Battaglia di Abukir.
Di fronte all'avenue de Wagram: 5) Battaglia di Austerlitz.
Di fronte all'avenue de la Grande-Armée: 6) *La Resistenza* (opera di Étex). – 7) Passaggio del ponte di Arcole. – 8) *La Pace* (opera di Étex). – 9) Presa di Alessandria d'Egitto.
Di fronte all'avenue Kléber: 10) Battaglia di Jemmapes.
Facendo ritorno agli Champs-Élysées imboccare il passaggio sotterraneo per raggiungere l'arco.
Sotto il monumento riposa la salma del Milite Ignoto, coperta da una semplice lastra di pietra. La Fiamma del Ricordo, che vi arde perenne, viene rianimata tutte le sere alle 18,30.
Le facce interne dell'arco riportano i nomi di altre battaglie minori e ricordano 558 generali: sono sottolineati i nomi di coloro che perirono sul campo di battaglia.

Terrazza dell'arco ⊙ – Dalla terrazza si può godere una mirabile **vista★★★** su Parigi e, in primo piano, sui dodici viali che si irradiano a stella. Ci si trova, qui, a metà strada tra il Louvre e la Défense, nel punto culminante della Via Trionfale.
In un piccolo museo sono raccolti vari documenti e ricordi relativi alla costruzione dell'arco ed alle cerimonie, sia gloriose che funebri, a cui esso ha fatto da scenario. Un documentario testimonia i grandi momenti storici vissuti da questo monumento.

★★★ GLI CHAMPS-ÉLYSÉES

Grandiosa prospettiva,
luogo di divertimenti e
lussuoso centro
commerciale:
il viale

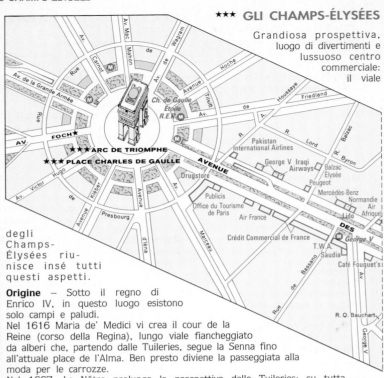

degli
Champs-
Élysées riu-
nisce insé tutti
questi aspetti.

Origine – Sotto il regno di
Enrico IV, in questo luogo esistono
solo campi e paludi.
Nel 1616 Maria de' Medici vi crea il cour de la
Reine (corso della Regina), lungo viale fiancheggiato
da alberi che, partendo dalle Tuileries, segue la Senna fino
all'attuale place de l'Alma. Ben presto diviene la passeggiata alla
moda per le carrozze.
Nel 1667, Le Nôtre prolunga la prospettiva delle Tuileries; su tutta
la pianura, chiamata Grande Corso, vengono piantati filari di alberi. Nel
1709 questa tranquilla zona ombreggiata prende il nome di Champs-Élysées. Nel
1724 il duca d'Antin, direttore dei giardini reali, estende il viale fino alla
collina di Chaillot (l'attuale Étoile) ed il successore, il marchese di Marigny,
lo fa arrivare fino al ponte di Neuilly (1772). Dopo due anni, Soufflot, per attenuare il pendio della via, riduce la collinetta di Chaillot di oltre cinque metri.
Il materiale di sterro, gettato di lato, ha prodotto la rampata della rue
Balzac.

La moda – Alla fine del 18° sec. gli Champs-Élysées sono ancora un giardino
selvaggio, deserto e poco sicuro, su cui sono situate solo sei proprietà tra le quali
l'hôtel Massa, poi trasportato pietra su pietra vicino all'Osservatorio. Gli alleati,
che occupano Parigi nel 1814, si suddividono l'occupazione di questi spazi verdi:
i prussiani e gli inglesi sono accampati alle Tuileries e alla Concorde, mentre i
cosacchi bivaccano sotto gli alberi degli Champs-Élysées. Per riparare i danni
saranno necessari due anni.
Il viale, divenuto proprietà municipale nel 1828, viene ornato di fontane
e dotato di marciapiedi, illuminazione a gas e, dal Secondo Impero,
diviene soprattutto luogo di ritrovo della ricca società parigina. I curiosi, seduti
ai lati della carreggiata, possono così veder sfilare in una nuvola di polvere
cavalieri e cavallerizze, carrozze e calessi utilizzati dal bel mondo (come
tilbury, coupé e landò). Caffè-concerto (tra cui l'Alcazar, ricostruito da Hittorff
nel 1840), ristoranti, panorami, circhi: per tutte queste attrattive si accalca
una folla elegante, ancor più fitta nei giorni delle corse all'ippodromo di Longchamp o in occasione delle esposizioni universali (1844, 1855, 1867, 1900).
Nell'elegante viale delle Vedove (l'attuale avenue Montaigne), la sala da ballo
Mabille attira tutta l'élite parigina fino al 1870. Sotto la luce di 3 000 becchi a
gas, Olivier Metra dirige polche e mazurche scatenate. Lì accanto, nel giardino
d'Inverno, il musicista Sax suonò per la prima volta un nuovo strumento: il
saxofono.

Il cuore della nazione – Ai giorni nostri questo viale ha perso il carattere aristocratico che lo distingueva, mantenendo tuttavia lo splendore e la forza d'attrazione che gli erano propri. La sfilata militare del 14 luglio vi attira ogni anno
una folla immensa. Lo stesso accade nelle grandi giornate «storiche»: il popolo di
Parigi sceglie proprio questa grandiosa via trionfale per riunirsi spontaneamente
durante la sfilata della Liberazione (26 agosto 1944), la manifestazione del 30
maggio 1968 e la marcia silenziosa in omaggio al generale de Gaulle (12 novembre 1970).

Dall'Arc de Triomphe al Rond-Point

Gli Champs-Élysées, nonostante la loro larghezza davvero imponente (71 m), non rappresentano la più grande arteria di Parigi (l'avenue Foch è 120 m).

Gli odierni Champs-Élysées sono un centro di affari, commercio, turismo e divertimenti. Sui due lati dell'avenue si affiancano le sale di esposizione di automobili, le banche, le compagnie aeree. Alcuni paesi stranieri e regioni francesi vi hanno installato la propria «Casa» (Maison), rappresentanti vari aspetti caratteristici: ricchezze turistiche, gastronomia e artigianato. Le vetrine delle grandi firme di «prêt-à-porter», situate nelle numerose gallerie (Élysées Rond-Point, Élysées 26 e Claridge), offrono l'attrattiva dell'ultimo «chic» parigino. Le gallerie Des Champs (n° **84**) e Point Show (n° **68**), concepite secondo la formula di moda, raggruppano bar, ristoranti, sale cinematografiche, negozi.

Sulle terrazze dei grandi caffè, nei *drugstore* e davanti ai cinema di prima visione si accalca abitualmente una folla cosmopolita che rimane nei luoghi di ritrovo fino a tarda ora della notte.

Fino al Secondo Impero il viale era fiancheggiato da palazzi signorili e sale di

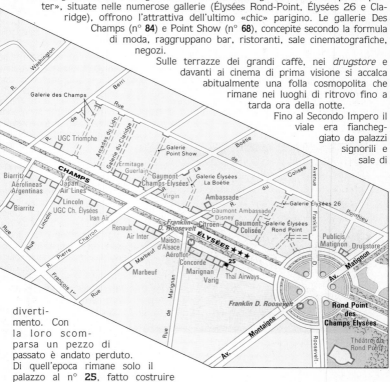

divertimento. Con la loro scomparsa un pezzo di passato è andato perduto. Di quell'epoca rimane solo il palazzo al n° **25**, fatto costruire dalla **Païva**, un'avventuriera polacca divenuta marchesa portoghese e poi contessa prussiana. Al suo interno l'intraprendente signora offriva cene frequentate abitualmente dallo scrittore Renan, dal filosofo e storico Taine, dai fratelli Goncourt. La grande scala in onice che orna questo ricco hôtel è probabilmente unica al mondo. Il Colisée, anfiteatro con 40 000 posti, costruito nel 1770, ha dato il proprio nome ad una via, un caffè, un cinema.

Il Rond-Point – Fu progettato da Le Nôtre; vi si affaccia, accanto ai palazzi signorili del Secondo Impero (a destra solo la facciata è originale), una serie di negozi di recente costruzione. Da qui si gode di una bella vista.

Dal Rond-Point alla Concorde

★ **I giardini** – Questa zona costituisce la parte alberata degli Champs-Élysées. Fiancheggiata da giardini all'inglese, del passato ha mantenuto i bei viali di ippocastani, alcuni padiglioni ed un luna park per bambini.

Avenue Gabriel – L'avenue si snoda lungo giardini ombreggiati da belle file di alberi, dietro ai quali si affacciano i ricchi palazzi del Faubourg-St-Honoré: Palais de l'Élysée (Eliseo), dalla bella cancellata «del gallo» forgiata nel 1905, Ambasciata d'Inghilterra, Circolo dell'Unione Interalleata ed Ambasciata degli Stati Uniti (ex-residenza del bravissimo gastronomo Grimod de La Reynière).

Avenue de Marigny – All'angolo con avenue des Champs-Élysées si può ammirare il **monumento** a **Jean Moulin** (patriota antinazista morto nel 1943 in mano ai tedeschi), composto da cinque stele in cima alle quali emergono visi sconvolti simbolizzanti la sofferenza umana. A fianco del teatro Marigny, ex-Panorama, ogni giovedì, sabato e domenica ha luogo un **mercato filatelico.**

Place Clemenceau – Nella piazza si trova una **statua** in bronzo di Clemenceau, insigne uomo politico che, nel 1918, permise alla Francia di vincere la guerra e venne quindi chiamato *Padre della Vittoria*. Quest'opera venne eseguita da François Cogné (1932).

L'ex Panorama, trasformato poi in pista di pattinaggio, è sede attualmente del teatro del Rond-Point (compagnia Renaud-Barrault).

★ **Petit e Grand Palais** – Si trovano lungo l'**Avenue W.-Churchill**. Circa a metà della via si gode una bellissima **prospettiva★★** verso gli Invalides.
I due palazzi vennero costruiti per l'Esposizione del 1900. La struttura in pietra e acciaio ricoperto di vetrate ed i motivi ornamentali non godono dell'ammirazione generale, ma hanno ormai conquistato il proprio spazio all'interno del paesaggio parigino.

Petit Palais – Vi si tengono importanti esposizioni temporanee i cui cataloghi sono divenuti opere di riferimento. All'interno si trova il **Musée du Petit Palais★** ⊙. Vi sono raccolte le collezioni Tuck (mobili ed oggetti d'arte del 18° sec., all'interno di uno spazio decorato con rivestimenti di legno ed arazzi di Beauvais) e Dutuit (smalti, ceramiche, dipinti) e le importanti collezioni del 19° sec. del Comune di Parigi (Ingres, Delacroix, Courbet, Dalou, Scuola di Barbizon, Impressionisti). La grande galleria Sud è riservata a imponenti composizioni storiche e religiose (Gustave Doré), mentre la galleria Nord raccoglie alcune opere di Carpeaux.

A. ÉI/MICHELIN

Grand-Palais, Quadriga

Grand Palais – Possiede una facciata di 240 m su cui si eleva un colonnato ionico dietro il quale corre un fregio a mosaico. Gli angoli sono ornati di enormi quadrighe, mentre sulla parte esterna della facciata compaiono diversi elementi decorativi «modern style». All'interno, l'atrio a vetri è coperto da una cupola schiacciata che si staglia ad un'altezza di 43 m da terra.
Il Grand Palais, dopo aver ospitato grandi manifestazioni annuali (Salone dell'Automobile, Salone delle Arti domestiche), è stato completamente risistemato (sala di conferenze, biblioteca, circuito televisivo interno). Le Gallerie nazionali del Grand Palais *(ingresso avenue du Général Eisenhower)* le cui sale destinate ad esposizioni temporanee hanno una superficie complessiva di ben 5 000 m^2, sono divenute sede di un centro culturale.
La parte ovest è occupata dal Palais de la Découverte, mentre nella parte sud è ubicata l'Università Parigi IV. Percorrendo il Cours-la-Reine, a sinistra, si intravede la statua di La Fayette.

★★ **Palais de la Découverte** ⊙ – *Avenue Franklin-Roosevelt*. Questo centro di animazione scientifica, realizzato nel 1937 su iniziativa del grande fisico Jean Perrin, è al contempo sede di un importante museo di divulgazione.
Attraverso schemi, dimostrazioni, esposizioni pratiche, documentari e mostre temporanee il pubblico può seguire le grandi tappe percorse dalla Scienza e gli ultimi risultati raggiunti in questo campo.
Il **planetarium★**, meraviglia dell'ottica e della meccanica di precisione, permette ai visitatori un approccio alla lettura del cielo mostrando, tra l'altro, anche la rotazione dei pianeti del nostro sistema solare.

★★ **Pont Alexandre-III** – Costruito in occasione dell'Esposizione Universale del 1900, è un'importante testimonianza di come, verso la fine del 19° sec., fossero di moda le costruzioni metalliche e gli imponenti motivi decorativi. Questo maestoso ponte, con un unico arco portante ribassato, è opera degli architetti Résal e Alby e, da esso, si può godere una bella prospettiva sugli Invalides.

Restaurant Leyoden – *Carré Champs-Élysées*. Ai tempi di luigi XVI era una modesta taverna per i passanti che si fermavano a bere il latte appena munto delle mucche che pascolavano lì fuori.

Espace Pierre Cardin – Una volta Téâtre des Ambassadeurs, è ora uno spazio utilizzato per mostre, concerti, spettacoli teatrali e balletti.

★★★ PLACE DE LA CONCORDE

Tutte le molteplici caratteristiche di questa piazza (estensione, ubicazione, eleganza) inducono all'ammirazione.

Gli scabini di Parigi, per accattivarsi le grazie di Luigi XV, incaricano Bouchardon di eseguire una statua equestre del «Beneamato» ed indicono un concorso per la sistemazione della piazza, a cui partecipano Servandoni, Soufflot, Gabriel. Sarà quest'ultimo ad avere la meglio. La piazza, di forma ottagonale e delimitata da un fossato circondato da balaustre, ha una superficie di 84 000 m^2; agli angoli sono disposti otto grandi zoccoli su cui poggiano statue. La rue Royale è fiancheggiata da due edifici gemelli, ornati di bei colonnati. I lavori durano dal 1755 al 1775.

Nel 1770, in occasione del matrimonio del Delfino con Maria Antonietta, viene acceso un enorme fuoco d'artificio; la folla viene colta da panico e ben 133 persone muoiono schiacciate nei fossati. Nel 1792 la statua reale è abbattuta e la piazza Luigi XV prende il nome di piazza della Rivoluzione.

Il 21 gennaio 1793, accanto all'attuale statua di Brest, viene innalzata la ghigliottina per l'esecuzione di **Luigi XVI**. Dal 13 maggio, il cosiddetto «rasoio nazionale», montato vicino al cancello delle Tuileries, vede sfilare 1343 vittime, tra le quali Maria Antonietta, Mme du Barry, Charlotte Corday, i e Girondini, Danton ed i suoi compagni, Mme Roland che, prima di morire, lancia il famoso grido «Libertà, quanti crimini si commettono nel nome tuo!», Robespierre ed i suoi seguaci. Nel 1795 vengono decapitate le ultime vittime. Il Direttorio dà a questo luogo macchiato di sangue un nome pieno di speranza: piazza della Concordia.

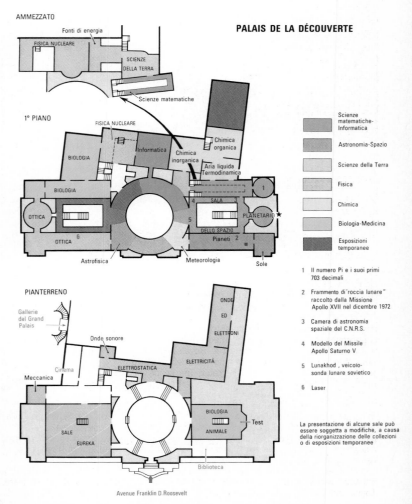

AMMEZZATO

PALAIS DE LA DÉCOUVERTE

Fonti di energia

FISICA NUCLEARE

SCIENZE DELLA TERRA

Scienze matematiche

1° PIANO

FISICA NUCLEARE

Informatica

Chimica organica

Chimica inorganica

BIOLOGIA

Aria liquida Termodinamica

BIOLOGIA

1

OTTICA

4 SALA 3

5

PLANETARIO ★

OTTICA 6

DELLO SPAZIO

Pianeti 2

Astrofisica

Meteorologia

Sole

Scienze matematiche-Informatica

Astronomia-Spazio

Scienze della Terra

Fisica

Chimica

Biologia-Medicina

Esposizioni temporanee

1 Il numero Pi e i suoi primi 703 decimali

2 Frammento di "roccia lunare" raccolto dalla Missione Apollo XVII nel dicembre 1972

PIANTERRENO

ONDE

ED

ELETTRONI

Gallerie del Grand Palais

Onde sonore

ELETTRICITÀ

Cinema

ELETTROSTATICA

Meccanica

3 Camera di astronomia spaziale del C.N.R.S.

4 Modello del Missile Apollo Saturno V

5 Lunakhod, veicolo-sonda lunare sovietico

6 Laser

BIOLOGIA

SALE

Test

EUREKA

ANIMALE

Biblioteca

La presentazione di alcune sale può essere soggetta a modifiche, a causa della riorganizzazione delle collezioni o di esposizioni temporanee

Avenue Franklin D. Roosevelt

Il pont de la Concorde è stato inaugurato nel 1790. Sotto il regno di Luigi Filippo, Hittorff completa la decorazione della piazza. Il re, rinunciando alla statua centrale, troppo sottoposta ai cambi di regime, decide di innalzare un monumento senza connotazione politica: l'Obelisco. Vengono inoltre installate due fontane.

★ **Obelisco** – Proviene dalle rovine del tempio di Luxor. Mehemet-Alì, viceré d'Egitto, desideroso di guadagnarsi l'appoggio della Francia, lo donò nel 1829 a Carlo X; l'Obelisco giunse però a Parigi solo nel 1833, sotto il regno di Luigi Filippo. Questo monumento in granito rosa, che ha vissuto ormai trentatre secoli di storia, è ornato di geroglifici. Sul piedestallo sono riprodotti i congegni impiegati per il trasporto e l'innalzamento di questo monolito, alto 23 m e del peso di più di 220 t.

Sculture – Le due fontane si ispirano a quelle che ornano piazza San Pietro a Roma. Sugli zoccoli disposti da Gabriel vengono erette otto statue che simboleggiano le maggiori città francesi. Cortot esegue le statue di *Brest* e *Rouen*. Pradier scolpisce *Lille* e *Strasburgo*. Juliette Drouet (amante di Victor Hugo) posa come modella per quest'ultima statua ai cui piedi Déroulède, poeta e acceso nazionalista della III Repubblica, riuniva i patrioti quando Strasburgo era tedesca. Lione e Marsiglia recano la firma di Petitot, mentre *Bordeaux* e *Nantes* sono opera di Caillouette.

Cavalli di Marly – I due magnifici gruppi marmorei *(Cavalli numidi domati da Africani)* di Guillame Coustou erano orgiginariamente collocati presso l'abbeveratoio del castello di Marly in sostituzione dei cavalli alati, opera di Coysevox, trasferiti alle Tuileries. Nel 1795 vennero trasferiti qui da

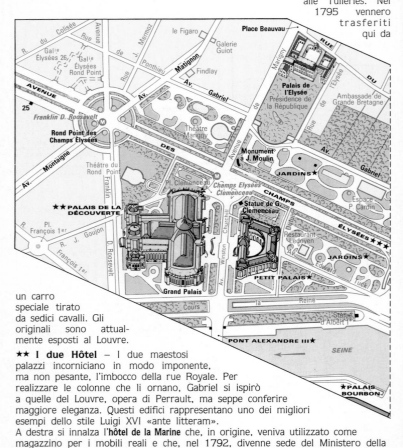

un carro speciale tirato da sedici cavalli. Gli originali sono attualmente esposti al Louvre.

★★ **I due Hôtel** – I due maestosi palazzi incorniciano in modo imponente, ma non pesante, l'imbocco della rue Royale. Per realizzare le colonne che li ornano, Gabriel si ispirò a quelle del Louvre, opera di Perrault, ma seppe conferire maggiore eleganza. Questi edifici rappresentano uno dei migliori esempi dello stile Luigi XVI «ante litteram».

A destra si innalza l'**hôtel de la Marine** che, in origine, veniva utilizzato come magazzino per i mobili reali e che, nel 1792, divenne sede del Ministero della Marina. Attualmente ospita lo Stato maggiore generale di quest'arma.

L'hôtel che gli fa riscontro, dall'altro lato della rue Royale, comprendeva quattro palazzi di grandi signori. Attualmente ospita l'Automobile-Club di Francia ed il **Crillon**, grande albergo di fama internazionale.

I due edifici sono fiancheggiati dall'Ambasciata degli Stati Uniti *(a sinistra)* e dall'**hôtel Talleyrand**, eretto nel 18° sec. da Chalgrin per il duca de la Vrillière. Talleyrand vi morì nel 1838.

★★★ Prospettive – Il luogo migliore per poter ammirare le stupende prospettive della Via Trionfale è costituito dal terrapieno dell'Obelisco. Gli scalpitanti *Cavalli di Marly* incorniciano la prospettiva degli Champs-Élysées, verso l'Arc de Triomphe; i Cavalli alati inquadrano invece la prospettiva che, dalle Tuileries, si apre verso il Louvre. Si possono anche godere bellissime viste verso la Madeleine ed il Palais-Bourbon.

Pont de la Concorde – E' opera del grande ingegnere Perronet che ne iniziò la costruzione nel 1787, all'età di 79 anni. Fu ultimato nel 1791. Per completarlo furono utilizzate le pietre provenienti dalla demolizione della Bastiglia, «affinché il popolo potesse continuamente calpestare coi piedi l'antica fortezza». All'epoca di Luigi Filippo, furono erette sul ponte dodici statue colossali di uomini famosi. Questa decorazione, che non incontrò il gusto dei parigini, fu trasferita nel cortile d'onore del castello di Versailles e successivamente dispersa in varie città della Francia. Il ponte è stato ampliato nel 1932. Notevole è la **vista★★★** sulla Senna e la prospettiva dalla Concorde alla Madeleine.

★★MUSÉE DE L'ORANGERIE ⊙

Una scala a ferro di cavallo, il cui corrimano venne forgiato da Raymond Subes, conduce al 1° piano dove è ospitata la collezione Walter-Guillaume comprendente 144 opere, dall'Impressionismo al 1930. La prima sala, che si apre sullo scalone d'entrata, ospita opere di **Chaïm Soutine** (1894-1943), pittore di origine lituana che, come molti altri artisti di questo periodo, si trasferisce molto giovane a Parigi, attratto dall'atmosfera artistica che vi regna. Le tinte forti, i contorni marcati e le linee contorte, tutti elementi che caratterizzano la sua opera, sono ben visibili nelle tele esposte qui, soprattutto ritratti *(Il piccolo pasticciere)* e paesaggi *(Case)*.

Di **Cézanne** (1839-1906) sono raccolti diversi ritratti *(Ritratto del figlio dell'artista)*, paesaggi *(La roccia rossa)* e nature morte *(Mele e biscotti)*, rappresentativi dell'evoluzione artistica del pittore.

La 3ª e 4ª sala sono dedicate ad **Auguste Renoir** (1841-1919), artista che dedica molta attenzione alle scene di intimità familiare. *Le due sorelle al piano* o *La mamma e la bambina* forniscono un buon esempio. Sono inoltre esposti ritratti tra i quali *Donna con la lettera*, *Bagnante dai capelli lunghi* e *Claude Renoir vestito da clown (in una sala seguente)* ed anche nudi *(Nudo di donna sdraiata)*.

Di **Picasso** (5ª sala) vi sono alcuni dipinti del periodo blu *(L'abbraccio)* e soprattutto del periodo neoclassico, caratterizzato

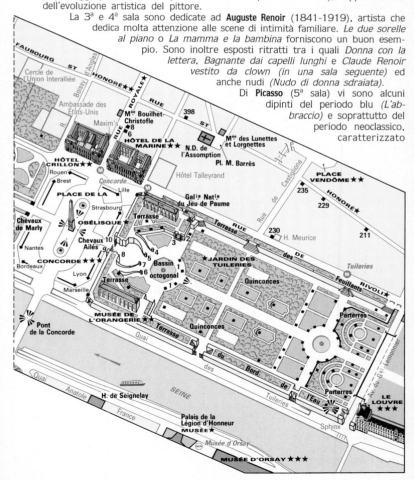

Place de la Concorde, fontana

dai monumentali nudi di donna (*Grande nudo con drappeggio, Grande bagnante* – conservati nell'ultima sala).

Nella 6ª e 7ª sala, la rigorosità ed i toni scuri dei dipinti di Derain (*Ritratto di Madame Paul Guillaume con un grande cappello*) sono in contrasto con la forza dei colori di Matisse *(Odalisca con pantaloni grigi, Nudo sdraiato con drappeggio, Donna con il mandolino)*. Nella 8ª sala sono esposte opere di Maurice Utrillo *(Cattedrale di Orléans, Notre-Dame* e la *Maison Bernot)*, di Henri Rousseau *(Il calesse di papà Junier, Le nozze, La fabbrica di sedie)* e di Modigliani *(Antonia, Il giovane apprendista)*.

Al piano inferiore *(accesso dalla 5ª sala)* sono esposti i sei enormi dipinti che compongono **Le ninfee** di **Claude Monet**, a cui l'artista lavorò durante il suo soggiorno a Giverny. I toni sfumati, quasi trasparenti, tutti giocati sul verde acqua e sull'azzurro, ricreano l'atmosfera del paesaggio lacustre a cui Monet si è ispirato.

La CITÉ★★★

Carte Michelin n° 12 e 14 (pp. 31 e 32): da J 14 a K 16.

L'île de la Cité, culla di Parigi, costituisce con la vicina île St-Louis un insieme eccezionale per bellezza paesaggistica, interesse architettonico delle chiese e ricchezza di patrimonio storico che custodisce.

Lutezia – Intorno al 200 a.C., un gruppo di pescatori galli appartenenti alla popolazione dei Parisii stabilisce le proprie capanne sulla più grande isola della Senna: nasce in tal modo Lutezia, nome celtico che significa «abitazione circondata da ac-

que». Nel 52 a.C., le legioni romane di Labieno conquistano questa borgata che ben presto diviene una cittadina gallo-romana dedita al commercio fluviale (si veda il *QUARTIER LATIN*). Lo stemma della capitale sarà rappresentato da una nave, simbolo ad un tempo della più antica attività degli abitanti e della forma dell'isola. Un pilastro dei navigatori, conservato nel Museo di Cluny, ne è una testimonianza. Nel 360, il prefetto romano Giuliano l'Apostata viene proclamato imperatore dalle sue legioni. Lutezia prende il nome dalla popolazione che l'ha fondata: Parigi.

Santa Genoveffa – Nel 451, Attila attraversa il Reno a capo di una schiera di 700 000 uomini, giungendo ben presto a Laon. I parigini, atterriti per la possibile invasione, si mettono in fuga. Genoveffa, una fanciulla di Nanterre votatasi all'amore di Dio, riporta la calma, confidando nella protezione divina per la salvezza della città. Sopraggiungono gli Unni, che tuttavia, colti da incertezza, decidono di dirigersi a sud, verso Orléans. Nel 461, l'isola, cinta d'assedio dai Franchi, è stretta nella morsa della carestia. Genoveffa, sfuggendo alla sorveglianza del nemico, riesce a portare viveri dalla Champagne assistita dalla stessa «miracolosa» buona sorte. Alla sua morte, nel 512, è proclamata patrona di Parigi e seppellita vicino alla salma del re Clodoveo nella chiesa di S. Stefano al Monte.

Il conte di Parigi diviene re – Nell'885, i Normanni riescono per la quinta volta in quarant'anni a risalire la Senna. La Cité (nome assegnato all'isola nel 506, quando Clodoveo fa di Parigi la propria capitale) è costretta a fronteggiare 700 navi e 30 000 guerrieri in marcia per saccheggiare la Borgogna. Più volte l'assalto del nemico viene respinto. Dopo un assedio durato molti mesi, i Normanni levano le navi dal fiume e, sistemandole su rulli di legno, riescono ad aggirare la capitale e a proseguire. Oddone, conte di Parigi e anima della resistenza, viene eletto re.

Cattedrale e Parlamento – Nel Medioevo la popolazione si sviluppa notevolmente e si trasferisce anche sulle due rive del fiume. Fino al 1622, la sede episcopale rimane soggetta a Sens, sebbene le scuole di Parigi, erette intorno alla cattedrale di Notre-Dame, acquistino vasta fama in tutta l'Europa. Sarà proprio un insegnante, Alessandro di Parigi, ad inventare il verso di dodici piedi, detto appunto alessandrino. Nel chiostro di Notre-Dame divampò, agli inizi del 12° sec., la tragica storia d'amore tra il filosofo Abelardo ed Eloisa, nipote del canonico Fulbert.

L'isola vede sorgere un numero molto elevato di cappelle e conventi: St-Denis-du-Pas (San Dionigi del Passo), dove avrebbe avuto inizio il martirio del santo; St-Pierre-aux-Bœufs (San Pietro dei Buoi), il cui portale è stato trasferito nella chiesa di San Severino; St-Aignan; St-Jean-le-Rond (San Giovanni Rotondo), davanti a cui erano deposti i bimbi abbandonati, tra i quali, nel 1717, il piccolo d'Alembert, che insieme a Diderot, ideò e diresse l'*Encyclopédie*.

Rivoluzioni e tumulti agitano la Cité, sede del Parlamento, la più alta autorità del regno. Nel 14° sec., Étienne Marcel tenta di rovesciare la monarchia; nel 17° sec. è la volta della Fronda a scuotere la tranquillità della vita cittadina. Durante il Terrore, le prigioni della Conciergerie si riempiono di condannati, mentre nel Palazzo di Giustizia si svolgono le tumultuose sedute del Tribunale rivoluzionario.

La CITÉ

Trasformazioni – Sotto i regni di Luigi Filippo e soprattutto di Napoleone III, l'isola muta completamente aspetto: le abitazioni che circondano la cattedrale sono demolite e 25 000 persone vengono evacuate. Si procede alla costruzione di enormi edifici amministrativi: l'ospedale Hôtel-Dieu, la caserma (divenuta poi Prefettura di Polizia), il Tribunale di Commercio ed il Palazzo di Giustizia vengono eretti ex novo o ampliati del doppio o del quadruplo (come nel caso della place du Parvis); il boulevard du Palais viene ingrandito di dieci volte rispetto alla via precedente.

Nell'agosto 1944, la polizia parigina si rifugia all'interno della Prefettura di Polizia, innalzando il vessillo tricolore. Per tre giorni, ossia fino all'arrivo della Divisione Leclerc, gli agenti riescono a opporre gloriosa resistenza agli assalti tedeschi.

★★★ NOTRE-DAME

Notre-Dame costituisce il più bell'edificio religioso della capitale ed uno degli esempi più alti dell'arte francese. Poche chiese raggiungono la perfezione della sua struttura, il meraviglioso equilibrio delle sue proporzioni, l'armoniosa combinazione di spazi pieni e vuoti, di linee verticali ed orizzontali della sua facciata.

Storia della costruzione – Già 2 000 anni fa questo era un luogo di preghiera: prima tempio gallo-romano, poi basilica cristiana e chiesa romana; nel 12° sec. viene infine fondata dal vescovo Maurice de Sully l'attuale Notre-Dame.

Maurice, figlio di una povera boscaiola di Sully-sur-Loire, è notato dalle autorità ecclesiastiche. Nominato canonico della cattedrale di Parigi nel 1159, è posto a capo della diocesi, incarico che conserverà per trentasei anni. Sull'esempio di Suger, abate e costruttore della chiesa di San Dionigi, decide di realizzare una cattedrale degna dell'importanza di Parigi. I lavori iniziano verso il 1163, grazie alle risorse economiche dell'episcopato, alle offerte reali ed al contributo fisico del semplice popolo delle corporazioni: tagliatori di pietra, carpentieri, fabbri, scultori e vetrai si mettono all'opera sotto la direzione di Jean de Chelles e di Pierre de Montreuil, architetto della Ste-Chapelle. Verso il 1300 la costruzione è ultimata.

Cerimonie – Ancor prima di essere terminata, Notre-Dame è teatro di grandi avvenimenti religiosi e politici: nel 1239 San Luigi, a piedi scalzi, vi depone la Corona di Spine, che rimarrà qui custodita fino alla realizzazione della Ste-Chapelle. Nel 1302, Filippo il Bello vi inaugura solennemente i primi Stati Generali del regno. Sempre più spesso la cattedrale farà poi da cornice a cerimonie, Te Deum, servizi funebri che accompagneranno fedelmente la storia della Francia: incoronazione del giovane re d'Inghilterra Enrico VI (1430), apertura del processo di riabilitazione di Giovanna d'Arco (1455), accusata di eresia e condannata al rogo a Rouen nel 1431, incoronazione di Maria Stuarda, strano matrimonio tra Margherita di Valois e l'ugonotto Enrico di Navarra, futuro Enrico IV, con la sposa sola all'altare e lo sposo obbligato a restare davanti al portale (1572): quest'ultimo riconoscerà più tardi che «Parigi val bene una messa» ed anch'egli, convertitosi, assisterà nel coro al Te Deum per celebrare la resa della città. Più tardi, la cattedrale viene «tappezzata» di vessilli nemici conquistati nelle Fiandre dal maresciallo di Lussemburgo. Durante la Rivoluzione, la chiesa viene consacrata al culto della Ragione e poi dell'Essere Supremo. Tutte le campane, eccetto il campanone, vengono fuse. Il coro è adibito a deposito di foraggio e di viveri.

Il 2 dicembre 1804, la cattedrale, completamente addobbata di paramenti, accoglie il papa Pio VII per l'incoronazione di Napoleone I, come rappresentato nel quadro di David, al Louvre. Nel giugno 1811, grandi festeggiamenti e ricche cerimonie celebrano il battesimo del re di Roma.

Restauro – Solo negli anni del romanticismo e sulla scia del popolare romanzo di Victor Hugo, *Notre-Dame di Parigi* (1831), la monarchia decide di procedere ad un completo restauro della cattedrale. Viollet-le-Duc e Lassus dirigono i lavori – criticati, ma certo opportuni – che si prolungano fino al 1864: revisione della statuaria e delle vetrate, eliminazione dei rivestimenti e delle parti aggiunte, restauro dei sottotetti e delle parti alte, rifacimento dei portali e del coro, costruzione della guglia e della sagrestia.

Oggi come ieri – Notre-Dame, sfuggita fortunosamente alle distruzioni della Comune e della Liberazione della capitale, testimonia ancor oggi i grandi momenti della storia di Parigi: il grandioso Te Deum del 26 agosto 1944, la commovente messa di requiem in memoria del Generale de Gaulle (12 novembre 1970) e il Magnificat del 31 maggio 1980, seguito dalla messa solenne sul sagrato celebrata dal papa Giovanni Paolo II, hanno visto la cattedrale al centro di enormi riunioni di folla.

Place du Parvis

E' dominata dalla imponente facciata della cattedrale. Haussmann decise di quadruplicarne la superficie, attenuando in tal modo l'impressione di verticalità fornita in precedenza dalla chiesa, quando cioè era completamente circondata da costruzioni (sulla pavimentazione sono incisi su lastre i nomi di diversi edifici che qui sorgevano un tempo).

Nel Medioevo, nelle rappresentazioni dei Misteri Sacri davanti alla chiesa, il portale rappresentava l'ingresso al Paradiso (da cui il nome di *parvis*). Alcuni Misteri erano opere monumentali, quali il *Miracolo di Teofilo*, del trovatore Rutebeuf (1260 ca), o il *Vero Mistero della Passione*, di Arnoul Gréban (35 000 versi), la cui rappresentazione occupava centinaia di attori dilettanti e durava tre giorni interi.

Dalla piazza sono misurate le distanze di tutte le strade statali: il riferimento è una piccola lastra in bronzo posta nel pavimento, al centro della piazza stessa.

L'Hôtel-Dieu – Sulla parte destra del sagrato, il vecchio ospedale è stato sostituito, circa nel 1880, dai giardinetti ora dominati dalla statua di Carlo Magno, accanto ai prodi Rolando e Oliviero. All'ospizio, fondato nel 7° sec., si aggiungono nel 17° sec. due edifici collegati attraverso il pont au Double. Sotto la Reggenza, viene istituita una tassa da versare all'ospedale, denominata *il diritto dei poveri*; durante il Secondo Impero, è edificato, sul lato Nord del sagrato, l'attuale Hôtel-Dieu. Si ammiri la disposizione architettonica dell'ingresso e del cortile interno.

★ **Cripta archeologica** ⊙ – Sotto il sagrato sono state portate alla luce le vestigia di monumenti costruiti dal 3° al 19° sec., per una lunghezza di 118 m. Nel corso della visita, di particolare interesse risultano i resti di due sale gallo-romane riscaldate a ipocausto *(a sinistra dell'ingresso)*, le fondamenta dei bastioni del Basso Impero, gli scantinati delle abitazioni dell'ex rue Neuve Notre-Dame (alcune di origine medievale), i basamenti dell'orfanotrofio, costruito da Boffrand, ed una parte di quelli della chiesa di Ste-Geneviève-des-Ardents.

Facciata di Notre-Dame

La disposizione della facciata è maestosa ed armoniosa. I tre portali sono disuguali, poiché nel Medioevo gli architetti preferivano strutture leggermente asimmetriche, per attenuare la monotonia delle grandi superfici: il portale centrale è infatti più alto e largo degli altri due, mentre quello di sinistra è sovrastato da una ghimberga.

I portali – Nel Medioevo, i portali avevano un aspetto completamente diverso da quello attuale: le statue policrome si stagliavano su un fondo d'oro e rappresentavano una *bibbia in pietra*, da cui i fedeli, spesso analfabeti, potevano apprendere la storia sacra e le leggende dei santi.

I sei battenti dei portali sono ornati di mirabili bandelle in ferro battuto, tra le più belle che si conoscano. Secondo la leggenda, il fabbro Biscornet avrebbe venduto la propria anima a Satana, che sarebbe quindi il cesellatore delle bandelle dei portali laterali. Il diavolo non potè però realizzare il portale centrale, attraverso cui viene portato il Santo Sacramento durante le processioni. In effetti le bandelle del portale centrale sono riproduzioni del 19° sec.

I tre portali meritano un esame accurato.

Portale della Vergine – Il bellissimo timpano (**1**) ha dato l'ispirazione agli artisti per tutto il Medioevo. L'arca dell'alleanza raffigurata sull'architrave inferiore è circondata dai profeti, che hanno annunciato il destino glorioso della Madre di Dio, e dai re, dai quali discende Maria. Sopra, commovente Dormizione della Vergine, in presenza di Cristo e degli apostoli. Nella lunetta, l'Incoronazione di Maria: il Cristo, intriso di nobile solennità, tende uno scettro alla madre, incoronata da un angelo.

Gli intradossi (**2**) sono finemente ornati di foglie, fiori e frutti. I quattro cordoni rappresentano la corte celeste (angeli, patriarchi, re e profeti). Nel pilastro divisorio (**3**) vi é una statua moderna della Madonna col Bambino. Sugli stipiti ed i piedritti (**4**), piccoli bassorilievi raffigurano i lavori tipici dei mesi dell'anno ed i

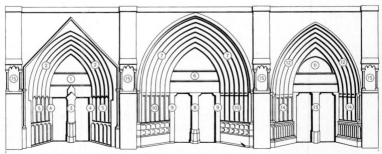

Portale della Vergine Portale del Giudizio Universale Portale di Sant'Anna

corrispondenti segni zodiacali. Gli sguinci (5) sono ornati di statue della scuola di Viollet-le-Duc, tra cui sono riconoscibili San Dionigi, sostenuto da due angeli, San Giovanni Battista e Santo Stefano.

Portale del Giudizio Universale – Il timpano (6) era stato ridotto nel 1771 da Souflot per consentire il passaggio del baldacchino durante le processioni. Viollet-le-Duc ha ripristinato le due architravi inferiori. In basso, la Resurrezione; al centro, la Pesatura delle Anime: gli eletti vengono condotti in cielo dagli angeli, mentre i dannati sono trascinati all'inferno dai demoni. Nella lunetta, troneggia Cristo, giudice supremo. La Madonna e San Giovanni, inginocchiati, intercedono per la salvezza degli uomini.

I sei cordoni degli intradossi (7) rappresentano la corte celeste. In basso, le anime sono accolte, a sinistra, da Abramo e, a destra, dai demoni. Soufflot aveva eliminato il pilastro divisorio (8); la statua di Cristo risale al 19° sec. I moderni piedritti (9) illustrano la parabola delle Vergini sagge (sulla sinistra, sotto la porta aperta del paradiso) e delle Vergini folli (sulla destra, la porta del paradiso è chiusa). Sugli sguinci (10), i dodici apostoli, opera di Viollet-le-Duc, si ergono su medaglioni del 13° sec. raffiguranti i Vizi (serie inferiore) e le Virtù (serie superiore).

Portale di Sant'Anna – Sui due livelli superiori del timpano (11) sono state riutilizzate alcune sculture eseguite intorno al 1160, circa sessant'anni prima della costruzione del portale, destinate ad un portale più stretto. Sono le più antiche di Notre-Dame. Nella lunetta del timpano, troneggia la rigida Vergine in maestà, ancora di stile tipicamente romanico, col Bambino Gesù. E' incorniciata da due angeli turiferari, da un vescovo (in piedi sulla sinistra) e da un re (inginocchiato sulla destra), senza dubbio i fondatori della Chiesa merovingia. L'architrave centrale (12° sec.) illustra scene della vita della Madonna, mentre quella in basso (13° sec.) raffigura i suoi genitori, Sant'Anna e San Gioacchino.

Intorno al timpano, i quattro cordoni degli intradossi (12) presentano una corte celeste composta da angeli, re e patriarchi. Il pilastro divisorio (13) sostiene una statua di San Marcello, vescovo di Parigi nel 5° sec., che, secondo la leggenda, avrebbe liberato la città da un drago: qui il santo è raffigurato nell'atto di colpire con il pastorale la gola del mostro. Questa scultura è del 19° sec., come le altre grandi statue.

Sugli sguinci (14) ai lati del portale, statue di re, regine e santi.

Infine, i contrafforti tra i portali sono ornati di statue moderne (15) raffiguranti Santo Stefano, la Chiesa, la Sinagoga (con gli occhi bendati) e San Dionigi.

Galleria dei Re – *Sopra i portali*. Le 28 statue che la ornano rappresentano i re di Giuda e d'Israele, avi di Cristo. Nel 1793, la Comune le fece abbattere sul sagrato, prendendole per raffigurazioni dei re di Francia. Viollet-le-Duc le sostituì con riproduzioni.

Piano del rosone – Il rosone della finestra ha un diametro di circa 10 m e per molto tempo rimase il più grande che fosse mai stato realizzato. Da oltre sette secoli gli elementi che lo compongono non si sono mai mossi, a conferma della perfezione della sua struttura, peraltro adottata come modello da tutti gli architetti. Crea una sorta di aureola intorno alla statua della Madonna col Bambino, inquadrata da una coppia di angeli. Davanti ai finestroni a bifore, sovrastati da un arco di scarico, si ergono le statue di Adamo (sulla sinistra) ed Eva (sulla destra). Il gruppo marmoreo rappresenta la Redenzione dopo la Caduta (ricostituzione di Viollet-le-Duc).

Grande Galleria – Questa imponente serie di arcate molto lavorate funge da elemento di raccordo della base delle torri. Agli angoli dei contrafforti della balaustrata che corona la galleria, Viollet-le-Duc ha collocato statue di uccelli fantastici, mostri, demoni, poco visibili dal sagrato, nonostante le loro notevoli dimensioni: la balaustrata aggettante infatti le nasconde parzialmente.

Le torri – Si ergono a 69 m dal suolo; i finestroni a bifore, stretti e molto alti (oltre 16 m), rendono più leggiadro l'insieme architettonico, senza tuttavia attenuarne la grandiosa maestà.

«Emmanuel», il celebre campanone della torre sud, pesa 13 tonnellate ed il suo battaglio quasi 500 kg. Quando fu rifuso nel 17° sec., sembra che molte dame e donne del popolo abbiano gettato i propri gioielli d'oro e d'argento nel bronzo in fusione, il che ha conferito un timbro particolare, estremamente puro, udibile nei giorni di feste importanti, quando la campana è fatta suonare.

Salita ⊙ – *Accesso dalla torre Nord. 386 gradini.* Una dura salita conduce alla cima della torre sud, da cui si gode una splendida **vista★★★** sulla guglia e gli archi rampanti, la Cité e tutta Parigi. All'altezza della grande galleria, si notino, passando, le chimere ed il campanone. Nella cappella superiore della torre sud, un museo consente di ripercorrere, grazie alla proiezione di video *(durata: 1/4 d'ora)*, i grandi momenti storici della cattedrale.

Interno

Notre-Dame è lunga 130 m, larga 48 m e alta 35 m. Può accogliere fin. 6 500 persone.

Tutte le grandi cattedrali gotiche di Francia, erette successivamente, furono costruite sul modello di Notre-Dame. Nel 13° sec., le finestre, nascoste dalle tribune superiori, furono ampliate per illuminare le cappelle laterali delle confraternite, situate tra i contrafforti della navata; le tribune vennero pertanto abbassate e, per sostenere la spinta della navata e delle volte, si idearono archi rampanti ad un'unica rampa. Tutto il peso della costruzione poggia quindi sull'esterno, consentendo invece il massimo di spazio e luce nell'interno. Nella crociera del transetto è tuttora visibile l'architettura del 12° sec. (piccolo rosone e finestra superiore). Gli enormi pilastri (1) che sostengono le torri raggiungono un diametro di 5 m.

Le vetrate medievali sono state sostituite da vetrate bianche con fiori di giglio (18° sec.) e successivamente, nel 19° sec., da grisailles. Le Chevalier adottò per le sue vetrate moderne (1965) le tecniche ed i colori medievali. L'organo, oggi restaurato, è il più importante di Francia. Le 8 000 canne sono raggruppate in 112 registri collegati a cinque tastiere e ad una pedaliera. L'organo è ormai regolato da un sistema informatico *(Concerto alle 17.30 ogni domenica)*.

Notre-Dame, interno

Dame ha al suo
di cappelle, volute
te e dalle ricche
ctà ed inserite tra i
13° sec. Per questo
ecessario allungare i
ansetto dietro alle cap-
pelle.

Seguendo una tradizione ripristinata nel 1949, ogni anno, nel mese di maggio, gli orafi di Parigi offrono un'opera d'arte. I più bei «doni di maggio» (Mays) sono due Le Brun (**2-3**) ed un Le Sueur (**4**). Sulla sinistra, pietre tombali di un canonico, risalenti al 15° sec. (**5**), e del cardinale Amette (**6**), morto nel 1920.

Transetto – Solo grazie all'arte gotica fu possibile realizzare **vetrate** così larghe (13 m di diametro) e leggere. Il rosone nord (**7**), risalente al 13° sec. e rimasto quasi intatto, mostra alcuni personaggi del Vecchio Testamento intorno alla Vergine. Nel rosone sud (**8**), restaurato, Cristo troneggia circondato da angeli e santi.

All'ingresso del coro, alla statua di San Dionigi (**9**), opera di N. Coustou, fa eco la bella **Madonna col Bambino** (**10**), detta «Nostra Signora di Parigi» (14° sec.), proveniente dalla cappella di St-Aignan.

A poca distanza, una iscrizione sul pavimento ricorda la conversione di Paul Claudel (**11**).

Coro – Dopo ventitre anni di matrimonio, Luigi XIII, non avendo figli, consacra la Francia alla Vergine Maria (1638); questo voto viene simbolizzato da una nuova decora-

Portale della Vergine · Portale del Guidizio Universale · Portale di Sant'Anna
Place du Parvis Notre-Dame

■ 12° Secolo   ■ 13° Secolo   ■ 14° Secolo

zione del coro, opera di Robert de Cotte: di essa restano solo gli stalli e una Pietà (**12**), di Coysevox, al cui fianco si ergono le statue di Luigi XIII (**13**) (di Guillaume Coustou) e di Luigi XIV (**14**), opera di Coysevox.

In quella occasione fu tolta la recinzione in pietra del coro; i bassorilievi rimasti, del 14° sec., restaurati da Viollet-le-Duc, raffigurano scene della vita di Cristo (**15**) e delle sue apparizioni (**16**). Nella cripta, sotto il coro, sono inumate le salme dei vescovi ed arcivescovi di Parigi. Monumenti funebri del deambulatorio:

17) Monsignor di Juigné, arcivescovo di Parigi durante la Rivoluzione. In questa cappella fu inumato Pierre Lescot.
18) Monsignor Pierre de Gondi, antenato del cardinale di Retz.
19) La statua giacente di un vescovo del 14° sec.
20) Monsignor Darboy, fucilato durante la Comune del 1871.
21) Il mausoleo del duca d'Harcourt, opera di Pigalle.
22) Monsignor Sibour, assassinato nel 1857.
23) Statue di Jean Juvénal des Ursins e di sua moglie in preghiera.
24) Monsignor Affre, ucciso durante i moti del 1848.

Tesoro ⊙ – L'ex sagrestia del capitolo, costruita da Viollet-le-Duc, custodisce il prezioso tesoro della chiesa: manoscritti miniati, paramenti e pezzi di oreficeria liturgica del 19° sec. La Corona di Spine, il Santo Chiodo ed un frammento della Santa Croce sono venerati davanti all'altare maggiore i venerdì di Quaresima ed il Venerdì Santo.

Esterno

Il giro esterno di Notre-Dame fornisce una bella prospettiva sulle parti alte della chiesa.

Lato Nord – Un tempo sul lato nord di Notre-Dame si ergeva il chiostro dei canonici, da cui hanno preso il nome sia la via adiacente (rue du Cloître-Notre-Dame) che la facciata del transetto. Il magnifico **portale del Chiostro** fu costruito da Jean de Chelles intorno al 1250. Le esperienze da lui acquisite nella realizzazione della Ste-Chapelle, ultimata nel 1248, gli servirono anche per creare uno spazio estremamente luminoso, grazie alla luce che attraversa i bracci del transetto. Il rosone del transetto, molto lavorato, poggia su una loggetta e raggiunge, con questa, un'altezza di 18 m: l'insieme risulta di una leggiadria e arditezza senza precedenti. Riproduce, con un diametro un po' maggiore (13 m), il rosone della facciata, mantenen-

Garguglie

done l'incredibile solidità. In basso, il grande portale a intradossi scolpiti presenta una serie di ghimberghe, la cui ricchezza decorativa contrasta con l'austerità dei portali della facciata, eseguiti trent'anni prima. Il timpano è a tre livelli: quello inferiore raffigura alcune scene della vita della Vergine, gli altri due illustrano la storia del diacono Teofilo, rappresentata nel Medioevo sul sagrato (Teofilo ha venduto la propria anima al diavolo, ma la Madonna lo salva strappando a Satana il contratto che poi il vescovo mostra al popolo). Durante la Restaurazione, fu purtroppo distrutta la statua del Bambino Gesù posato tra le braccia della magnifica Vergine che orna il pilastro divisorio. Il dolce sorriso che incornicia il suo volto e il nobile portamento ne fanno un vero capolavoro della statuaria del 13° sec. Meno rigida della Madonna romanica del portale di Sant'Anna, ha un'espressione più mistica rispetto alla statua del transetto, del 14° sec.

Di fronte, al n° 10, si trova il **Musée de Notre-Dame-de-Paris** ☉ che mostra le trasformazioni ed i restauri a cui la cattedrale è stata sottoposta, ripercorrendone al contempo i grandi momenti storici (Te Deum, cerimonie funebri, incoronazioni). Sono inoltre esposti oggetti di terracotta portati alla luce nei lavori di scavo del sagrato. Poco più avanti si apre la **porta Rossa**, opera di Pierre de Montreuil, riservata un tempo ai canonici del capitolo. Sotto gli intradossi, raffiguranti scene della vita di San Marcello, si erge la statua della Vergine incoronata dal Figlio (nel timpano), tra San Luigi e sua moglie, Margherita di Provenza, inginocchiati. I basamenti delle cappelle del coro sono ornati di sette **bassorilievi** del 14° sec. che rappresentano la Morte e l'Assunzione della Madonna.

Square Jean-XXIII – Fino agli inizi del 19° sec., l'area compresa tra Notre-Dame e la punta dell'isola era occupata da abitazioni, cappelle e dall'Arcivescovado, costruito sotto il regno di Luigi XIII, quando Parigi divenne sede arcivescovile; questo edificio si ergeva tra l'abside e la Senna. Il 2 novembre 1789 vi si riunì l'Assemblea Costituente che decise di mettere i beni del clero «a disposizione della Nazione». Nel 1831, una rivolta antilegittimista saccheggiò completamente gli edifici, abbattuti di lì a poco tempo. L'apertura dello square e la costruzione della fontana neogotica risalgono al 1844. Lo spazio libero così creato consente una magnifica vista sull'**abside**, le balaustrate, le ghimberghe, i pinnacoli e le garguglie della chiesa. Gli archi rampanti del 13° sec. presentano una rampa lunga 15 m e costituiscono la realizzazione più ardita del Medioevo.

Retrocedendo di qualche passo, si può ammirare il tetto del 13° sec., che tuttora conserva l'orditura originaria. In corrispondenza della crociera del transetto, Viollet-le-Duc ricostruì l'antica **guglia**, distrutta durante la Rivoluzione; tra le statue in rame degli Evangelisti e degli apostoli compare la figura dello stesso architetto che, per tale realizzazione, utilizzò non meno di 500 t di legno di quercia e 250 t di piombo: il risultato fu un'opera imponente, che svetta a 90 m dal suolo.

Dopo aver oltrepassato la sagrestia, eretta nel 19° sec., si giunge allo stupendo **portale di Santo Stefano**, simile a quello del chiostro, ma ancora più riccamente scolpito (purtroppo uno sbarramento non consente di avvicinarvisi). Iniziato verso il 1258 da Jean de Chelles e portato a termine da Pierre de Montreuil, presenta un magnifico timpano, i cui tre livelli illustrano la vita e la lapidazione del diacono Stefano, a cui era consacrato il santuario precedente alla cattedrale. Le statue del pilastro divisorio (Santo Stefano) e del frontone (San Marcello) sono del 19° sec., come la maggior parte delle sculture degli intradossi. Nella parte bassa dei contrafforti, otto piccoli bassorilievi del 13° sec. illustrano scene della vita di strada e studentesca.

Dalla piccola macchia verde dello square Jean-XXIII, esposto a sud e luogo sempre molto frequentato, si gode una magnifica vista su Notre-Dame e sulla Senna. Attraversando la place du Parvis si raggiunge la place Louis-Lépine.

97

-France – Su questo terreno un tempo abbandonato, sulla
lla Cité (chiamato, nel Medioevo, la collina dei Monaci), Napo-
...ruire l'**Obitorio** (Morgue), rimasto qui fino al 1910: fino ad allora
....eggiate, poiché i curiosi potevano entrare liberamente nelle sale
...osti gli annegati, i suicidi, i morti non identificati e le vittime di

.... punta dell'isola, una moderna cripta custodisce il **Mémorial de la
Dépol**... ...). Una scultura metallica di Desserprit, alcune urne funerarie e la tomba
di un deportato ignoto morto a Struthof rievocano le sofferenze e le morti atroci
nei campi di concentramento.
Dallo square si gode una bella **vista** sull'abside della cattedrale.

QUARTIERE DI NOTRE-DAME

Quartiere dell'ex Chiostro – Proseguire fino al quai aux Fleurs, superando la rue
d'Arcole, la cui apertura ha fatto scomparire la cappella di Santa Marina: qui, un
tempo, si sposavano le fanciulle che avevano «perso l'onore», al cui dito veniva infi-
lato un anello nuziale di paglia.
Nel Medioevo, tra il lato nord di Notre-Dame e la Senna si stendeva la proprietà
del potente capitolo della cattedrale, cinta da un muro in cui si aprivano quattro
porte: all'interno ogni canonico disponeva di una casa dove poteva prender studenti
a pensione, per instillare loro «i limpidi ruscelli che irrigano il prato dell'intelligenza». Nell'11° e 12° sec., nella scuola di Notre-Dame, unificata più tardi alla Sorbona, insegnarono Gerberto, San Bonaventura, Abelardo, San Domenico. Attualmente questo quartiere, nonostante sia stato sottoposto a molti restauri, rimane la
sola testimonianza dell'antica Cité.
Al centro del quai aux Fleurs si gode un ampio panorama su St-Gervais e la punta
dell'isola St-Louis. Al caratteristico incrocio tra la rue des Ursins e la rue des
Chantres si erge un imponente palazzo in stile medievale; in fondo alla rue des
Chantres si profila la guglia di Notre-Dame.
Sulla destra, la rue des Ursins è al livello in cui arrivavano un tempo le rive della
Senna; qui, fino al 12° sec., si trovava il porto St-Landry, il primo porto di Parigi,
prima della sistemazione del greto del fiume davanti all'Hôtel-de-Ville. All'estremità
della stradina si nascondono i resti della cappella di St-Aignan, ultimo santuario
medievale della Cité. Durante la Rivoluzione, alcuni preti refrattari vi celebravano
segretamente la messa.
Imboccare a sinistra la rue de la Colombe, all'inizio della quale, in cima ad una
scala, si trova una curiosa osteria. Sul pavé sono ancora visibili le tracce della
fortificazione gallo-romana dell'antica Lutezia. Seguire, sulla sinistra, la rue Cha-
noinesse, arteria principale dell'antico Chiostro, completamente trasformata in
seguito alla costruzione di un edificio annesso alla Prefettura di Polizia. Ai nn **24**
e **22** si ergono le ultime due case di canonici: si notino i cippi in pietra del cortile.

*PALAIS DE JUSTICE

Alla cattedrale di Notre-Dame, testimonianza del glorioso passato religioso della
capitale, fa riscontro, all'estremità opposta della Cité, il Palazzo di Giustizia, sede
da secoli dell'autorità civile e giudiziaria.

Palais du Roi – In questa parte dell'isola si trovava un tempo la sede amministrativa e militare dei governatori romani; ad essi succedono i re merovingi, che
si stabiliscono nell'edificio in pietra più bello della Cité: qui muore Clodoveo e
Sant'Eligio, ministro del re Dagoberto nel 7° sec., fonda una zecca; in questo
luogo i re capetingi erigono una cappella ed un mastio.
Nel 13° sec., San Luigi risiede nella Camera Alta (oggi, Prima Camera Civile),
amministra la giustizia all'interno del cortile e fa costruire la Ste-Chapelle.
A Filippo il Bello si deve la costruzione della Conciergerie e di un sontuoso
palazzo. La sala degli Uomini d'Arme è, a quel tempo, una delle più grandi
d'Europa; l'ex cappella di San Michele, distrutta nel 18° sec., ha dato il nome al
ponte ed al viale sulla riva sinistra.
Il 22 febbraio 1358, i rivoltosi parigini, guidati da Étienne Marcel, riescono ad
entrare nella camera del Delfino Carlo (futuro Carlo V), che, in assenza del padre,
Giovanni il Buono, fatto prigioniero in Inghilterra, ha in mano le sorti del regno.
I consiglieri del principe sono orrendamente uccisi davanti ai suoi occhi, mentre
il prevosto gli mette sul capo il berretto rosso e blu (colori di Parigi). Riconqui-
stato il controllo della situazione, Carlo V abbandona il palazzo, troppo carico di
tristi ricordi, e sceglie come residenza il Louvre, l'hôtel St-Paul o Vincennes, fuori
Parigi; nell'ex residenza reale viene trasferito il Parlamento. Sul suo esempio, anche
Carlo VII, Enrico IV, Luigi XIV e Thiers, venutisi a scontrare con i parigini,
lasceranno la capitale e decideranno di controllarla dall'esterno. Luigi XVI, Carlo X
e Luigi Filippo, invece, proprio per non aver abbandonato il palazzo, perderanno
il trono.

Palais du Parlement – Il Parlamento rappresenta la massima corte di giustizia del regno, i cui membri, originariamente, sono nominati dal re stesso. Nel 1522, le casse reali sono pericolosamente sguarnite e Francesco I mette in vendita le cariche parlamentari, che, da quel momento, diventano ereditarie. Spettano per diritto o privilegio alle grandi autorità del regno, ossia al cancelliere, ai principi di sangue, ai pari di Francia. Quando, rifiutandosi di trascrivere sui propri registri gli editti reali, questi si rivoltano contro la corona, il sovrano ricorre al «letto di giustizia» (sedute solenni in sua presenza), da cui verrà sancita la loro incarcerazione o l'esilio in provincia. Intorno ai processi si muove una miriade di magistrati: presidenti, consiglieri, procuratori, avvocati, cancellieri, scrivani, legulei, ben descritti da Racine nella sua unica commedia I Litiganti. Il presidente dell'ordine forense eletto dagli avvocati porta, a partire dal 14° sec., il bastone del comando della confraternita di San Nicola, da cui il nome di «bâtonnier».

Diversi incendi distruggono la Grande Sala (1618), la guglia della Ste-Chapelle (1630), la corte dei Conti (1737), la galleria dei Mercanti (1776). Nel 1788, il Parlamento chiede la convocazione degli Stati Generali: malaugurata idea, poiché l'Assemblea Costituente deciderà la sua soppressione e la Convenzione manderà i suoi membri alla ghigliottina.

Palais de Justice – La Rivoluzione sconvolge l'organizzazione giudiziaria. Il nuovo tribunale sceglie come sede il vecchio palazzo del Parlamento. Il restauro (1840-1914) è interrotto dall'incendio della Comune che distrugge gli uffici dell'Anagrafe; a tale data risalgono la facciata che dà sulla place Dauphine, l'ala dei quai des Orfèvres e varie sistemazioni interne.

Visita ⊙

Cour du Mai (Cortile del Maggio) – Attraverso il bel cancello in ferro battuto in stile Luigi XVI si accede alla Cour du Mai; il nome deriva dal «maggio», un albero delle foreste reali che, ogni anno, il primo giorno di questo mese, i cancellieri piantavano nel cortile. Gli austeri edifici che si affacciano sul cortile furono eretti dopo l'incendio del 1776. Le vittime del Terrore lasciavano la prigione passando attraverso la porticina della Conciergerie, sulla destra.

Dalla Galerie marchande al vestibule de Harlay – La Galerie Marchande fu, fino allo scoppio della Rivoluzione, il luogo più animato di Parigi: tra le botteghe di libri, ninnoli ecc. si affollava una moltitudine di persone (gentiluomini, ufficiali giudiziari, querelanti e querelati).

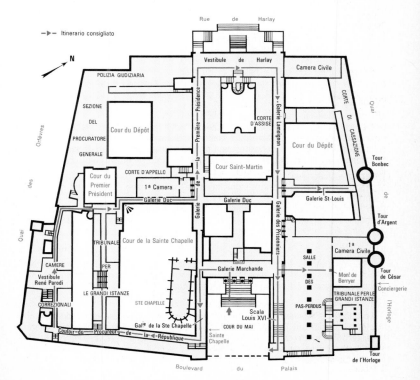

Seguire, sulla sinistra, la galerie de la Ste-Chapelle e poi, sulla destra, il couloir du Procureur de la République (corridoio del Procuratore della Repubblica). Le sale di giustizia penale sono teatro di udienze molto vivaci. A destra, il percorso conduce alla galerie Duc (dal nome dell'architetto): da qui si apre una bella **vista★** sulla Ste-Chapelle.

Imboccare, a sinistra, la galerie de la Première Présidence (galleria della Prima Presidenza), su cui si affaccia la Prima Camera Civile della Corte d'Appello, riccamente decorata. Si lasciano poi sulla sinistra l'Ufficio di Registrazione (Dépôt) ed i locali della Polizia Giudiziaria. Il vestibule de Harlay è un'ampia sala nuda, in stile neoclassico, da cui una scala conduce alla Corte d'Assise *(visita consentita solo nei giorni di udienza)*. In fondo al vestibolo si trova la Camera Civile della Corte di Cassazione, ornata di affreschi ed arazzi, ma raramente aperta al pubblico.

Dal vestibule de Harlay alla cour du Mai – Imboccare sulla destra la galerie Lamoignon (passando, vedere la galerie St-Louis, a sinistra) e poi la galerie des Prisonniers. Accedere nella Salle des Pas-Perdus (sala dei Passi Perduti), l'ex Grande Sala gotica di Filippo il Bello, due volte distrutta e poi ricostruita dopo la Comune: oggi rappresenta il centro di animazione del Palazzo. Si noti il monumento del grande avvocato Berryer: la piccola tartaruga sotto il piede del Diritto (a destra) simboleggia maliziosamente la lentezza delle procedure giuridiche. In fondo, a sinistra, si trova la Prima Camera Civile, ex appartamento di San Luigi, trasformata poi in Camera Alta del Parlamento, fatta decorare da Luigi XII con uno stupendo soffitto. Nel 1793-1794 vi tenne le sedute il Tribunale rivoluzionario. Anche questa sala *(1° piano)* fu distrutta dall'incendio appiccato nel 1871 e, al momento della sua ricostruzione, è stata ridotta in lunghezza.

La scala Louis XVI, opera di Antoine, su cui sono ancora visibili resti delle antiche botteghe, conduce al punto di partenza.

★★★ LA SAINTE CHAPELLE

Questa meravigliosa cappella è una delle creazioni più preziose dell'arte gotica: la ricchezza esteticamente abbagliante delle sue vetrate induce il visitatore ad una stupita emozione.

Baudouin, signore francese ed imperatore di Costantinopoli, è costretto ad impegnare la Corona di Spine di Cristo per ottenere dai veneziani un forte prestito; purtroppo non è in grado di far fronte alle scadenze. San Luigi rimborsa allora i creditori e, nel 1239, entra in possesso della Corona. La ricerca di nuove reliquie di Cristo e della Madonna e la realizzazione del reliquiario risultano costosissime: la somma sborsata è due volte e mezzo superiore a quella necessaria per la costruzione della Santa Cappella, luogo destinato ad ospitare il santo tesoro.

L'architetto è probabilmente Pierre de Montreuil, che riesce ad erigere l'edificio in un tempo record (meno di 33 mesi). La consacrazione avviene nel 1248.

A quel tempo la cappella si ergeva isolata al centro del grande cortile; solo una piccola galleria collegava la parte superiore del portico con i locali in cui alloggiava San Luigi. Durante i lavori di restauro del Palazzo di Giustizia nel 18° sec., la chiesa fu purtroppo unita con un'ala della cour du Mai.

Agli uffici religiosi, tenuti da un capitolo di dodici canonici e quattordici cappellani, accorre una moltitudine di fedeli (l'organo, suonato nel 17° sec. dai Couperin, si trova ora a Saint-Germain-l'Auxerrois). Nel 1667 nasce una disputa tra due canonici da qui Boileau trarrà lo spunto per la sua epopea eroicomica *Il Leggio*.

Durante la Rivoluzione, il prezioso reliquiario viene fatto fondere; una parte delle reliquie è tuttavia messa in salvo ed è custodita ora a Notre-Dame. Dal 1802 al 1837 l'edificio viene adibito a deposito degli archivi giudiziari: gli scaffali salgono quasi a nascondere le mirabili vetrate. Il restauro (1841-1867) è diretto da Duban e Lassus.

Esterno – Quando la cappella fu realizzata, grande fu lo stupore suscitato dalla sua ardita struttura: per la prima volta infatti le pareti erano quasi interamente traforate. L'armatura è composta da sottili pilastri su cui poggiano le volte. Per sostenerli non sono previsti archi rampanti, ma solo leggeri contrafforti. L'insieme è di un equilibrio incredibile: da ben sette secoli né le finestre, alte ben 15 m, né gli altri elementi architettonici hanno mai subìto la minima incrinatura, nonostante l'aspetto fragile e delicato. La guglia si erge a 75 m dal suolo. L'orditura in legno, ricoperta di piombo, ha subìto tre incendi ed è stata ricostruita per l'ultima volta nel 1854. L'angelo in piombo, che si innalza sulla punta dell'abside, un tempo girava su se stesso per mezzo di un meccanismo ad orologeria: in tal modo mostrava la croce a tutti i punti dell'orizzonte.

Le garguglie, elementi tipici dell'architettura gotica francese, sono doccioni in pietra scolpiti in forme di animali o figure mostruosi. A Parigi ornano l'esterno di molte chiese. In particolare si notino quelle di Notre-Dame (si possono osservare da vicino se si sale su una delle due torri) e quelle della Ste-Chapelle poste a raggiera intorno alle mura perimetrali.

All'altezza della quarta campata sporge una costruzione, voluta da Luigi XI: si tratta di una cappella (al pianterreno) e di un oratorio (al 1° piano).

Interno ⊙ – Si accede all'interno della **chapelle basse** (cappella inferiore), destinata un tempo ai servitori del Palazzo, lunga 17 m ed alta solo 7 m. Le colonne, che sostengono la volta centrale, pesantemente decorata nel 19° sec., sono contraffortate da eleganti archi rampanti traforati. Le lastre che compongono il pavimento sono le pietre tombali di alcuni canonici, inumati sotto la chiesa.

La **chapelle haute** (cappella superiore), raggiungibile salendo la scala a chiocciola sulla sinistra, era un tempo riservata alla Corte ed alla famiglia reale. Le pareti sono interrotte da una sorta di «filigrana» di finestre, da cui filtra anche il minimo raggio di sole. Le **vetrate** sono le più antiche di Parigi e, grazie alla vivacità dei colori e delle migliaia di personaggi che le animano, sono sicuramente uno dei capolavori del 13° sec. Le 1 134 scene, che coprono una superficie in vetro di 618 m², riproducono immagini tratte dalla Bibbia. I restauri, eseguiti verso la metà del 19° sec., sui disegni del pittore Steinheil, sono estremamente difficili da notare. Le vetrate illustrano ampi frammenti del Vecchio e del Nuovo Testamento e devono essere «lette» da sinistra a destra e dal basso verso l'alto, eccetto i nn 6, 7, 9 e 11 che occorre osservare singolarmente.

1) Genesi – Adamo ed Eva – Noè – Giacobbe.
2) Esodo – Mosè sul monte Sinai. – 3) Esodo – I Comandamenti.
4) Deuteronomio – Giosuè – Ruth e Booz.
5) I Giudici – Gedeone – Sansone. – 6) Isaia – L'albero di Jesse.
7) San Giovanni Evangelista – Vita della Madonna – Infanzia di Cristo.
8) La Passione di Cristo. – 9) San Giovanni Battista – Daniele.
10) Ezechiele. – 11) Geremia – Tobia.- 12) Giuditta – Giobbe.
13) Esther. – 14) I Re: Samuele, Davide, Salomone.
15) Sant'Elena e la Santa Croce – San Luigi e le reliquie della Passione.
16) Rosone gotico fiammeggiante (15° sec.): l'Apocalisse.

CAPPELLA SUPERIORE

Tutta la navata della chiesa è circondata da arcatelle, i cui capitelli finemente scolpiti riproducono motivi vegetali. Davanti ad ogni pilastro si erge una statua di apostolo con in mano una delle dodici croci rituali di consacrazione. Sei delle figure, notevoli per la loro vivacità nonostante la policromia moderna, sono antiche (segnate in rosso sulla pianta), le altre statue originali si trovano al museo di Cluny.

Due piccole nicchie, nella terza campata, erano riservate al re e alla famiglia reale. Sulla navata successiva (a destra), si apre la porta dell'oratorio costruito da Luigi XI, da cui, attraverso una piccola grata, si poteva assistere al servizio religioso senza essere visti.

Al centro dell'abside si erge una tribuna su cui poggia un baldacchino in legno che custodiva il reliquiario. Due scalette a chiocciola *(accesso vietato)* in torrette traforate conducevano al piano superiore. Quella di sinistra risale ai tempi della costruzione e spesso vi salì San Luigi per andare egli stesso ad aprire il reliquiario, lucente di pietre preziose, e mostrare le reliquie ai fedeli in preghiera.

Il portico sulla terrazza è stato ricostruito (timpano e pilastro divisorio del 19° sec.).

★★ LA CONCIERGERIE

Le tre superbe sale gotiche risalgono ai tempi di Filippo il Bello (14° sec.). Durante la Rivoluzione la Conciergerie acquistò una triste fama con le sue cupe prigioni.

Un custode gran signore – Nell'antico Palazzo, il nome di Conciergerie indicava il luogo sottoposto all'autorità di un personaggio importante, il Concierge, ossia il governatore della casa del re che amministrava il castello e dava in affitto le numerose botteghe del Palazzo, ricavandone lauti profitti.

A partire dal 14° sec. la Conciergerie venne utilizzata come prigione.

L'anticamera della ghigliottina – Durante la Rivoluzione, i locali sono sistemati in modo da accogliere un gran numero di detenuti (fino a 1 200 per volta). La Conciergerie diventa, sotto il Terrore, anticamera del Tribunale rivoluzionario, spesso «anticamera della ghigliottina».

Nelle sue celle sono rinchiusi personaggi famosi: Maria Antonietta; Madame Élisabeth, sorella di Luigi XVI; Mme Roland; Charlotte Corday, che pugnalò Marat; Mme du Barry, favorita di Luigi XV; il poeta André Chénier; il generale Hoche; Filippo d'Orléans, detto «Philippe-Égalité». Tra i 32 esattori generali figurava anche lo scienziato Lavoisier. Quando chiese un rinvio della sua esecuzione per poter ultimare un'opera di ricerca, gli fu risposto da uno dei giudici: «La Repubblica non ha bisogno di scienziati.»

La Conciergerie

Qui sfilarono anche i massimi dirigenti della Rivoluzione: prima i Girondini, sconfitti da Danton, poi quest'ultimo ed i suoi compagni, vittime di Robespierre; lo stesso «incorruttibile» ed i suoi seguaci, colpiti dalla reazione del Termidoro (1794), ed infine il pubblico accusatore Fouquier-Tinville ed i giudici del Tribunale rivoluzionario.

Tra il gennaio 1793 ed il luglio 1794, circa 2 600 prigionieri furono condotti dalla Conciergerie alla ghigliottina. Questa venne innalzata in vari luoghi successivi: place du Carrousel alle Tuileries, place de la Concorde, place de la Bastille, place de la Nation (dove, in 40 giorni, caddero ben 1 306 teste) e poi di nuovo in place de la Concorde.

★ **Esterno** – Dal quai de la Mégisserie si gode la migliore **prospettiva** sulla Conciergerie, con le quattro torri che si specchiano nella Senna, da cui un tempo l'edificio era direttamente lambito, prima che il quai de l'Horloge, realizzato nel 16° sec., ne elevasse notevolmente il livello originario. Questa è la parte più antica del palazzo dei re capetingi.

Sulla destra, la torre Bonbec, merlata, fu la prima struttura ad essere costruita; qui, per secoli, i prigionieri furono sottoposti alle torture che, alla fine, risultavano essere mezzi molto efficaci per estorcere confessioni forzate.

Al centro della facciata neogotica, voluta dal Duc nel 19° sec., si ergono due torri binate che controllavano un tempo l'ingresso al palazzo reale e l'accesso al ponte di Carlo il Calvo: sulla destra, la torre d'Argento (tour d'Argent), in cui era custodito il tesoro della Corona; sulla sinistra, la tour de César (torre di Cesare), dove Fouquier-Tinville aveva il suo alloggio personale durante il Terrore.

La **tour de l'Horloge**, a pianta quadrata e risalente al 14° sec., si erge ora all'angolo dell'attuale boulevard du Palais. Nel 1370, Carlo V vi fece applicare il primo orologio pubblico di Parigi, il cui battito scandisce da sei secoli la vita del palazzo e della Cité. Nel 1793, la Comune fece fondere la bella campana d'argento rea di aver suonato i grandi momenti della Monarchia. Le sculture che ornano il quadrante, molto restaurate nel secolo scorso, sono opera di Germain Pilon.

★ **Interno** ⊙ – *Ingresso al n° 1, quai de l'Horloge. Passare sotto la volta, attraversare il cortile e scendere, a destra, nella Salle des Gardes.*

Salle des Gardes – Le volte gotiche della sala delle guardie sono sostenute da robusti pilastri, ornati di interessanti capitelli. La costruzione del lungofiume ha reso la sala, ormai a 7 m sotto il livello del suolo, molto buia. Sui due primi pilastri è indicato il livello raggiunto dalla Senna nell'alluvione del 1910.

★★ **Salle des Gens-d'Armes** – Questa stupenda sala gotica a quattro navate (1 800 m^2 di superficie) può degnamente competere con le sale del Mont St-Michel e del Palazzo dei Papi di Avignone. Purtroppo le costruzioni, erette nel 18° sec. nella cour du Mai, l'hanno notevolmente oscurata. Al 1° piano si trovavano la Grande Sala del palazzo e gli appartamenti reali. Nel 19° sec., Viollet-le-Duc aggiunse i pilastri che sostengono le volte.

Cucine – Agli angoli della sala che un tempo ospitava le cucine si trovano enormi camini che avevano ciascuno la sua funzione particolare: su alcuni venivano arrostite le carni, su altri esse venivano bollite in grandi paioli. Questa doppia installazione non era affatto superflua: oltre la famiglia reale c'erano dalle 2 000 alle 3 000 persone da nutrire. Le cappe sono sostenute all'interno da curiosi archi rampanti.

«Rue de Paris» – L'ultima campata della sala degli Uomini d'Arme era separata un tempo dal resto del locale con una grata.

Qui il boia Sanson, chiamato tradizionalmente «Monsieur de Paris», attendeva i condannati e questa è l'origine del nome dato alla sala. Durante il Terrore, vi erano ammucchiati i detenuti senza denaro, che, per dormire, si stendevano sulla paglia; quelli che disponevano di un po' di denaro erano invece alloggiati «a pagamento» e nutriti con cibo più curato, in celle singole.

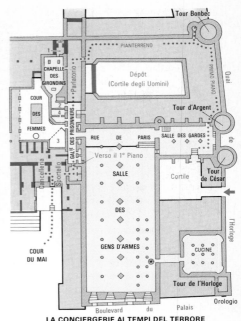

LA CONCIERGERIE AI TEMPI DEL TERRORE

Parti tuttora esistenti — Parti scomparse
••• Percorso seguito dai condannati

La Prigione – La «rue de Paris» si affaccia sul corridoio centrale della Conciergerie, oggi ridotto notevolmente in lunghezza. Era il luogo più animato: qui infatti passavano i detenuti, coloro che si recavano in Tribunale, i visitatori, gli avvocati, i procuratori, i cancellieri, le guardie.

Scortati dai gendarmi, i prigionieri scendevano dalla Grande Chambre du Parlement (Camera Alta del Parlamento) attraverso una scala a chiocciola nascosta in una torretta della torre Bonbec. Giungevano in fondo alla galleria passando per una porta sulla destra (oggi murata) che dava sul parlatorio: questo da un lato fungeva da vestibolo al cortile degli uomini e dall'altro conduceva ad una scala (1) per la quale, durante il Terrore, si saliva al Tribunale rivoluzionario. Probabilmente erano infine riuniti in un locale occupato oggi dalle cucine del ristorante del palazzo.

Ad uno ad uno erano poi condotti in una sala adiacente. Gli aiutanti del boia Sanson eseguivano allora la toilette, legavano loro le mani dietro alla schiena, aprivano la camicia sul collo e tagliavano loro i capelli sulla nuca. Il gruppo dei condannati attraversava poi la porta che conduceva alla Cour du Mai e saliva sulla fatale carretta.

Al 1° piano viene raccontata la storia della prigione e sono ricordati alcuni prigionieri di Stato – eccellenti –: Montgomery, uccisore involontario di Enrico II; Châtel, che ferì Enrico IV; Ravaillac che lo uccise; Louvel, l'assassino del duca di Berry; Fieschi, cospiratore corso che attentò alla vita di Luigi Filippo con una «macchina infernale», e per finire Robespierre.

Chapelle des Girondins – Al pianterreno. La cappella dei Girondini serviva da prigione collettiva, dove i detenuti potevano ascoltare la messa dietro le grate, visibili al 1° piano. Nel 1793 vi furono rinchiusi 22 Girondini. Secondo la tradizione, dopo aver ricevuto la sentenza di morte a mezzanotte, essi avrebbero atteso il mattino cantando e bevendo. Il cadavere di uno di loro, suicidatosi, fu condotto fino alla ghigliottina.

Sotto la Restaurazione la cappella fu ripristinata al culto.

Da qui si accede alla cella in cui Maria Antonietta fu rinchiusa dal 2 agosto al 16 ottobre 1793 e che fu trasformata, nel 1816, in cappella espiatoria (2).

Cour des Femmes – Dalla cappella si accede poi al Cortile delle Donne, in mezzo alla quale, come un tempo, si trovano un praticello ed un albero isolato. Gli edifici che vi si affacciano ospitavano alcune celle, destinate alle donne. Sotto le arcate, al pianterreno, erano raccolte le prigioniere povere, al 1° piano quelle «a pagamento». Durante il giorno, le detenute potevano passeggiare nel cortile. Solo il 1° piano è antico; gli altri sono stati aggiunti nel 19° sec.

Sul lato cosiddetto dei Dodici (**3**), uomini e donne potevano comunicare attraverso le sbarre e intrecciavano in tal modo degli idilli. Ogni giorno venivano formati gruppi di 12 detenuti, destinati all'«ultimo viaggio» verso la ghigliottina.

Ritornando nel corridoio della prigione si può vedere la ricostruzione della cella di Maria Antonietta (**4**), con la sua ambientazione originale. L'arredamento era composto da una branda, una sedia, un tavolino per la toilette. Un paravento separava la regina dai gendarmi che la sorvegliavano giorno e notte.

Nella cella attigua sarebbero stati rinchiusi Danton, poi Robespierre. Quest'ultimo non vi passò che la notte precedente la sua esecuzione.

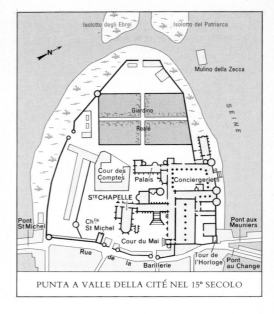

PUNTA A VALLE DELLA CITÉ NEL 15° SECOLO

QUARTIERE DEL PALAIS DE JUSTICE

Tribunal de Commerce – E' stato costruito nel 1865 sull'area dell'ex chiesa di San Bartolomeo, parrocchia del Palazzo dal 9° sec. alla Rivoluzione. Attraversando il vestibolo, si ammiri l'imponente cupola alta 42 m.

Place Louis-Lépine – Il variopinto **Mercato dei Fiori**, sostituito ogni domenica dal mercato degli uccelli, contrasta fortemente con gli austeri edifici amministrativi, eretti nel Secondo Impero, affacciati sulla piazza: l'Hôtel-Dieu, la Prefettura di Polizia ed il Tribunale di Commercio. La piazza prende il nome dal prefetto di polizia Lépine, che, tra il 1893 e il 1913, fu uno dei personaggi più popolari e discussi di Parigi. Creò il moderno corpo dei vigili urbani (detti popolarmente «flics»), regolamentò il traffico automobilistico ed instaurò le pattuglie di ronda in bicicletta e la squadra fluviale per il soccorso agli annegati; dotò inoltre gli agenti del manganello bianco e del fischietto. Dal 1902, il suo nome è legato al caratteristico concorso degli inventori dilettanti.

Boulevard du Palais – L'apertura di questo ampio passaggio, voluta da Haussmann, ha fatto scomparire un luogo sinistro ove i condannati venivano marcati pubblicamente con un ferro rovente. Una lapide ricorda l'ubicazione dell'antica chapelle St-Michel, cappella palatina fino al regno di San Luigi.

Pont St-Michel – La costruzione di un primo ponte risale al 1378 ed era fiancheggiato da case in legno demolite sotto Luigi XVI. Il ponte attuale è del 1875. Sul quai du Marché-Neuf abitava **Théophraste Renaudot**, medico di Luigi XIII, ugonotto e fondatore del primo periodico francese, la *Gazette de France*.

Quai des Orfèvres – Questo Lungosenna degli Orafi era, nel 17° e 18° sec., il centro parigino della gioielleria: Strass, il cui nome è legato all'invenzione del brillante sintetico, Boehmer e Bassenge, creatori della famosa collana di Maria Antonietta, possedevano qui e sulla place Dauphine i loro negozi e laboratori; il n° **36** è oggi sede della Polizia Giudiziaria.

★ **Place Dauphine** – Un tempo, la punta Ovest della Cité era costituita da un gruppo di isolette basse, separate dalla grande isola dai bracci paludosi della Senna e coperte spesso dalle acque durante le piene. Nel 1314, Filippo il Bello vi fece erigere il rogo per il Gran Maestro dei templari, Jacques de Molay, e, da una finestra del palazzo, assistette personalmente al supplizio. Tra la Conciergerie e queste isole, si stendeva il Giardino Reale, divenuto poi, per volere di Maria de' Medici, il primo orto botanico di Parigi (oggi place Dauphine). Solo alla fine del 16° sec. Enrico III decide di sistemare e bonificare la punta della Cité: fa riempire i fossati fangosi, unisce gli isolotti (lo square du Vert-Galant è ancor oggi collocato al livello di un tempo), crea il terrapieno centrale del futuro Pont-Neuf e fa innalzare di circa 6 metri la riva Sud. A partire dal 1580 circa, il terreno può essere edificato. Nel

1607, Enrico IV cede al facoltoso Presidente del Parlamento de Harlay il terreno tra il Palazzo ed il Pont-Neuf per costruirvi una piazza triangolare, cinta da case uniformi di mattoni, pietra bianca e ardesia blu. In onore del delfino, futuro Luigi XIII, la piazza prende il nome di place Dauphine.

Solo qualche edificio, ad esempio il n° **14**, ha mantenuto l'aspetto originario; inoltre la parte est della piazza è stata abbattuta, nel 1874, per far posto alla scala che conduce al Palais de Justice, voluta da Duc.

Passando attraverso due case del 1608, molto restaurate, si raggiunge il Pont-Neuf.

★ **Pont-Neuf** – Nonostante il nome, esso è il più antico ponte di Parigi. Le due metà che lo compongono, iniziate nel 1578 da Androuet Du Cerceau e terminate nel 1604, non sono rigorosamente allineate. Gli archi a tutto sesto sono decorati con divertenti mascheroni. Le mezzelune sporgenti, in corrispondenza di ogni pilone, erano occupate un tempo da bancarelle, «cavadenti», acrobati, giocolieri ed una curiosa folla di spettatori e di... ladruncoli. E' questo il primo esempio di ponte su cui non si ergono case per non nascondere la vista del fiume. Altra originalità per Parigi: furono costruiti i marciapiedi, per proteggere i pedoni dal traffico stradale. Una pompa, raffigurante la Buona Samaritana nell'atto di offrire da bere a Cristo (da cui deriva il nome dei grandi magazzini *Samaritaine*), fornì l'acqua al Louvre fino al 1813; l'ultima ardita novità è costituita dalla statua equestre di Enrico IV, la prima effigie esposta su una via pubblica in Francia. Essa venne abbattuta nel 1792 e poi sostituita, durante la Restaurazione, dal monumento attuale, fuso col bronzo della prima statua della colonna Vendôme e del generale Desaix in place des Victoires. Si dice che il fonditore, acceso bonapartista, vi abbia racchiuso l'*Henriade* di Voltaire, una statuetta di Napoleone ed alcuni scritti apologetici sull'Imperatore. Il ponte, nonostante le numerose alluvioni ed i molteplici restauri subìti, ha mantenuto la stessa struttura originaria, da cui l'espressione – se porter comme le Pont Neuf – star benone.

★ **Square du Vert-Galant** – La scala dietro alla statua di Enrico IV conduce a questo grazioso giardinetto, ombreggiato da begli alberi. Questo luogo tranquillo (quasi in contrasto col nome stesso di Vert-Galant: donnaiolo, appellativo scherzoso dato ad Enrico IV), offre una bella **vista**★★ d'insieme del Pont-Neuf, del Louvre e della Zecca.

★★ÎLE ST-LOUIS

Il fascino tranquillo dei Lungosenna e le stradine che animano l'isola di San Luigi fanno quasi dimenticare di essere nel cuore della città e la rendono uno dei luoghi più attraenti di Parigi.

Originariamente, in questo punto si ergevano due isolotti, l'isola delle Vacche e l'isola di Notre-Dame, teatro dei famosi duelli giudiziari chiamati «giudizi di Dio» o «ordalie». Agli inizi del 17° sec., l'imprenditore Marie, con l'ausilio dei finanzieri Poulletier e le Regrattier, ottiene da Luigi XIII e dal capitolo di Notre-Dame il permesso di riunire i due isolotti, collegarli alla terraferma con due ponti di pietra e di lottizzarne il terreno a proprie spese. I lavori, iniziati nel 1627 e terminati nel 1664, danno come risultato un complesso architettonico classico, simile a quello del vicino quartiere del Marais, unico però a Parigi per l'omogeneità di stile e la tranquilla atmosfera provinciale. Ai primi abitanti (finanzieri, magistrati e aristocratici) si sono succeduti fino ai giorni nostri personaggi di tipologia diversa: letterati, artisti e amanti della Parigi di un tempo. Attraversando l'isola, si incontrano ovunque testimonianze del 17° sec.: case con eleganti facciate, sulla maggior parte delle quali sono affisse delle lapidi in memoria di abitanti precedenti o di particolari avvenimenti storici o aned-

dotici, balconi in ferro battuto, alti camini di mattoni. Dietro le porte dai pesanti battenti, ornate di elementi in risalto e di grossi chiodi, si nascondono cortili interni, rimasti inalterati nel corso del tempo.

Quai de Bourbon – Costeggia la caratteristica punta dell'isola. Il cippi collegati da catene, i medaglioni del 18° sec. che ornano l'estremità smussata dell'isola, la vista su San Gervaso compongono, nel loro insieme, un **quadro**★ di estrema bellezza. I magnifici palazzi ai nn **19** (targa che ricorda Camille Claudel che visse e lavorò qui tra il 1899 e il 1913) e **15** appartenevano ad alcuni membri del Parlamento: belle mansarde, mascheroni, larghe scale con ringhiere in ferro battuto sono una viva testimonianza dello splendore di un tempo.

Quai d'Anjou – Vi si affacciano bei palazzi signorili. Al n° **27** abitò la marchesa di Lambert che vi organizzò un famoso salotto letterario.

Hôtel de Lauzun – *Ingresso al n° 17. Non aperto al pubblico*. Questo hôtel, dalla facciata severa, fu costruito nel 1657 da Le Vau per Gruyn, fornitore degli eserciti, imprigionato successivamente per truffa. Il palazzo appartenne al duca de Lauzun solo per tre anni, ma, nonostante ciò, ne ereditò il nome. Lo scrittore Théophile Gautier vi fondò il «Club dei fumatori di Hascisc», sperimentando, con Baudelaire, le fantasie dei paradisi artificiali. Attualmente l'hôtel appartiene al Comune di Parigi, che vi organizza ricevimenti.

Casa di Honoré Daumier – *9, quai d'Anjou*. Il pittore, litografo, autore di *La Caricature* e di *Charivari*, ma soprattutto caricaturista e satirista, abitò questa casa dal 1846 al 1863.

Square Barye – *Sull'estremità dell'isola*. E' unico resto dei giardini terrazzati che un tempo appartenevano al finanziere Bretonvilliers.

★ **Hôtel Lambert o Le Vau** – *2, rue St-Louis-en-l'Île. Non aperto al pubblico*. Il ricco palazzo all'estremità superiore dell'isola fu costruito nel 1640 da Le Vau per il presidente Lambert de Thorigny, detto Lamberto il Ricco; Le Sueur (i cui dipinti si trovano al Louvre) e Le Brun realizzarono le decorazioni.

Quai de Béthune – Si chiamava originariamente quai des Balcons, poiché quasi davanti ad ogni finestra si apriva un balcone. L'edificio al n° **16** apparteneva al maresciallo-duca di Richelieu, pronipote del cardinale.

★ **Église St-Louis-en-l'Île** ⊘ – Dall'esterno balza curiosamente agli occhi per lo strano orologio in ferro e per l'originale guglia traforata. Iniziata nel 1664 su progetto di Le Vau, lui stesso abitante dell'isola, fu terminata solo nel 1726. L'interno, in stile gesuita, è riccamente decorato: preziosi rivestimenti lignei, ori e marmi, statuette, smalti.

Hôtel de Chenizot – *51, rue St-Louis-en-l'Île*. Fu sede dell'arcivescovado verso la metà del 19° sec. Vi morì Monsignor Affre, ferito durante i moti rivoluzionari del febbraio 1848. Il bellissimo portale è sormontato da una testa di fauno e da un maestoso balcone.

Musée Adam-Mickiewicz ⊘ – *6, quai d'Orléans*. L'edificio, del 17° sec., ospita anche la biblioteca polacca. Vi sono custoditi ritratti, ricordi, documenti del poeta polacco (1798-1855), della sua famiglia e degli amici. Si notino i manoscritti, tra cui il *Pan Tadeusz* (suo capolavoro), ed i busti del poeta eseguiti da Bourdelle e David d'Angers.

La casa al n° **12** diede i natali al poeta Félix Arvers, come testimoniato dal medaglione affisso sulla facciata. Dal quai d'Orléans si gode una mirabile **vista**★★ sull'abside di Notre-Dame e sulla riva sinistra della Senna.

L'île St-Louis: un'isola nel cuore di una metropoli. E non solo in senso geografico.

Lasciata la Cité, con la sempre affollata place du Parvis, dominata dall'imponente Notre-Dame, è piacevole passeggiare in quest'oasi dalle vie tranquille, fiancheggiate da palazzi signorili.

La DÉFENSE★★

Il nome del quartiere deriva da un monumento commemorativo della Difesa di Parigi nel 1871, opera dello scultore Barrias, che orna il rondò centrale. Nel 1956 fu deciso di riorganizzare l'uscita ovest di Parigi, il cui traffico era estremamente congestionato, e di creare un centro commerciale e abitativo basato su concezioni moderne e insieme molto semplici: la Défense rappresenta la maggiore operazione urbanistica della regione parigina.

Sotto la responsabilità dell'EPAD (Établissement Public pour l'Aménagement de la Défense), uno speciale organismo creato nel 1958, si è proceduto alla trasformazione di un'area di circa 800 ettari in un nuovo centro urbano, suddiviso in due zone.

Il quartiere degli Affari – Questo nuovo quartiere, suddiviso in 11 settori, copre una superficie di 130 ettari e si estende tra i comuni di **Puteaux, Courbevoie** e **Nanterre,** nel prolungamento dell'asse che parte dal pont de Neuilly e che, fungendo da raccordo del traffico delle strade N 13 ed N 192, costituiva l'arteria più intasata di Francia.

Per evitare di riversare sul nuovo quartiere questa marea di traffico, l'EPAD decise allora di realizzare una enorme **«piattaforma pedonale»** in cemento, lunga 1 200 m e degradante fino alla Senna; per abbellirla, furono create numerose piazze e patii, ornati di sculture.

La Grande Arche de La Défense

La DÉFENSE

Sotto questa piattaforma centrale si snoda su diversi livelli una rete assai complessa di raccordi per il traffico locale e per le strade statali, uno svincolo ferroviario, alcune stazioni (RER, autobus, SNCF), parcheggi, piani sotterranei delle torri, impianti di ventilazione, scale e ascensori, nonché 15 km di gallerie destinate ai cavi ed alle canalizzazioni.

La Défense è considerata un modello di moderna realizzazione urbanistica e riceve spesso la visita di personalità provenienti da tutto il mondo.

Sopra questa immensa piattaforma si ergono le torri, le cui radici sembrano quasi nascere da un mondo sotterraneo. La più alta comprende 45 piani. Dall'inaugurazione del primo palazzo per uffici (grattacielo della Esso), nel 1964, sono stati costruiti altri 47 edifici con una superficie di circa 1 660 000 m^2 di uffici sui 2 100 000 del progetto complessivo. Vi operano più di 900 società, tra le quali alcune delle maggiori del paese. Nel 1991, le persone che lavoravano alla Défense erano oltre 100 000.

Ad eccezione delle torri Eve, Défense 2000 e Gambetta, occupate da alloggi, la maggior parte delle abitazioni si trova in costruzioni «basse». Il quartiere è dotato anche di impianti sportivi, infrastrutture per il tempo libero ed una enorme rete di negozi. Il centro commerciale, il maggiore in Europa, copre una superficie di 120 000 m^2.

Il quartiere del Parco – Al di là del quartiere degli Affari, più ad ovest nella pianura di **Nanterre**, è in fase di ultimazione l'assetto del quartiere del Parco che occupa una superficie di 90 ettari e comprende uffici, abitazioni, servizi sociali e spazi verdi.

Nel 1972, sono state ultimate la **Prefettura** del dipartimento degli «Hauts-de-Seine» e la **Scuola di Architettura.**

Il centro del quartiere è occupato dal **Parc André-Malraux** (24 ha), dall'importante orto botanico. Intorno ad esso sorgono il théâtre des Amandiers, con oltre 900 posti, e la scuola di danza dell'Opéra di Parigi, realizzata dall'architetto Christian de Portzamparc, nonché alcuni edifici per alloggi ed uffici, progettati dagli architetti Kalisz e Aillaud (quest'ultimo ha anche progettato strane torri dalle superfici inflesse e dai sorprendenti colori, e finestre disposte irregolarmente).

Visita ⊙

La Défense non ha niente a che vedere con i tradizionali quartieri d'affari del centro cittadino. Se si percorre la piattaforma pedonale al di fuori delle ore in cui il flusso degli impiegati è maggiore, o di sera e alla domenica, è estremamente difficile immaginare l'incessante traffico sotterraneo e la frenetica attività che si svolge nelle torri.

Nonostante gli sforzi compiuti per armonizzare forme e colori, si ha comunque una certa impressione di rigidità.

Parvis (Piattaforma) – *Per tutte le informazioni rivolgersi a «Info Défense» sulla piattaforma o alla stazione Esplanade de la Défense della metropolitana.* Dal «parvis» la vista si insinua al di là delle torri, scoprendo in tal modo una **prospettiva**★ fino all'Étoile.

★★ **La Grande Arche** ⊙ – All'estremità della piattaforma si erge la *Testa Défense* (Tête Défense), progettata dall'architetto danese Otto von Spreckelsen. Questo arco è una sorta di immenso cubo di cemento armato ricoperto di vetro e marmo bianco di Carrara, il cui lato misura 110 m, del peso di ben 300 000 tonnellate. E' un pezzo unico, cioè non esistono giunture di dilatazione. Per motivi tecnici, presenta una leggera inclinazione rispetto all'asse della Défense, poiché i dodici pilastri su cui poggia sono stati inseriti nel sottosuolo tenendo conto delle vie di circolazione sotterranee.

La cattedrale di Notre-Dame con la sua guglia potrebbe trovare posto tra le pareti dell'arco. Sotto la volta, una rete di cavi sostiene gli ascensori panoramici che portano fino al tetto dell'edificio. L'arco ospita nell'ala sud il Ministero dei Trasporti e della Marina, mentre il lato nord è occupato da società francesi e internazionali; nella parte superiore dell'edificio ha sede la Fondazione l'Arche de la Fraternité, per la difesa e la promozione dei Diritti dell'uomo.

L'immenso tetto-terrazza, una parte del quale è sistemata a belvedere e da dove il visitatore ha una veduta su tutta la città e la periferia, è occupato anche da sale per le esposizioni temporanee, che prendono luce da quattro patii. Il pavimento di questi patii riproduce la mappa del cielo astrale, opera di Jean-Pierre Raynaud.

La decorazione interna delle pareti dell'arco, opera dell'artista Jean Dewasne, si ispira al tema delle lingue e delle comunicazioni, riprendendo il progetto, peraltro abbandonato, di un Centro internazionale delle Comunicazioni.

★★ **Musée de l'Automobile de la Colline de la Défense** ⊙ – Nell'edificio, dalla moderna struttura architettonica, sono raccolte più di 100 vetture che permettono di ripercorrere la storia del mezzo di trasporto dalle origini ai nostri giorni suddividendola in 6 periodi.

In particolare si noti una Benz (ricostruzione di una vetturetta a tre ruote del 1886), la Léon Bollée con trasmissione a cinghia, la Delage A (una delle prime vetture a larga diffusione), la Voisin C11, estremamente raffinata, la Rolls-Royce Phantom III, la Cadillac V 16 roadster e la Lamborghini Miura, grande rivale della Ferrari.

Vi sono inoltre numerosi documenti, scene animate ed oggetti raggruppati a tema. Al primo piano (Espace Hauts-de-Seine) sono esposti, su una grande piattaforma semicircolare, i simboli di 240 marche automobilistiche.
Nel museo hanno inoltre luogo esposizioni temporanee al livello intermedio dello spazio Trintignant ed al livello principale dello spazio J.-M. Fangio.

Dôme Imax ⊙ – Questa sfera coperta di lastre di vetro ospita una sala cinematografica, dotata di uno schermo emisferico a 180°, di 27 m di diametro, la cui superficie è circa 1000 m². Le poltroncine sono inclinate a 30°. Vi vengono proiettati film di avventura, documentari, film-concerto. L'illuminazione notturna del Dôme è legata al traffico stradale attraverso un sistema di computer inedito ed originale sia per il luogo in cui viene applicato che per la sua struttura.
A destra dell'arco, una scultura metallica, opera dell'artista giapponese Miyawaki, presenta 25 colonne legate fra di loro da fili in acciaio inossidabile.
Un po' più distante, in place Carpeaux, si trova *Il pollice* (**1**) di César.

★ **Palais de la Défense (CNIT)** – E' una delle costruzioni più famose della Défense e la più vecchia (1958). Questo Centro Nazionale delle Industrie e delle Tecniche è anche notevole per le dimensioni (80 000 m² di superficie coperta) e per la concezione ardita che ne è alla base: la volta detiene, con i suoi 220 m, il record del mondo di portata, è costruita in cemento armato a forma di conchiglia rovesciata e poggia solo su tre punti a terra, ad ognuno dei tre vertici di un triangolo. Dopo aver ospitato numerose manifestazioni commerciali, il palazzo è divenuto un centro d'informazioni, di comunicazione e commercio internazionale (uffici, centro congressi e sala per esposizioni, albergo, negozi).
Procedendo a sinistra, sulla place de la Défense, si erge uno stabile rosso (**2**), alto 15 m, l'ultima realizzazione di Calder. Passando sotto un edificio basso si raggiunge la torre Fiat.

Tour Fiat – Con i suoi 45 piani ed un'altezza di 178 m, è, insieme alla tour Elf, la più alta del complesso. E' stata progettata da una squadra di architetti francesi e newyorkesi e venne terminata nell'ottobre 1974. Possiede, grazie al suo aspetto massiccio ed elegante ad un tempo, un carattere del tutto particolare. Di notte, quando l'edificio è illuminato, l'austera facciata, scura e liscia, in cemento armato rivestito di granito lucido, richiama alla mente l'immagine di un'enorme scacchiera. Contrariamente ad altri numerosi grattacieli con scheletro in acciaio, la torre Fiat possiede muri esterni portanti.
Un'altra originalità architettonica consiste nel fatto che questa costruzione non produce un effetto di restringimento verso l'alto dovuto alla fuga di linee verticali; ciò è stato ottenuto ampliando le dimensioni delle finestre man mano che si procede verso i piani superiori.
L'interno della torre è collegato, nel sottosuolo, alla rete dei trasporti pubblici.
Ai piedi della torre si erge un busto bronzeo dello scultore polacco Mitoraj, *Il grande toscano* (**3**), che rappresenta un gigante dell'antichità. Girando a sinistra intorno alla torre, si incontra una scultura in resina di poliestere dell'italiano Delfino (**4**), che rievoca il mondo immaginifico della fantascienza.

Tour Elf – Si erge a fianco della tour Fiat e fu realizzata dagli stessi architetti francesi, in collaborazione con i canadesi Menkes, Webb e Zerafat; è composta da tre edifici di altezza diversa le cui facciate rivelano una struttura ad organo. In funzione dei giochi di luce che vi si rispecchiano, esse cambiano la loro tonalità blu.

Ritornare sulla piattaforma.

Al centro della piattaforma si può ammirare la monumentale **fontana** di Agam (**6**), con i suoi stupendi giochi d'acqua, luce e musica *(in funzione sabato alle 15 e alle 20, domenica alle 15, in estate venerdí e sabato alle 21)*. La **Galleria** (Galerie) (**7**) ospita nella parte sotterranea esposizioni d'arte. Si passa davanti alla fontana-paesaggio *Mezzogiorno-mezzanotte* (**8**), in cui l'artista Clarus, utilizzando una conduttura di ventilazione, ha voluto raffigurare il percorso del sole e della luna sopra una riva immaginaria cosparsa di rocce.
Procedendo sulla piattaforma verso sinistra, dopo aver costeggiato un edificio basso, si sbocca sulla **place des Corolles**, delimitata dalle torri Europe e A.I.G.; il nome della piazza deriva dalla fontana in rame di Louis Leygue, *Le Corolle del Giorno* (**9**), che vi si erge. Su un muro basso, l'affresco in ceramica dello *Scultore delle nuvole* (**11**), realizzato da Attila, porta una nota di colore e fantasia nel paesaggio circostante di cemento armato.

Le Reflets – *L'uccello meccanico* (**12**), opera dello scultore Philolaos, orna la terrazza.
Dietro il palazzo Vision 80, costruito su palafitte, si trova la **place des Reflets**; qui si possono ammirare i giochi dorati della luce riflessa sui vetri della tour Aurore e l'armonia cromatica delle pareti rosate della tour Manhattan e di quelle verdi della tour GAN, in una stupefacente composizione di colori.
Su questa piazza si erge anche un'allegoria in bronzo di Derbré, dal titolo *La Terra* (**13**).

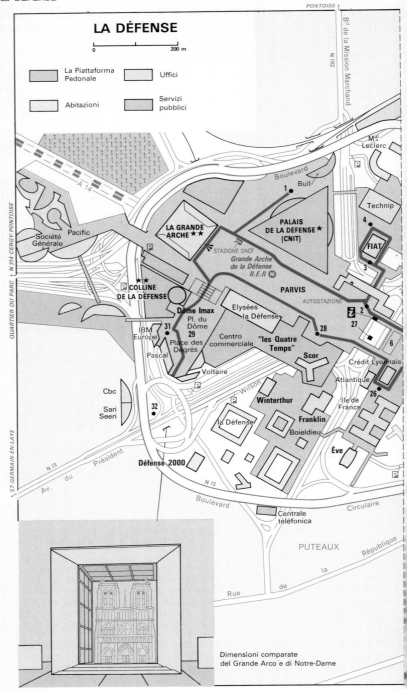

LA DÉFENSE

0   200 m

- La Piattaforma Pedonale
- Abitazioni
- Uffici
- Servizi pubblici

PONTOISE

B.d de la Mission Marchand

N 192

QUARTIER DU PARC ; N 314 CERGY-PONTOISE

ST-GERMAIN-EN-LAYE

N 13

A 14

Boulevard

M.al Leclerc

Bull

1

Technip

Pacific

Société Générale

LA GRANDE ARCHE ★★

PALAIS DE LA DEFENSE ★ (CNIT)

STAZIONE SNCF

Grande Arche de la Défense R.E.R Ⓜ

4

FIAT

3

★★ COLLINE DE LA DÉFENSE

PARVIS

AUTOSTAZIONE

2

Dôme Imax
Pl. du Dôme

Elysées la Défense

27

IBM Europe

31

29

Place des Degrés

Centro commerciale

"les Quatre Temps"

28

6

Pascal

Voltaire

Scor

Crédit Lyonnais

Cbc

Sari Seeri

32

la Défense

Winterthur

Wilson

Franklin

Boieldieu

Atlantique

Ile de France

26

Ève

Défense 2000

N 13

Boulevard

Circulaire

Centrale téléfonica

PUTEAUX

République

la

Av. du Président

Rue

de

Dimensioni comparate del Grande Arco e di Notre-Dame

Tour Manhattan – La forma, i colori ed i materiali impiegati la rendono una delle torri più originali della Défense. Le linee arcuate e le facciate completamente lisce, coperte di specchi, su cui si riflette il cielo, le conferiscono una flessuosità sorprendente, nonostante la sua mole imponente. Questa impressione di leggerezza e la purezza delle linee trasmettono una sensazione di rara bellezza.

La pianta a forma di S deriva dall'unione di due torri. Affinché nessuna sporgenza spezzi il ritmo architettonico dell'edificio, Herbert e Proux, a cui si deve la sua realizzazione, hanno collocato i pali di cemento armato, che ne formano lo scheletro,

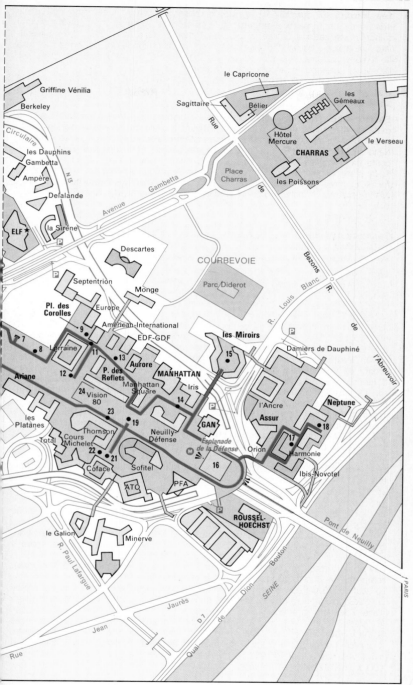

in posizione arretrata rispetto alla facciata. In tal modo, i quattromila pannelli di vetro, alti un piano, riescono a creare una continuità perfetta, pur coprendo una superficie di ben 22 000 m^2.

La place de l'Iris è abbellita dall'esile sagoma del *Sonnambulo* (**14**), in equilibrio su una sfera posata sullo spigolo di un cubo, opera di Henri de Miller.

Tour GAN – Il palazzo del GAN (Groupement des Assurances Nationales) ha forma a croce greca ed è di colore verde.

La DÉFENSE

Les Miroirs (Gli Specchi) – L'edificio, di Henri La Fonta, è decorato nel cortile interno da un mosaico a fontana di Deverne (**15**), composto da quattro volumi cilindrici. Dal patio si scorge la tour des Poissons (torre dei Pesci), dove è installato un orologio-barometro gigantesco che indica le condizioni del tempo a tutta la regione parigina (blu per tempo variabile, verde per bel tempo e rosso per l'arrivo di intemperie); le ore sono «suonate» da segnali luminosi.

Passando, si notino la strana tour Assur (sede dell'U.A.P.), a forma di stella a tre braccia, opera di Pierre Dufau, e, un po' più avanti, alcuni edifici abitativi a scacchiera.

Bassin Takis (**16**) – La fontana si trova all'estremità est della piattaforma, animata da 49 segnali metallici luminosi e flessibili, collocati ad altezze variabili sullo specchio d'acqua. Da qui si apre un'interessante prospettiva verso l'arco e Parigi.

Nello square Vivaldi si trova la *Fontana del Dialogo* (**17**), opera di Busato, composta da due personaggi in bronzo.

Sulla place Napoléon-Ier, ai piedi della tour Neptune, si erge un monumento a forma di croce della Legione d'Onore (**18**), che commemora il ritorno delle ceneri dell'Imperatore; l'Aquila Imperiale proviene probabilmente dai cancelli delle Tuileries.

Ritornare al Bassin Takis.

Tour Roussel-Hoechst – Realizzata da J. de Mailly, è la prima torre ad essere stata eretta alla Défense (1967). La facciata, di colore verde-blu, unisce la leggerezza delle strutture metalliche alla trasparenza delle pareti in vetro.

Lato sud – La tour Athéna presenta una forma triangolare a bordi non smussati. Si ammiri il bassorilievo in bronzo *Ofelia* (**19**), dello scultore catalano Fenosa.

Girando intorno all'hôtel Sofitel, sulla sinistra della terrazza che domina il cours Michelet, si noti una scultura in acciaio dipinto, di 14 metri di altezza, *Doppie linee indeterminate* (**21**) e un po' più in fondo, a destra, dei cilindri in ferro saldati tra loro, che ricordano un casco da calciatore (**22**). Ci si può dissetare ad una fontana a forma di rana (**23**) grande quanto un bue. La piazzetta, situata ad un livello inferiore rispetto alla piattaforma, è delimitata da 35 giardiniere ornate da volti e mani intrecciate, opera di Selinger (**24**).

Il luminoso edificio Ariane, costruito da Jean de Mailly, contrasta vistosamente con i grattacieli successivi per i suoi colori chiari e la facciata decorata con pannelli cruciformi in alluminio.

Tra le torri Crédit Lyonnais e Atlantique, si scorge *Signora Luna* (**26**), una raffinata scultura di Julio Silvia in marmo bianco; procedendo, si ergono, sulla destra, Défense 2000, dal caratteristico profilo svasato verso il basso, e, sulla sinistra, la tour Ève, la cui bianca sagoma a forma ellittica emerge a sud del quartiere Villon.

Le imponenti moli delle torri Franklin (composta da due blocchi embricati) e Winterthur si ergono seminascoste dalla tour Scor, a forma di tripode. Il rigore architettonico e l'aspetto impenetrabile delle facciate a vetri scuri conferiscono loro un aspetto di fortezza.

La statua bronzea di Barrias, *La Défense* (**27**), ha ritrovato la sua collocazione originaria, ai piedi della fontana Agam.

Il Centro commerciale Les Quatre Temps (I Quattro Tempi) ospita su due piani grandi magazzini, oltre 250 negozi, ristoranti e cinema, sopra i quali si trova il palazzo verde Élysées-la-Défense, con giardini interni.

Davanti a questo centro è stata collocata una scultura monumentale di Mirò (**28**), composta da 2 personaggi dai colori scintillanti.

Lo scultore Kowalski ha voluto sistemare la place des Degrés in modo da creare un *Paesaggio minerale* (**29**), che, nel suo complesso, rappresenta una vera opera d'arte (elementi piramidali, onda in granito).

Ai piedi di un elegante edificio si può ammirare una scultura bronzea di César (**30**), *Icaro*, che si stacca prepotentemente dallo spazio verde circostante. A qualche distanza, al centro dell'incrocio della circolazione automobilistica, si trova una scultura di Richard Serra, *Slat*, composta da cinque lastre di acciaio di 100 tonnellate, alte 11 m (**32**).

Se volete scoprire l'intera collezione della carte e guide Michelin,
la Boutique Michelin, 32, rue de l'Opéra (2° ar., Ⓜ *Opéra)* ☏ *01 42 68 05 20*
è aperta il lunedì dalle 12 alle 19 e dal martedì al sabato dalle 10 alle 19.

La Tour Eiffel

A. Eh/MICHELIN

113

Tour EIFFEL★★★

Carte Michelin n° 12 e 14 (pp. 28-29 e 41): J 7, J 8 e K 9.

La passeggiata si snoda in uno dei luoghi più famosi di Parigi, intorno alla Tour Eif-fel, immortalata ormai in ogni ritratto della città. Alle spalle i giardini noti come Champs-de-Mars chiusi dall'imponente edificio dell'École Militaire.

★★★ TOUR EIFFEL

Questo monumento, il più noto di Parigi, si erge a vedetta della capitale. Quando venne costruito, con i suoi 300 m era il più alto del mondo. Da allora parecchi grattacieli e torri di telecomunicazione gli hanno tolto questo primato. Grazie all'installazione della stazione televisiva, arriva attualmente a 320,75 m.

Cenni storici – L'idea di costruire la torre rappresentò per l'ingegnere **Gustave Eiffel** (1832-1923) lo sbocco naturale degli studi da lui intrapresi sugli alti piloni metallici dei viadotti. Il primo progetto risale al 1884. Per i lavori, iniziati nel 1887 e terminati nel 1889 in coincidenza con l'Esposizione Universale, vennero impiegati trecento montatori per assemblare i due milioni e mezzo di ribattini della torre.

Nel suo entusiasmo Eiffel aveva affermato: «La Francia sarà la sola nazione ad avere la propria bandiera innalzata su un'asta di 300 m!» Tuttavia questa possibile supremazia non aveva messo a tacere numerosi artisti e scrittori, che, anzi, firmarono la protesta cosiddetta dei «300», tra cui spiccavano insigni personalità: Charles Garnier, architetto dell'Opéra, Gounod, i poeti François Coppée e Leconte de Lisle, Dumas figlio, Maupassant. La torre ottiene comunque, per la sua estrema arditezza e straordinaria novità, un enorme successo. All'inizio del secolo è celebrata da alcuni poeti, tra cui Apollinaire e Cocteau, che le dedica gli *Sposi della Torre*. Essa diventa anche il soggetto per alcuni pit-tori: Pissarro, Dufy, Utrillo, Seurat, Marquet e Delaunay. In tutti i paesi del mondo la sua sagoma, grazie ad una infinita serie di oggetti che la ripro-ducono, diventa estremamente popolare. Nel 1909, allo scadere dell'autorizza-zione, poco manca che l'edificio venga demolito; a salvarlo sono le oppor-tunità che offre, con la sua colossale antenna, alla nascente radio ed i lontani collegamenti del capitano Ferrié. Dopo il 1910 la torre assicura il servizio dell'ora internazionale. Nel 1916 vi vengono realizzate le prime comunicazioni transoceaniche in telefonia senza fili e, dopo il 1918, vi viene creato il servizio di radiodiffusione francese. La televisione vi installa la propria antenna nel 1957. L'ultimo ripiano viene occupato da un importante laboratorio di meteoro-logia e navigazione aerea. Nel 1975 un fanale fisso rosso ha sostituito il faro girevole collocato in cima alla torre. La torre, che ha definitivamente conquistato il proprio posto nel cielo della capitale, diventa talvolta luogo d'incon-tro della buona società parigina in occasione di manifestazioni artistiche o pub-blicitarie.

Un capolavoro di leggerezza e resistenza – La struttura della torre, in ferro puddellato, ha un peso di 7 000 tonnellate, inferiore a quello del cilindro d'aria che la circoscrive. Il carico sul suolo è di 4 kg per centimetro quadrato, pari a quello esercitato da un uomo seduto su una sedia. Se si costruisse in scala esatta un modello ridotto in acciaio, alto 30 cm, esso peserebbe 7 grammi. Per la ver-niciatura, che viene eseguita ogni sette anni, occorrono non meno di 50 tonnel-late di vernice.

L'oscillazione della cima, sotto l'azione dei venti più forti, non supera i 12 cm. In funzione della temperatura, l'altezza può variare di 15 cm. ·

Il visitatore che si trovi tra i piloni di sostegno e guardi la fuga verso il cielo dello straordinario intreccio metallico di putrelle che compongono la torre riesce a coglierne interamente la gigantesca imponenza. L'edificio è percorso da 1652 gradini e suddiviso in tre piattaforme: la prima a 57 m, la seconda a 115 m, la terza a 276 m.

★★★ **Panorama** ⊙ – La vista, per chi salga al 3° piano, può estendersi fino a 67 km di distanza, quando le condizioni atmosferiche lo permettono, il che si verifica molto raramente. Parigi ed i dintorni sembrano allora raffigurati su una enorme carta geografica *(tavole panoramiche)*. La migliore visibilità si gode generalmente 1 ora prima del tramonto. Sulla terrazza scoperta del 3° piano, attraverso una finestra si può vedere l'ufficio che Eiffel si era fatto installare.

Al 1° piano un piccolo museo con servizio audiovisivo *(durata: 20 min)* ripercorre la storia della torre. Quando sono in funzione gli ascensori in corrispondenza dei piloni est o ovest, è possibile visitare il macchinario di un ascensore del 1899.

Ai piedi della torre, accanto al pilone nord, si erge un busto di Eiffel, opera di Bourdelle, a ricordo dell'ingegnere che ha dato alla capitale uno dei monumenti più visitati della Francia.

Di notte la Tour Eiffel, illuminata dall'interno con nuovi proiettori, sembra un gioiello di oreficeria.

★ CHAMP-DE-MARS

L'École Militaire e la Colline de Chaillot chiudono la prospettiva di questo giardino, dominato dalla Tour Eiffel.

Un campo di manovra – Quando Gabriel costruisce l'École Militaire, trasforma in campo di manovra o Campo di Marte gli orti che si stendevano tra i nuovi fabbricati e la Senna (1765-1767). Questo luogo viene aperto al pubblico dal 1780.
Nel 1783 il fisico Charles lo sceglie come punto di lancio di un pallone gonfiato ad idrogeno anziché ad aria calda. L'aeromobile si abbatte al suolo a Gonesse, a poca distanza da Parigi. L'anno successivo Blanchard, inventore del paracadute, tenta di dirigere un pallone con l'ausilio di un sistema ad alette: «Vado a pranzare alla Villette», annuncia con sicurezza. Sale a 4 000 m, manovra febbrilmente i congegni ed atterra... a Billancourt.

Festa della Federazione – Il 14 luglio 1790, primo anniversario della presa della Bastiglia, vi si svolge la festa della Federazione. Intorno al Campo di Marte vengono sistemate alcune gradinate, mentre al centro viene innalzato l'altare della Patria dove Talleyrand, vescovo di Autun, celebra una messa, assistito da trecento preti. Sullo stesso altare La Fayette presta il giuramento di fedeltà alla Nazione ed alla Costituzione, ripetuto dai trecentomila spettatori e ripreso alla fine, tra l'entusiasmo popolare, dallo stesso Luigi XVI.

Festa dell'Essere Supremo – Nel 1794 Robespierre fa decretare dalla Convenzione una religione di Stato con cui vengono riconosciute l'esistenza dell'Essere Supremo e l'immortalità dell'anima. Questi ideali sono solennemente affermati l'8 giugno nel corso di una festa che inizia alle Tuileries per continuare al Campo di Marte.

La fiera della capitale – Il Campo di Marte viene periodicamente devastato dalle esposizioni che vi vengono allestite. Il 22 settembre 1798, per commemorare la proclamazione della Repubblica, il Direttorio vi inaugura l'esposizione dell'industria che prende il posto delle antiche fiere di St-Germain e di St-Laurent. L'elemento innovativo è costituito dal fatto che gli espositori ricevono dei premi. Proprio sul Campo di Marte imbandierato, Napoleone distribuisce alla Grande Armée le aquile e le insegne con cui i reggimenti imperiali si lanceranno alla conquista dell'Europa. Vi vengono poi allestite le esposizioni universali del 1867, 1878, 1889, 1900, 1937. La Tour Eiffel si erge a testimonianza di quella svoltasi nel 1889, data in cui l'Esercito (ancora proprietario di quest'area) la diede al Comune di Parigi in cambio del terreno coltivato ad orti di Issy-les-Moulineaux, divenuto l'eliporto della città (Héliport de Paris), dove, il 13 gennaio 1908, Henri Farman realizzò il primo volo circolare di un chilometro.

Il Giardino – La sistemazione del giardino, così come appare oggi ai nostri occhi, è dovuta a J.-C. Formigé: i lavori, iniziati nel 1908, terminarono nel 1928. Venne realizzato in parte come giardino inglese con grotte, archi, cascate ed un piccolo lago (ai piedi della Tour Eiffel) ed in parte come giardino francese. Lungo le avenue de Suffren e de La Bourdonnais, al confine con i quartieri di Grenelle e del Gros-Caillou, si innalzano hôtel privati e lussuosi palazzi.

★★ ÉCOLE MILITAIRE *1, place Joffre.*

L'edificio *(chiuso al pubblico)* che chiude la prospettiva dello Champ-de-Mars è situato in una splendida posizione e rappresenta una delle più belle opere architettoniche del 18° sec.

Costruzione – Grazie a Mme de Pompadour, il finanziere Pâris-Duverney, fornitore degli eserciti, ottiene nel 1751 l'atto di fondazione e la direzione dei lavori di costruzione della Scuola Reale Militare, destinata a formare, in qualità di ufficiali, i gentiluomini caduti in povertà.
Jacques-Ange Gabriel, architetto del Petit Trianon di Versailles e di place de la Concorde, presenta un grandioso progetto a cui però il finanziere apporta alcune riduzioni. Il monumento finale mantiene comunque una magnificenza sorprendente per una caserma. Grazie ad un'imposta sulle carte da gioco e ad una lotteria, si ottiene ben presto il necessario aiuto economico.
Nella scuola vengono ammessi 500 allievi, destinati a ricevere un'istruzione della durata di tre anni. Nel 1769 Luigi XV posa la prima pietra della cappella. I lavori hanno termine nel 1773.

Il «cadetto» Bonaparte – Nel 1777 la Scuola Reale diviene Scuola Superiore dei Cadetti. Dopo aver compiuto gli studi a Brienne, Bonaparte vi viene ammesso nel 1784 con questo giudizio: «diventerà un eccellente marinaio». Ha solo 15 anni e riceve la cresima nella cappella della Scuola. Ne esce tenente d'artiglieria con la valutazione: «farà strada se le circostanze lo favoriranno».

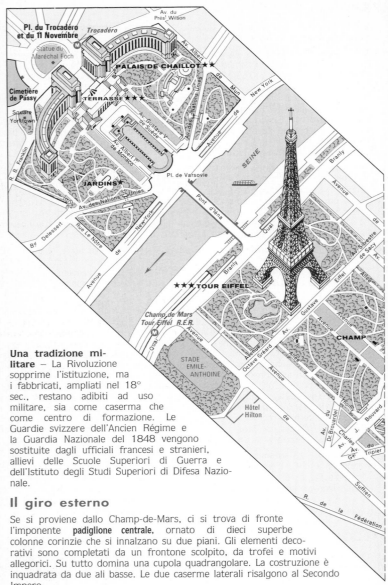

Una tradizione militare – La Rivoluzione sopprime l'istituzione, ma i fabbricati, ampliati nel 18° sec., restano adibiti ad uso militare, sia come caserma che come centro di formazione. Le Guardie svizzere dell'Ancien Régime e la Guardia Nazionale del 1848 vengono sostituite dagli ufficiali francesi e stranieri, allievi delle Scuole Superiori di Guerra e dell'Istituto degli Studi Superiori di Difesa Nazionale.

Il giro esterno

Se si proviene dallo Champ-de-Mars, ci si trova di fronte l'imponente **padiglione centrale**, ornato di dieci superbe colonne corinzie che si innalzano su due piani. Gli elementi decorativi sono completati da un frontone scolpito, da trofei e motivi allegorici. Su tutto domina una cupola quadrangolare. La costruzione è inquadrata da due ali basse. Le due caserme laterali risalgono al Secondo Impero.

Di fronte al padiglione centrale si erge la statua equestre del maresciallo Joffre, opera di Réal del Sarte (1939).

Girare intorno ai fabbricati attraversando le avenue de Suffren e de Lowendal fino alla piazza di Fontenoy. Nel 1745 Lowendal comandava un settore dell'esercito francese a Fontenoy.

Su questo lato si incontra poi un campo sportivo che precede la **cour d'honneur★**, inquadrato da due bei portici a colonne binate. Sul fondo, il padiglione centrale è fiancheggiato da due ali a colonne, concluse da padiglioni sporgenti.

La piazza di Fontenoy ha perso completamente l'aspetto che presentava nel 18° sec. Infatti ad est la circondano enormi edifici ministeriali (Sanità e Famiglia, Previdenza sociale, Marina, Poste e Telecomunicazioni), mentre a sud si trova la sede dell'UNESCO.

Gustave Eiffel, oltre alla famosa torre, ha ideato la struttura di un altro monumento conosciuto in tutto il mondo: la Statua della Libertà di New York.

★MAISON DE L'UNESCO *7, place de Fontenay.*

Inaugurata nel 1958, la **sede dell'U.N.E.S.C.O. (Organizzazione delle Nazioni Unite per l'Educazione, la Scienza e la Cultura)** ⊘ è l'edificio più internazionale di Parigi, sia per il numero di paesi membri (attualmente ne fanno parte 185 stati) sia per la costruzione stessa, opera comune dell'americano Breuer, dell'italiano Nervi e del francese Zehrfuss.

Gli edifici – Il palazzo principale, a forma di Y e poggiante su pilastri, ospita il Segretariato dell'Organizzazione (nell'atrio: libreria, vendita di oggetti ricordo, filatelia e numismatica, giornali). In un secondo edificio, costruito con sottili lastre scanalate di cemento armato e coperto da un tetto «a fisarmonica», sono raggruppate la grande sala delle sedute plenarie e le sale delle commissioni. Un piccolo edificio cubico a 4 piani, fiancheggiato dal giardino giapponese, ospita altri servizi del segretariato.

Nel 1965, data la rapida espansione dei servizi dell'UNESCO, sono stati costruiti nuovi uffici, collocati su due piani sotterranei aerati e illuminati da luce naturale grazie a sei profondi patii, ornati di tappeti erbosi. Dal 1970 altri servizi occupano, poco lontano, gli edifici al n° 1 di rue Miollis ed al n° 31 di rue François-Bonvin.

La decorazione – La decorazione, realizzata in armonia con l'insieme architettonico, è anch'essa il risultato di una cooperazione artistica internazionale: affreschi dello spagnolo Picasso e del messicano Tamayo, pareti del Sole e della Luna dei ceramisti spagnoli Mirò e Artigas, mosaici dei francesi Bazaine e Herzell, mosaico di El Jem in Tunisia (2° sec. a.C.), altorilievo del francese Jean Arp, arazzi di Lurçat e Le Corbusier, fontana giapponese di Noguchi ed una testa d'angelo proveniente da una chiesa di Nagasaki distrutta dalla bomba atomica nel 1945. Dall'avenue de Suffren sono visibili la statua monumentale dell'inglese Henry Moore *(Sagoma in riposo)* ed il «mobile» in acciaio nero dell'americano Calder.

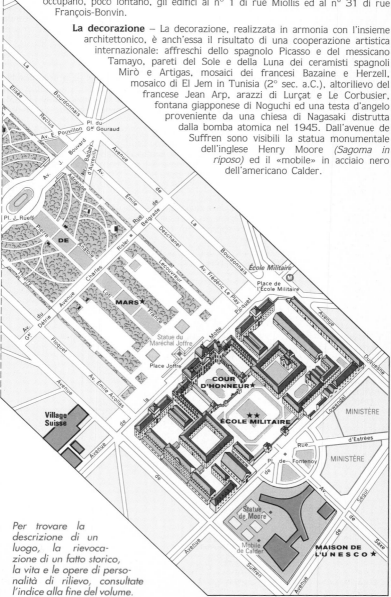

Per trovare la descrizione di un luogo, la rievocazione di un fatto storico, la vita e le opere di personalità di rilievo, consultate l'indice alla fine del volume.

Les GOBELINS

Carte Michelin n° 12 e 14 (pp. 44 e 56): N 15 – P 15.

Nel 1440, il tintore Jean Gobelin installa la sua fabbrica sulle rive della Bièvre, conquistando ben presto una certa fama nella tintura di stoffe color scarlatto. Agli inizi del 17° sec., i suoi discendenti ospitano nella tintoria due arazzieri fiamminghi, chiamati a Parigi da Enrico IV. Colbert acquista la manifattura per conto di Luigi XIV, riunificando le varie fabbriche di arazzi di Parigi e quella di Maincy (Vaux-le-Vicomte), confiscata a Fouquet; nel 1662 è fondata in tal modo la «Manifattura Reale delle Arazzerie della Corona», sotto la direzione di Charles Le Brun. Dopo cinque anni, viene accorpata la Manifattura Reale dei Mobili; qui i migliori artigiani del regno (orafi, ebanisti, arazzieri) creeranno per il Re Sole lo stile Luigi XIV.

Qui sono stati creati più di 5000 arazzi su disegno dei più grandi maestri: Le Brun, Poussin, Van Loo, Boucher, Picasso.

Con gli anni sono state incorporate la famosa arazzeria della **Savonnerie**, fondata nel 1604, e quella di **Beauvais**, del 1664.

* **★ Manufacture des Gobelins** – ⊙ – L'edificio, che si affaccia sull'avenue des Gobelins, fu costruito nel 1914 da Formigé. Dal 17° sec., la manifattura realizza le creazioni utilizzando metodi tradizionali: i tessitori lavorano solo alla luce naturale del giorno, scegliendo tra oltre 14 000 tinte diverse; sia su telaio verticale che orizzontale, questi esperti artigiani seguono il modello grazie ad uno specchio, approntando, a seconda della difficoltà del cartone, da 1 a 8 m² di arazzo all'anno. Tutta la produzione è riservata allo Stato francese.

Una passeggiata per il quartiere

La stretta rue Gustave-Geffroy faceva da cornice all'antico **hôtel de la Reine-Blanche**, oggi trasformato in sobria costruzione industriale. Alle spalle della manifattura, in square René-Le-Gall, si trova il **Mobilier National**, il deposito di mobili statali (1935). Di fronte, su una vecchia casa sulla destra, una targa ricorda il debutto dei famosi tintori Gobelins, qui avvenuto nel 15° sec.

La rue de Croulebarbe e la rue Berbier-du-Mets corrono lungo il letto ricoperto della Bièvre, fiume che entra in Parigi alla Poterne-des-Peupliers. In passato questo corso d'acqua e le paludi intorno rifornivano il ghiaccio che veniva conservato in pozzi coperti di terra. Da qui il vecchio nome del quartiere **Glacière**. Quando, nel 17° sec. i Gobelins si installano nei pressi della Bièvre, le acque di scarico di concerie e tintorie inquinano a tal punto il fiume che si rende necessaria la sua copertura fino allo sbocco nella Senna (1910).

A sud, la **butte aux Cailles** (Collina delle quaglie) presenta un aspetto molto eterogeneo: vicoli accidentati e casette basse si affiancano ormai a moderni edifici ed il vecchio villaggio viene lentamente sopraffatto. Una delle vie che conserva il fascino d'altri tempi è la rue des Cinq-Diamants.

La **place d'Italie** era una delle vecchie barriere di Parigi. Oggi si trova all'estremità di un quartiere caratterizzato dalla presenza di molte torri.

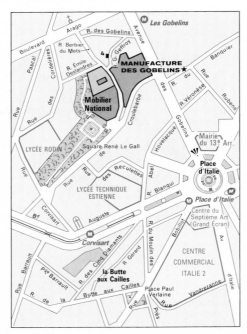

Les GRANDS BOULEVARDS★★

Carte Michelin n° 12 e 14 (pp. 19, 20 e 31): da F 13 a F 15 e da G 13 a G 17.

Un flusso ininterrotto di passanti indaffarati o a zonzo, traffico incessante, grandi caffè con terrazze affollate, innumerevoli cinema e teatri, migliaia di negozi, una quantità incredibile di insegne luminose e cartelloni pubblicitari: ecco l'aspetto dei grandi boulevard, il cui prestigio è rimasto inalterato.

Fortificazioni trasformate – Tra la Bastiglia e la porta St-Denis sorgevano le mura di cinta di Carlo V; tra questa porta della città e l'attuale Madeleine, Carlo IX e Luigi XIII fecero erigere una fortificazione. Nel 1660, dopo le vittorie di Luigi XIV, essa è demolita, essendo ormai in cattivo stato, ed i fossati vengono riempiti. Si procede a sistemare una specie di terrazza, leggermente soprelevata, su cui si snoda un'ampia carreggiata che consente la circolazione di ben quattro vetture; ai lati, sono previsti due controviali, ognuno dei quali presenta una doppia fila di alberi. Al posto delle porte fortificate sono eretti archi di trionfo. I lavori terminano nel 1705.
Per molto tempo questa passeggiata (chiamata infine «boulevard», che, in linguaggio militare, indica il terrapieno di una fortificazione) non attira molta gente, anche perché si trova in piena campagna. Di giorno è frequentata solo da qualche giocatore di bocce; di notte è meglio non avventurarvisi.

Una passeggiata alla moda – Intorno al 1750 il boulevard diviene una passeggiata alla moda. Dalla città i parigini giungono in cerca di refrigerio: seduti su sedie di paglia, si riparano dal sole all'ombra degli alberi, guardano le carrozze e i cavalieri che passano sul viale. Nella parte ovest del boulevard, la nobiltà e la grande borghesia fanno costruire bei palazzi privati. Notevole è il contrasto tra questo luogo ed il vicino boulevard du Temple, ad est, che ha l'aspetto di una fiera permanente: teatri, sale da ballo, circo, baracconi con figure di cera, marionette, ballerini, acrobati, automi. A ciò si aggiungono caffè, ristoranti, bancarelle all'aperto e venditori ambulanti. Per un secolo vi si respira una grande gioia popolare.
Verso la fine della Restaurazione (metà del 19° sec.), il repertorio dei teatri è costituito soprattutto da pezzi truci (assassinii, avvelenamenti, rapimenti): la strada viene soprannominata «boulevard del Crimine». Sotto il Direttorio è aperto il boulevard des Italiens, luogo d'incontro della vita elegante di Parigi. Anche il boulevard Montmartre diviene di moda, quantomeno fino alla metà del 19° sec. In questo ambiente domina lo «spirito da boulevard», a cui si addice una allegra frivolezza. Centro internazionale di raffinatezza ed eleganza, da qui si diffondono nel mondo le varie mode.
La strada viene pavimentata nel 1778. All'incirca nello stesso periodo sono installate lanterne contenenti lampade ad «olio di trippa», fin troppo abbaglianti, secondo il giudizio dei passanti. L'illuminazione a gas viene utilizzata per il passage des Panoramas fin dal 1817 e sarà estesa al boulevard nel 1826. Il 30 gennaio 1828 entra in circolazione il primo omnibus tra la Madeleine e la Bastiglia. Progressivamente si procede all'asfaltatura dei marciapiedi, eliminando in tal modo i «fiumi di fango» dei controviali che si formano quando piove.

Il boulevard moderno – Con la creazione, dovuta ad Haussmann, delle piazze Opéra e République e l'apertura delle grandi arterie che sboccano in questi punti nodali, l'aspetto ed il carattere dei boulevard si sono completamente trasformati. Il boulevard du Crime è soppresso e gli ultimi *dandies* sono soppiantati da un incredibile afflusso di passanti indaffarati. Questo processo avanza ulteriormente nel 20° sec. La diffusione dell'illuminazione pubblica e commerciale e lo sviluppo della pubblicità fanno gradatamente sparire le caratteristiche del paesaggio. Parallelamente vengono demoliti i più famosi caffè; altri sono trasformati in sale cinematografiche e birrerie, dove si accalca una folla anonima. Alle lussuose carrozze, su cui sfilavano aristocratici e borghesi, quasi in una gara di eleganza, seguono le automobili. Tuttavia l'animazione è rimasta la stessa, rumorosa e variopinta come un tempo.
La zona è ricca di teatri e ritrovi serali.

Boulevard des Capucines – Questo viale prende il nome dal convento delle suore cappuccine che si trovava alla sua confluenza con place Vendôme.
Il n° 19 della rue des Capucines è un bel palazzo (1726) occupato attualmente dal Credito Fondiario di Francia. Stendhal, colpito da apoplessia (1842), si accasciò al suolo sul marciapiede di fronte. Il boulevard è sede di scontri durante la notte del 23 febbraio 1848, quando una truppa spara contro alcuni manifestanti. Questo episodio causa fermento tra la popolazione, ed il re **Luigi Filippo**, temendo una rivoluzione, è costretto ad abdicare.
Ritornando sul boulevard des Capucines, sulla sinistra sorge la sala dell'**Olympia**, in cui sfilano le *vedettes* della canzone e delle riviste. Al n° **14** è deposta una lapide commemorativa: il 28 dicembre 1895, i fratelli Lumière proiettarono pubblicamente per la prima volta i film di 16 mm ormai entrati nella storia del cinema: *Uscita di fabbrica*, *L'arrivo del treno*. Grazie al cinematografo era nata la Settima Arte.
Al n° **27**, l'ex «Samaritaine de Luxe» presenta una facciata austera ed imponente, opera di Frantz Jourdain, maestro dell'Art Nouveau (1917). Al n° 39 sorge una «succursale» del **Musée de la Parfumene Fragonard** di rue Scribe.

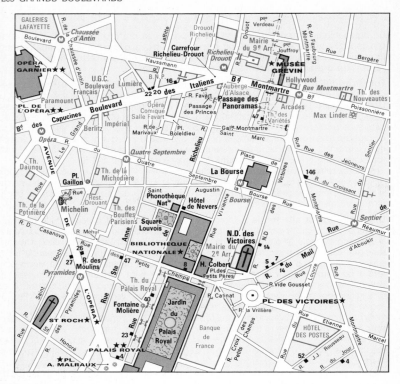

Il boulevard des Italiens – La sua storia si identifica con quella delle varie mode. Sotto il Direttorio, sfilano i moscardini e le «meravigliose», ossia i gagà e le loro dame; gli uni indossano abiti assurdi e grotteschi, le altre sono agghindate con vestiti all'antica o alla turca, tagliati a vita alta e lavorati con mussole trasparenti. Ai tempi della Restaurazione, la passeggiata prende il nome di boulevard de Gand, in ricordo del soggiorno di Luigi XVIII in questa città durante i Cento Giorni. Ai moscardini seguono i «gandini»: cappelli a cilindro a pan di zucchero, baffi e favoriti all'inglese, cravatta più volte arrotolata intorno al collo, abiti con ampi rever. Sotto Luigi Filippo, i *dandies* seguono la moda d'oltre Manica e sono i primi, nel 1835, a fumare in pubblico. Il Secondo Impero adotta la voga dei baffi modellati con il sego e della barbetta all'imperiale. Le donne indossano crinoline. La buona società, i finanzieri, i letterati, i giornalisti frequentano il Tortoni, il Frascati, il Café Anglais, il Café de Paris, la Maison Dorée scambiandosi battute che fanno rapidamente il giro di Parigi.

Il boulevard oggi – All'angolo della rue Louis-le-Grand si trova un imponente edificio Art-Déco; un tempo qui sorgeva il grazioso Pavillon de Hanovre, gelateria napoletana preferita dalle «meravigliose». Il n° **22** era occupato dal famoso Café Tortoni; al n° **20** si trovava il lussuoso ristorante **La Maison Dorée**, costruito tra il 1839 e il 1841, frequentato dalla buona società parigina. Le facciate finemente decorate che fiancheggiano il boulevard, nonostante la costruzione di un nuovo edificio per la Banca Nazionale di Parigi, sono state fortunatamente conservate. Al n° 16 sorgeva il Café Riche (1791), completamente distrutto. Dalla rue Laffitte si gode una bella vista sul Sacro Cuore.

Opéra-Comique (Opera Comica) – L'attuale edificio sorge dove un tempo si trovava il teatro costruito nel 1782 dal duca de Choiseul per ospitare la troupe dell'hôtel de Bourgogne, ormai in rovina. Questi attori erano chiamati dal popolo «gli italiani», da cui deriva il nome del boulevard. In antitesi al palazzo Garnier, è stato spesso denominato sala **Favart**: con questo appellativo aveva conquistato notorietà rappresentando le opere di Méhul, Cherubini, Boïeldieu e, dopo gli incendi del 1838 e 1887, Adam, Planquette, Léo Delibes. Progressivamente però il genere specifico dell'opera comica francese fu soppiantato dalle opere liriche italiane (Mascagni, Rossini) e persino dalle operette (Offenbach, Strauss).

Carrefour (incrocio) Richelieu-Drouot – All'angolo della rue de Richelieu sorgeva la modesta casa del poeta Regnard; di fronte, nel 1796, era stato costruito il famoso Frascati, sempre frequentato da una gran folla di gaudenti, dediti alla danza e al gioco d'azzardo. Quando Luigi Filippo impone la chiusura delle bische, la casa scompare. Se, da un lato, i ristoranti e gli uffici hanno comportato l'eliminazione degli ultimi orti, dall'altro, il traffico frenetico ha prepotentemente sostituito le tranquille carrozze e portantine.

Sulla sinistra dell'incrocio si erge la Casa delle Aste, il **Drouot Richelieu** ⊘, inaugurata il 13 maggio 1980. Le aste si svolgono durante la settimana a partire dalle ore 14, in 16 sale suddivise su 3 piani. Banditori, collezionisti, antiquari, esperti creano un'atmosfera estremamente vivace e strana. La rue Drouot è il regno dei filatelisti.

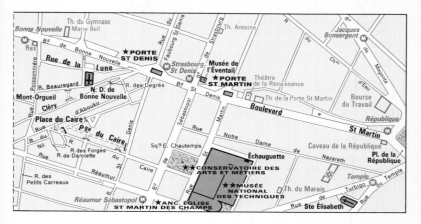

Boulevard Montmartre – Sulla destra, al n° 11, si apre il **passage des Panoramas**. Aperto nel 1799, questo passaggio prende il nome da due padiglioni con dipinti circolari su tela, installati dall'americano Fulton, inventore dei sottomarini, a cui si deve anche il perfezionamento della navigazione a vapore. Questi panorami rappresentavano le grandi capitali e scene storiche.

Il **théâtre des Variétés** (n° 7), costruito nel 1807, fu un palcoscenico di vaudeville e di operette, dove Meilhac, Halévy, Offenbach, Flers, Caillavet, Tristan Bernard e Sacha Guitry rappresentarono per la prima volta molti dei loro capolavori, frizzanti e briosi.

★ **Musée Grévin** ⊘ – *10, boulevard Montmartre*. Il museo delle cere fu fondato nel 1882 dal caricaturista Grévin (le prime figure di cera comparvero a Parigi nel 18° sec.). La raffigurazione di personalità politiche, artistiche o sportive e la ricostruzione di alcune scene storiche, cinematografiche e di attualità, specchi magici e rappresentazioni di prestidigitazione introducono gli spettatori in un mondo magico e misterioso. Possedere qui la propria figura in cera è segno di grande notorietà.

★ **Porte St-Denis** – Nel 1672 la città di Parigi fece costruire questa porta per celebrare le vittorie di Luigi XIV sul Reno: quaranta piazzeforti conquistate in meno di due mesi. Blondel realizza i progetti, i fratelli Anguier eseguono le sculture. L'arco ha un'altezza di 24 m (fu il più alto di Parigi fino alla costruzione di quello dell'Étoile). Sui due lati sono scolpite alcune piramidi decorate con interessanti trofei. Dalla parte del boulevard, sulla base, sono rappresentate figure allegoriche: l'*Olanda (a sinistra)*, il *Reno (a destra)*. Sulla porta, in alto, un bassorilievo raffigurante il *Passaggio del Reno*; dalla parte del faubourg, la *Presa di Maastricht*.

L'angolo tra **rue de la Lune**, sulla destra, e rue de Cléry, in cui sorge la casa di André Chénier, è tipico della vecchia Parigi.

Musée de l'Éventail ⊘ – *2, boulevard de Strasbourg. Interfono: 1° piano a destra, poi altri due piani più in alto, di fronte*. La **bottega Hoguet**, dal nome del mastro ventagliaio, ha conservato la sala di presentazione della vecchia casa **Kees**, una delle più prestigiose del 19° sec. La collezione di ventagli, accanto ad un laboratorio, ricorda con nostalgia un accessorio raffinato della moda femminile, le cui botteghe di fabbricazione erano concentrate nel quartiere di Strasbourg-St-Denis. Per quanto riguarda i ventagli del 18° sec., si può ammirare la sontuosità delle **montature** scolpite in madreperla o in tartaruga, dipinte e dorate. Si possono notare anche i ventagli moderni (carte da gioco, forbici, foglie d'albero).

Il laboratorio vicino, utilizzato per la fabbricazione delle foglie (oltre ai lavori di ristrutturazione, l'opera, il teatro, l'alta moda e il cinema richiedono ancora ventagli), espone alcuni banchi di lavoro, attrezzi ed esemplari di conchiglie che forniscono la bellissima madreperla.

★ **Porte St-Martin** – Questa porta, opera di Pierre Bullet, fu fatta costruire dal prevosto dei mercanti e dagli scabini per commemorare la conquista di Besançon e la vittoria sugli eserciti tedeschi, olandesi e spagnoli. La decorazione dell'arco, alto solo

17 m, fu eseguita dagli scultori Desjardins, Le Hongre, Marsy, Legros, che lavorarono anche a Versailles. Sul lato del boulevard sono raffigurate la *Presa di Besançon* e la *Rottura della Triplice Alleanza*; dall'altra parte, la *Presa di Limbourg* e la *Disfatta dei tedeschi*.

Boulevard St-Martin – Il boulevard si snoda sulle collinette formate, un tempo, dalle discariche pubbliche. Per evitare un pendio troppo forte, la carreggiata fu realizzata ad un livello notevolmente più basso rispetto ai marciapiedi.
Il théâtre de la Renaissance (1872) ed il théâtre de la Porte St-Martin sono contigui; quest'ultimo ha sostituito una costruzione, eretta nel 1781 da Lenoir in 75 giorni per accogliere l'Opéra del Palais-Royal, distrutta da un incendio. Qui ebbero luogo i primi balli in maschera. Dopo il 1814, il repertorio si orienta verso il genere drammatico. La sala, incendiata durante la Comune, fu ricostruita nel 1873.

LA BOURSE

Un tempo, il luogo occupato attualmente dal palazzo e dalla place de la Bourse ospitava il convento delle Figlie di San Tommaso (domenicane). Sconsacrato nel 1795, esso fu sede della sezione realista da cui scaturì l'insurrezione del 13 vendemmiaio.
La prima Borsa di Parigi è stata la banca del finanziere Law; dopo il suo fallimento, diviene indispensabile creare ufficialmente una Borsa, data la grande diffusione del sistema azionistico (1724). In un primo tempo spetta al Palais Mazarin ospitare questa istituzione, poi all'Église Notre-Dame-des-Victoires. L'attuale edificio venne iniziato nel 1808 da Brongniart e terminato nel 1826. Tra il 1902 e il 1907 vengono aggiunte due ali. Dal lunedì al venerdì, tra le 12.30 e le 14.30, orario di massima attività delle transazioni, la piazza e il peristilio dell'edificio si animano in modo incredibile. Internamente, la Società delle Borse Francesi ha aperto una **«Galleria»** ☉ per i visitatori. Alcuni programmi audiovisivi ed una conferenza seguita da un film spiegano il ruolo della Borsa nel sistema economico e il meccanismo delle quotazioni. Attraverso una galleria a vetri, si può assistere al lavoro che si svolge nel salone; per i non addetti, tuttavia, rimane assai difficile seguire il rumoroso gioco delle transazioni. Nell'ultima sala è stato ricostruito il recinto per la negoziazione dei titoli *(corbeille)*, abbandonato nel 1987 a vantaggio dell'informatica.

★ PLACE DES VICTOIRES

Nel 1685, il maresciallo de La Feuillade, onde accattivarsi le grazie del re, ordina allo scultore **Desjardins** una statua di Luigi XIV, da erigere al centro di una piazza circolare, le cui facciate sono disegnate da Jules Hardouin-Mansart. L'inaugurazione della statua, raffigurante il re in piedi, in abito da incoronazione, con la fronte cinta dagli allori della Vittoria, ha luogo nel 1686. Agli angoli del piedestallo, ornato di sei bassorilievi, sono scolpiti quattro prigionieri che raffigurano alcune nazioni vinte: Spagna, Olanda, Prussia, Austria. Quattro gruppi di colonne sostengono alcune lanterne, accese durante la notte. L'anno successivo, Luigi XIV si reca a visitare la piazza, nonostante manchino ancora alcune case al suo completamento (in loro sostituzione sono poste tele dipinte). Il re testimonia la propria soddisfazione donando a La Feuillade 120 000 franchi, che tuttavia non sono sufficienti a coprire le spese sostenute dal maresciallo (ben sette milioni!).
Per risparmiare, nel 1699 sono eliminate le lanterne. Le statue dei prigionieri vengono tolte nel 1790 (queste sculture, dette delle «Nazioni sottomesse», si trovano ora nel parco di Sceaux); i bassorilievi sono invece custoditi al Louvre. Nel 1792, la statua del re è fusa e, nel 1806, sarà sostituita da un'effigie del generale Desaix, nudo come un guerriero dell'antichità; anch'essa tuttavia seguirà la medesima sorte della statua di Luigi XIV (1815) ed il suo bronzo servirà per realizzare il monumento ad Enrico IV sul Pont-Neuf. L'attuale statua equestre del Re Sole è stata scolpita da Bosio nel 1822. L'apertura della rue Étienne-Marcel (1883) ha certamente intaccato l'unità architettonica della piazza, che, tuttavia, ha mantenuto una bella sistemazione. Il lato meglio conservato è quello con i numeri pari; esso costituisce anche un buon esempio dell'aspetto austeramente elegante che presentava nel 17° sec.
Ponendosi all'imbocco della rue d'Aboukir, lungo l'asse della rue Catinat si può vedere una delle facciate della **Banca di Francia.** Fondata, nel gennaio 1800, da un gruppo di banchieri su iniziativa di Bonaparte, questa banca occupò nel 1812 il palazzo costruito in rue La Vrillière da François Mansart e rimaneggiato poi da Robert de Cotte per il conte di Tolosa (figlio di Luigi XIV e di Madame de Montespan). L'edificio attuale risale quasi interamente al 19° sec.

Basilique Notre-Dame-des-Victoires – Era la cappella del convento dei piccoli padri. La prima pietra fu posta da Luigi XIII nel 1629 ed il nome della chiesa ricorda le vittorie sui protestanti, soprattutto la presa di La Rochelle. La costruzione terminò solo nel 1740. L'edificio ospitò la Borsa dal 1795 al 1809.

Il coro presenta alcuni rivestimenti lignei del 17° sec. e sette dipinti di Van Loo (*Luigi XIII che consacra la chiesa alla Vergine*, scene della vita di Sant'Agostino). Nella seconda cappella sulla sinistra, cenotafio del musicista Lulli (17° sec.). Bella cassa d'organo del 18° sec. Dal 1836, Nostra Signora delle Vittorie è una delle mete più importanti del pellegrinaggio alla Madonna, come testimoniano gli oltre 35 000 ex voto che coprono le pareti.

Rue du Mail – I nn **5** e **7** erano il palazzo di Colbert (17° sec.): testa di fauno e cornucopie sulla porta del n° **5**, bisce arrotolate nei capitelli superiori del n° **7** (il colubro era l'emblema di Colbert). Al n° **14**, nel palazzo costruito alla fine del 18° sec. dall'architetto Berthault, abitarono Madame Récamier e Talma.

LE SENTIER

Il Sentier è il regno del commercio all'ingrosso di tessuti, passamanerie, biancheria, confezioni. Probabilmente il nome deriva dalla deformazione di *chantier* = cantiere.

Passage e place du Caire – Nel 1798 Napoleone intraprende vittoriosamente la campagna d'Egitto, che suscita un grande entusiasmo tra i parigini. Sia l'architettura che l'abbigliamento si ispirarono allora allo stile egiziano. Le vie di questo quartiere, aperto sugli ex giardini del convento delle Figlie di Dio, sono chiamate con i nomi delle tappe più significative della spedizione, sferrata contro turchi e mamelucchi: rue du Nil, du Caire, d'Aboukir.

Attraversare il curioso passage du Caire, le cui gallerie coperte, molto animate ai tempi dell'Impero, sono oggi abitate da commercianti. I negozi sono specializzati in oggetti per la decorazione di vetrine (manichini, fiori artificiali, abiti femminili).

Sulla place du Caire, la facciata della casa che sormonta l'uscita del passaggio presenta numerosi elementi decorativi egiziani: sfingi, geroglifici, fiori di loto. Questo è il centro dell'ex **Cour des Miracles** *(Corte dei Miracoli),* luogo in cui si raggruppavano i malviventi per sfuggire alle autorità. Parigi ne offriva una dozzina, ma è questa ad essere sopravvissuta più a lungo. Il centro era costituito da un grande cortile non pavimentato, puzzolente e fangoso, da cui partivano in tutte le direzioni vicoletti e passaggi facili da difendere. Le guardie non osavano avventurarvisi e il luogo godeva praticamente del diritto di asilo. Vi vivevano migliaia di malfattori, ben organizzati, tra cui era eletto un «re». Durante il giorno, un «corteo» di ciechi, storpi e paralitici andava in città a mendicare. Di notte, rientrati nei loro covi, si sbarazzavano di stampelle e bende o di quanto era loro servito per simulare l'infermità: ecco dunque il «miracolo» quotidiano a cui allude il nome del luogo. In *Notre-Dame di Parigi,* Victor Hugo ha magistralmente descritto questa «società sommersa». Sarà il tenente-generale di polizia La Reynie a sgombrare il luogo dai malviventi, nel 1667. Jean du Barry, un gentiluomo ridottosi a vivere di espedienti, organizzò qui una bisca; fu lui a presentare a Luigi XV Jeanne Bécu, donna di malavita che, grazie ad un matrimonio di convenienza col fratello di Jean, diverrà contessa du Barry. Ai tempi della Convenzione, Hébert vi stampò il suo giornale *Le Père Duchesne.*

Il Mont-Orgueil (Monte Orgoglio) – La rue de Cléry, fiancheggiata da negozi di moda, si snoda lungo l'ex controscarpa delle mura di cinta di Carlo V. Svoltare a sinistra nella rue des Degrés, i cui gradini consentono di salire al livello dell'antica fortificazione. Tutto il quartiere è stato edificato sul Mont-Orgueil, ammasso di detriti naturali che formava una ridotta e, nel 16° sec., offriva una bella vista sulla città. Da qui deriva il nome della rue Beauregard.

Notre-Dame-de-Bonne-Nouvelle – Il campanile classico è l'unico resto del santuario eretto da Anna d'Austria. Tutta l'altra parte dell'edificio fu costruita tra il 1823 e il 1829. All'interno, il visitatore è colpito dalla quantità dei quadri che ornano le pareti. Nel coro *(illuminazione a destra)* si notino al centro una *Annunciazione* di Giovanni Lanfranco e, all'estrema destra, un dipinto di Philippe de Champaigne, *La Beata Isabella che offre alla Madonna il monastero delle clarisse di Longchamp.* Sopra la porta, in fondo alla navata laterale sinistra, *Anna d'Austria* ed *Enrichetta di Francia*, opera di Pierre Mignard. Sopra la porta, in fondo alla navata laterale sinistra, *Enrichetta d'Inghilterra con i suoi tre figli davanti a San Francesco di Sales.* Sulla sinistra, nella cappella della Vergine è custodita una bella statua lignea del 18° sec., la *Madonna col Bambino,* attribuita a Pigalle.

Tesoro – *Rivolgersi in sagrestia.* Statua di *San Gerolamo* in alabastro (17° sec.); due deposizioni dalla Croce, una pianeta in seta utilizzata dall'abate Edgeworth de Firmont, il prete che accompagnò Luigi XVI alla ghigliottina (18° sec.). Nostra Signora di Buona Novella è considerata la patrona della radio e della televisione.

★FAUBOURG POISSONNIÈRE

La rue du Faubourg-Poissonnière, che ha dato il nome al quartiere, rappresenta l'ultimo tratto di percorso dei carri che trasportavano pesce proveniente dai porti del nord della Francia. Fino al 1750 era rue Ste-Anne, dal nome di una cappella al n° 77.

Hôtel Bourrienne ⊘ – *58, rue d'Hauteville (in fondo alla corte).* Situato nel quartiere della Nouvelle-France, questo palazzo della fine del 18° sec. è stato, dal 1813 al 1824, uno dei salotti più brillanti di Parigi sotto la guida di Madame Bourrienne. Il pianterreno, in stile Impero e Restaurazione, comprende il piccolo salone, la sala da pranzo (mobili firmati Jacob, tappeti d'Aubusson), lo studio, il salone (tappeto della Savonnerie, lampadario stile Direttorio), la camera da letto e la raffinata sala da bagno in blu e oro, ornata di colonnette e specchi.

All'esterno, le tre arcate centrali della facciata che dà sul giardino sono scandite da piccole «vittorie».

Rue du Paradis – E' il regno del cristallo, della ceramica e della porcellana. La presenza massiccia di questo tipo di negozi è anche dovuta alla vicinanza della gare de l'Est, punto di arrivo della produzione della Lorena.

Ai nn 30-32, un gruppo di edifici ospita il Centro Internazionale delle Arti della Tavola, riservato ai professionisti del settore, dove convergono i maggiori nomi della porcellana e cristalleria.

Al n° 30 bis, la cristalleria di Baccarat, fornitrice da 150 anni (cioè dalla visita di Carlo X in Lorena nel 1828) di capi di Stato, corti principesche ed ambasciate, ha qui allestito un museo di notevole interesse.

*Dove oggi sorge la gare de l'Est, ogni anno, per sei secoli, si svolse la grande **fiera di San Lorenzo**, dove centinaia di bancarelle vendevano le proprie merci esenti da dazio e tasse. Proprio il teatrino ambulante di questa fiera diede origine, intorno al 1720, al nuovo genere dell'opera comica.*

★ **Musée Baccarat** ⊘ – Vi sono esposti i servizi personalizzati dei sovrani ed alcuni pezzi estremamente belli e raffinati che testimoniano l'evoluzione stilistica nella lavorazione del cristallo (grandi lampadari e vasi, flaconi da profumo, dal 1889 ai giorni nostri).

Église St-Laurent ⊘ – *68, boulevard de Magenta.* Dell'antico santuario (12° sec.) l'edificio conserva solo il campanile; la navata fu ricostruita nel 15° sec, mentre le sculture del coro ed i rivestimenti lignei furono restaurati nel '600. Sotto Napoleone III, furono erette la facciata (lungo la linea di fuga del boulevard) e la guglia, così che l'aspetto di tale chiesa risulta ora estremamente composito.

Maison St-Lazare – *107, rue du Faubourg-St-Denis.* Nel Medioevo, qui si erge un lebbrosario dove vengono raccolte le persone colpite da questa terribile malattia. San Vincenzo de' Paoli vi fonda la congregazione dei Preti della Missione (oggi detti lazzaristi) e vi muore nel 1660. Sotto il Terrore, il Lazzaretto diviene prigione. Fino al 1935 l'edificio funge da carcere femminile per poi essere adibito, ai nostri giorni, ad ospedale.

Église St-Vincent-de-Paul – *Place Franz-Liszt.* Costruita, come peraltro la gare du Nord, da **Hittorff** (1824-1844), che ha in parte realizzato anche la decorazione della place de la Concorde, la chiesa possiede una pianta a basilica con portico a colonne e due alte torri. All'interno, i due piani della navata sono separati da un affresco di Flandrin. Sull'altare maggiore vi è un mirabile calvario in bronzo, opera di Rude.

★ **Musée du Grand Orient de France** ⊘ – *16, rue Cadet.* Un'ampia sala di questo moderno palazzo ospita il museo del Grande Oriente di Francia e della massoneria europea, illustrando la storia di questa istituzione, uno dei principali rami della massoneria francese, attraverso documenti (costituzioni di Anderson del 1723), emblemi e ritratti di personaggi famosi.

La banda colorata sulla copertina delle guide verdi indica la lingua in cui la guida è scritta: blu per il francese
fucsia per l'inglese
giallo per il tedesco
arancione per lo spagnolo
verde per l'italiano

Les HALLES – BEAUBOURG★★

Carte Michelin n° 12 e 14 (pp. 31 e 32): H 14, H 15.

È un quartiere di forti contrasti, in cui passato e presente si intrecciano indissolubil-mente: i profili delle chiese gotiche si stagliano contro moderne strutture architettoni-che, i ricordi di oltre 10 secoli di storia convivono con le gallerie d'arte nate intorno al Centre Pompidou, le sale a luci rosse di rue St-Denis e gli innumerevoli negozi e ristoranti che si offrono a visitatori di ogni età. La demolizione dei leggendari mercati di Parigi, il risanamento del plateau Beaubourg e la creazione del Centre Pompidou hanno trasformato radicalmente l'aspetto di questo quartiere che, oggi come nel pas-sato, si caratterizza per la vivacità e l'animazione della folla multicolore che si riversa sulle sue strade.

★LES HALLES

I mercati nel passato – Il primo mercato di Parigi è allestito all'aperto nell'Ile de la Cité, il secondo nella place de Grève (l'odierna place de l'Hôtel-de-Ville). Il terzo è installato attorno al 1110 proprio in questo luogo, dove è rimasto fino a pochi anni fa. Ogni via su cui si estendeva il mercato era specializzata in un determinato settore commerciale: i mercanti e gli artigiani di Parigi esponevano qui le proprie mercanzie due volte la settimana.
Nel 16° sec., Parigi conta già circa 300 000 abitanti e tutta l'attività del mercato si orienta progressivamente verso i generi alimentari. Napoleone I fa trasferire sulla riva sinistra della Senna i capannoni per la vendita dei vini e delle pelli. Fino alla Rivolu-zione, nelle vicinanze della punta di Sant'Eustachio si trovava la gogna (pilori) delle Halles: i ladri, i falsari, le mezzane erano esposti al pubblico con le mani ed il capo infilati nei fori di una ruota orizzontale girevole. Ogni mezz'ora, la ruota compiva un quarto di giro. In questo luogo erano puniti anche i commercianti disonesti, ad esem-pio chi frodava sul peso del burro: sulla loro testa veniva posto il pezzo di burro *allun-gato*, fino a quando si fondeva completamente. Nel 19° sec., anche per motivi igienici, i mercati generali devono essere rinnovati. Mentre Rambuteau e Haussmann aprono le grandi arterie del quartiere (rues de Rivoli, du Pont-Neuf, du Louvre, des Halles, Étienne-Marcel), l'architetto Baltard, su richiesta di Luigi Filippo, erige un primo padi-glione in pietra che, non essendo funzionale, deve essere demolito: sarà sostituito da un altro suo progetto, approvato da Napoleone III, che prevede una costruzione metal-lica (ferro, ghisa e acciaio), con copertura in vetro, già utilizzata con successo nell'atrio della Gare de l'Est.
Dal 1854 al 1866 sono eretti dieci padiglioni che, a loro volta, serviranno da modello per la provincia e anche per l'estero. Nel 1936 sono inaugurati due nuovi padiglioni. Il traffico delle merci, le innumerevoli impressioni di colori ed odori, le voci delle comari e le grida degli scaricatori si rispecchiano mirabilmente nel titolo di un'opera di Émile Zola: *Il ventre di Parigi*. Per tradizione, verso le 5 del mattino, i nottambuli della città andavano a mangiare una zuppa di cipolle, lumache o zampe di maiale alla griglia in uno dei ristoranti del quartiere, spesso di aspetto assai modesto, ma dalla cucina eccellente, i cui nomi pittoreschi costituivano di per sé un grosso richiamo, come ad esempio Le Pied de Cochon (Zampa di maiale), Le Chien qui fume (Il cane che fuma). Le strutture erano divenute infine insufficienti per le esigenze del tempo e quindi i mercati generali furono trasferiti nel 1969 a Rungis, mentre uno dei padiglioni fu rial-lestito a Nogent-sur-Marne.

★Forum des Halles

La zona pedonale detta Forum des Halles si estende su una superficie di 7 ha, ad est della Borsa del Commercio. Il complesso, animato da innumerevoli negozi e col-legato alle reti della R.A.T.P., si dispone su sei livelli, per lo più sotterranei. Dalla

---

Un po' di arte contemporanea tra un negozio e l'altro

Livello -1: Colonne in ceramica di F. Rieti con raffigurazioni di animali selvatici.

Livello -2: Colonne in mosaico di H. Cueco con raffigurazioni di animali domestici.

Livello -3: Sulla   Place des Verrières *Pigmalione* di J. Silva: accanto ad un uni-corno, la Guardiana dei Sogni, dal doppio volto (lunare e solare) e nella posi-zione del Budda, protegge la fanciulla addormentata, creazione di Pigmalione. Questi, immobile per tutta l'eternità, tenta inutilmente di avvicinarsi a lei; un uomo con la testa di maiale, che inghiotte il serpente della tentazione, simbo-leggia la sua brama. Sulla rue de l'Arc-en-Ciel si aprono le **porte immaginarie** verso l'infinito di A. Biro. In rue des Piliers l'**affresco** di Moretti rappresenta l'evoluzione dell'uomo dalla preistoria (maschera in bronzo dell'uomo di Tau-tavel) alla scrittura.

Livello -4: *(lato Porte Lescot, oltre le porte del metro):* **bassorilievo bronzeo** di Trémois sulla «luce che giunge dal principio del tempo», simile ad un muro d'oro.

terrazza **Lautréamont** si può godere di una bella vista d'insieme sul quartiere e su St-Eustache. Sullo stesso livello, ai lati nord ed est del Forum, si ergono alcune costruzioni metalliche a forma di palma, opera di J. Willerval, che ospitano il **Pavillon des Arts**, destinato ad esposizioni temporanee.

Dal **livello -3** è possibile accedere all'altra parte del Forum passando attraverso l'immensa **place Carrée**. Sulla piazza e lungo la Grande Galerie che conduce alla place de la Rotonde si trovano vari servizi culturali, tra cui l'Auditorium, uno spazio fotografico e la **Vidéothèque de Paris**, che offre oltre 5600 titoli tra film, documentari e cortometraggi dedicati alla città di Parigi.

Sulla place de la Rotonde si aprono vari impianti sportivi (piscina, palestra, sala da biliardo) e le 15 sale cinematografiche del complesso Ciné-Cité. I 450 m² di piante della **serra tropicale** sono rischiarate da quattro piramidi di vetro, ben visibili dal giardino.

Giardini – Ad ovest, su una superficie di 5 ettari, si estende lungo la rue Berger il giardino, completato nel 1988. Attraversato da viali alberati e gallerie coperte di vegetazione, offre varie aree di gioco per i bambini.

Un viale obliquo di tigli (Allée St-John Perse) conduce alla **Place René Cassin**, che si apre sul lato destro dell'Église St-Eustache. Su di essa è posata *Écoute* (Ascolta), una testa in pietra di dimensioni monumentali (70 tonnellate), opera di Henri de Miller, che sembra quasi ascoltare il battito del cuore di Parigi.

Poco lontano si trova un orologio solare a fibre ottiche, opera dello stesso autore: con il suo movimento il sole colpisce progressivamente le varie fibre ottiche (situate dentro il monolite), che trasmettono la luce ad un quadrante di lettura, costituito da un'onda graduata.

Dintorni

Rue St-Honoré – Questa arteria esiste dal 12° sec. All'angolo con rue Sauval, al n° 96, fino al 1802 sorgeva sulla sinistra la casa in cui nacque il commediografo Regnard (1655) e, secondo alcuni storici, anche Molière. Richard Wagner vi abitò nel 1839. Di fronte si erge un edificio, costruito da Soufflot nel 1775, con la cosiddetta **fontaine de la Croix-du-Trahoir**. Tale costruzione non ha nulla a che vedere con la fontana che, ai tempi di Francesco I, si trovava al centro della via; sui gradini del suo basamento era allestito un mercato ortofrutticolo. Lì accanto si ergeva un patibolo; il nome della via adiacente, sulla sinistra, ne riporta ancor oggi alla mente la triste immagine: rue de l'Arbre-Sec (via dell'Albero Secco). Secondo la leggenda, fu qui che, nel 613, la vecchia regina **Brunilde**, per ordine di **Fredegonda**, sua acerrima nemica, fu attaccata per i capelli alla coda di un cavallo furioso che la dilaniò. Oltre dieci secoli più tardi, il 26 agosto 1648, Anna d'Austria fece arrestare in questo luogo Broussel, consigliere al Parlamento: questo episodio segnò l'inizio della Fronda, la rivolta dei nobili e del Parlamento contro la regina e Mazzarino.

Temple de l'Oratoire ⊘ – Nel 1616, qui vengono a stabilirsi gli Oratoriani, una confraternita appena fondata dal cardinale de Bérulle, votatisi esclusivamente all'insegnamento ed alla predicazione, che vi fanno erigere una cappella (1621-1630), su disegno di Lemercier. Secondo un progetto di Luigi XIII, l'edificio doveva far parte del palazzo del Louvre; fu cappella reale sotto i regni di Luigi XIII, Luigi XIV e Luigi XV. Gli Oratoriani divengono ben presto accesi rivali dei potenti Gesuiti e la cappella assume il ruolo di centro insigne d'eloquenza classica: famose rimangono le prediche pronunciate da Bossuet, Malebranche, Bourdaloue e Massillon. Vi vengono celebrati anche i servizi funebri per Luigi XIII e Anna d'Austria. Durante la Rivoluzione, l'edificio serve da magazzino militare, poi da deposito delle scenografie dell'Opera, con sede a quel tempo in place Louvois. Nel 1811, sotto Napoleone I, diviene chiesa evangelica. La facciata, in stile gesuita, risale a Luigi XV.

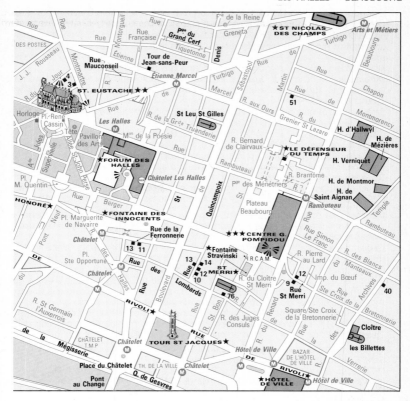

Dalle arcate della rue de Rivoli si vede l'abside, la parte meglio conservata della cappella, e la statua del 1889 dell'ammiraglio Coligny, il capo degli Ugonotti assassinato nella notte di San Bartolomeo (24 agosto 1572) e gettato dalla finestra del suo palazzo lì accanto.

La Galerie Véro-Dodat – Al n° 19 di **rue J.-J. Rousseau** si apre la galleria, creata nel 1829 dai salumieri Véro e Dodat, che grazie all'illuminazione a gas godette nel secolo scorso di un grande successo. Oggi i negozi raffinati, le decorazioni curate e l'atmosfera retrò, ricreano inaspettatamente un angolo di XIX secolo.
Al N° 52 della stessa via sorge la **casa** in cui soggiornò Rousseau negli ultimi anni della sua vita (lapide commemorativa).

Bourse du Commerce ⊘ – L'edificio circolare della Borsa del Commercio, cinto ad ovest da un emiciclo di alte case con portici, confina ad est con il giardino del Forum e si erge in un luogo che ha vissuto ben otto secoli di storia movimentata.
All'esterno, addossata al muro sud dell'edificio, si può vedere una colonna scanalata alta 30 m che costituisce l'unico resto dell'hôtel eretto da Bullant e che probabilmente fungeva da osservatorio per Ruggieri, l'astrologo di Caterina de' Medici.
All'interno, regno dei mediatori giurati di grano, farina, zucchero, alcol, l'edificio presenta un'ampia sala circolare alta e rischiarata da una cupola di vetro.

★★ÉGLISE ST-EUSTACHE

Sant'Eustachio, di pianta gotica e decorazione rinascimentale, è una delle chiese più belle di Parigi.
Ancora viva è la fama dei concerti d'organo, oggi suonato dai maestri Jean Guillou e André Fleury, e del coro di voci bianche, diretto da R. P. Martin. Nel secolo scorso, Berlioz e Liszt hanno creato su questo organo alcuni dei loro capolavori.
Nel 1214, in questo luogo viene eretta una piccola cappella dedicata a Sant'Agnese. Dopo pochi anni è però consacrata a Sant'Eustachio, generale romano convertitosi, come Sant'Uberto, in seguito all'apparizione di una croce tra le corna di un cervo, durante una caccia. Secondo la tradizione, egli sarebbe stato rinchiuso, insieme alla moglie ed ai figli, in un toro di bronzo arroventato, subendo in tal modo un atroce martirio. La parrocchia delle Halles, divenuta la più importante di Parigi, vuole tuttavia un edificio degno della sua grandezza: Notre-Dame funge da modello per i grandiosi progetti.

La prima pietra è posta nel 1532, sotto Francesco I. Nonostante numerose donazioni, i lavori vanno molto a rilento; la consacrazione della chiesa avverrà infatti ben un secolo più tardi, nel 1637. Durante questo lungo periodo, il progetto iniziale non subisce modifiche, salvaguardando l'unità stilistica dell'edificio. La facciata principale, di stile rinascimentale, era però rimasta incompiuta e, nel 1754, si procede alla sua demolizione, sostituendola purtroppo con un'altra, di stile classico.

Durante la Rivoluzione, la chiesa è battezzata «Tempio dell'Agricoltura» e successivamente, nel 1844, subisce un grave incendio; l'opera di restauro è affidata allora a Baltard.

Sant'Eustachio, grazie alla vicinanza del Louvre e del Palais-Royal ed alle varie corporazioni dei mercanti delle Halles, di cui è parrocchia, è scelta come luogo privilegiato per numerose cerimonie parigine: battesimi d'Armand du Plessis, futuro Richelieu, di Jean-Baptiste Poquelin, futuro Molière, di Jeanne Poisson, che diverrà la marchesa de Pompadour, prima comunione del giovane Luigi XIV, esequie di La Fontaine, Molière, Mirabeau. Mozart assistè qui alle esequie della madre nel 1778. Sotto le pietre sepolcrali che, un tempo, coprivano il pavimento della chiesa, riposano il poeta Voiture, il grammatico Vaugelas, il ministro Colbert, il maresciallo de la Feuillade, a cui si deve la place des Victoires, l'Ammiraglio de Tourville, il musicista Rameau.

Interno – La chiesa è lunga 100 m, larga 44 m ed alta 34 m. Fin dall'ingresso, il visitatore è fortemente colpito dalla maestosità della navata e dalla ricchezza decorativa dei pilastri e delle volte.

La pianta è analoga a quella di Notre-Dame: navata e coro con doppie navate laterali, transetto non aggettante. Le volte della navata, del transetto e del coro, in stile gotico fiammeggiante, sono ornate di numerose nervature e chiavi pensili. La differenza tra Notre-Dame e Sant'Eustachio è tuttavia riscontrabile nella disposizione verticale: qui infatti non esistono tribune, ma navate laterali molto alte. Tra le arcate e le finestre superiori rimane solo lo spazio per una piccola galleria rinascimentale.

Le finestre del coro possiedono mirabili vetrate, su disegno di Philippe de Champaigne (1631): al centro è raffigurato il santo protettore, circondato da Padri della Chiesa e Apostoli. Alcune cappelle sono decorate con affreschi.

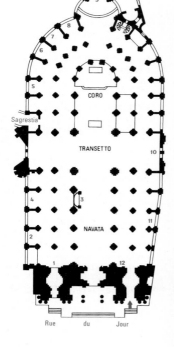

1) Sul timpano della porta, *Martirio di Sant'Eustachio*, opera di Simon Vouet (17° sec.).

2) *Adorazione dei Magi*, copia di una tela di Rubens.

3) Banco dei fabbricieri, dono del Reggente Filippo d'Orléans (1720).

4) Scultura policroma di Raymond Mason in ricordo della «partenza dei negozianti da Parigi», il 28 febbraio 1969, giorno del trasferimento dei mercati generali a Rungis.

5) *Tobia e l'Angelo*, dipinto di Santi di Tito (16° sec.).

6) *Estasi della Maddalena*, dipinto di Rutilio Manetti (17° sec.)

7) *I Pellegrini di Emmaus*, opera giovanile di Rubens.

8) Sepolcro di Colbert realizzato nel 17° sec., su progetto di Le Brun, da Coysevox e Tuby. Il grande ministro appare inginocchiato fra la Fedeltà (a sinistra) e l'Abbondanza (a destra).

9) Statua della Vergine, di Pigalle (1748). Alle pareti della cappella, affreschi di Thomas Couture (19° sec.).

10) Statua di San Giovanni Evangelista, risalente al 15° sec.

11) Busto di Jean-Philippe Rameau, compositore e organista morto nel 1764.

12) Epitaffio del tenente generale Chevert (17° sec.). Questo testo, nobile e conciso, è attribuito a d'Alembert.

Esterno – Lasciando la chiesa, imboccare la stretta rue du Jour. Nella vecchia casa al n° **4, ex hôtel parigino dell'abbazia di Royaumont**, aveva la propria sala d'armi Montmorency-Bouteville, decapitato nel 1628 per aver infranto gli editti di Richelieu che imponevano il divieto di duellare; la sala d'armi divenne poi di proprietà del figlio, il maresciallo di Lussemburgo. Dal marciapiede di fronte, si gode una bella **vista★** sui contrafforti e la parte superiore della chiesa.

Al n° **3** di rue Montmartre, un vicolo cieco conduce al bel portale nord del transetto.

★ **Facciata del transetto** – Si tratta di una bella facciata rinascimentale, fiancheggiata da due torrette a scala terminanti con lucernari. Sotto la punta del frontone, la testa di cervo e la croce ricordano la conversione di Sant'Eustachio. Le statue dei piedritti sono moderne. I pilastri, le nicchie, i fogliami, i mascheroni ed i rosoni sono finemente decorati.

Abside – All'angolo tra la rue Montmartre e la rue Montorgueil, si può vedere l'abside dell'edificio e la cappella circolare della Vergine, che ne costituisce l'estremità. La guglia del campanile che sovrasta la crociera del transetto è stata spezzata nel secolo scorso per consentire l'installazione di un telegrafo ottico.

Dintorni

Rue Montorgueil – Le colorate bancarelle di frutta e verdura, i negozi, i ristoranti dalle insegne *fin de siècle*, fanno di questa via un angolo autenticamente parigino nel cuore di un quartiere cosmopolita.

Tour de Jean-sans-Peur – Al n° 20 della rue Étienne-Marcel, nel cortile di una scuola, si erge una torre quadrangolare, coronata da piombatoi *(non aperta al pubblico)*. In seguito all'assassinio del duca Luigi d'Orléans, nel 1408 Giovanni senza Paura, duca di Borgogna, temendo una rappresaglia fece costruire una torre di 27 m sopra la sua dimora, l'**hôtel de Bourgogne**, ex hôtel d'Artois, addossato alle mura di cinta di Filippo Augusto. Sulla vicina **rue Mauconseil** nel 1548 fu costruito un teatro, che nel 1629 divenne il teatro dell'hôtel de Bourgogne. Fino al 1634 in esso non recitavano donne: i ruoli femminili (serve, nutrici) erano interpretati da uomini che portavano una maschera. Qui Racine fece rappresentare i drammi *Mitridate* (1673) e *Ifigenia* (1674). Nel 1680, per ordine del re, la compagnia fu unificata con quella fondata da Molière in rue Mazarine: nacque così la Comédie Française.
Su questo palcoscenico recitò poi una troupe di attori italiani della Commedia dell'Arte, che, basandosi su un semplice canovaccio, improvvisavano lo spettacolo, i cui personaggi principali erano Arlecchino, Colombina, Isabella. Qui si esibisce anche il celebre Scaramouche: calcherà le scene fino all'età di 83 anni, ancora sufficientemente agile per interpretare i ruoli vivaci del suo repertorio. La compagnia è soppressa nel 1697, per aver preso di mira Mme de Maintenon, sposatasi con Luigi XIV. Prima della demolizione dell'edificio, vi recitò l'*Opera Comica* (1716-1782).
La **rue Française** (così chiamata in onore di Francesco I) e la **rue Tiquetonne** sono fiancheggiate da vecchie case con graziose facciate restaurate.

Rue St-Denis – Aperta nel 7° sec. per alleggerire il traffico della rue St-Martin, diviene ben presto la via più commerciale di Parigi. In occasione dell'ingresso del re nella capitale vi passava il solenne corteo diretto a Notre-Dame. Per l'occasione vi venivano eretti archi di trionfo e portici. A questi però il popolo preferiva le fontane dalle quali sgorgava, gratuitamente, latte e vino. Lungo la via si svolgeva anche la processione funebre quando le spoglie mortali del sovrano erano traslate a St-Denis.
Al n° 145 venne aperto, nel 1825, il **Passage du Grand-Cerf**, nel luogo in cui era prima situata la locanda che portava lo stesso nome che, fino alla rivoluzione, era punto di partenza dei postali.
La parte nord della via è caratterizzata dalla presenza di numerosi sexy-shop e cinema a luci rosse, mentre nella parte sud prevalgono i negozi di abbigliamento e le pelletterie.

Église St-Leu-St-Gilles – San Lupo (Leu), vescovo di Sens, e l'eremita provenzale Egidio (Gilles), vissuti nel 6° sec., furono scelti come patroni della chiesa. Le origini della costruzione risalgono al 1320, ma l'edificio ha subìto numerosi rimaneggiamenti. Quando fu aperto il boulevard de Sébastopol (1858), furono aggiunti una nuova abside ed il campanile della torre sinistra.
All'interno ⊙, si affiancano due stili diversi: le campate della navata, in stile gotico, contrastano infatti con il coro classico, più elevato, che ne costituisce il prolungamento. Oltre ad interessanti chiavi di volta e ad alcuni quadri del 17° e 18° sec., si possono ammirare un gruppo marmoreo di Jean Bullant, raffigurante *Sant'Anna e la Vergine* (16° sec.), alcuni bassorilievi in alabastro del 15° sec., frammenti di un retablo proveniente dall'ex cimitero degli Innocenti (all'ingresso della sagrestia) ed un Cristo nel Sepolcro, in pietra (nella cripta sotto il coro).

Rue de la Grande-Truanderie – La «via della Grande Congrega dei Farabutti», deve il nome a una delle famigerate «Corti dei Miracoli» in cui, fino al 17° sec., trovavano rifugio malviventi e prostitute.

★ **Fontaine des Innocents** – Sorge sul luogo dove nel 12° sec. sorgevano un cimitero ed una chiesa. Il cimitero era circondato da un ossario che raccoglieva le ossa della fossa comune. Si dice che, durante l'assedio di Enrico di Navarra (1590), i parigini abbiano prodotto, a partire da queste ossa, una terribile farina per il pane. Nel 1786, il cimitero venne smantellato ed il suo posto fu preso da un mercato di

Forum des Halles, vista generale

frutta e verdura. Le ossa vennero trasportate in cave battezzate da quel momento Catacombe *(si veda PORT-ROYAL)*. La fontana degli Innocenti, progettata da Pierre Lescot e scolpita da Jean Goujon, è un capolavoro del Rinascimento francese. Eretta nel 1550 all'angolo con la rue St-Denis ed addossata ad un muro, presentava originariamente solo tre lati. Quando il cimitero fu eliminato, la fontana fu trasferita nel luogo attuale e Pajou vi scolpì un quarto lato, rivolto verso la rue des Innocents. I bei bassorilievi che decoravano lo zoccolo delle arcate sono conservati al Louvre.

Rue de la Ferronnerie – In questa strada, il 14 maggio 1610, fu assassinato Enrico IV. Il re aveva lasciato il Louvre per visitare Sully all'Arsenale. La carrozza reale, imboccata la stradina, resa ancora più stretta dalla presenza di negozi sul lato nord, è costretta a fermarsi a causa dello scontro avvenuto tra due carrette. Ravaillac, che, correndo, insegue la carrozza dal Louvre, è pronto a cogliere l'occasione e, issatosi sulla ruota posteriore, colpisce il re con due coltellate mortali. L'assassinio è perpetrato davanti al n° **11** (il luogo è contrassegnato da una lapide di marmo con 3 fiori di giglio). L'insegna del n° **13** raffigurava un cuore incoronato trafitto da una freccia: ciò fu considerato come segno del destino. Tredici giorni dopo, il regicida fu squartato sulla place de Grève.

★★ BEAUBOURG

Il **Plateau Beaubourg** deve il suo nome ad un piccolo villaggio che le mura di cinta di Filippo Augusto includevano nella città di Parigi; esso si trova al centro di un quartiere che, nel 1936, è stato sgombrato dalle vecchissime case che lo occupavano e inserito poi, nel 1968, nel programma di sistemazione del quartiere delle Halles. Nel 1969, il plateau Beaubourg diviene il cuore di un ampio progetto estremamente innovativo che prevede la costruzione di un centro dedicato alla creazione artistica contemporanea, su iniziativa del Presidente Georges Pompidou (1911-1974).

★★★ Centre Georges-Pompidou ⊙

Architettura – La costruzione, iniziata nel 1972, termina nel 1977. Gli architetti Renzo Piano e Richard Rogers hanno realizzato un edificio secondo una tecnica d'avanguardia: un parallelepipedo alto 42 m, lungo 166 m e largo 60 m, sostenuto da una struttura in acciaio a forti colori e da pareti in vetro. Abolita qualsiasi ricerca decorativa, si presenta come un groviglio di travi metalliche il cui aspetto, simile ad una scultura surrealista, può incontrare o meno il gusto dei visitatori. Sulla facciata, una rete di sartie garantisce la stabilità e l'elasticità dell'insieme. La grande scala mobile, muovendosi lungo un tubo di vetro sostenuto da archetti, attraversa l'edificio in linea diagonale.

Il Centro si prepara per il terzo Millennio

Dall'ottobre 1997 al dicembre 1999 il Centro è oggetto di una ristrutturazione, durante la quale le sue attività subiscono una riduzione. Vengono mantenuti la documentazione del M.N.A.M./C.C.I e i gabinetti di grafica e fotografia. È altresì possibile l'accesso alla terrazza panoramica al 5 piano. L'I.R.C.A.M. e la B.P.I. sono installati in prossimità del Centro, mentre le collezioni di arte sono ospitate da musei e istituzioni culturali francesi e stranieri (Madrid, Milano, Osaka, New York, Mexico).

H. Marcou/PIX

Gli elementi portanti, le scale, gli ascensori, le scale mobili, le gallerie di circolazione, i tubi di ventilazione e riscaldamento, le condutture per l'acqua e il gas sono stati collocati all'esterno delle facciate, il che ha consentito di creare ad ogni piano una superficie libera di 7 500 m². Dalla rue Beaubourg è visibile il complesso sistema di condotti, il cui colore rimanda alla funzione: bianco per le prese d'aria, blu per l'aria condizionata, verde per la circolazione dell'acqua, giallo per i circuiti elettrici e rosso per ascensori e montacarichi. La piazza antistante il Centro, a dolce pendio, rappresenta una sorta di materializzazione dell'idea di ritrovo ed è teatro delle più diverse animazioni. Attraverso le vetrate, sulla destra, si noti il Laboratorio dei Bambini (Atelier des Enfants).

Le attività – Il centro è organizzato in modo da facilitare la compenetrazione tra attività artistiche e attività legate alla vita quotidiana ed è strutturato sulla base di vari settori.

Il **Musée National d'Art Moderne / Centre de Création Industrielle (M.N.A.M./C.C.I.)**, ai piani 3° e 4°, presenta nelle sue collezioni ed esposizioni le diverse forme d'arte plastica, architettura e design francesi e straniere, dal 1900 ad oggi.

La **Bibliothèque Publique d'Information (B.P.I.)**, su 3 piani, consente il libero accesso ai documenti più diversi, quali ad esempio libri, diapositive, film, video, banche dati.

L'**Institut de Recherche et Coordination Acoustique/Musique (I.R.C.A.M.)**, collegato al Centro sotto la place Stravinski e disposto su 4 livelli sotterranei, ha come scopo l'esplorazione del mondo sonoro.

Oltre a questi settori, il Centro comprende la **Grande Galerie**, al 5° piano, destinata alle grandi mostre su temi specifici; la **Salle Garance**, al pianterreno, riservata ai cicli cinematografici (☎ 01 42 78 37 29), nonché alcuni luoghi riservati a spettacoli (Grande Salle), dibattiti ed incontri (Petite Salle).

Centre Georges-Pompidou

A. Él/MICHELIN

★★★ **Musée National d'Art Moderne** – E' uno dei più importanti musei d'arte moderna del mondo ed offre un panorama generale sullo sviluppo artistico, dal fauvismo e cubismo alle espressioni più recenti. Le collezioni di pittura e scultura, di importanza eccezionale, provengono dal museo un tempo installato nel palazzo di Tokyo (*si veda l'ALMA*) e sono state ampliate grazie ad acquisti e donazioni, la maggior parte delle quali fatta dagli stessi artisti o dalle loro famiglie. Matisse, Chagall, Picasso, Delauney, Brancusi, Roualt, Kupka ed Henri Laurens avevano contribuito alla creazione del vecchio museo, mentre altri artisti, tra i quali Magritte e Kandinskij, hanno arricchito il nuovo centro. Un'intensa politica di acquisizioni di nuove opere di surrealisti, di Dada, di Duchamp e di pittura americana degli anni '60, oltre a donazioni di Mirò, Ernst e Chagall, ha colmato alcune lacune.

Alla collezione di arte figurativa si è aggiunto, dal 1992, un fondo di opere di architettura e design. Gli spazi espositivi, riorganizzati da Gae Aulenti nel 1986, mostrano circa un quinto delle 35 000 opere (di cui 16 000 disegni) del Museo.

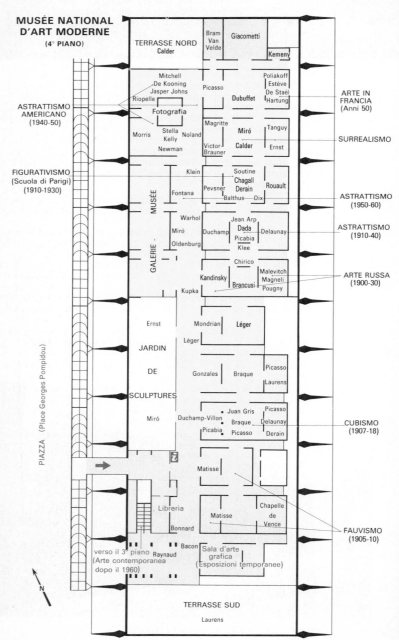

Le collezioni storiche (1905-1965) sono al 4° piano; mentre al 3° piano, dalla struttura più flessibile, si trova l'arte contemporanea.

4° piano – Dal 1905 al 1965. Sulla destra dell'ingresso, *Nudi di spalle*, di Matisse. Di fronte, la sala d'arte grafica presenta (a rotazione) opere su carta (fotografie, collage, carboncini).

Terrazze – Sono esposte sculture di Laurens, Max Ernst (Il Capricorno), Mirò, uno stabile di Calder, una macchina di Tinguely.

Spazio Sud – Dagli inizi del secolo all'indomani della grande guerra: fauvismo, cubismo.

I **fauves** sostituiscono alle tinte pastello dei nabis colori violenti e puri, stesi a larghi strati. *Strada a Marly-le-Roi* di Maurice de Vlaminck; *Strada imbandierata* di Dufy; *Due chiatte* di Derain.

Segue un insieme eccezionale di tele *(Violinista alla finestra, La Blusa rumena)* e collage dipinti a guazzo (decorazione della cappella di Vence) di **Matisse**.

I pittori e scultori **cubisti** traducono la loro visione della realtà in una rappresentazione a mezzo di linee o volumi geometrici; i promotori di questo movimento furono, intorno al 1907, **Braque** e **Picasso**, per i quali però esso non fu che una fase di transizione della loro evoluzione artistica.

Il *Grande Cavallo*, scultura di Duchamp-Villon (1914), *La Colazione* di Juan Gris, *Le Nozze* di Fernand Léger appartengono alla stessa scuola. Ancora di Fernand Léger si ammirino le figure monumentali intorno alla grande composizione con i due pappagalli.

Spazio Nord – Nato durante il periodo della grande guerra, il movimento «Dada» rappresentò, almeno originariamente, una violenta ribellione contro una civiltà che sembrava volesse autodistruggersi; la sua negazione assoluta di valori finisce per creare una sorta di anti-arte. A partire dal 1913, **Marcel Duchamps** utilizza, così come sono, oggetti di uso quotidiano che assurgono, nelle sue opere, alla dignità di oggetti d'arte. Sono presentati i grandi movimenti dal dopoguerra 1914-1918 agli anni '60: astrattismo, surrealismo e correnti figurative tra il 1950 e il 1960. Rifiutando qualsiasi elemento figurativo, gli astrattisti vogliono esprimersi attraverso il semplice gioco di linee e colori. Questa forma artistica nasce intorno al 1910 con **Kandinskij**, con le sue *Improvvisazioni*, e si afferma poi con Kupka e Mondrian; l'opera poetica di **Paul Klee**, pur inserita in questo contesto figurativo, non si staccherà mai completamente dalla realtà. Passando, si noti la *Foca* di Brancusi. Robert e Sonia Delaunay si collocano a mezza strada tra le geometrie cubiste e le ricerche cromatiche. Le sculture di Pevsner, caratterizzate da forme elicoidali, costituiscono un esempio molto significativo del costruttivismo, corrente affermatasi in Unione Sovietica intorno al 1920 il cui scopo era la realizzazione di forme che designassero semplicemente spazio e movimento.

Dal 1910 al 1930, Montparnasse diviene il centro di attività di artisti provenienti dal resto dell'Europa che costituiscono la **Scuola di Parigi** per tradurre artisticamente i loro sentimenti. Da questa intensa aspirazione, nasce l'espressionismo tormentato di Soutine, l'universo magico di Chagall, l'arabesco decorativo di Modigliani.

L'opera di Rouault, intrisa di patos, si colloca a margine di questi movimenti.

Il **surrealismo**, sviluppatosi dal dadaismo, considera la pittura come mezzo d'espressione dell'inconscio ed è qui rappresentato da alcune opere di **Salvador Dalì** *(La mucca spettrale)*, Magritte, Brauner e soprattutto Mirò.

Negli anni '50, numerosi artisti, sia francesi che stranieri, sono tentati dall'**astrazione**, gli uni ponendo l'accento sulla linea (Hartung), gli altri dividendo le superfici in grandi strati di colori (Poliakoff, De Staâl) o ricercando la terza dimensione in pittura mediante l'uso di materiali insoliti: catrame e sabbia con Dubuffet, sculture saldate di Kemeny. Il movimento Cobra teorizza la spontaneità della creazione artistica, associando all'uso libero dei colori rappresentazioni primitive.

3° piano – *Accesso dal 4° piano.* Negli anni '60 si sviluppa il **nuovo realismo**, che, sulla scia della società dei consumi, impiega materiali ispirati alla realtà quotidiana: con Arman si assiste ad una accumulazione di oggetti, con César essi risultano compressi, Christo li impacchetta. Negli Stati Uniti si ha una ribellione contro l'arte astratta: nasce così la **pop art**, i cui massimi esponenti sono Rauschenberg e **Andy Warhol**.

In uno spazio trasformabile a seconda delle esigenze vengono allestite diverse esposizioni temporanee parecchie volte all'anno che permettono di affiancare opere di artisti già noti a creazioni della nuova generazione. Le correnti artistiche meglio presentate sono, oltre a quelle francesi, il nuovo realismo, il support-surface, il figurativismo narrativo, la pop art et l'arte minimalista (America); Joseph Beuys (Germania) e l'arte povera (Italia).

5° piano – Bella **vista★★** sui tetti di Parigi, la collina di Montmartre con la basilica del Sacré Cœur, St-Eustache, la Tour Eiffel, la Tour Montparnasse, l'Église St-Merri in primo piano e Notre-Dame.

L'atelier Brancusi ⊙ – Sul lato nord della piazza Renzo Piano ha fedelmente ricostruito l'atelier di Constantin Brancusi, il grande scultore rumeno che visse a Parigi dal 1904 al 1957, anno della sua morte.

Dintorni

Il quartiere St-Merri – Nel Medioevo, il quartiere era caratterizzato dalla presenza di artigiani: i drappieri, rivali di quelli delle Fiandre, vendevano qui i loro robusti tessuti, mentre i merciai offrivano cappelli, pellicce, profumi. La moda parigina, creata in questi negozietti poco appariscenti, si sta già affermando in tutta l'Europa. Accanto a questi mercanti, le acconciatrici inventano pettinature artistiche per le nobili dame e le ricche borghesi.

Ad ogni insurrezione, il quartiere è pronto a combattere; un tragico episodio del giugno 1832, in cui un vecchio ed un fanciullo con il vessillo tricolore in mano vengono uccisi sulle barricate, ispira **Victor Hugo** nel romanzo *I Miserabili*, per rappresentare la morte eroica di Gavroche. Oggi il quartiere è ormai integrato al nuovo ruolo di centro di cultura e di arte contemporanea.

Sulla piazza omonima la **fontaine Stravinskij★** è animata da figure scolpite (quelle nere sono state realizzate da Tinguely, quelle colorate da Niki de Saint-Phalle), che raffigurano le opere del grande compositore *(La Sagra della Primavera, l'Uccello di Fuoco...)*.

★ **Église St-Merri** – San Mederico (o Merri), morto qui nel 7° sec., era invocato per la liberazione dei prigionieri. L'edificio, costruito tra il 1520 e il 1612, è realizzato nello stile gotico fiammeggiante del 15° sec. Un tempo, costituiva la ricca parrocchia degli usurai lombardi, da cui deriva il nome della via adiacente.

L'ambiente esterno rispecchia quello tipico delle chiese di allora: una serie di case nasconde infatti il lato destro dell'edificio. L'interno è stato restaurato sotto Luigi XV dall'architetto Boffrand e dai fratelli Slodtz. Sono tuttavia rimaste belle vetrate del 16° sec. nelle tre prime campate del coro e nel transetto ed una mirabile volta a nervature nella crociera. Si notino anche gli stupendi rivestimenti lignei (pulpito, sagrestia, gloria in fondo al coro) e i bei dipinti.

Della precedente cappella medievale rimangono una campana del 1331, probabilmente la più antica di Parigi ed un grande organo dalla cassa maestosa (17° sec.).

Rue des Lombards – Il nome di questa strada ricorda l'attività degli usurai lombardi che, giunti qui nel Medioevo, possedettero il monopolio delle transazioni bancarie prima di essere soppiantati dagli ebrei e dai levantini.

Boccaccio da Cellino, padre dell'autore del *Decameron* e agente della compagnia finanziaria dei Bardi, risiedette a Parigi tra il 1312 ed il 1313. Da ciò sarebbe nata la leggenda, alimentata dal Boccaccio stesso, secondo cui egli sarebbe nato in rue des Lombards, figlio illegittimo di una nobile parigina.

Attualmente vari ristoranti e club con musica dal vivo fanno di questa via un ritrovo per nottambuli.

Rue Quincampoix – In questa via, il sistema monetario del finanziere scozzese **John Law** raggiunse il suo apogeo. Nel 1719, egli aveva fatto costruire qui una banca privata, divenuta, due anni dopo, banca statale. Ben presto tutte le abitazioni della stradina sono occupate da speculatori di borsa che, a volte, nel giro di qualche giorno, accumulano un vero e proprio patrimonio: si dice che un gobbo abbia guadagnato 150 000 franchi prestando la sua schiena come pulpito o che un calzolaio abbia affittato il suo sgabello a 6 000 franchi al mese. Questo periodo di pazzia collettiva dura fino al 1720, quando la banca fallisce: la Francia cade allora in una gravissima crisi economica. In seguito all'apertura della rue Rambuteau, la casa di Law è stata demolita.

Nella via, è opportuno osservare alcuni vecchi edifici (nn **10, 12, 13, 14**) che presentano ancora facciate ornate di mascheroni, balconi in ferro battuto, porte scolpite o chiodate.

La parte superiore della via è caratterizzata da gallerie d'arte, spazi fotografici e dal grazioso Passage Molière.

Il Difensore del Tempo – *Rue Bernard-de-Clairvaux.* Jacques Monestier ha concepito e realizzato questo orologio, alto 4 m, in ottone e acciaio; l'animazione e la programmazione avvengono elettronicamente. La figura, a grandezza reale, di un uomo che brandisce una spada ed uno scudo conduce, allo scoccare di ogni ora, un combattimento vittorioso contro uno dei tre animali da cui è circondata, simbolizzanti i tre elementi: un drago (la terra), un uccello (l'aria) e un granchio (l'acqua); alle ore 12, 18 e 22, i tre animali sferrano un comune attacco.

All'angolo delle rue Brantôme e Rambuteau si erge il *Grand Assistant* di Max Ernst.

---

*Le **guide verdi Michelin** sono sottoposte ad un continuo aggiornamento. L'edizione più recente assicura la riuscita delle vostre vacanze.*

Les INVALIDES★★★

Carte Michelin n° 12 e 14 (p. 29): da H 10 a K 10.

Gli Invalides costituiscono uno dei più bei complessi monumentali di Parigi. Nel Dôme reale, davanti alla tomba di Napoleone, si raccolgono da oltre cento anni milioni di visitatori. L'adiacente Musée de l'Armée è uno dei più ricchi del mondo.

LES INVALIDES

Dal **pont Alexandre-III★** si gode una magnifica **vista d'insieme** sugli edifici classici realizzati da Libéral Bruant, sui quali domina la cupola di Mansart.

Una caserma da quattromila uomini – Fino al regno di Luigi XIV, i vecchi soldati invalidi, ridotti per lo più alla mendicità, venivano generalmente accolti e curati da istituti religiosi. Nel 1670, il Re Sole fonda l'Hôtel degli Invalides, all'imbocco della pianura di Grenelle. Il finanziamento verrà in parte ricavato da una trattenuta effettuata sulle paghe dei soldati per un periodo di cinque anni. I lavori di costruzione dell'imponente edificio, destinato a raccogliere fino a quattromila ex-combattenti, si basano sul progetto di Libéral Bruant; iniziati nel 1671, terminano nel 1674-1676. Il Dôme, opera di Jules Hardouin-Mansart, la cui edificazione si conclude nel 1706, conferisce all'opera un nuovo splendore.

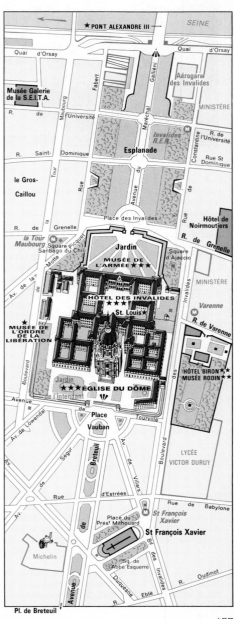

Saccheggio – La mattina del 14 luglio 1789 alcuni rivoltosi raggiungono gli Invalides alla ricerca di armi. Inutilmente il governatore, M. de Sombreuil, tenta di negoziare: i ribelli hanno già oltrepassato i fossati e disarmato le sentinelle. Gli scantinati in cui sono depositati i fucili sono presi d'assalto. Tuttavia la massa degli attaccanti ostruisce le scale, impedendo la risalita. Solo al termine di una lotta selvaggia nell'oscurità viene riaperta una via d'uscita. Ventottomila fucili sono il bottino dei rivoltosi.

Ritorno delle spoglie – Nel 1840 vengono traslate nel Dôme degli Invalides le spoglie di Napoleone. Sono stati necessari sette anni di negoziati con il governo britannico perché Luigi Filippo potesse inviare a Sant'Elena suo figlio, il principe di Joinville, a bordo della fregata la Belle Poule. Arrivato l'8 ottobre, il principe procede all'esumazione. La bara viene scoperchiata per alcuni minuti. A distanza di diciannove anni dalla morte, la salma dell'imperatore, in perfetto stato di conservazione, appare nell'uniforme dei cacciatori della Guardia. Gli ultimi compagni dei tempi dell'esilio, Gourgaud, Bertrand, Las Cases, Marchand, assistono alla cerimonia con indicibile commozione.

Vista aerea dell'hôtel des Invalides

Attraverso le Havre e la Senna, la salma di Napoleone, sbarcata a Courbevoie, viene trasportata a Parigi.

I funerali vengono celebrati il 15 dicembre 1840. Mentre infuria una tempesta di neve, il carro funebre passa sotto l'Arco di Trionfo, scende lungo gli Champs-Élysées e raggiunge l'Esplanade.

Nell'attesa che venga realizzata la costruzione della tomba, affidata a Visconti, la bara rimane esposta per tre mesi sotto la cupola, quindi nella cappella di San Gerolamo. La traslazione ha luogo il 3 aprile 1861.

Rinnovamento dell'istituzione – Dopo le guerre che hanno segnato l'inizio del secolo, l'istituzione ha ritrovato la sua vocazione iniziale: offrire cure e ospitalità ai grandi invalidi in un complesso ospedaliero rinnovato e a misura d'uomo. L'edificio accoglie inoltre diversi uffici militari ed il Musée de l'Armée.

★★★ Hôtel des Invalides

Esplanade – Venne sistemato da Robert de Cotte, cognato di Mansart, tra il 1704 e il 1720. Lunga circa 500 metri e larga la metà, l'Esplanade forma una magnifica prospettiva, per nulla turbata dall'aerostazione degli Invalides sulla sinistra. Diversi viali di tigli argentati costeggiano sei grandi tappeti erbosi.

Giardino – Nello spazio antistante all'hôtel è situato un giardino, delimitato da un largo fossato. Lungo i tranquilli bastioni sono allineati cannoni di bronzo del 17° e 18° sec. La «batteria trionfale», formata da diciotto pezzi a sinistra e a destra dell'ingresso, tuonava nelle grandi occasioni ufficiali. Le bocche da fuoco hanno sparato in occasione dell'Armistizio (11 novembre 1918) e della sfilata della Vittoria (14 luglio 1919). Portata via dai tedeschi nel 1940, la batteria ha ritrovato la sua collocazione iniziale nel 1946.

★★ **Facciata** – Lunga 196 m, la facciata degli Invalides ha un aspetto solenne e maestoso. Al centro spicca un magnifico portale, ai due lati due padiglioni le fanno da cornice. L'unico elemento decorativo è costituito dai trofei che circondano i lucernari. L'arco a tutto sesto del portale incornicia la statua equestre di Luigi XIV, fiancheggiata dalla Prudenza e dalla Giustizia. L'opera originale di Guillaume Coustou (1735), danneggiata nel corso della Rivoluzione, fu riscolpita nel 1815 da Cartelier.

I lavori di restauro hanno liberato le **facciate laterali**★, scoprendo gli imponenti edifici del boulevard des Invalides e, lungo il boulevard de La Tour-Maubourg, le armoniose costruzioni di Robert de Cotte (Cancelleria dell'Ordine della Liberazione), precedute dal fossato originariamente progettato.

★ **Cour d'honneur** – Attraversando il portale si accede al cortile d'onore. Lungo le quattro facciate corrono due piani di arcate.

Quattro padiglioni dai frontoni scolpiti interrompono la regolarità delle linee e, agli angoli dei tetti, cavalli impennati calpestano gli attributi della guerra. Come nella facciata, i lucernari sono ornati di trofei. Sul lato orientale *(entrando, a sinistra)*, il 5° lucernario a destra del padiglione centrale offre al visitatore un aneddoto curioso: la costruzione degli Invalides era stata diretta da Louvois che aveva fatto incidere le proprie armi in più punti; Luigi XIV diede però ordine di eliminarle. Uno scultore pensò allora di incidere un occhio di bue tra le zampe di un lupo, illustrando così questo gioco di parole: loup voit (Louvois e loup voit – in italiano: lupo vede – hanno in francese la medesima pronuncia).

Il padiglione situato sul fondo del cortile d'onore, più riccamente decorato degli altri, costituisce la facciata della chiesa di San Luigi. Al centro spicca la statua del Piccolo Caporale, Napoleone I, opera di Seurre, collocata per alcuni anni in cima alla colonna Vendôme.

Lungo le gallerie è disposta un'impressionante serie di cannoni; nella galleria a sud si trovano la *Catherina* (1487) a nome di Sigismondo d'Austria e la *Couleuvrine Wurthembourgeoise* (16° sec.), con la sua culatta dai fianchi cesellati e la bocca cinta da una biscia.

Ai due lati della chiesa di San Luigi sono disposti rispettivamente un carro leggero Renault, un cannone da 75 che venne ancora utilizzato a Bir-Hakeim nel giugno 1942 (1) ed un taxi della Marna del 1914 (2).

★ **Église St-Louis-des-Invalides** ⊘ – E' chiamata anche chiesa dei Soldati. Edificata prima del Dôme, per opera di Mansart che si ispirò ai progetti di Libéral Bruant, essa presenta un'architettura fredda ed austera. L'unico elemento decorativo è costituito da alcune bandiere strappate al nemico ed appese ai cornicioni. Alle spalle dell'altare maggiore, una vetrata lascia vedere il baldacchino della chiesa del Dôme. L'organo, un magnifico strumento del 17° sec., poggia su una cassa disegnata da Hardouin-Mansart. È qui che fu suonato per la prima volta il celebre Requiem di Berlioz (1837).

Le bandiere erano ancora più numerose alla fine dell'Impero, ma il maresciallo Sérurier, governatore degli Invalides, diede ordine di bruciare 1417 stendardi prima dell'ingresso degli alleati a Parigi, il 30 marzo 1814.

Nelle cripte *(non aperte al pubblico)* riposano le salme dei governatori dell'hôtel e dei marescialli e generali francesi: Jourdan, Bessières, Mortier, Oudinot, Bugeaud, Mac-Mahon, Saint-Arnaud e Canrobert. Anche Rouget de Lisle (autore della *Marsigliese*) e diversi capi militari delle due guerre mondiali (Franchet D'Esperey, Leclerc, Giraud, Juin) sono stati sepolti nella cripta. Alcune urne racchiudono una parte delle ceneri di Marceau e il cuore di Kléber. In un'altra è conservato il cuore di Mlle de Sombreuil, figlia del governatore del 1789: durante i massacri del settembre 1792 riuscì, con il suo grande amore per il padre, a commuovere i carnefici che risparmiarono così la vita al governatore.

★★★ Musée de l'Armée ⊘

E' uno dei più ricchi musei del mondo di arte, tecnica e storia militare. Le sale che ospitano le collezioni si affacciano su più piani ai due lati del cortile d'onore.

Lato Est

Pianterreno – Queste due sale facevano parte dei quattro refettori per i soldati collocati ai due lati del cortile d'onore. Sono decorate con dipinti attribuiti a Jacques-Antoine Friquet de Vauroze ed a Martin des Batailles che illustrano la campagna delle Fiandre intrapresa da Luigi XIV nel 1672.

Salle Turenne – Collezione di emblemi datati dal 1619 al 1945 tra cui spicca, sotto il quadro di Ingres che raffigura Napoleone I in costume imperiale, il vessillo degli Addii dell'Imperatore a Fontainebleau. Al centro, plastico dell'Hôtel degli Invalides in scala 1/160. Trofei del 19° sec.

Salle Vauban – Cavalleria dal 1800 al 1940 e armi da fuoco regolamentari datate dal 1717 al 1797.

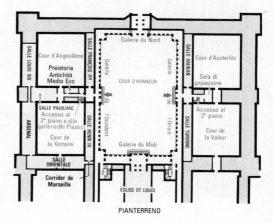

PIANTERRENO

2° piano – Le varie sale ripercorrono **la storia militare** dalla Ancienne Monarchie alla Seconda Repubblica. Tra gli innumerevoli ricordi del passato militare della Francia si segnalano il proiettile che uccise Turenne *(sala Louis-XIV)*, le reliquie di Napoleone (redingote grigia, cappello, spada e decorazioni – *salle Boulogne)* e gli interessanti oggetti appartenuti al Re di Roma *(salle Mont-mirail)*.

Nella **salle de la Restauration** sono rappresentati il ritiro all'isola d'Elba, i Cento Giorni, Waterloo e l'esilio a Sant'Elena con la commovente ricostruzione della camera di Longwood dove morì Napoleone.

Nel **Vestibule La Fayette** sono raccolti ricordi del Generale La Fayette, la guardia nazionale e la rivoluzione del 1830, mentre nella **salle Bugeaud** (1830-1852) vi sono ricordi della conquista di Algeria.

3° piano – La **salle Pélissier** è dedicata alla prima parte del Secondo Impero (1852-1860): guardia imperiale e campagne di Crimea (numerosi documenti fotografici) e d'Italia.

La **salle Chanzy** illustra, con due mappe animate, la fine del Secondo Impero (spedizioni oltremare) e la guerra franco-prussiana del 1870-1871.

Attraverso queste due sale, alcuni manichini consentono di seguire l'evolversi delle uniformi di ogni reggimento e dei relativi equipaggiamenti ed armamenti; estremamente originali appaiono le divise delle vivandiere.

Lato Ovest

Pianterreno – Un'esposizione ricca e mirabilmente curata di armi e armature consente al visitatore di seguire l'evoluzione dei mezzi individuali di difesa e di attacco a partire dalla preistoria.

Salle François-Ier – Ex-refettorio decorato di dipinti che illustrano le battaglie e le vittorie riportate da Luigi XIV nella guerra d'Olanda (1672-1678). Armature ed armamenti offensivi e difensivi datati dal 7° al 16° sec. Spada ed armatura di Francesco I, armature di Enrico II, dei Montmorency e di Otto Heinrich.

Preistoria, Antichità e Medioevo – Dalle prime armi utilizzate dall'uomo fino a quelle risalenti al regno di Carlo Magno.

Salle Pauilhac – Spade e daghe del Rinascimento. Tra le armi da fuoco si notino la pistola di Carlo V, un archibugio a ruota ed il fucile di Filippo V. Bella serie di armature spagnole.

Salle Louis-XIII – Sontuose armature cesellate appartenute ai re di Francia. Gabinetto d'armi di Luigi XIII.

Arsenal – Gli scaffali e le rastrelliere visibili attraverso le aperture riparate da vetri presentano una quarantina di armature complete, un migliaio di pezzi per proteggere il corpo e il capo, 400 armi in asta, 500 armi bianche, 250 armi da getto e da fuoco.

Musée de l'Armée, armatura Luigi XIII

Salle orientale – Magnifica collezione di armi bianche, scudi persiani ed indiani ed armature giapponesi. Elmo del sultano ottomano Baiazet II ed elmo di un voivoda (Russia, 16° sec.).

Corridor de Marseille – Gualdrappa per sella del 19° sec.

Salle Henri-IV – Ex-refettorio ornato di dipinti che commemorano la presa di alcune città delle Fiandre nella guerra d'Olanda. Armature per giostre e tornei. Belle armature per il combattimento a piedi, elmi e scudi finemente decorati.

2° piano – Nella **salle de la guerre 1914-1918** sono illustrate le tre fasi del conflitto: mappe animate, plastico di Verdun, carta militare di Foch, tromba dell'armistizio.

Nella **salle de la guerre 1939-1945** numerosi documenti, oggetti, fotografie ed una mappa animata non rievocano soltanto l'aspetto militare (plastico dello sbarco), ma anche la vita civile e la Resistenza.

3° piano – La nuova **salle Gribeauval** presenta, attraverso l'esposizione di duecento piccoli modelli, l'evoluzione del materiale utilizzato per l'artiglieria di terra francese dal 1550 al 1914.

★ **Musée des Plans Reliefs (4° piano)** ⊘ – Attraverso numerosi plastici in scala 1/600 raffiguranti città, porti e piazzeforti, raccolti da Vauban fino ai nostri giorni, i visitatori possono studiare la storia della fortificazione in Francia nel corso degli ultimi tre secoli. Si ammirino i grandi plastici di Perpignan (1686) e Strasburgo (1836), lo *château-Trompette* di Bordeaux, composto da numerosi pezzi smontabili ed il plastico di Briançon, la più alta città fortificata d'Europa (spettacolo di suoni e luci).

Attraversando il corridoio di Nîmes, nel cortile si intravedono le lastre di pietra che coprivano la tomba di Napoleone I all'isola di Sant'Elena.

★Musée de l'Ordre de la Libération ⊘

Padiglione Robert-de-Cotte, 51 bis, boulevard de La Tour-Maubourg.

L'ordine della Liberazione fu istituito nel 1940 a Brazzaville dal generale de Gaulle per ricompensare le gesta dei *compagnons*, che, in seguito, avrebbero contribuito in modo tutto particolare alla vittoria finale sull'occupante. Nel loro elenco, chiuso nel 1946, compaiono civili e militari, alcuni capi di Stato o di eserciti stranieri, diverse Unità combattenti e cinque città francesi (Parigi, Nantes, Grenoble, Vassieux-en-Vercors, l'isola di Sein). Anche la Medaglia della Resistenza (istituita nel 1943) è qui rappresentata. I documenti (manoscritti del generale de Gaulle), i trofei e le reliquie, dall'epoca africana di Leclerc alla battaglia dell'Atlantico ed alla squadriglia Normandia-Niémen, da Jean Moulin alle organizzazioni partigiane dei Glières, dalle reti clandestine ai campi di concentramento, fanno rivivere la memoria di questi eroi e dei momenti decisivi della Resistenza.

★★★Église du Dôme ⊘

Dal centro del cortile d'onore si gode una magnifica **vista d'insieme** sul Dôme. Sulla sinistra, il fossato di Mansart circonda il giardino dell'Intendente con le sue belle aiuole alla francese.

La chiesa del Dôme rappresenta un capolavoro del Secolo di Luigi XIV; qui **Hardouin-Mansart** ha portato alla sua massima espressione lo stile classico francese, già introdotto nel convento dei Carmelitani, sviluppato nella chiesa di San Paolo-San Luigi, alla Sorbona ed al Val-de-Grâce. Per conferire un senso di perfezione all'ispirazione barocca dell'opera, in origine il progetto prevedeva anche, davanti a questa facciata sud, la creazione di un piazzale e di un colonnato sull'esempio dell'insieme realizzato dal Bernini davanti a S. Pietro a Roma. Tuttavia ci si limitò a tracciare un ampio viale attraverso la campagna per allargare la prospettiva: si tratta dell'attuale avenue de Breteuil.

Per completare l'hôtel realizzato da Libéral Bruant, Luigi XIV chiede a Hardouin-Mansart di progettare una chiesa che testimoni la grandezza del suo regno. Nel 1677 iniziano i lavori di costruzione della chiesa Reale, rivolta a nord e unita alla chiesa dei Soldati da un santuario comune. L'opera viene portata a termine nel 1735 da Robert de Cotte. All'architettura civile di Versailles fa qui eco la massima espressione dell'architettura religiosa del Grand Siècle.

Nel 1793, la Rivoluzione trasforma le due chiese (che a quel tempo formavano un unico edificio) in un tempio di Marte e vi trasferisce i vessilli strappati al nemico, sino ad allora esposti a Notre-Dame. Quando, nel 1800, il Primo Console vi fa inumare la salma di Turenne, la chiesa diviene cimitero militare ed accoglie i trofei delle campagne imperiali conservati dai veterani della vecchia guardia ospiti dell'hôtel. Nel 1842 Visconti fa costruire (sopraelevandolo) un secondo altare, fa sostituire il vecchio baldacchino, scavare la cripta destinata ad accogliere il sarcofago dell'Aquila. La grande vetrata viene installata soltanto nel 1873. Benché l'equilibrio interno risulti alterato da queste trasformazioni, l'insieme conserva tutta la sua imponenza.

Facciata – E' formata da un avancorpo centrale e da due corpi laterali, caratteristici dello stile dei Gesuiti. Qui, tuttavia, essi hanno la stessa altezza della navata, cosa che ha consentito di eliminare le pesanti volute di raccordo altrimenti necessarie.

Tra le colonne del pianterreno, di ordine dorico, si possono ammirare le statue di San Luigi, opera di N. Coustou, e di Carlo Magno, opera di Coysevox.

Al di sopra di una trabeazione aggettante si può ammirare il piano corinzio, ornato di quattro Virtù e coronato da un frontone scolpito da Coysevox.

Dôme – La cupola, capolavoro di Jules Hardouin-Mansart, colpisce per lo slancio e per l'imponenza della sua struttura. Progettata con incomparabile armonia di proporzioni, si slancia di getto verso l'alto, senza che nulla la congiunga alla base.

Quaranta colonne incorniciano le finestre del tamburo. La base della calotta, dalle aperture a tutto sesto, è sorretta da mensole. Il tutto è coronato dalla massa dorata della calotta, suddivisa in dodici coste e decorata da grandi trofei d'armi, ghirlande ed altri ornamenti. Alcuni lucernari a forma di elmi consentono all'aria ed alla luce di penetrare.

Un'elegante lanterna, nuovamente ornata dalle quattro statue delle Virtù rimosse all'epoca della Rivoluzione, ed una guglia, che svetta ad un'altezza di 107 m dal suolo, completano l'edificio.

La copertura della cupola, costituita di lamiere di piombo fissate alla struttura mediante grappe di rame, ha dovuto essere restaurata a varie riprese: la prima doratura fu effettuata nel 1715; altri rifacimenti furono compiuti successivamente nel 1807, 1869, nel 1937, in occasione dell'Esposizione Universale, e nel 1989.

Interno – L'interno è magnificamente decorato: cupole dipinte, pareti ornate di colonne, pilastri, bassorilievi eseguiti dai più grandi artisti del tempo, pavimento ad intarsio di marmo.

1) Tomba di Giuseppe Bonaparte.

2) Monumento di Vauban, opera di Étex. Il cuore del grande ministro fu traslato agli Invalides per ordine dell'Imperatore.

3) Tomba di Foch, opera di Landowski.

4) Sontuoso altare maggiore a colonne tortili e a baldacchino, opera di Visconti. Volta decorata da Coypel.

5) Tomba del generale Duroc.

6) Tomba del generale Bertrand.

7) Sul fondo, cuore di La Tour d'Auvergne, primo granatiere della Repubblica; al centro, tomba del maresciallo Lyautey.

8) Tomba di Turenne, opera di Tuby.

9) Cappella di San Gerolamo (sculture di Nicolas Coustou). Contro la parete, tomba di Gerolamo Bonaparte, re di Vestfalia, governatore degli Invalides.

10) Tomba dell'Imperatore.

ÉGLISE SAINT LOUIS DES INVALIDES

Cupola – La cupola ha un aspetto maestoso. La sostengono quattro basamenti in muratura, ciascuno con un'apertura al centro per lasciar vedere le cappelle d'angolo.

Sui pennacchi sono raffigurati i Quattro Evangelisti, opera di Charles de La Fosse. Al di sopra dei medaglioni dei re di Francia si possono ammirare i dodici Apostoli realizzati da Jouvenet; nella calotta, un'ampia composizione di La Fosse raffigura San Luigi che presenta al Cristo la spada con la quale ha trionfato sugli Infedeli.

Tomba di Napoleone – Fu ultimata nel 1861. La solennità del luogo ben si accorda con la grande figura dell'Imperatore. Sul fondo della cripta, ad apertura circolare ed edificata da Visconti, troneggia il sarcofago realizzato in porfido rosso, adagiato su un basamento di granito verde dei Vosgi.

La salma dell'Imperatore riposa in sei bare incastrate l'una nell'altra: la prima (al centro) è in latta, la seconda in mogano, le due successive in piombo; la quinta bara è in legno d'ebano, l'ultima di quercia.

Cripta – L'ingresso della cripta è situato dietro il baldacchino e due grandi statue in bronzo, l'una recante il globo terrestre, l'altra lo scettro e la corona imperiale, sembrano montarvi la guardia. Nei bassorilievi della galleria sono raffigurate le istituzioni create dall'Impero.

Il pavimento è disposto a stella. Dodici statue colossali, opera di Pradier, simboleggiano le campagne di Napoleone, da quella d'Italia (1797) a quella del Belgio (1815).

Sul fondo si trova la cella dove, davanti alla statua dell'Imperatore (che indossa il costume dell'incoronazione), riposa dal 1969 il Re di Roma. Morto a Vienna nel 1832, egli fu inumato nella cripta degli Asburgo, nella «duplice prigione della bara di bronzo e della sua uniforme», prima che la salma fosse traslata a Parigi il 15 dicembre 1940, cento anni esatti dopo suo padre.

Imboccare a destra l'avenue de Tourville e, ancora a destra, il boulevard de La Tour-Maubourg.

DINTORNI

Place Vauban – Si gode di una bellissima vista della facciata dell'Église du Dôme. **Antoine de St-Exupéry** (1900-1944), autore del *Piccolo Principe*, visse all'angolo con avenue de Tourville tra il 1934 ed il 1940.

Avenue de Breteuil – Per completare l'effetto barocco dell'Église du Dôme, il piano originale prevedeva un piazzale cinto da un colonnato simile a San Pietro in Roma. Venne invece aperto un ampio viale attraverso la campagna con file di alberi ai lati e spazi verdi al centro che incornicia, sul fondo, la chiesa.

Église St-François-Xavier – E' un'imitazione romanica della fine del 19° sec.

Place de Breteuil – *Fuori pianta*. Questa piazza offre una bella prospettiva sugli Invalides. Il monumento, dedicato a Pasteur e realizzato da Falguière, si erge al posto dell'antico pozzo artesiano di Grenelle: l'acqua ne è stata deviata verso un bacino molto vicino, situato ove vi è la fontana al centro della piccola piazza Mulot.

★★ **Musée Rodin** ⊙ – Il museo è ospitato nell'**Hôtel Biron**. Nel 1728, Abraham Peyrenc, ex parrucchiere, incarica Gabriel (padre) di costruire il palazzo della rue de Varenne. Il progetto viene affidato all'architetto Jean Aubert. Questo bell'edificio diviene proprietà della duchessa di Maine, poi del maresciallo di Biron, che, appassionato di fiori, spende ben 200 000 franchi all'anno per i suoi tulipani.

Nel 1797, il palazzo è trasformato in sala da ballo. In epoca imperiale viene prima affittato dal legato papale e successivamente dall'ambasciatore dello zar. Nel 1820 diventa la sede del convento del Sacro Cuore, casa di educazione per ragazze di nobile famiglia. La Madre Superiora, Sophie Barat (canonizzata nel 1925), fa allora togliere la maggior parte dei lussuosi rivestimenti lignei del palazzo, simbolo della vanità del secolo. Nel 1871 viene edificata la cappella neogotica.

In seguito alla legge sulle congregazioni, che nel 1904 disperse le religiose, gli edifici scolastici e una parte del giardino vengono accorpati al liceo Victor-Duruy (Galliéni vi ebbe il suo Quartier Generale nel 1914-1915), mentre lo Stato mette il palazzo a disposizione degli artisti. In cambio delle sue opere, Auguste Rodin ne ottiene l'usufrutto sino alla morte (1917). Il palazzo diviene allora museo e, nel 1927, si procede alla risistemazione dei giardini all'inglese.

Il museo – Realizzata soprattutto in bronzo e in marmo bianco, l'opera di Rodin colpisce per la forza vitale e per la potenza contenuta che riesce ad esprimere. Uno dei temi favoriti del grande artista è la creazione che nasce dalla materia grezza **(La mano di Dio)**, ma è soprattutto nel nudo che rivela tutto il suo genio **(San Giovanni Battista)**.

Il museo ospita al pianterreno le opere più espressive della sua arte: la **Cattedrale**, il **Bacio**, l'**Uomo che cammina**, l'**Uomo col naso rotto**. Nei saloni circolari (bei rivestimenti lignei), situate alle due estremità, si fanno eco due composizioni: **Eva** e L'**Età del Bronzo**. Una sala è dedicata ai numerosi disegni realizzati da Rodin, esposti a gruppi alternati.

Musée Rodin/B. Jarret. © ADAGP

La Cattedrale, di A. Rodin

Musée-Galerie de la Seita

Insegna di rivendita di tabacchi
in Francia, fine 19° sec.

Al 1° piano (bella scala del 18° sec.) sono riunite piccole opere, nonché gli schizzi dei grandi gruppi scultorei, di *Balzac* e di *Victor Hugo*. Vi sono inoltre esposte opere della sua allieva Camille Claudel.

Infine, nel giardino, sono esposte le sculture più famose: *Il Pensatore (a destra)*, *I Borghesi di Calais* e la *Porta dell'Inferno (a sinistra)*, il gruppo di *Ugolino (al centro della vasca)*.

Le collezioni personali dell'artista (mobili, quadri, antichità) sono distribuite un po' ovunque in tutto il palazzo e nell'ex cappella *(esposizioni temporanee)*.

Galerie de la Seita ⊙ – *12, rue Surcouf*. E' il museo del monopolio francese dei tabacchi e ripercorre la storia del tabacco e delle diverse forme del suo consumo nel mondo. Vi sono esposte pipe, tabacchiere, «râpes» per grattuggiare il tabacco, portasigari, bocchini.

Le Gros Caillou – Il quartiere venne creato sotto Luigi XIV per sistemare le persone che lavoravano al cantiere degli Invalides e alla costruzione delle strade che conducevano i militari ai campi di manovra dello Champs-de-Mars. E' probabile che il nome (letteralmente *grosso ciottolo*) derivi da una pietra druidica poi spostata verso la Bastille. Ingranditosi verso nord, il quartiere prese la sua fisionomia borghese nel 20° sec.

JUSSIEU★

Carte Michelin n° 12 e 14 (pp. 44 e 45): K 16, L 15 – L 17, M 16 – M 17.
Per la Salpêtrière: Ⓜ *St-Marcel.*

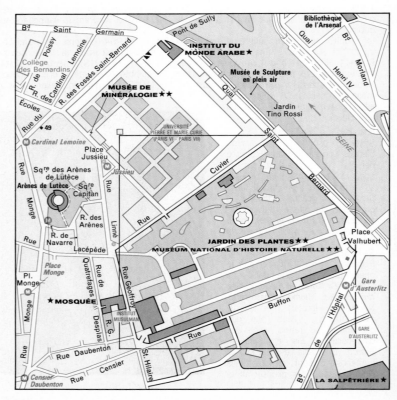

Il quartiere è situato tra il Quartier Latin, la gare d'Austerlitz e gli argini della Senna. Vi si trovano ancora vestigia gallo romane che testimoniano l'antica origine di questi luoghi. Molti e diversi gli spunti offerti al visitatore: il mondo islamico con la Moschea e l'Istitut du Mond Arabe ed il regno naturale con il Muséum d'Histoire Naturelle. Confinante con il quartiere, la zona della Salpêtrière caratterizzata dallo storico ospedale che porta questo stesso nome.

JUSSIEU

Jardin Tino-Rossi – Vi è stato allestito un museo di scultura all'aperto: le opere esposte appartengono tutte ad artisti contemporanei: *Chronos 10* di Nicolas Schöffer, *Bell II* di Kiyomizu, *Nascita delle forme* di Zadkine.

★ **Institut du Monde Arabe** ☉ – *1, rue des Fossés-Saint-Bernard.* Questo istituto, fondato su iniziativa della Francia e di venti paesi arabi,

Institut du Monde Arabe, finestra

M. Renaudeau/HOAQUI

si pone come obiettivo lo sviluppo della conoscenza della civiltà araba e l'incremento degli scambi e della cooperazione. L'edificio, realizzato in vetro e alluminio dall'architetto Jean Nouvel e dall'Architecture Studio, è in parte interrotto da un passaggio che raggiunge un cortile interno in marmo lucido.

Sulla parte superiore della facciata nord, leggermente convessa e fotosensibile, si riflette la sagoma degli edifici dell'île St-Louis, mentre la **facciata sud**★, rettilinea, è composta da 240 pannelli geometrici che si aprono o chiudono in funzione della luminosità, come accade con le gelosie arabe. Ad ovest, dietro la facciata trasparente, si erge la torre dei Libri, una costruzione cilindrica in marmo bianco che ricorda il minareto della moschea di Samarra.

L'istituto ospita anche un museo, una biblioteca, un centro di documentazione ed uno spazio audiovisivo con dieci cabine di consultazione per visionare o ascoltare il documento scelto.

Museo – *Al 7° piano.* Sono ospitate opere artistiche che illustrano la storia dal 9° al 19° sec., dalla Spagna all'India: coppe e bicchieri in vetro lavorato e smaltato, porcellane dai riflessi metallici, bronzi cesellati, sculture su legno e avorio, tappeti con motivi geometrici o floreali, ancora tanto importanti nella cultura e nelle tradizioni islamiche. Nel museo sono anche esposti alcuni astrolabi, strumenti di grande importanza per gli astronomi musulmani.

L'ultimo piano è dedicato all'arte contemporanea, sviluppatasi a partire dagli anni '50 in diversi campi e correnti: pittura, scultura, arti grafiche e fotografie artistiche.

Hôtel Charles-Le-Brun – *49, rue Cardinal-Lemoine.* Occupato da uffici, venne edificato da Boffrand nel 1700, su commissione di Charles le Brun, nipote del grande pittore della corte di luigi XIV. Presenta una nobile facciata classica e, nel padiglione centrale, un ampio frontone triangolare scolpito. Fu abitato da Watteau nel 1718 e, nel 1766, da Buffon, che vi terminò il suo monumentale trattato di Storia Naturale in 36 volumi.

Place Jussieu – Su questa piazza si affacciano i moderni edifici dell'Università Pierre-et-Marie-Curie, costruiti dove un tempo sorgeva il mercato del vino.

★★ **Musée de Minéralogie** ☉ – *34, rue Jussieu.* Nel museo sono elegantemente esposte ricchissime collezioni di pietre fini multicolori e di cristalli di roccia, tra i più belli del mondo.

Arènes de Lutèce (Arene di Lutezia) – Gli unici resti gallo-romani ancora visibili a Parigi sono rappresentati dalle terme di Cluny e da questo monumento, la cui data di costruzione non è nota. Distrutto dai barbari nel 280, rimane sepolto per circa 15 secoli e viene scoperto in occasione dell'apertura della rue Monge (1869).

Solo agli inizi di questo secolo viene portato definitivamente alla luce e restaurato. Le arene di Lutezia, che nel corso della storia hanno perso parte delle gradinate, erano destinate ai giochi circensi ed agli spettacoli teatrali, come risulta ancora visibile dalla piattaforma del palcoscenico e dalla traccia dei locali destinati agli attori. Le lastre incise, esposte contro un muro dello square Capitan, si trovavano un tempo sui gradini ed indicavano i posti destinati ai notabili di Lutezia.

★ **La Mosquée** ⊙ – *Place du Puits-de-l'Ermite.* Il turista può provare una strana sensazione di smarrimento nel vedere, nel cuore di Parigi, questi edifici bianchi in stile spagnolo-moresco, da cui emerge l'alta sagoma di un minareto. La costruzione fu realizzata tra il 1922 e il 1926.

Luogo di culto e di cultura, permette di accostarsi sia alla civiltà islamica che alla lingua araba (biblioteca, sala conferenze).

La decorazione delle sale e dei cortili è esclusivamente lavoro artigianale dei paesi islamici: tappeti persiani, oggetti in rame del Nord Africa, rivestimenti lignei in cedro del Libano. Il giardinetto nel cortile simboleggia il paradiso musulmano. Al centro degli edifici religiosi si trova un patio ispirato a quello dell'Alhambra di Granada, cinto da arcate finemente scolpite. La sala delle preghiere è di grande interesse e fascino sia per la stupenda decorazione che per i magnifici tappeti.

★★ JARDIN DES PLANTES

Il giardino ospita al suo interno un importante museo di storia naturale e diverse collezioni di minerali e fossili.

La creazione dell'orto botanico – Nel 1626, Héroard e Guy de Brosse, medici di Luigi XIII, ottengono il permesso di trasferire qui, nel sobborgo di St-Victor, il «Giardino reale delle piante medicinali», allora alla Cité. Creano al contempo una scuola di botanica, storia naturale e farmacia; a partire dal 1640, il giardino è aperto al pubblico. Dopo Fagon, primo medico di Luigi XIV, i botanici Tournefort ed i tre fratelli de Jussieu viaggiano in tutto il mondo per arricchire la collezione di piante di Parigi.

L'orto botanico raggiunge comunque il massimo impulso e fulgore grazie ai lavori di Buffon, soprintendente ai giardini reali dal 1739 al 1788, coadiuvato da Daubenton e Antoine-Laurent de Jussieu, nipote dei tre precedenti naturalisti. Buffon estende il parco fino alla Senna e vi crea i viali dei tigli, il labirinto, l'anfiteatro, le gallerie di storia naturale. Il suo prestigio è talmente grande che, ancora in vita, vede erigere un monumento in suo onore.

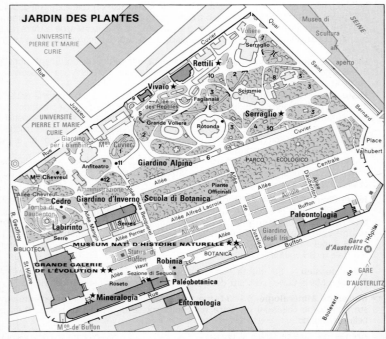

1) Otarie
2) Stambecchi
3) Cervi
4) Lama
5) Uccelli acquatici
6) Fossa degli Orsi
7) Bisonti
8) Volpi, sciacalli
9) Rettili
10) Uccelli predatori
11) Ginkgo-biloba
12) Albero di ferro

Visita – Buffon progettò anche di creare, sui fianchi di un'alta collina di discariche formatasi in questo luogo, un labirinto, ossia un intrico di viali che conduce ad un piccolo chiosco. Un po' più in basso, fra gli alberi, vi è la tomba di Daubenton, famoso per lo studio sull'allevamento delle pecore merinos.

Qui si erge un cedro del Libano piantato nel 1734. Si notino anche il Ginkgo biloba («l'albero dei quaranta scudi») e l'albero di ferro della Persia.

Il più vecchio albero di Parigi è una robinia pseudoacacia, piantata nel 1635 vicino al viale Becquerel. Stupende aiuole di fiori fiancheggiate da due mirabili file di platani ornano questa parte del giardino. Di fronte al Giardino d'Inverno, attraverso le vetrate della serra australiana, si intravedono numerose piante mediterranee e australiane.

Jardin d'Hiver ⊙ – In questa grande serra è esposta un'importante collezione di piante tropicali; proseguendo, è possibile visitare il giardino messicano, che contiene piante grasse tra cui numerose Cactacee ed Euforbiacee.

Jardin Alpin ⊙ – Vi sono coltivati fiori di montagna secondo il tipo di terreno e l'orientamento del sole: Corsica, Marocco (lato sud), Alpi ed Himalaya (lato nord). Si notino un vecchio pistacchio piantato intorno al 1700 e una grande conifera a foglie caduche (la metasequoia).

★ **Serraglio, vivario, rettili (Ménagerie, Vivarium, Reptiles)** ⊙ – Grandi rettili, uccelli, animali selvatici, belve sono presentati nel loro ambiente naturale, anche se un po' d'altri tempi. La visita in questo settore è estremamente interessante, grazie alla varietà e bellezza delle specie.

La rotonde è l'edificio più antico del serraglio ed ospita il **Micro zoo** ⊙. Vi si osserva, con l'ausilio di un microscopio e di un casco per amplificare i suoni, il mondo di animali minuscoli che popolano il nostro ambiente: artropodi microscopici, collemboli, acari, millepiedi.

Scuola di Botanica (École de Botanique) ⊙ – Contiene oltre 10 000 specie di piante, raggruppate per generi e famiglie, tra cui alcune piante medicinali e alimentari. Su tutte domina un pino laricio nato da semi portati dalla Corsica da Turgot nel 1774.

★ **Galleria di Mineralogia (Galerie de Minéralogie)** ⊙ – Eccezionali minerali e meteoriti di tutto il mondo. Importante collezione di cristalli giganteschi, di cui i più belli provengono dal Brasile. Nel seminterrato, sono esposti i minerali più preziosi, oggetti d'arte e gioielli della collezione di Luigi XIV.

Galleria di Paleobotanica (Galerie de Paléobotanique) ⊙ – A sinistra, prima di entrare nella galleria, una gigantesca sequoia americana di più di 2 000 anni porta i segni dei fatti storici che hanno accompagnato il suo sviluppo. Evoluzione della flora, dalla comparsa dei primi vegetali (3 miliardi di anni fa) ad oggi. Bellissimi esemplari di vegetali fossili.

Galleria di Paleontologia (Galerie de Paléontologie) ⊙ – Al pianterreno, la sezione di anatomia comparata comprende 36 000 esemplari di vertebrati. Al 1° e 2° piano sono invece presentati i fossili. Al centro, grandi animali preistorici o calchi di specie scomparse. Seguendo la rue Daubenton e la rue Georges-Desplas, si giunge all'Istituto Musulmano di Parigi ed ai suoi annessi commerciali: caffè moro, ristorante arabo, suk, bagno turco.

Galleria di Entomologia (Galerie d'Entomologie) ⊙ – 43, rue Buffon. Vi è esposta una piccola parte della collezione di insetti con esemplari provenienti da tutto il mondo.

★★ Muséum National d'Histoire Naturelle ⊙

E' uno dei più grandi spazi dedicati al mondo delle Scienze Naturali. Durante la Rivoluzione, **Bernardin de Saint-Pierre** fu nominato intendente del Giardino Reale delle piante medicinali (si veda il Jardin des Plantes), poi chiamato Museo di Storia Naturale. Questo museo ha un triplice scopo: ricercare, conservare, istruire. Nello stesso anno viene creato il serraglio, con animali appartenenti a principi e ad ammaestratori. Per la prima volta, i parigini stupiti possono vedere gli elefanti (importati dall'Olanda nel 1795), gli orsi (il primo esemplare, chiamato Martin, trasmise il suo nome a tutti i suoi successori), le giraffe (1827). Ma, nel 1870, durante l'assedio della capitale, la fame è più forte della curiosità e la maggior parte delle bestie viene sacrificata.

Con **Geoffroy Saint-Hilaire, Lamarck, Lacépède, Curler, Becquerel** e molti altri scienziati naturalisti, il museo acquista fama scientifica internazionale, che si perpetua ancora oggi grazie ai corsi d'insegnamento ed ai laboratori di ricerca.

Il risveglio della «Bella addormentata nel bosco» – Nel 1889, i campioni importati dai naturalisti viaggiatori o spediti dagli amministratori delle colonie durante il 18° ed il 19° sec., vengono sistemati in una nuova galleria di zoologia costruita da Jules André, dall'ardita architettura metallica nascosta da un rivestimento di pietre. Nel corso del 20° sec. la galleria viene danneggiata: durante la seconda guerra mondiale, le granate della DCA mandano in frantumi la grande vetrata; nel 1965 l'edificio chiude per motivi di sicurezza. Tutto rimane così per vent'anni...Tra il 1980 e il 1985, la costruzione di una zooteca sotterranea permette di evacuare gli esemplari ormai impolverati e danneggiati. La galleria, vuota e scavata di 10 m rispetto al livello del suolo (cosa che ha permesso la valorizzazione delle maestose fondamenta in pietra molare sul lato destro), viene restaurata tra il 1991 e il 1994 da **Paul Chemetov**, architetto del ministero delle Finanze, e da **Borja Huidobro**. Vicino alla grande navata troviamo una mediateca che è il prolungamento documentario multimediale delle gallerie del museo, una caffetteria, uno spazio per l'animazione pedagogica; sotto vi sono un locale per le esposizioni temporanee e un auditorium.

Una scenografia sofisticata – Gli architetti hanno collaborato con lo scenografo **René Allio**, specialista dei decori per il teatro. Rispettando l'architettura originale, la ristrutturazione si è concentrata sui dettagli: ascensori di vetro, vetrine incastonate in infissi di quercia, rampe in metallo. Il visitatore penetra nella grande navata immersa in una strana penombra. La luce è artificiale per proteggere gli animali: in un'ora e quaranta minuti le sue variazioni ricordano lo svolgimento della giornata. Nelle vetrine, migliaia di fibre ottiche sono focalizzate sui rami dei coralli, sui carapaci dei crostacei, sui coleotteri e sulle ali delle farfalle. Rumori, creati a partire da 500 suoni naturali, e una musica di sottofondo accompagnano la visita. Attraverso due film, archivi d'immagini o giochi interattivi, il pubblico viene in contatto diretto con gli animali: la «ronda dei pesci» in cui sono raggruppati pesci, tartarughe, uccelli e mammiferi marini; la «carovana africana»; le meravigliose raccolte d'insetti, di colibrì, di molluschi.

Il grande romanzo dell'evoluzione – La teoria dell'evoluzione è una delle più importanti per le scienze della vita e permette di riunire un gran numero di discipline che altrimenti rimarrebbero isolate. Essa funge da tema unificatore al percorso nella galleria.

Grande galleria dell'Evoluzione, gli animali della savana

Davanti al grande spettacolo della vita, il visitatore è innanzitutto invitato a percepire la diversità delle specie in funzione dell'ambiente. Accolto da due scheletri di balene, mammifero ritornato all'acqua, egli penetra nell'ambiente marino, alla ricerca della fauna degli abissi (impressionante calco di calamaro gigante), delle sorgenti idrotermali, delle scogliere coralline, del litorale e del mare aperto. La diversità si evidenzia nel mondo dell'infinitamente piccolo, al livello delle migliaia di microrganismi che vivono tra i granelli di sabbia, in un modellino ingrandito 800 volte.

La valorizzazione della parentela tra animali (ad esempio i crostacei) sostituisce la presentazione per ambiente.

Orsi bianchi, trichechi ed un enorme elefante marino illustrano le regioni polari; la savana africana è rappresentata dalla famosa «carovana» di zebre, giraffe, bufali, leoni ed antilopi, mentre per le foreste tropicali vi sono insetti e, raggruppati su una scala metallica, scimmie ed uccelli. Attorno alla navata, sono esposti alcuni fragili velini del Museo *(orchidee, pelargoni, tabacchi, struzzi, scimmie...)*.

Il **primo piano** mostra l'influenza dell'azione umana sull'evoluzione: lo sfruttamento eccessivo o lo spostamento delle specie, l'addomesticamento, la trasformazione degli ambienti e l'inquinamento. I casi estremi − la caccia e lo sterminio − sono illustrati nella magnifica **Galleria delle specie estinte★★★** lunga quanto il refettorio di un monastero e immersa nella penombra che, sotto bellissimi rivestimenti in legno, ospita esemplari imbalsamati rarissimi o unici al mondo. Tra le specie estinte, si può notare il leone del Capo con la criniera nera, le tartarughe delle Seychelles e di Rodriguez, il cervo di Schomburgh, il diavolo della Tasmania, lo scheletro di un emù nero, l'ippotrago; tra le specie in via di estinzione, un'arpia feroce, il più forte tra i rapaci, una tigre della Cina ed il *Quetzal*, l'uccello sacro agli Aztechi; tra le piante, l'ofride delle palude, la violetta di Cry, il fiore di S. Luigi.

Il percorso dell'**ultimo piano** inizia con il più antico animale imbalsamato del museo: un rinoceronte d'Asia che apparteneva a Luigi XV e a Luigi XVI. Uno «spazio storico» presenta gli scienziati che hanno lavorato sull'origine della diversità degli esseri viventi e le cui idee hanno spianato il cammino verso la teoria dell'evoluzione: **Georges Buffon** (1707-1788), che immaginava che la storia della terra fosse molto antica; **Jean-Baptiste Lamarck** (1744-1829), secondo il quale le specie si trasformano col passare del tempo; **Georges Cuvier** (1769-1832) che mostra come la conoscenza delle specie attuali permetta di comprendere l'organizzazione delle specie fossili; **Étienne Geoffroy Saint-Hilaire** (1772-1844) e, infine, **Charles Darwin** (1809-1882) e la sua teoria sulla selezione naturale.

Viene rievocata la lunga avventura della vita, dall'apparizione dei primi esseri viventi (batteri), 3,5 miliardi di anni fa, allo sviluppo degli organismi pluricellulari (670 milioni di anni fa), alla loro diversificazione nel mare. Viene inoltre spiegato il ruolo della riproduzione e della selezione naturale, nonché il funzionamento della **cellula**, unità del mondo vivente, la nozione di gene, la natura del DNA e del RNA messaggero. Le recenti scoperte evidenziano la **flessibilità del sistema genetico.** Ecco dunque il cactus (con l'adattamento delle varie specie all'ambiente arido), il passaggio dalla vita acquatica alla vita terrestre, l'uovo amniotico, le diverse forme di locomozione, i geni dell'emoglobina, e le diverse velocità di crescita. Tra gli animali imbalsamati che illustrano il percorso si può notare un gaviale, coccodrillo dalle fauci affusolate; un celacanto, pesce fossile; dei gorilla e degli oranghi; una bella vetrina di uccelli del paradiso.

La selezione naturale

L'apparizione e l'estinzione di una specie è un fenomeno naturale. In un determinato ambiente, alcuni individui hanno più probabilità di altri di trasmettere le caratteristiche che hanno permesso loro di sopravvivere ai loro discendenti: si tratta della **selezione naturale** indotta da un cambiamento di ambiente, o da particolari modifiche causate dall'uomo, come ad esempio l'introduzione dei pesticidi che ha provocato la selezione degli insetti più resistenti.

La PITIÉ-SALPÊTRIÈRE

★ **L'ospedale** − Questo vasto complesso ospedaliero è un mirabile esempio della nobile eleganza dell'architettura francese nel 17° sec. Sotto Luigi XIII, qui esisteva un piccolo arsenale destinato alla fabbricazione della polvere da sparo con salnitro (fr.: salpêtre). Nel 1656, Luigi XIV installa alla Salpêtrière un ospizio per i poveri di Parigi, per eliminare dalle strade tutti i mendicanti. L'edificio viene progressivamente ampliato. In seguito vengono accolti anche infermi, malati di mente e invalidi. Un medico dell'ospedale, il grande Pinel (1745-1826), si contraddistinse sostituendo alla crudele incatenazione dei pazzi un metodo di cura più umano.

Chapelle St-Louis − Al centro si erge la cupola ottagonale sovrastata da un lucernario. La forma della costruzione è molto singolare: i bracci, disposti a croce greca, formano con le quattro cappelle che ornano gli angoli della crociera otto navate separate che consentivano di suddividere i ricoverati secondo le diverse categorie.

Le LOUVRE★★★

Carte Michelin n° 12 e 14 (p. 31): H 13.
Ⓜ *Palais Royal – Musée du Louvre*

Il palazzo dei re di Francia, il più grande al mondo, colpisce per l'imponenza della sua struttura, ma la sua fama è soprattutto dovuta al museo che ospita. Davanti al palazzo si estendono i giardini delle Tuileries, la cui storia è parte integrante del palazzo.

IL PALAZZO

★★★ **Cour Carrée** – Costituisce la parte più prestigiosa del Vecchio Louvre. Le quattro ali (lunghe circa 112 m) sono un modello di equilibrio architettonico. La facciata di **Pierre Lescot**, fra il padiglione dell'Orologio e l'ala Sud, incanta per i magnifici motivi ornamentali.

Lo scultore **Jean Goujon** ha concentrato i suoi sforzi sui tre avancorpi e sull'ultimo piano dell'edificio. Si ammirino la grazia e la vivacità degli altorilievi di soggetto allegorico, delle statue all'interno delle nicchie, dei fregi raffiguranti putti e ghirlande. Sia il pavillon de l'Horloge che l'ala destra, replica dell'edificio rinascimentale di Lescot, sono stati innalzati da **Lemercier** sotto Luigi XIII. Le altre tre ali, pur armonizzandosi con l'ala Ovest, sono in stile classico.

★★ **Colonnade** – Nel 1662, al momento della fine dei lavori dei primi due piani della Cour Carrée, il palazzo non presenta ancora una facciata che ispiri la maestosità che Luigi XIV sogna. L'attenzione si concentra sui progetti italiani di Rainaldi, Pietro da Cortona e soprattutto **Bernini**, il grande maestro del barocco. Quest'ultimo, nonostante i suoi 67 anni, conquista la Francia e senza esitare propone di radere al suolo il Louvre. Il terzo progetto proposto, più severo, viene accettato da Luigi XIV che pone la prima pietra il 17 ottobre 1665. Ricompensato regalmente, Bernini ritorna in Italia. Un anno più tardi (per ragioni economiche? per intrighi?) il re cambia parere e, sostenuto da Colbert, adotta il progetto di tre architetti francesi: **Perrault, Le Vau** e **d'Orbay.** La paternità della Colonnade, terminata nel 1811, è stata attribuita a Claude Perrault, ma l'intervento di François d'Orbay, disegnatore di Le Vau, sembra essere stato determinante. La sigla di Luigi XIV, due L accostate, costituisce il motivo ornamentale ricorrente dell'edificio. Nel frontone centrale, scolpito da Lemot sotto l'Impero, spiccava un busto di Napoleone III, poi sostituito da quello del Re Sole, incoronato da un'insolita Minerva imperiale. Sotto, fra le colonne, una statua della Vittoria alata sembra quasi spezzarsi per l'impeto dei cavalli della sua quadriga.

I fossati, scavati secondo progetti del 17° sec. con una profondità di 7 m, hanno permesso di liberare il basamento rivestito di bugnato, restituendo in tal modo alla costruzione la sua vera ed imponente altezza.

★★ **La Piramide** – Le maestose facciate del Louvre che danno sulla **Cour Napoléon** costituiscono la cornice in cui si inquadra la piramide, le cui rigorose linee geometriche contrastano con la decorazione esuberante di Lefuel.

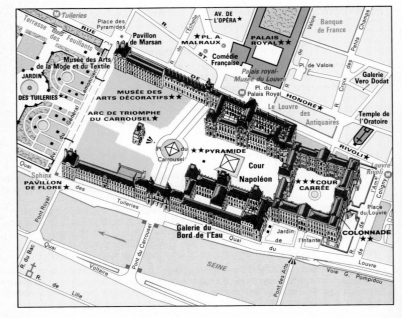

La Piramide del Louvre: vista notturna con l'Arc de Triomphe du Carrousel

Opera dell'architetto **Ieoh Ming Pei**, è alta 21 m e larga 23 m alla base ed è costituita da una sottile lastra di vetro sostenuta da una rete molto fine di tubi in acciaio inossidabile.

E' dal basso, dalla Hall Napoléon, quando la Piramide è un'immensa volta, che si riesce ad apprezzarla appieno. La circondano alcune vasche, getti d'acqua e tre piccoli modelli che la riproducono esattamente.

La **statua equestre di Luigi XIV** posta sull'asse degli Champs-Élysées, ma decentrata rispetto al Vieux Louvre, è un calco riprodotto su un modello in marmo di Bernini.

★ **Arc de Triomphe du Carrousel** – Si tratta di un'incantevole imitazione dell'arco romano di Settimio Severo, ed è stato realizzato tra il 1806 ed il 1808 su disegno di **Percier** e **Fontaine** per celebrare le vittorie ottenute da Napoleone nelle campagne del 1805. Otto belle colonne di marmo rosa, recuperate dal Vecchio Castello di Meudon *(si veda la Guida Verde Ile de France, in francese o inglese)*, sono sormontate da statue di soldati nel costume delle diverse armi. Sulla piattaforma superiore, Napoleone aveva fatto collocare i quattro cavalli dorati tolti da S. Marco a Venezia che, nel 1815, vennero restituiti e sostituiti da un'opera di Bosio: una dea, raffigurante la Restaurazione, che conduce una quadriga, accompagnata da Vittorie dorate.

Arc de Triomphe du Carrousel

Chi, dalla place du Carrousel, guarda verso le Tuileries (Louvre alle spalle) può godere di una **grandiosa prospettiva★★★** che giunge fino alla Grande Arche de la Défense. E' il **grande carosello del 1662**, organizzato in occasione della nascita del delfino, a dare il nome alla piazza. Direttamente ricollegabile ai tornei medievali ed ai giochi cavallereschi italiani, il carosello era una gigantesca parata equestre e teatrale che offriva alla nobiltà del XVII sec. l'opportunità di esibire la propria opulenza e destrezza.

★ **Pavillon de Flore** – Dall'angolo del pont Royal, è possibile ammirare l'espressivo altorilievo di **Carpeaux, Il Trionfo di Flora★**, posto ad ornamento del padiglione d'angolo sotto la grande allegoria del frontone Sud.

★ **Facciata sul Lungosenna** – Costeggiando il Vieux Louvre sul lato Sud, si gode di una bella vista sulla prospettiva del pont des Arts e sulla cupola dell'Institut de France, scorcio che si inquadra nel *guichet* (passaggio a volta). La famosa galerie d'Apollon è al primo piano dell'edificio perpendicolare, da cui parte la galerie du Bord-de-l'Eau, restaurata sotto Napoleone III. Sopra il pianterreno corre un incantevole fregio di amorini a cavallo di mostri. Ad Ovest dei passaggi del Carrousel, praticati da Lefuel, inizia il settore della galleria ricostruito dopo l'incendio del 1871.

★★★ IL MUSEO

Creazione del secolo dei lumi e del suo spirito enciclopedico, il Louvre ha appena festeggiato il bicentenario. La nascente Repubblica del 1793 voleva imporre «a tutta l'Europa il giogo dell'ammirazione» e trasformare la collezione privata dei re in un museo universale, ove si potesse ammirare, comprendere e studiare i capolavori di tutte le epoche. L'apertura dell'ala Richelieu, tappa essenziale di un progetto iniziato nel 1981 e che verrà terminato nel 1997, si iscrive in questa volontà.

Le collezioni – Dopo la dispersione della «biblioteca» di Carlo V, Francesco I crea nel suo palazzo la prima collezione artistica: 12 tavole di grandi maestri (tra cui spiccano opere di Tiziano, Raffaello e la *Gioconda* di Leonardo) alle quali si aggiungono alcune riproduzioni di sculture provenienti dall'Italia. Alla morte di Luigi XIV 2 500 quadri ornano i palazzi del Louvre e di Versailles.
L'idea di aprire un museo al pubblico, presa in considerazione da Marigny (sotto Luigi XVI), viene finalmente realizzata dalla Convenzione che, il 10 agosto 1793, apre la Grande Galerie ai visitatori. Napoleone I rende il Louvre il museo più ricco del mondo imponendo alle nazioni sconfitte tributi in opere d'arte. Quando abdica (1815) gli Alleati riescono a recuperare la maggior parte di opere. A partire dal Museo dei Monumenti francesi, Luigi XVIII, Carlo X e Luigi Filippo arricchiscono le collezioni. Appena scoperta, la Venere di Milo è condotta in Francia da Dumont d'Urville. Si raccolgono le antichità greche, egiziane ed assire.
Numerosi lasciti ed acquisti di opere d'arte hanno consentito al Louvre di accrescere notevolmente le proprie ricchezze: ora esistono oltre 300 000 opere catalogate.

INFORMAZIONI PRATICHE

Ingressi – Quello principale è posto sotto la **Piramide**. L'accesso diretto alla galleria commerciale del **Carrousel du Louvre** è possibile dalla stazione del metro **Palais Royal-Musée du Louvre**, da entrambi i lati dell'**Arc du Carrousel** o da rue de Rivoli n°99.

Parcheggio Carrousel-Louvre – 80 posti autobus e 620 posti auto. Aperto tutti i giorni dalle 7 alle 23. Accesso dal sotterraneo dell'avenue du Général-Lemonnier, poi accesso pedonale alla galleria commerciale attraverso le antiche fortificazioni di Carlo V. ☎ 01 42 44 16 32.

Portatori di handicap – Sono a loro disposizione una guida segnaletica, ascensori e montacarichi speciali, 15 sedie a rotelle e un itinerario adatto a persone con mobilità ridotta.

Informazioni generali – Segreteria telefonica multilingue ☎ 01 40 20 51 51, Banco informazioni ☎ 01 40 20 53 17. Sito Internet: http://www.Louvre.fr. Sotto la Piramide 14 schermi indicano giornalmente cos'è possibile visitare. Un programma trimestrale delle attività del museo è disponibile al Banco informazioni.

Audioguide – Sono disponibili in 6 lingue all'ammezzato degli ingressi Richelieu, Sully e Denon.

Il Louvre centro culturale

Mostre temporanee – Nella Hall Napoléon (sotto la Piramide) dalle 10 alle 21.45 o nelle ali Richelieu e Sully nell'orario di apertura del museo.

Auditorium del Louvre (420 posti) – Propone concerti, film, conferenze e dibattiti. Per il programma consultare gli schermi o il programma trimestrale del museo. Per informazioni ☎ 01 40 20 51 86.

Visite guidate – Le **visite-conferenza** hanno luogo tutti i giorni tranne il martedì e la domenica e durano 1 h e 30 min. I **laboratori** (activité en atelier), destinati ad adulti, adolescenti e bambini, sono commenti ad opere d'arte tenuti da artisti, insegnanti, storici dell'arte. Programma trimestrale, biglietti e punto di incontro all'«Accueil des groupes», sotto la Piramide.
Per entrambi i tipi di visita i singoli visitatori possono acquistare il biglietto il giorno stesso all'«Accueil des groupes», ☎ 01 40 20 52 09. Per i gruppi è necessaria la prenotazione, ☎ 01 40 20 51 77.

Hall Napoléon

Illuminata dalla Piramide, la Hall Napoléon è il fulcro del sistema di distribuzione ideato da Pei. Essa accoglie una serie di servizi complementari: libreria, ristorante, punto di informazione per gruppi (accueil de groupes), auditorium, ristorante.
La **libreria** ha una selezione di oltre 17 000 opere che coprono tutta la storia dell'arte. Al 1° piano ampia scelta di calchi in gesso, bigiotteria e libri per bambini.

Il Carrousel du Louvre

La Galleria del Carrousel – La galleria commerciale di 16 000 m² raggruppa una sala per spettacoli (Studio-Théâtre), numerosi negozi e sale polivalenti, ed è uno degli aspetti più originali del progetto Grand Louvre. L'architettura di Michel Macary si armonizza perfettamente con la **Piramide rovesciata★** di I. M. Pei, enorme cristallo di luce, che rimanda alla grande Piramide. La arditezza dei volumi, la galleria di vetrine e l'illuminazione soffusa conferiscono alla galleria principale l'aspetto di una navata.

Espace du tourisme d'Ile-de-France – Informazioni e materiale su Parigi e l'Ile-de-France *(aperto tutti i giorni tranne il martedì dalle 10 alle 19)*.

Negozi – La **Boutique des Musées nationaux** propone riproduzioni, libri e giochi; nei vari **bookshops del Musée du Louvre** sono in vendita calcografie, stampe, incisioni, poster e centinaia di riproduzioni delle principali opere d'arte del museo; **Virgin**, il principale negozio della galleria, è il tempio della musica con una libreria specializzata in arte contemporanea, cinema, architettura e foto. Altri negozi: **Nature et Découverte**, **Lalique** (cristalli e vetrerie), **Flammarion** (libri d'arte), **Courrège**, **Esprit**, **Les Minéraux**.

Il Louvre relax

Ristoranti e caffè – Sotto la Piramide il ristorante **Le Grand Louvre** serve specialità del sud-ovest della Francia, ☎ 01 40 20 53 41, mentre i **Café de la Pyramide** offrono ben 250 posti a sedere in un ambiente originale.
All'interno del palazzo sono presenti il **Café Mollien** (Denon, 1° piano), il **Café Richelieu** (Richelieu, 1° piano) e il **Café Marly** (accesso dalla cour Napoléon, lato Richelieu). Nella Galleria del Carrousel l'**Universal Resto** (aperto dalle 9 alle 23) propone 12 menù rapidi di cucina francese o straniera.

Visita ⊘

Le collezioni sono suddivise in tre grandi zone: **Denon, Richelieu** e **Sully**, che corrispondono alle due ali ed alla Cour Carrée. Lo schema riportato qui sotto tiene conto della presentazione cronologica delle opere; si tenga presente che è stato chiamato *ammezzato (fr: entresol)* il livello tra la Hall Napoléon ed il pianterreno.

SULLY	Sale della storia del Louvre: *ammezzato*
	Louvre medievale: *ammezzato*
	Antichità egiziane: *pianterreno e 1° piano*
Antichità greche : *pianterreno (Salle des Caryatides, epoca ellenistica)*	
	Antichità greche *1° piano : (sala dei bronzi)*
	Antichità orientali: *pianterreno (arte del levante)*
	Oggetti d'arte (17°, 18° e 19° sec.): *1° piano*
	Pittura francese (17° e 19° sec.): *2° piano*
	Collezione Bestegui: *2° piano*

DENON	Antichità greche: *pianterreno e 1° piano*
	Antichità etrusche: *pianterreno*
	Antichità romane e paleocristiane: *pianterreno*
	Sculture italiane: *ammezzato e pianterreno*
	Sculture nordiche: *ammezzato e pianterreno*
	Pittura italiana: *1° piano*
Grandi formati della pittura francese del 19° sec.: *1° piano*	
	Pittura spagnola: *1° piano*
Oggetti d'arte *(galerie d'Apollon, gioielli della Corona): 1° piano*	

RICHELIEU	Esposizioni temporanee: *ammezzato*
	Arte dell'Islam: *ammezzato*
	Scultura francese : *pianterreno, cour Marly e cour Puget.*
	Antichità orientali: *pianterreno*
	Oggetti d'arte: *1° piano*
	Pittura francese: *2° piano, Cour Carrée*
Scuole del Nord (pittura tedesca, fiamminga, olandese): *2° piano.*	

SULLY

★ SALE DI STORIA DEL LOUVRE

Da ciascuno dei due lati della rotonda ornata di rilievi in pietra di Jean Goujon, due sale mostrano l'evoluzione architettonica e decorativa dell'edificio e la sua trasformazione da fortezza in residenza e poi museo. I numerosi documenti, dipinti e rilievi rimandano ai sovrani ed agli architetti che hanno contribuito a dare al palazzo il suo aspetto attuale.

Dalla fortezza alla realizzazione del «grande progetto»

Né i merovingi, né i carolingi e nemmeno i capetingi vissero al Louvre la cui ubicazione era a quei tempi fuori dai confini della città. Essi vivevano piuttosto nel palazzo dell'Ile de la Cité, l'attuale Palazzo di giustizia, nei loro *hôtel* di St-Paul e delle Tournelles nel quartiere del Marais, a Vincennes o nei grandi castelli nella Valle della Loira.

Filippo Augusto (1180-1223) – Vive nel Palazzo de la Cité. Nel 1200, poco prima della sua partenza per la crociata, fa edificare sulla riva destra della Senna, in un punto in cui la difesa risulta particolarmente debole, il castello-fortezza del Louvre. Un **torrione** circondato da un fossato, simbolo del potere monarchico, ne segna il centro. Questa fortezza, opera esterna della nuova cinta urbana, occupava il quarto Sud-Est dell'attuale Cour Carrée. Le fondamenta ed il fossato del torrione sussistono *(si veda il Louvre Medievale).*

San Luigi (1226-1270) e **Filippo il bello** (1285-1314) – Vivono nel Palazzo de la Cité. Il primo fa sistemare una grande salle ed una **salle-basse** *(si veda il Louvre medievale)*, il secondo installa al Louvre il suo arsenale ed il tesoro reale, che vi resta per quattro secoli.

Carlo V (1364-1380) – Vive nei suoi palazzi al Marais, più sicuri del Palazzo de la Cité. Senza modificarne le dimensioni, il re trasforma la vecchia fortezza in una dimora abitabile che diviene per lui un luogo di svago. Qui istalla la sua famosa biblioteca di 973 libri, la più ricca del regno. Una miniatura delle *Très Riches*

IL PALAZZO DEL LOUVRE – Tappe di costruzione

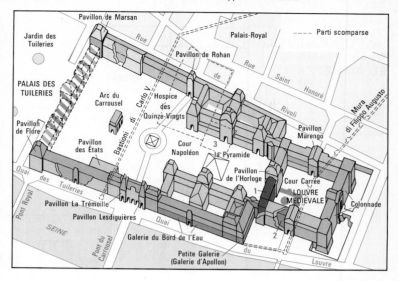

Heures del Duca di Berry rappresenta questo «joli Louvre» (bel Louvre) circondato da nuovi bastioni: il suo ruolo militare è terminato. La più formidabile tra le opere difensive (80 m di larghezza) mai scoperte in Francia, viene così a perdere la sua funzione primaria (le vestigia sono visibili nella galerie du Carrousel). Dopo Carlo V, per 150 anni, il Louvre non offre più ospitalità ad altri personaggi.

Francesco I (1515-1547) – Vive soprattutto nella Valle della Loira e nel Marais. Nel 1527, oberato da pesanti difficoltà finanziarie, si appresta ad imporre una serie di contributi ai parigini e, per blandirli, annuncia di volersi trasferire al Louvre. Vengono intrapresi dei lavori: il torrione, la cui mole appesantisce ed oscura il cortile, viene demolito; le fortificazioni oltre le mura di cinta sono abbattute. Nel 1546, infine, il re incarica l'architetto **Pierre Lescot** di costruire un palazzo sulle fondamenta dell'antica fortezza, destinato a divenire la dimora dei re di Francia. L'opera di Lescot (1), la parte più prestigiosa del Louvre, introduce a Parigi lo stile rinascimentale italiano, già apprezzato nella regione della Loira. Alla morte del re nel 1547, la costruzione degli edifici è appena iniziata.

Enrico II (1547-1559) – Vive al Louvre. Conferma Lescot nel suo compito e quest'ultimo trasforma la vecchia grande-salle, la cui forma ogivale si prestava ai ricevimenti reali, nella **salle des Cariatides**. Al 1° piano, la salle des Cent-Suisse viene riservata al corpo di guardia del castello: nell'ala Sud vengono sistemati gli appartamenti reali, al pianterreno quelli della regina (2) ed al 1° piano quelli del re (i re non hanno mai abitato le altre parti della Cour Carrée). La porta del Louvre (2 m di larghezza), si apre tra due grosse torri ad Est: l'accesso è consentito a tutti coloro che siano vestiti adeguatamente. I paggi e i lacchè dei personaggi in visita rimangono nella corte ed ai lati della porta e giocano a dadi, discutendo ed «importunando» i borghesi di passaggio.

Caterina de Medici (1519-1589) – Al momento della morte accidentale di suo marito Enrico II, Caterina de Medici si ritira nel Marais, nel suo Hôtel des Tournelles. Nominata reggente, decide di tornare al Louvre, ma non ama trovarsi nel mezzo del cantiere di Lescot e desidera disporre di una dimora privata ove avere piena libertà di movimento. Nel 1564 **Philibert Delorme** viene incaricato della costruzione di un castello oltre i bastioni di Carlo V, alle cosiddette **Tuileries**.
Tra il Louvre e le Tuileries, la regina madre prevede di costruire un passaggio coperto che permetta di percorrere i 500 m di distanza al riparo dalle intemperie e da occhi indiscreti. Il progetto prevede, partendo dal Louvre, un breve braccio perpendicolare al Lungosenna (la Petite Galerie). Il passaggio si snoda poi lungo il fiume, verso Ovest, per giungere infine alle Tuileries (**galerie du Bord de l'Eau** o **Grande Galerie**). Caterina dà inizio alla realizzazione di questa galleria, ma le guerre di religione mettono un freno ai lavori. Fino al regno di Luigi XIV, il Vieux Louvre conserva due parti gotiche e due parti rinascimentali.

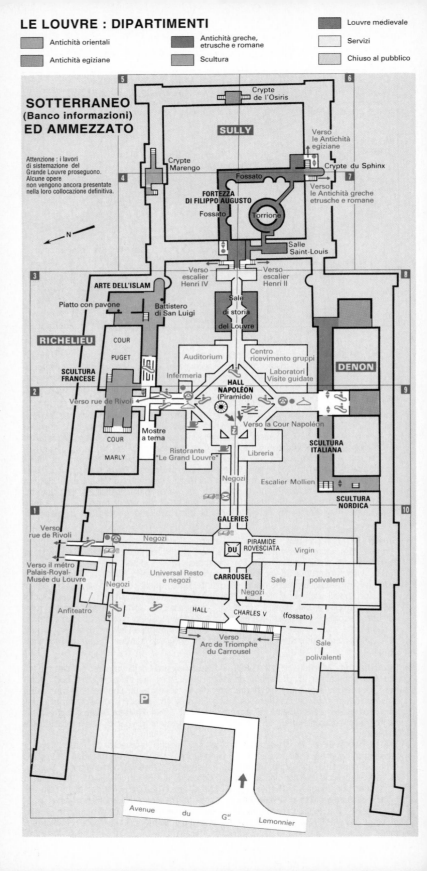

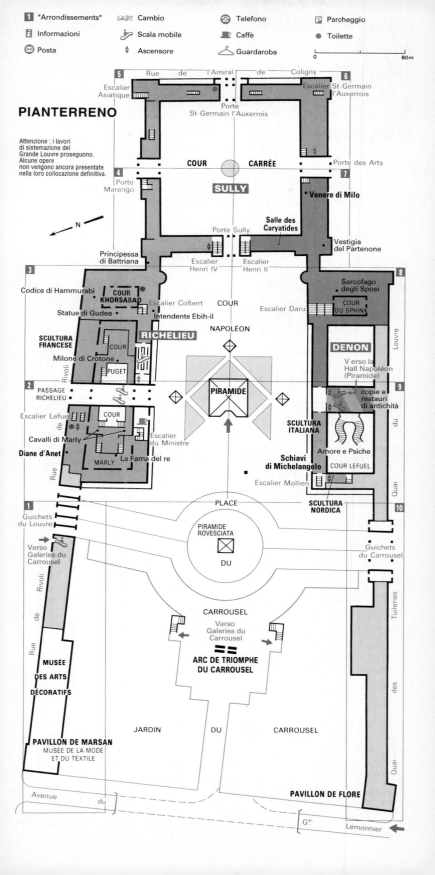

LE LOUVRE : DIPARTIMENTI

- Antichità egiziane
- Antichità greche, etrusche e romane
- Pittura
- Arti grafiche
- Oggetti d'Arte
- Chiuso al pubblico

PRIMO PIANO

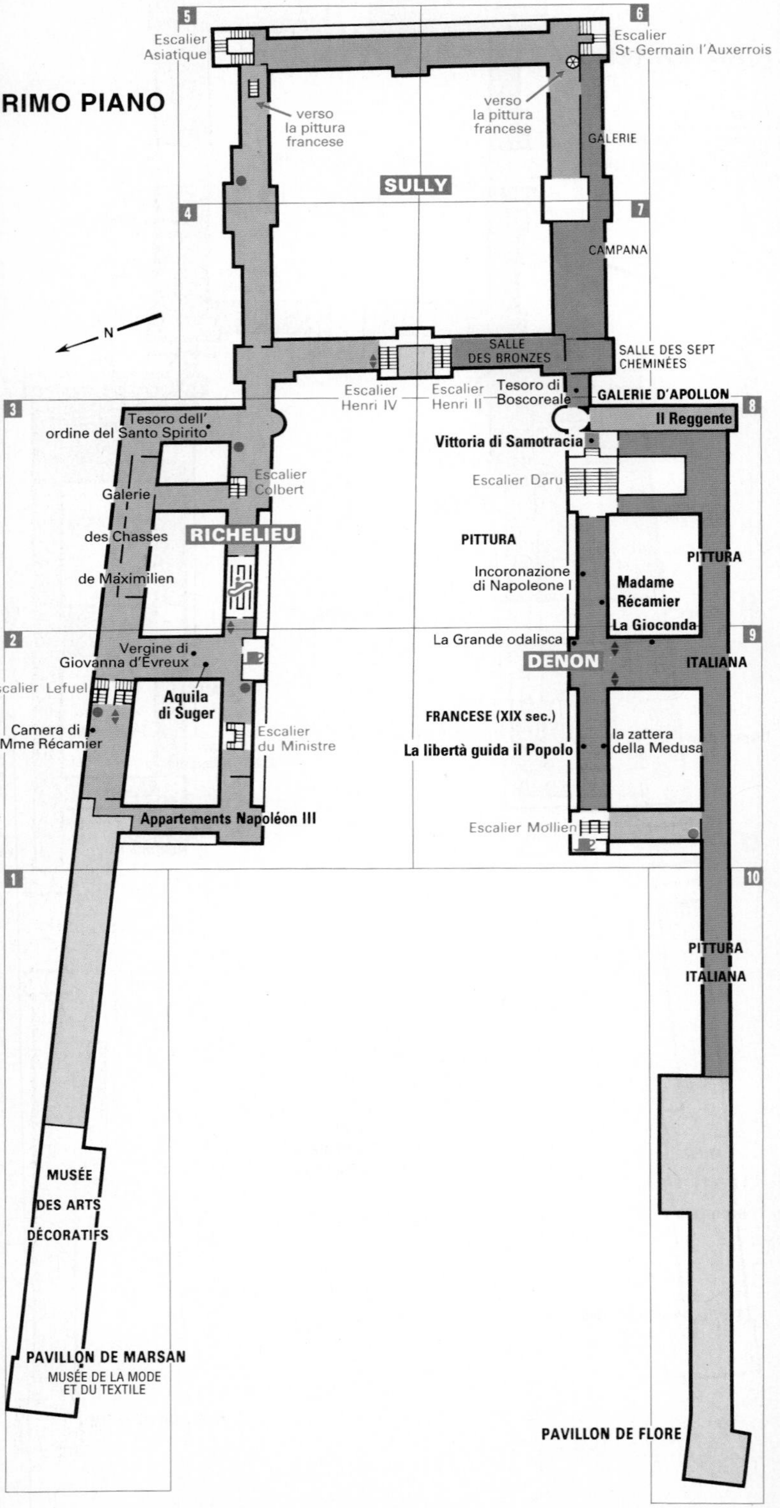

N

5 Escalier Asiatique

6 Escalier St-Germain l'Auxerrois

verso la pittura francese

verso la pittura francese

GALERIE

SULLY

4

7

CAMPANA

SALLE DES BRONZES

SALLE DES SEPT CHEMINÉES

Escalier Henri IV

Escalier Henri II

Tesoro di Boscoreale

GALERIE D'APOLLON

8

3

Tesoro dell' ordine del Santo Spirito

Escalier Colbert

Il Reggente

Vittoria di Samotracia

Escalier Daru

Galerie des Chasses de Maximilien

RICHELIEU

PITTURA

Incoronazione di Napoleone I

PITTURA

Madame Récamier

La Gioconda

2

Vergine di Giovanna d'Evreux

Aquila di Suger

La Grande odalisca

DENON

9

ITALIANA

Escalier Lefuel

Camera di Mme Récamier

Escalier du Ministre

FRANCESE (XIX sec.)

La libertà guida il Popolo

la zattera della Medusa

Appartements Napoléon III

Escalier Mollien

1

10

PITTURA

ITALIANA

MUSÉE

DES ARTS

DÉCORATIFS

PAVILLON DE MARSAN
MUSÉE DE LA MODE ET DU TEXTILE

PAVILLON DE FLORE

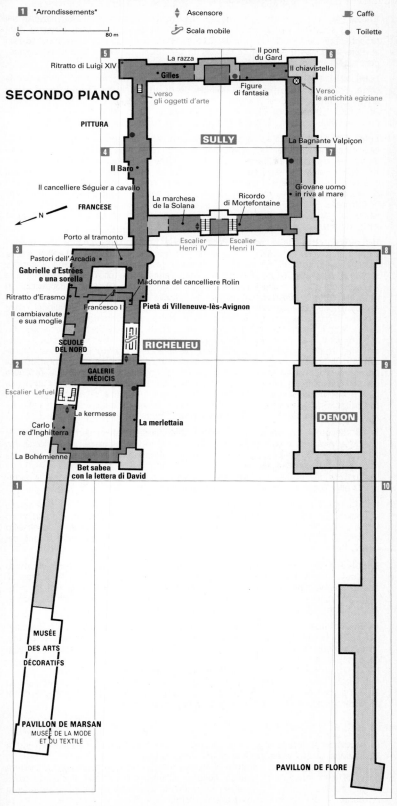

1 "Arrondissements"

Ascensore

Caffè

Scala mobile

Toilette

0   80 m

SECONDO PIANO

5

La razza

Il pont du Gard

6

Ritratto di Luigi XIV

• Gilles

Il chiavistello

verso gli oggetti d'arte

Figure di fantasia

Verso le antichità egiziane

PITTURA

SULLY

4

La Bagnante Valpiçon

7

Il Baro •

Il cancelliere Séguier a cavallo

La marchesa de la Solana

Ricordo di Mortefontaine

Giovane uomo • in riva al mare

FRANCESE

N

Porto al tramonto

Escalier Henri IV

Escalier Henri II

3

8

Pastori dell'Arcadia •

Gabrielle d'Estrées e una sorella

Madonna del cancelliere Rolin

Ritratto d'Erasmo

Francesco I

Pietà di Villeneuve-lès-Avignon

Il cambiavalute e sua moglie

SCUOLE DEL NORD

RICHELIEU

2

9

GALERIE MÉDICIS

Escalier Lefuel

La kermesse

La merlettaia

DENON

Carlo I, re d'Inghilterra

La Bohémienne •

Bet sabea con la lettera di David

1

10

MUSÉE

DES ARTS

DÉCORATIFS

PAVILLON DE MARSAN
MUSÉE DE LA MODE ET DU TEXTILE

PAVILLON DE FLORE

157

Enrico IV (1589-1610) – Il cantiere del Louvre rappresenta l'affermazione del ritrovato prestigio della monarchia. Nel 1595, il re incarica **Louis Métézeau** della prosecuzione dei lavori alla Grande Galerie, affida il compito di costruire il **pavillon de Flore** a **Jacques II Androuet de Cerceau**, fa terminare la Petite Galerie ed aggiungere un piano all'ala Henri II nella Cour Carrée.

Luigi XIII (1610-1643) – Vive al Louvre che risulta terribilmente piccolo per la corte. Spinto da Richelieu, Luigi XIII decide di quadruplicare l'edificio e prosegue la costruzione della Cour Carrée.
Nel 1638 i bastioni di Carlo V vengono rasi al suolo ed il fossato viene riempito. Richelieu installa la Zecca e la Stamperia reale nella Grande Galerie.

Luigi XIV (1643-1715) – Alla morte di Luigi XIII, la reggente Anna d'Austria si istalla nel Palais Royal con il giovane re, ma nove anni più tardi lascia questa dimora la cui vulnerabilità le è apparsa durante la Fronda e ritorna al Louvre. Nel 1659 Luigi XIV fa riprendere il progetto di estensione del palazzo a **Le Vau** che costruisce la **Galerie d'Apollon** e prosegue la costruzione della Cour Carrée. Il re desidera dare al palazzo una facciata monumentale rivolta verso la città: sarà la **Colonnade**. Nel 1682 però, il re lascia la capitale per recarsi a Versailles, dove istalla la corte. Ogni tipo di attività cessa: gli edifici di Le Vau e di Perrault restano senza copertura.

Il Louvre, città delle arti – Parigi prende possesso del Louvre che diviene dimora di diversi affittuari. Vi si istalla persino una compagnia di artisti che si sistema nelle gallerie. Gli alloggi si trovano nell'ammezzato; il piano superiore serve da passaggio (è qui che cinque volte l'anno il re tocca gli scrofolosi). Tra i personaggi che vi risiedono troviamo anche gli scultori **Cousteau** e **Bouchardon** ed i pittori **Coypel** e **Boucher**. La moglie del pittore **Hubert Robert** è incaricata della manutenzione delle lanterne. L'interno della Colonnade è diviso in alloggi: dalla gloriosa facciata escono file di tubi di stufa. Nel cortile sono state costruite alcune case; bettole, baracche di giocolieri, catapecchie si addossano all'esterno. Gli appartamenti reali ospitano le Accademie: l'Académie française, autorizzata a risiedere nel Louvre quando Luigi XIV non aveva ancora lasciato le Tuileries, l'Accademia delle iscrizioni e belle lettere, di architettura, delle scienze e soprattutto di pittura e scultura. Quest'ultima, fin dal 1699, organizza un'esposizione di opere dei suoi membri (esposizione che dal 1725 diviene regolare) nel Salon Carrée. La data è intorno al giorno di San Luigi (25 agosto) e l'usanza verrà continuata fino allo scoppio della rivoluzione del 1848. Diderot diviene il critico di questi «salons» in cui si elabora l'arte del 18° e della prima metà del 19° sec.

Il 18° secolo – Lo sfacelo dell'edificio è tale che si pensa di demolirlo. Luigi XV risiede a Versailles e così anche Luigi XVI fino al momento in cui viene ricondotto a forza a Parigi nell'ottobre 1789. Alloggia allora alle Tuileries prima della sua incarcerazione nel Temple.
La Convenzione occupa il teatro ed il Comitato della Salute Pubblica gli appartamenti alle Tuileries aggiudicati a Napoleone Bonaparte, Primo Console.

Napoleone I (1799-1814) – Vive alle Tuileries. L'imperatore si interessa molto al Louvre. Gli architetti **Percier** e **Fontaine** terminano la Cour Carrée, ingrandiscono la place du Carrousel dove Napoleone passa in rassegna le sue truppe ed elevano un arco di trionfo. La caduta dell'imperatore nel 1814 provoca l'interruzione dei lavori.

Napoleone III (1852-1870) – Vive alle Tuileries. A lui si deve il completamento del Louvre. Egli decide la chiusura a Nord della Grande Cour (**3**) e incarica di questo compito **Visconti** e **Lefuel**. Quest'ultimo restaura il pavillon de Rohan, ricostruisce il pavillon de Flore e l'ala che lo prolunga ad Est, abusando di decorazioni. Gli stretti passaggi del Carrousel *(guichets)* vengono aperti.

La Repubblica – La sommossa della Comune (settimana di sangue, 21-28 maggio 1871) risulta fatale per il palazzo delle Tuileries, che viene incendiato. Le collezioni vengono salvate in extremis. Dal 1873 i presidenti della Repubblica risiedono all'Eliseo.
Nel 1875, sotto la presidenza di Mac-Mahon, **Lefuel** restaura il Louvre.
Nel 1882 l'Assemblea Nazionale decide la demolizione di ciò che resta del palazzo delle Tuileries (in quanto simbolo politico) determinando così la scomparsa di un importante monumento della storia architettonica francese.

★★★ IL LOUVRE MEDIEVALE

Proseguendo si accede alla cripta Sully dove una linea nera sul pavimento indica l'ubicazione di una delle dieci torri del Vieux Louvre.
Oltrepassata la cripta, il visitatore si trova immerso nell'impressionante atmosfera della fortezza innalzata da Filippo Augusto all'inizio del 13° sec. Il circuito corre lungo i fossati Nord e Est: a sinistra il muro di controscarpa, semplice paramento restaurato a più riprese, a destra una cortina di 2,60 m di spessore.

Dopo aver sorpassato la Tour de la Taillerie, si noti la costruzione quadrangolare che indica la posizione del basamento del corpo principale dell'edificio, fatto aggiungere da Carlo V nel 1360.

Il pilone del ponte levatoio, in mezzo al fossato, è fiancheggiato dalle due torri gemelle della porta orientale del castello di Filippo Augusto. Su queste pietre rettangolari, assemblate regolarmente, si possono osservare qua e là fori da impalcatura e cuori intagliati nella pietra dai muratori.

Una galleria costruita in epoca recente conduce al fossato del torrione circolare o **grosse tour**, edificato tra il 1190 ed il 1202 per Filippo Augusto. Il fossato, largo in media 7,50 m, era anticamente lastricato con enormi pietre. Il torrione misura 18 m di diametro alla base dello zoccolo e raggiungeva i 31 m di altezza. Francesco I ne ordina l'abbattimento nel 1546, quando decide di trasformare la fortezza in residenza reale.

La visita si conclude con due sale di esposizione. Nella prima sono raccolte le ceramiche venute alla luce durante gli scavi della Cour Carrée; nella seconda, la **salle St-Louis**, provvista di una volta verso la metà del 13° sec., sono esposti oggetti appartenuti a re, ritrovati in fondo ad un pozzo del Torrione. Tra di essi una riproduzione dell'elmo di gala o **copricapo dorato** di Carlo VI.

★★★ LE ANTICHITÀ EGIZIANE

Il dipartimento delle antichità egiziane è opera di Jean-François Champollion che riuscì a svelare il mistero dei geroglifici nel 1822 e diede origine all'egittologia. Il visitatore viene trasportato nel mondo delle grandi spedizioni che portarono alla luce il Serapeo di Menfi, il sito di Abou Roach, di Assiout, il villaggio di artigiani della Valle dei Re di Deir el Medineh. L'acquisto delle collezioni e la spartizione degli scavi, praticata fino alla Seconda Guerra Mondiale, hanno arricchito il Louvre di migliaia di pezzi. I reperti forniscono informazioni sulle usanze funerarie di una classe agiata, commandataria di sontuosi sarcofaghi, ma anche sulla vita degli strati sociali più modesti della popolazione.

Grande Sfinge della Cripta – Per la sfinge viene riutilizzato un colossale monolito di granito rosa, lungo 4,80 m, ritrovato a **Tanis** (sul delta del Nilo), capitale dell'Egitto in declino.

Mastaba di Akkhtep – Cappella di una sepoltura civile della 5ª dinastia (2350 a.C. circa) destinata al culto del defunto. Le pareti interne sono decorate da scene (scolpite e dipinte) di caccia, di preparativi per banchetti, di navigazione. Illustrano i desideri del defunto: avere una bella sepoltura, beneficiare di un nutrimento abbondante (portatrici di offerte) e, in nave, ispezionare i suoi possedimenti.

Pugnale di Gebel-el-Arak – Questo oggetto di piccole dimensioni, uno dei primi esempi di bassorilievo, segna la fine della preistoria d'Egitto (3200 a.C. circa). Sul manico in avorio sono scolpiti un personaggio ed animali della zona subdesertica del Medio-Egitto e, sull'altro lato, una scena di battaglia fluviale. La lama in selce è finemente intagliata.

Stele del Re-Serpente – Opera primitiva (epoca tinita) che rappresenta il re Ouadji identificato tramite il suo simbolo (il serpente).

Sepa e Nesa – Primi capolavori della statuaria civile (3ª dinastia).

Testa del re Didufri (4ª dinastia) – Di epoca contemporanea alle grandi piramidi, è uno dei primi uomini a configurarsi come sfinge.

Scriba accovacciato – In calcare dipinto, questa celebre statua (5ª dinastia, circa 2500 a.C.) è caratterizzata da un sorprendente realismo: pronto a scrivere sul papiro, ha un'espressione attenta e lo sguardo è reso più intenso dall'incrostazione degli occhi in cristallo di rocca (iride) e dalla striscia di rame che orla le palpebre.

Architrave e statue di Sesostri III, Medio Impero (12ª dinastia) – Il sovrano è rappresentato a due età differenti. Si noti in particolare la forza espressiva del viso invecchiato.

Bassorilievo del re Sethi I e la dea Hathor, Nuovo Impero, 1300 a.C. circa – Questo magnifico bassorilievo in calcare dipinto proviene dalla Valle dei Re.

Amenophis IV-Akhenaton, Nuovo Impero, 1375 a.C. circa – Busto in arenaria proveniente da Karnak, offerto alla Francia per la sua partecipazione alla salvaguardia dei monumenti della Nubia. Osservare il realismo raffinato e l'espressione interiorizzata del viso.

Tomba del cancelliere Nakhti, Medio Impero, 2000 a.C. circa – Bella **statua** in acacia: il cancelliere è rappresentato a grandezza naturale. Notare i plastici di un granaio e di navi e gli **ippopotami** in maiolica blu.

Portatrice di offerte, Medio Impero, 2000-1800 a.C. — La veste è la stessa della dea Hathor, sul bassorilievo di Sethi I. Osservare la stilizzazione del corpo.

Oggetti da toilette — I cucchiai per offerte a forma di nuotatrici o ornati da delicati motivi floreali ed i gioielli mostrano il lusso e la raffinatezza raggiunta nella vita quotidiana dai «grandi» nel Nuovo Impero.

Busti e statuette dell'epoca di Amenophis III, Nuovo Impero, 1403-1365 a.C. circa — Testa del faraone da giovane (in diorite), **La dama Touy, sacerdotessa del dio Min, l'Alto funzionario Nebmertouf mentre srotola un papiro sotto la protezione del dio Thot.**

Ritratti reali dell'epoca di Amenophis IV, Nuovo Impero, 1365-1349 a.C. circa — Busto di principessa e busto di Amenophis IV. Osservare, di quest'ultimo, la straordinaria finezza dei tratti.

Gioielli di Ramsete II, Nuovo Impero, 1200 a.C. circa — Oltre il ferma-capelli ed il **grande pettorale di Ramsete II** *(illustrazione)*, figlio e successore di Sethi I, ammirare una coppa in oro ed un braccialetto in oro smaltato, ornato di grifoni e leoni alati. La **Triade d'Osorkon** riunisce Osiride, accovacciato su un altare, la sua sposa e sorella Iside ed il figlio Horus, protettore della monarchia.

La regina Karomama, 3° periodo intermediario, 870-825 a.C. — Bronzo con incrostazioni prove-

Pettorale di Ramsete II, 19ª dinastia

niente dalla regione di Tebe e rappresentante la divina adoratrice di Amon.

Servitori in maiolica blu, 3° periodo intermediario, 1000 a.C. circa — In egiziano il loro nome significa «presente!»: svolgono la corvé nell'aldilà al posto del defunto, equipaggiati di utensili e riuniti in squadre di dieci, ognuna con un caposquadra.

Vetrina dei gatti — Statue in bronzo, ex-voto simbolici della dea Bastet.

Stoffe copte — L'Egitto, a poco a poco cristianizzato, sviluppa un'arte ispirata al mondo mediterraneo ellenistico ed all'arte bizantina. Mummia di epoca romana con volto dipinto ed importante esposizione di **tessuti,** campo fiorente dell'arte copta del 5° e 6° sec. a.C. Scultura: frammento di un'Annunciazione.

Monastero di Baouit — Frammenti del monastero (6°-7° sec. d.C.) del villaggio di Baouit nel Medio Egitto. Gli elementi della cappella basilicale, disposti secondo la loro ubicazione originaria, presentano pannelli e fregi in calcare scolpito o in legno dipinto. Belli i **capitelli.** Nel coro, un **dipinto** a tempera del 7° sec. rappresenta l'abate Mena sotto la protezione di Cristo, che ha in mano un libro dei vangeli superbamente rilegato.

★ **LA COLLEZIONE BEISTEGUI**

Prendere la scala Henri II fino al secondo piano e voltare a sinistra (a destra si trova la fine del percorso della pittura francese). Attraversare la sala del dipinto del mese (si veda più avanti).

Costruita da Pierre Lescot, la **scala Henri II** che conduceva all'appartamento del re, adotta il principio italiano della rampa diritta. Alcune sculture ornano la magnifica volta a botte.

La sala attigua alla scala è consacrata ad una nuova funzione: il **dipinto del mese,** che consiste nella valorizzazione di un'opera con un carattere di attualità (nuovo acquisto, restauro, commemorazione).

La **collezione Carlos de Beistegui** (Messico 1863-Biarritz 1953) occupa una sala particolare. E' ricca soprattutto di ritratti.

Di **Fragonard,** *ritratto di un giovane artista e scena libertina (Fuoco alle polveri);* di **David,** celebre *ritratto incompiuto di Bonaparte*; di **Jean-Marc Nattier** la *Duchessa di Chaulnes nelle sembianze di Ebe;* di **Rubens** *Morte di Didone* e **La marchesa de la Solana,** fra le opere più conosciute di **Goya.**

DENON

★★★ LE ANTICHITA' GRECHE

Salle du Manège, poi galerie Daru. Aggirare la scala che porta lo stesso nome e che conduce alla Vittoria di Samotracia: a pianterreno, l'arte greca arcaica. La Venere di Milo si trova in fondo alla serie di sale che costeggiano il lato Sud della Cour Carrée (arte classica ed ellenistica). La galerie Campana (vasi) e la sala dei bronzi si trovano al 1° piano.

Ben pochi esemplari originali restano della grande statuaria greca in bronzo, materiale che è stato fuso e recuperato nel corso dei secoli. Molte invece le copie romane che vanno ad arricchire le collezioni di Francesco I, Richelieu, Mazarin, Luigi XIV. Di tutte le opere portate da Napoleone I resta la magnifica collezione Borghese che l'imperatore «acquistò» dal principe Camillo Borghese, suo cognato *(si veda la Guida Verde Roma).*

Pianterreno

Sala 4 – Epoca orientaleggiante, epoca arcaica (7°- 6° sec. a.C.). La *Dama di Auxerre* è uno dei primi esempi di statuaria greca (circa 630 a.C.): rigore e frontalità (viso sullo stesso asse del corpo) sono le caratteristiche dell'austero stile dorico. La *Kore di Samo,* proveniente dal tempio di Era e posteriore alla Dama di Auxerre di sole due generazioni, è, per la raffinatezza e la stilizzazione dell'abito (tunica, mantello e velo nuziale), d'ispirazione ionica.
Opera attica della metà del 6° sec., il viso del *Cavaliere Rampin* (dal nome del donatore) colpisce per la finezza (barba, capelli) e si illumina di un delicato sorriso.

Sala 5 – Inizio del 5° sec. a.C. Questa sala illustra il passaggio dal periodo arcaico a quello classico: l'*Apollo di Piombino,* ritrovato in mare al largo della Toscana e proveniente dai laboratori della Magna Grecia (Sicilia e Italia del Sud) e la *stele dell'Esaltazione del fiore di Farsalo.*

Sala 6 – Accanto alle **metope** del tempio di Zeus (460 a.C. circa) sono ospitati bronzi e ceramiche dello stesso periodo.

Sala 7 – Originali della 2ª metà del 5° sec. e dell'inizio del 4° sec. a.C. In queste sale sono custodite alcune vestigia del **Partenone,** tempio edificato per iniziativa di Pericle (445 a.C. circa) sull'Acropoli di Atene. E' il grande periodo del classicismo greco. Il frammento del **fregio** esposto rappresenta la processione delle Ergastine, giovani fanciulle che tessono loro stesse il velo da offrire in dono alla loro dea protettrice, Atena, durante le Panatenee. La distinzione e la dolcezza nell'incedere mostrano il talento dello scultore Fidia.

Sale 14-15 – Repliche di opere del 5° e 4° sec. a.C. Alcune statue ricordano lo stile Severo: l'*Atena di Mirone,* un torso di discobolo. Questa sala raccoglie soprattutto le opere di **Policleto** *(Diadumeno, L'amazzone ferita)* e di **Fidia** (un Apollo del tipo «di Cassel», dal luogo in cui venne trovata la replica migliore, ed una testa di Atena Parthenos).
Si attenua il rigore classico: l'*Ares Borghese* ha ancora un atteggiamento severo, ma il viso ha un'espressione più umana.
Alla fine del 5° sec. a.C. si manifestano già anticipazioni dell'arte di Prassitele *(sala 27)* con la statua di *Adone o Narciso.* I drappi che adornano le figure femminili ne rivelano le forme del corpo. All'inizio del 4° sec. a.C., si assiste ad un ritorno del realismo, come mostrano il *Discoforo de Naucide* e l'*Atena pacifica.*

Sala 16 – Repliche di originali del 4° sec. a.C. Esclusa la *Melpomene* del teatro di Pompeo (1° sec. a.C.), tutte le sculture sono riproduzioni di opere di **Prassitele** che ha esercitato la sua attività tra il 370 ed il 330 a.C., infondendo al marmo una bellezza meno statica: l'*Apollo sauroctono* il cui appoggio su una sola gamba (l'altra è leggermente flessa) conferisce naturalezza e una leggera sensazione di movimento alla figura, femminilità e pudore dell'Artemide detta *Diana di Gabies,* grazia della *Afrodite di Cnido* (la statua più famosa dell'antichità) e della *Venere di Arles.*

Sala 13 – Originali del 2° e 1° sec. a.C. La statua del guerriero che combatte, detto *gladiatore Borghese* (100 a.C. circa) testimonia l'opera di ricerca sull'atteggiamento fisico e l'espressione nel campo della riproduzione scultorea.

Sala 12 – Originali del 2° sec. a.C. La bellezza serena e naturale della *Venere di Milo,* pervasa di equilibrio e flessuosità, ha reso quest'opera una delle più perfette della statuaria antica. Di fianco, l'Afrodite detta «*Testa Kaufmann*» dal nome del vecchio proprietario, è una libera versione dell'Afrodite di Cnido di Prassitele.

★★ Sala 17: sala delle Cariatidi – Repliche di originali del 4° sec. a.C. e dell'epoca ellenistica. Era un tempo la Grande Salle del Vieux Louvre. Progettata da Pierre Lescot per Enrico II, deve il suo nome alle quattro statue monumentali (opera di Jean Goujon) che sostengono la tribuna: questa era il luogo destinato ai musicisti durante i ricevimenti ed i balli. Molière suonò qui per la prima volta davanti a Luigi XIV il 24 ottobre 1658. Vi si conservano le copie delle opere di Lisippo, potenti e scattanti *(Hermes che si allaccia il sandalo).*

La scultura ellenistica è decorativa (*Le Tre Grazie, l'Artemide* o **«Diana di Versailles»**) e cerca di esprimere il carattere, i sentimenti e la somiglianza come, ad esempio, nel *presunto ritratto di Antioco III*, re di Siria o nell'**Ermafrodite addormentato.** L'**Afrodite accovacciata** di Vienne (vicino a Lione) associa il realismo dell'anatomia all'equilibrio dei volumi.

Sopra la tribuna dei musicisti, in forma di mezzaluna, copia della *Ninfa di Fontainebleau,* dello scultore fiorentino Benvenuto Cellini.

Vittoria di Samotracia (inizio del 2° sec. a.C.) — Dall'alto della scala Daru, concepita proprio per lei, la Vittoria sembra sfidare lo spazio. Questo capolavoro dell'arte ellenistica, di fama universale, rappresenta la polena di una galera di pietra scolpita probabilmente per celebrare una vittoria navale di Rodi. Il drappeggio della veste, incollata al corpo dal vento, il senso di libertà, la foga del movimento di questa figura alata e l'ampiezza del suo gesto trionfale la rendono un'opera stupenda. A destra, sul pilastro, una piccola vetrina contiene una mano della statua.

★★ Galerie Campana

Salire la scala Daru e dirigersi a sinistra rispetto alla Vittoria di Samotracia. Attraversare la salle de Boscoreale e quella dei Sept Cheminées. Attraverso la salle Clarac si giunge alla Galerie Campana.

Dopo la decadenza di Creta e Micene, si assiste ad una evoluzione dello stile geometrico (10°-8° sec. a.C.) verso la decorazione a fregi: a Corinto e nella Grecia orientale vengono realizzati vasi di forma estremamente originale raffiguranti personaggi in movimento *(sale I-III).* La stessa tecnica viene impiegata dal maestro degli Idrie Ceretani *(sala II)* e dai pittori di Amasi *(sala III).* Verso il 530 a.C. Andocide sviluppa una nuova formula: le figure, del colore dell'argilla, si stagliano su uno sfondo di vernice nera *(sala IV)* ed i dettagli vengono delineati con un pennello. Intorno al 500 a.C.

Cratere a figure rosse: *Purificazione di Oreste a Delfi*

quest'arte tocca il suo apogeo con lo stile puro di **Eufronio** *(sala IV)* e con i graziosi dipinti di Duride *(sala V).* L'epoca in cui venne eretto il Partenone (447-432 a.C.) vede anche lo sbocciare della ceramica classica con figure rosse *(sale VI e VII).* A partire dal 4° sec. a.C. *(sale VIII ed Henri II)* si assiste allo sviluppo e ad una grande diffusione della composizione di scene dipinte: Apulia e Lucania. La sala IX è dedicata alle **statuette di Tanagra** e Myrina, meravigliosi esempi di vivacità e di grazia raffinata.

★★ La sala dei bronzi e dei gioielli antichi

Attraversare la salle Henri II dal soffitto dipinto da Braque (1953). La collezione dei bronzi antichi è presentata in vetrine ben illuminate e conduce dall'arcaismo greco all'arte classica ed ellenistica, fino al mondo romano. L'arte greca arcaica ha lasciato anse decorate della testa della gorgone Medusa, dai capelli di serpi. Il gusto dell'epoca ellenistica per i tratti umani non idealizzati, strani e per i giovani o i vecchi, è ben rappresentato dalle figure di nani e personaggi deformi, da *Eros et Psiche bambini,* da un *Adolescente con le mani legate dietro la schiena* ed un *Gigante.* La bellissima **testa di un giovane uomo detto «di Benevento»** è ispirata alle opere di Policleto.

In una vetrina, di fianco al grande *Apollo dorato di Lillebonne* sono conservati begli specchi etruschi.

Dell'epoca romana si trova una celebre *effige di schiavo nero inginocchiato* (2°-3° sec.d.C.). Tra le finestre, preziosi gioielli in oro.

★★ LE ANTICHITA' ETRUSCHE

Salle du Manège, galerie Daru. Aggirare la scala Daru a destra. L'arte etrusca si trova al pianterreno di fianco alle sale di arte greca arcaica. Vi si riconosce il sarcofago degli sposi di Cerveteri.

Il marchese **Campana**, collezionatore appassionato, partecipa agli scavi di necropoli etrusche in Italia (Nord del Lazio, soprattutto Cerveteri) ed arriva a possedere una bellissima collezione che viene infine acquistata da Napoleone nel 1861.

Gli Etruschi, presenti in Italia centrale a partire dal 7° sec. a.C., si spostarono in seguito anche in Campania e nell'Italia del Nord e raggiunsero il loro apogeo nel 6° sec. Già nel secolo successivo, però, erano avviati al declino, che proseguì lentamente fino al 265 a.C., data in cui l'Etruria fu sottomessa dai Romani. Le loro tombe monumentali hanno conservato innumerevoli oggetti familiari, più raramente delle pitture. Gli Etruschi si ispirarono all'arte orientale ed a quella greca in tutti i differenti aspetti della loro evoluzione e, a loro volta, influenzarono profondamente l'arte romana. Nonostante questa continuità, l'arte etrusca presenta un'originalità ben definita.

Sala 18 – E' dedicata, oltre agli Etruschi, alla cultura villanoviana, caratterizzata da oggetti in ferro o in bronzo con decorazioni geometriche (trono in bronzo laminato). La civiltà etrusca è rappresentata invece da lastre di terracotta dipinte (lastre Campana), da ceramiche d'impasto e da antefisse, il cui motivo decorativo dominante è la testa femminile.

Al centro della sala, il celebre **sarcofago degli sposi** (6° sec. a.C.) in terracotta, proveniente dalla necropoli di Cerveteri, sul quale è scolpita una bella decorazione caratterizzata da notevole realismo: gli sposi partecipano serenamente al banchetto divino, tema, questo, ripreso anche dalla pittura greca su vaso.

Sala 19 – La ceramica di bucchero, terracotta a pasta nera che imita il metallo, segna il periodo orientaleggiante (metà del 7° sec.). Le forme semplici e la decorazione a incisione tendono, nel 6° sec., a complicarsi (linee appesantite, motivi in rilievo).

In questa sala si possono ammirare numerose ceramiche prima a figure nere (metà del 6° sec.), poi a figure rosse (5°-4° sec. a.C.), ispirate alla produzione greca. Gli Etruschi furono inoltre degli abilissimi orafi: la raffinatezza della loro tecnica si manifesta dapprima nella granulazione e nella filigrana *(1ª vetrina nel passaggio a destra)* e trionfa poi con la lavorazione a sbalzo *(vetrina di fronte)*.

RMN

Testa di Gabies
(425-400 a.C. circa)

Sala 20 – Arte etrusca delle epoche classica ed ellenistica: **Testa di Gabies**, oinochoe *(a sinistra, prima di entrare)*, urne cinerarie in alabastro e sarcofaghi in terracotta provenienti da Volterra e Chiusi. Una produzione importante è costituita dagli specchi in bronzo con il manico in legno *(vetrina a destra)*, spesso decorati con scene della mitologia greca.

★★ LE ANTICHITA' ROMANE E PALEOCRISTIANE

Salle du Manège (imitazioni), galerie Daru (sarcofaghi, statue); aggirare la scala della Vittoria di Samotracia. Non proseguire verso la Venere di Milo, ma per gli appartamenti estivi di Anna d'Austria, dal soffitto affrescato. L'arte romana e paleocristiana si sviluppa poi intorno alla cour du Sphinx.

Appartamenti estivi di Anna d'Austria (sale 22-26) – Le opere qui riunite illustrano le due forme espressive più originali: il ritratto (quattro effigi di Augusto in epoche differenti della sua vita; ritratto in basalto di Livia, moglie di Augusto) ed il rilievo a carattere storico (altare di Domizio Enobarbo e frammento dell'Ara Pacis di Augusto) o mitologico *(Le nove Muse)*.

Sale 27-31 – Intorno ai pilastri dell'Incantata (vestigia di un portico corinzio di Tessalonica) sono esposti vari ritratti (3° e 4° sec. d.C.).

Splendidi **mosaici** ornavano le ricche dimore romane (la *Fenice*) ed il pavimento delle chiese dell'Africa del Nord e del vicino Oriente. Nell'ex-cour du Sphinx si scopre l'imponente insieme del fregio del tempio di Artemide a Magnesia del Meandro (Asia Minore). A terra, il **mosaico delle stagioni** proveniente da una villa di Antiochia.

Il tesoro di Boscoreale – *Salle Henri II, 1° piano*. Questo insieme favoloso venne trovato in una coltura vinicola (nel luogo denominato Boscoreale) fra le rovine di una villa romana distrutta dall'eruzione del Vesuvio nel 79 d.C. Il tesoro di monete, gioielli in oro e **vasellame in argento** era stato messo al riparo in una botte. Esso testimonia il gusto raffinato di una classe sociale agiata e colta. I pezzi di argenteria, dei quali i più belli erano esposti all'ammirazione del visitatore, sono stati riuniti per generazioni.

★★★ LA GALERIE D'APOLLON

Salle du Manège, galerie e scala Daru. Prendere a sinistra rispetto alla Vittoria di Samotracia. Costruita sotto il regno di Enrico IV e restaurata dopo l'incendio del 1661, questa sala reale è una delle più sontuose d'Europa sia per le dimensioni (61 m di lunghezza) che per le decorazioni. Prima di intraprendere la pittura della Galleria degli Specchi a Versailles, vi lavorò **Le Brun**, che tuttavia non poté portare a termine l'opera. Essa venne quindi continuata da **Delacroix** nel 1853 (*Apollo vincitore del serpente Pitone* al centro della volta) ed ultimata sotto il Secondo Impero. L'inferriata in ferro forgiato (1650) proviene dal castello di Maison-Laffitte. Questa galleria, testimonianza del Grand Siècle, fa da fastosa cornice a ciò che rimane del favoloso tesoro dei re di Francia.

Il *Reggente* è un diamante puro (140 carati) la cui trasparenza eccezionale e perfezione del taglio lo rendono una delle pietre preziose più famose del mondo. Ha ornato la corona di consacrazione di Luigi XV, la spada da parata di Bonaparte, la parure in zaffiri della regina Amelia ed il diadema e la corona dell'imperatrice Eugenia. Ammirare inoltre la *Costa della Bretagna* (rubino di 107 carati), il diamante rosa *Hortensia* ed il diadema dell'imperatrice Eugenia. Vi è esposta inoltre la bella collezione di **vasi in pietre dure** di Luigi XIV. Belli i tavoli fiorentini intarsiati.

★★ LA SCULTURA ITALIANA

Ammezzato, direzione Denon. La visita prosegue al pianterreno.

Una *Vergine* di Ravenna illustra la rigida staticità della scultura italiana del 13° sec. Nel 14° sec. si assiste, soprattutto a Pisa, a un notevole risveglio artistico (scioltezza di forme della *Madonna* di Nino Pisano) che poi sboccia a Siena (inizio del 15° sec.) con Jacopo della Quercia (*Madonna seduta*) ed in modo particolare a Firenze con l'incomparabile **Donatello (bassorilievo della Madonna col Bambino)** ed il **Verrocchio** (due schizzi di angioletti).

Il **busto** di fanciulla in legno dipinto e dorato è un magnifico esempio di arte fiorentina; il medaglione di Desiderio da Settignano incanta per la stupenda raffinatezza. Di Francesco Laurana, busto di una principessa di Aragona.

E' possibile ammirare l'arte fiorentina della fine del 15° sec., in cui il manierismo assume tratti più evidenti, attraverso il bassorilievo di Agostino di Duccio e le grandi terracotte smaltate dei Della Robbia.

La *Ninfa di Fontainebleau*, opera in bronzo di **Benvenuto Cellini**, é esposta sopra la Scala Mollien.

I due **schiavi** in marmo di **Michelangelo** (*Schiavo morente e Schiavo ribelle*), scolpiti tra il 1513 ed il 1520 per la tomba di papa Giulio II e rimasti incompiuti, sono capolavori la cui fama deriva dalla dolorosa e dominata potenza che sanno esprimere. Intorno ad essi sono esposte alcune opere italiane del 15° e 16° sec. (Vittoria, Rustici). Lo schizzo dell'*Angelo* del **Bernini** testimonia la forte vivacità di modellatura dell'artista di cui si può anche ammirare la grandiosità espressiva nel busto in marmo di Richelieu.

Amore e Psiche (1793) è un'opera squisita in cui il **Canova** associa il gusto dell'antico al senso barocco del movimento.

★★ LA SCULTURA NORDICA

Ammezzato (dopo le sculture italiane) e pianterreno.

Il ricco e movimentato drappeggio della ***Vergine d'Issenheim***, vicino a Colmar, è una caratteristica ricorrente della scultura germanica della fine del Medioevo, spesso in legno di tiglio policromo. Più tranquilla è invece la produzione degli artisti svevi (*Maria Maddalena* di Gregorio Erhart), mentre l'arte del grande maestro della Franconia **Tilman Riemenschneider** ha toni molto delicati (***Madonna dell'Annunciazione*** in marmo).

I Paesi Bassi sono rappresentati da sculture costituite da piccoli rilievi pittoreschi in legno policromo, prodotti in grande quantità e largamente esportati (*Retablo di Coligny*, Marna).

★★★ LA PITTURA ITALIANA

Salle du Manège, galerie e scala Daru. Prendere a destra della Vittoria di Samotracia e raggiungere il Salon Carrée attraverso le sale Percier e Fontaine, poi la Grande Galerie.

La galleria della pittura italiana, una delle glorie del Louvre, è frutto della passione costante che i re di Francia hanno dimostrato per la nostra arte. Le collezioni del periodo rinascimentale riuniscono i dipinti più importanti (*La Gioconda, Le Nozze di*

Cana, L'uomo dal guanto) anche se le opere barocche e della scuola di Bologna, molto amata da Luigi XIV, sono di una ricchezza inestimabile. I sequestri di Bonaparte, i lasciti o gli acquisti del 19° e 20° sec. hanno colmato delle lacune quali i primitivi, sconosciuti nelle collezioni principesche, ed i pittori manieristi, prima poco rappresentati.

Primitivi – La Grande Galerie ospita le scuole italiane del Trecento e del Quattrocento, teatro del fiorire del Rinascimento: notare la pala d'altare di una chiesa di Pisa e la *Madonna in trono ed angeli* di **Cimabue** (1280 circa) che si stacca dalla ieraticità bizantina. Si comincia ad accennare l'arte toscana: i contorni si ammorbidiscono senza però attenuarsi e le pose divengono più libere. Osservare i medaglioni del dipinto, molto realistici.

Con **Giotto**, all'inizio del 14° sec., la scuola di Firenze afferma la sua identità tramite un approccio realistico: introduzione della natura e della figura umana in uno spazio reso coerente dalla visione prospettica. Nel dipinto di *San Francesco di Assisi* la scena è ridotta all'essenziale: dietro la grande figura del santo (che troneggia in primo piano) ed il Cristo alato, si delinea un paesaggio montagnoso molto scarno, ma monumentale. Della predella si notino in particolare la figura di San Francesco che sostiene la chiesa in procinto di cadere (la figura accanto dà il titolo al pannello: *Sogno di Innocenzo III)* e *San Francesco predica agli uccelli*, di un naturalismo proprio della riforma giottesca. A Siena, l'arte di **Simone Martini** (piccolo dipinto dell'*Andata al Calvario)* ricorda la miniatura.

Il Quattrocento – Il primo Rinascimento è un'epoca di studi e speculazioni: come rappresentare le forme, i volumi? Come conciliare la fede nell'uomo, esaltata dall'eredità delle forme antiche, e la fede religiosa? Monaco domenicano, il Beato Angelico, pittore del convento di San Marco a Firenze, evoca la vita paradisiaca con un misticismo sereno. Santi ed angeli si accalcano intorno alla Madonna nell'*Incoronazione della Vergine,* dipinto per la chiesa di Fiesole nel 1435. Una luce sovrannaturale illumina i volti candidi, le vesti dai colori blu e rosa ed i disegni screziati dei gradini che conducono al trono. La predella narra la vita di San Domenico. I temi, le fisionomie, gli atteggiamenti evolvono e le ricerche sulla prospettiva si affinano. Il tema della Vergine con il bambino resta a lungo il favorito (Filippo Lippi, Botticelli, il Perugino). Il ritratto, sotto l'influsso della pittura fiamminga, e l'introduzione della pittura ad olio da parte di Antonello da Messina forniscono notevoli spunti di analisi: il presunto **ritratto di una principessa d'Este** di **Pisanello** *(si vedano i medaglioni di questo artista nella sezione degli Oggetti d'arte),* l'autoritario ed enigmatico **Sigismondo Malatesta** di **Piero della Francesca**, il **San Sebastiano** di **Mantegna**, di una precisione anatomica che evoca la statuaria e l'arte dell'incisione, il dolente **Cristo benedicente** di **Giovanni Bellini**. Il *Ritratto di un vecchio e di un bambino* del **Ghirlandaio** unisce alla grazia fiorentina il realismo fiammingo che si ritrova anche nel vigoroso modello del **Condottiero** e nel volto sofferente del Cristo alla colonna entrambi di **Antonello da Messina**, vicino ai ritratti di Van Eyck e di Van Der Weyden.

Dedito alla ricerca prospettica, **Paolo Uccello** dipinge *La battaglia di San Romano*, in cui i fiorentini sconfissero i senesi nel 1432 (gli altri pannelli, dipinti per i Medici, si trovano a Firenze ed a Londra). Le lance ritmano lo spazio, il destriero nero del capitano Michelotto Attendoli, al centro, sottolinea la profondità di campo, le schiere dei guerrieri, con le armature viste di spalle e gli elmi sontuosi, accentuano l'aspetto fantastico della scena.

Di **Botticelli**, gli *affreschi di Villa Lemmi*, vicino a Firenze, commemorano il matrimonio di Lorenzo Tornabuoni (patrocinatore delle Arti liberali) con Giovanna degli Albizzi (che offre il velo da sposa a Venere seguita dalle Tre Grazie): notare la grazia leggiadra e l'espressione mesta delle figure femminili.

Il Rinascimento classico – Qualche decennio di splendore artistico prima degli anni intorno al 1530 ed il Sacco di Roma. Questi avvenimenti non toccano però Venezia, dove l'arte continua fiorente fino alla fine del 16° sec. I sovrani francesi amano le tele di questo periodo e ne posseggono di bellissime. Genio riconosciuto, **Leonardo da Vinci** occupa un posto d'onore: il museo si identifica quasi con i suoi dipinti: la *Gioconda*, ritratto di Monna Lisa, fissa i suoi ammiratori con uno sguardo triste e li seduce con il suo sorriso enigmatico. Le sostanze bituminose che Leonardo ha utilizzato per lo sfondo del quadro ne accentuano il mistero e la spenta tonalità. *La Vergine delle rocce* è un'opera matura (notare il gioco delle mani), mentre sulla *Vergine con il bambino e Sant'Anna* Freud ha compiuto uno studio psicanalitico e vi ha scoperto le inibizioni di Leonardo giovane, cresciuto dalla nonna e poi dalla madre ed angosciato da sogni ricorrenti di un avvoltoio pronto a divorare.

Raffaello, allievo del Perugino, conserva della sua Umbria natale la dolcezza dei paesaggi. La *Madonna col Bambino e San Giovannino* (detto *La Belle Jiardinière*), in cui la Vergine è amorevolmente china su Gesù, esprime l'ideale di armonia a cui si unisce il culto della bellezza e la fede religiosa. Nel *Ritratto di Baldassar Castiglione*, il rango elevato ed il temperamento del gentiluomo, autore de *Il Cortigiano*, vengono messi in risalto dalla posizione e dalle tonalità del dipinto.

Osservatore dell'animo femminile, **il Correggio** dà vita ad una sensualità delicata e leggermente manierata, una grazia vaporosa che influenzerà la pittura fino al 18° sec.: *Il matrimonio mistico di Santa Caterina* e *Venere addormentata* (detto erroneamente *Il sonno di Antiope*). Allo «sfumato» di Leonardo, i veneziani aggiungono una profusione di colori e di vita alla quale, nei ritratti, si unisce a volte un'atmosfera di mistero o un'eleganza aristocratica: *L'uomo dal guanto*, *Concerto campestre*, la *Venere del Pardo*, la *Deposizione nel sepolcro*, piena di drammaticità, tutte opere di **Tiziano**. Nelle *Nozze di Cana* di **Veronese**, terminato nel 1563 per il refettorio di un convento di Venezia, la scena evangelica funge da pretesto per ritrarre, con comprovato talento di scenografo, il secolo d'oro della Serenissima, la sua architettura e la sua vita fastosa in occasione di un banchetto di nozze dell'alta società. I 130 personaggi di questa composizione monumentale (66 m^2), recentemente restaurata, sono per la maggior parte autentici ritratti di contemporanei (Carlo V, Solimano il Magnifico, Tiziano, Bassano, Tintoretto e lo stesso artista nei panni del suonatore di violoncello). Sempre di scuola veneziana sono anche i bellissimi paesaggi autunnali di **Palma il Vecchio** (*L'adorazione dei pastori*) ed il singolare genio di **Lorenzo Lotto** (*Cristo portacroce*). Dopo il 1530, il resto dell'Italia – Firenze, Roma, Mantova – si lancia nel Manierismo, imitando la «maniera» di Michelangelo **(Giulio Romano)** o creando ritratti dall'eleganza aristocratica e fredda **(Bronzino)**. Le *Quattro Stagioni* dell'**Arcimboldo** emergono tra le altre opere per la loro originalità: le sembianze umane sono ottenute utilizzando frutti, fiori, foglie e radici d'albero (notare in particolare l'*Inverno*).

La controriforma (fine 16° sec.) ed il Seicento – Il periodo si impernia sulla scuola di Bologna, dopo che i fratelli Carracci vi fondano l'Accademia degli Incamminati. Rinnovatore è **Barocci** di cui si può ammirare una *Circoncisione*. Questo stile incontra molto favore anche in Francia ed eserciterà una grande influenza sui pittori francesi del 17° e 18° sec. **Romanelli** decora l'appartamento di Anna d'Austria al Louvre *(si vedano Le antichità romane)*. Le tele della scuola emiliana non sono note come la *Gioconda;* la loro ecletticità viene difficilmente percepita: ad una tendenza accademica, eredità dello studio dei maestri del Rinascimento, risponde una vena realistica portatrice dell'avvenire, una pittura audace, che spiega una vasta quantità di atteggiamenti e di espressioni, paesaggi magnifici e sottili ricerche di illuminazione. I principali rappresentanti sono **Annibale Carracci** (che spesso ritrae scene campestri: *La pesca* e *La caccia* sono forse i più bei paesaggi del Louvre), **Guido Reni** (la tendenza aristocratica e decorativa: *Nesso rapisce Deianira, David con la testa di Golia*) ed **Il Guercino** (il più «vicino alla figura umana»: *La resurrezione di Lazzaro*). **Pietro da Cortona** *(Romolo e Remo raccolti da Faustolo, Apparizione di Venere ad Enea)* lavora a Roma, **Domenico Fetti** *(La malinconia)* a Venezia e **Luca Giordano** *(Ritratto di filosofi*, vestiti come gente del popolo) a Napoli. Questo realismo verrà ripreso in modo più radicale da **Caravaggio** che fa entrare nelle sue tele gli abituali frequentatori delle taverne: *La buona ventura* e *La morte della Vergine*, una delle tele più forti, rifiutata dal capitolo della chiesa romana che l'aveva richiesto.

Caravaggio, *La buona ventura*

18° secolo – La collezione di tele del 18° sec. viene costituita tardi. Il fasto del Secolo dei Lumi si riflette in Pannini *(Il Concerto dato al Teatro Argentina di Roma)* e principalmente a Venezia con **Guardi** (serie di *Cerimonie per l'Ascensione*, nel corso della quale il Doge, sul bucintoro, getta un anello nell'Adriatico a simbolo dello sposalizio tra il mare e la città e la serie delle **feste organizzate in occasione dell'incoronazione del doge**) e i **Tiepolo**. Le evocazioni religiose e mitologiche di Gian Battista (il padre), pervase di luce, non hanno la vita e l'interesse delle scene di strada del figlio Gian Domenico *(Il ciarlatano, Il carnevale)*, né la vivacità delle scene d'interno di **Pietro Longhi** *(La presentazione)*. *La pulce*, di Giuseppe Maria Crespi, ricorda la scuola olandese.

★★★ I GRANDI FORMATI DELLA PITTURA FRANCESE (19° SEC.)

Salle du Manège, galerie e scala Daru; non salire fino alla Vittoria di Samotracia, ma prendere le rampe a destra: le opere di grande formato della Rivoluzione, dell'Impero e della prima metà del 19° sec. sono presentate nelle sale Denon, Daru e Mollien.

Eugène Delacroix, *Donne di Algeri nelle loro stanze*

Il giuramento degli Orazi, che **David** invia da Roma per il salone del 1785, segna l'inizio del neoclassicismo in pittura ed ha un immenso successo: staticità, atteggiamenti nobili, priorità del disegno sul colore (solo il rosso pompeiano figura in mezzo a toni neutri). David dà prova di tutto il suo talento di ritrattista nel gigantesco *Incoronazione di Napoleone I*. Di fronte il *Ritratto di Mme Récamier*, rappresentata all'età di 23 anni e distesa classicamente sul letto che da lei prese il nome *(si può vedere il mobilio della sua camera nella sezione degli Oggetti d'Arte)*. La dolcezza appare nelle morbide forme della *Grande odalisca* di **Ingres** in cui il corpo della donna è tutto un susseguirsi di curve armoniose. L'Oriente appare nel **Napoleone visita gli appestati di Jaffa** di **Gros**, il cui realismo anatomico ricorda Rubens.

La zattera della Medusa di **Théodore Géricault** è un manifesto della scuola romantica staccato dalle allegorie convenzionali. L'artista, nel 1819, introdusse l'attualità fra i temi dell'espressione artistica. L'alternanza di angoscia e speranza fra gli abbandonati della nave Argo si traduce nel contrasto cromatico, nell'effetto di controluce e nell'atteggiamento disperato degli sventurati tra i quali uno solo è rivolto verso lo spettatore.

Maestro della scuola romantica, **Eugène Delacroix** si impegna per la causa dell'indipendenza greca con *Il massacro di Scio*, ispirato alla dura repressione condotta dai turchi nel 1822 contro gli abitanti dell'isola. Preoccupato per gli avvenimenti delle giornate del 1830, espone al salone *La libertà guida il Popolo*, mentre in *Donne di Algeri nelle loro stanze*, si ispira ai ricordi di un viaggio in Marocco ed in Algeria. Algeri fa da sfondo anche al gruppo di *Entrata dei crociati a Costantinopoli*. L'Oriente trionfa con *La Morte di Sardanapalo*, unione di voluttà e barbarie: il satrapo ordina, prima di suicidarsi, la morte di tutti i suoi oggetti di desiderio.

★★ LA PITTURA SPAGNOLA

Realismo e misticismo contraddistinguono la pittura spagnola, caratterizzata dai contrasti.

Fra i **primitivi** (15° sec.) si notino la *Flagellazione di San Giorgio* del catalano Martorell, la *Flagellazione di Cristo* di Jaime Huguet e *L'uomo con bicchiere di vino* di un maestro portoghese. L'età aurea della pittura spagnola si apre con l'opera manierista di Domenikos Theotokopoulos, pittore di icone di origine cretese, formatosi a Venezia e più conosciuto sotto il nome di **El Greco**. Nel suo *Cristo crocifisso, con due donatori* su un fondo scuro, tempestoso, quasi astratto, si staglia il corpo tirato del Cristo, che sembra trasfigurarsi (notare le mani del donatore a destra).

Antitesi sociale del secolo d'oro spagnolo, *Lo storpio* di **José de Ribera**, dal sorriso franco, handicappato, muto (notare la richiesta scritta) ed armato di bastone e *Il giovane mendicante* di **Murillo**, dalla bella illuminazione laterale, contrastano per il loro realismo con lo spiritualismo di **Zurbaran** *(L'esposizione del corpo di San Bonaventura)*, l'esaltazione barocca di Carreno de Miranda *(Messa di fondazione dell'ordine dei Trinitari)* ed i ritratti d'Infanti di **Vélasquez**. Le graziose Madonne di Murillo, a tinte tenui, rievocano la raffinatezza dei pastelli. Nella **collezione di Beistegui** *(Sully, 2° piano, prendere la scala Henri II)*, *La marchesa de la Solana*, e la *Contessa di Santa Cruz*, sono due dei migliori ritratti di **Goya**.

RICHELIEU

Le vetrate del passage Richelieu incitano a scoprire le ricchezze della nuova ala del Louvre. Le viste si moltiplicano, sul cuore della città e sui suoi tetti. Alle sontuose scalinate Secondo Impero rispondono le rampe vertiginose, che si sviluppano su tre piani, di Ieoh Ming Pei e le enormi vetrate di **Peter Rice**.

★★★ LE SCUOLE DEL NORD

Prendere la scala mobile fino al 2° piano. A partire dalla sala 3 della pittura francese inizia, a sinistra, la sezione delle Scuole del Nord che si sviluppa sulla sinistra. Questa parte del palazzo è labirintica. Attraverso il grande numero di piccole sale che si susseguono si passa dai primitivi fiamminghi alla scuola di Fontainebleau, dai pittori tedeschi ai caravaggisti francesi. Si veda la pianta dettagliata.

Con questo vocabolo si riuniscono Germania e Paesi Bassi (Fiandre ed Olanda) dal 14° al 17° sec. L'illuminazione soffusa delle sale crea un'atmosfera raccolta.

I primitivi fiamminghi – Il fine ovale del viso, il curato drappeggio delle vesti e l'attenzione ai dettagli sono le principali caratteristiche dei primitivi fiamminghi, la cui osservazione minuziosa ricorda la miniatura. L'opera più celebre è la *Madonna del cancelliere Rolin* di **Jan Van Eyck**, che perfezionò, con suo fratello, la tecnica della pittura ad olio. Si notino la gravità delle espressioni e la minuzia del paesaggio sullo sfondo. Personaggio importante, Nicolas Rolin era il consigliere del duca di Borgogna, Filippo il Buono, di cui si può ammirare un ritratto nella sala seguente.

Di **Roger Van der Weyden**, il *Trittico Braque*, opera matura e pervasa da una spiritualità intensa.

Notare, nella sala successiva, di **Hans Memling**, il *Trittico della Resurrezione* e il *Ritratto di una vecchia*, il cui realismo è attenuato dall'espressione meditativa.

Il senso di derisione di **Hïeronimus Bosch** emerge prepotente nel piccolo dipinto *La nave dei folli*.

Scuola tedesca – La presentazione cronologica stabilisce un parallelo tra i primitivi fiamminghi e tedeschi. All'armonia dei primi si oppone il manierismo contrastato dei secondi: i colori sono violenti, le vesti sontuose, l'espressione è sovente dura o tormentata. L'idealismo della scuola di Colonia cancella a volte il senso della profondità.

La *Pietà di Saint-Germain-des-Prés* dà un'idea precisa dell'abbazia con i suoi tre campanili e del Louvre di Carlo V. La *Deposizione dalla croce* del maestro di San Bartolomeo è una reinterpretazione di una tela di Roger Van der Weyden (si notino il telo che cinge la testa dell'uomo in alto alla scala e l'espressione della Maddalena ai piedi di Cristo).

Al centro della sala, un originale tavolo con il piano dipinto da Hans Sebald Beham, rappresenta scene della storia di David.

Il gabinetto seguente ospita i pezzi forti della collezione: il ritratto di **Erasmo** di **H. Holbein il Giovane** ed il *presunto ritratto di Magdalena Luther* di **Lucas Chranach il Vecchio**. Il *Cavaliere, la fanciulla e la Morte*, piccolo dipinto di Hans Baldung Grien è un soggetto fantastico; **Albrecht Dürer**, in un **autoritratto**, si rappresenta con un cardo, simbolo di fedeltà.

Fiandre, 16° e 17° sec. – Il Rinascimento fiammingo conserva a lungo i tratti della pittura medievale come ad esempio nel *Compianto sul Cristo morto* di **Joos Van Cleve** (ammirare la predella). Interessanti i ritratti di Jan Gossaert, detto Mabuse *(Dittico Carondelet)*, *Lot e le figlie* di un anonimo con, sullo sfondo, la visione apocalittica di una città (Sodoma) che s'inabissa fra i flutti. *Il cambiavalute e sua moglie* è una delle tele più celebri di **Quentin Metsys**: la coppia è assorta nella pesatura e nella conta delle monete. Si notino in particolare le mani dell'uomo, di una raffinatezza straordinaria (se ne distinguono le vene) e gli oggetti sul banco (il manoscritto, le perle). Al centro, un piccolo specchio mette a fuoco un altro piano: un personaggio, una finestra ed un paesaggio. Altri due personaggi si intravedono al di là della porta socchiusa alle spalle della donna.

Nel gabinetto sulla destra, un dipinto molto piccolo di **Brueghel il Vecchio,** *I mendicanti,* è una violenta satira sociale : dietro l'immagine dolorosa della sofferenza fisica si cela una parodia del potere reale (la corona di cartone), di quello dei soldati (l'elmetto di carta) e dei vescovi (la mitra). Le code di volpe erano l'insegna dei miseri.

I manieristi fiamminghi introducono nei dipinti di grande formato (*David e Betsabea* di Jan Massys, *Perseo e Andromeda* di Joachim Wtewael), i canoni della figura umana importata dall'Italia, pur mantenendo il gusto per il dettaglio.

La tradizione miniaturista si mantiene nei dipinti di Jean Brueghel (figlio di Brueghel il Vecchio) detto **Brueghel dei Velluti**: straordinaria la *Battaglia di Arbelles*.

Rubens, maestro del barocco, esprime l'esaltazione della vita *(Ritratto di Hélène Fourment*, sua seconda moglie, *La Kermesse)*, i corpi generosi, le vesti sontuose (*Hélène Fourment e la carrozza* – la carrozza è a sinistra sullo sfondo), che si ritrovano nelle 21 composizioni della *Vita di Maria de Medici* (nella nuova galleria progettata da Pei, a sinistra). All'entrata di questa galleria, bell'*Alfiere* di Victor Boucquet. Allievo di Rubens, **Jordaens** coltiva un realismo che sfiora la truculenza: *Il re beve!*, *Gesù caccia i mercanti dal tempio*, *I quattro Evangelisti*.

Van Dyck è il pittore della nobiltà genovese ed inglese. I suoi ritratti sono di una eleganza aristocratica: **Carlo I, re d'Inghilterra**, *Ritratto della marchesa Spinola-Doria* ed il *Ritratto di principi palatini*.

L'Olanda nel 17° secolo – Repubblica marinara, i Paesi Bassi sviluppano un'arte borghese legata agli aneddoti della vita quotidiana, al ritratto ed alla paesaggistica. Con *La Bohémienne* e il *Buffone che suona il liuto,* **Frans Hals** dà vita allo studio della gente «plebea»: la sua tecnica ardita ispirerà Fragonard e Manet. **Van Goyen** con i suoi orizzonti fluviali argentei e **Jacob Ruysdaël** *(Raggio di sole)* dipingono bei paesaggi.

Rembrandt abbandona progressivamente il chiaroscuro per avvalersi di una gamma di colori ridotta; dominante è il marrone, ma molto sfumato. Utilizza anche tinte dorate, irreali, dalle quali erompe una forte carica emotiva *(Il filosofo in meditazione)*.

Jan Vermeer Delft, *L'Astronomo*

La sua meditazione sulla Bibbia, alla quale si ispira, gli permette di trascendere la realtà quotidiana, come nella *Cena in Emmaus* in cui il volto illuminato del Cristo rischiara anche la figura del servitore ed anche nel *Betsabea con la lettera di David*, ritratto della seconda moglie. Le pene e l'isolamento dell'artista in età avanzata traspaiono nell'*Autoritratto*.

I maestri olandesi minori (Ter Borch, Pieter de Hoogh, Gérard Dou, Adriaen Van Ostade) si specializzano nelle scene di interno. **Jan Vermeer Delft** attraverso i suoi quadri, i cui riflessi ricordano la luminosità della maiolica, immerge la realtà quotidiana in una atmosfera di tranquillità poetica *(La merlettaia, L'astronomo, illustrazione).*

★★★ LA PITTURA FRANCESE

Prendere la grande scala mobile fino al 2° piano. I grandi formati del 19° sec. (Delacroix, Géricault) si trovano nell'ala Denon.

Le caratteristiche della pittura francese, di cui il Louvre possiede una collezione esemplare che parte dal 14° sec. ed arriva al 19° sec., sono molto difficili da definire. Il visitatore si trova di fronte, più che a correnti, a singole personalità molto marcate che cercano i loro modelli all'estero (Italia, Oriente, Paesi Bassi). Il lungo percorso (73 sale) è diviso cronologicamente per temi e solo in pochi casi sono stati compiuti dei raggruppamenti (Poussin, Fragonard, Chardin, Corot).

Sala 1-2: 14° secolo – **Jean le Bon** è il primo re di Francia che abbia posato per un ritratto (1350), in un'epoca in cui le opere di pittura erano unicamente dedicate a soggetti religiosi, come testimonia il *Paramento di Narbona*, riccamente decorato in stile gotico, su seta.

Sale 3-6: 15° secolo – Alla corte franco-fiamminga di Borgogna si perpetua la tradizione narrativa medievale su fondo dorato: *Retablo di Saint Denis* di Henri Bellechose. I due pannelli del *Retablo di Thouzon (sala 4)* sono leggermente anteriori. La produzione provenzale, severa e caratterizzata da effetti di luminosità contrastata, è rappresentata dalla *Pietà di Villeneuve-lès-Avignon* di **Enguerand Quarton**, opera commovente e di grande purezza: al corpo spezzato del Cristo fanno riscontro le teste piegate in segno di afflizione.

Nel centro della Francia, le opere del **Maestro di Moulins** *(Santa Maddalena e una donatrice)* sono caratterizzate da un fine disegno che testimonia la fusione di una formazione fiamminga con una grazia tutta francese.

A Nord, Jean Fouquet, protetto di Agnès Sorel, realizza una serie di miniature e ritratti di estrema fedeltà rappresentativa *(Carlo VII, Guillaume Jouvenel des Ursins).*

Sale 7-10: 16° secolo – L'artista rinascimentale si dedica allo studio dell'uomo. Da queste nuove tensioni nascono i numerosi ritratti minuziosi ed appassionatamente fedeli, eseguiti da **Jean Clouet** *(Francesco I)* e dal figlio **François Clouet** *(Pierre Quthe).* Nella saletta a sinistra, è esposta una ricca collezione di piccoli ritratti: *Elisabetta d'Austria*, *François de Guise* di François Clouet e *Pierre Aymeric* di Corneille di Lione *(uscire dalla stessa parte da cui si è entrati).*

Gli artisti fatti venire da Francesco I dall'Italia, al momento di intraprendere i lavori al castello di Fontainebleau, introducono in Francia il manierismo e la spiccata originalità della loro arte decorativa. Nascono così la Prima e la Seconda Scuola di Fontainebleau, rappresentate rispettivamente da *Diana Cacciatrice* e da *Gabrielle d'Estrées e una sorella* in cui si nota l'evoluzione del ritratto verso rappresentazioni più idealizzate, accompagnate da un gusto per l'allegoria ed il simbolismo.

Sale 11-34: 17° secolo – Si apre con i pittori detti caravaggisti perché influenzati dal modo di trattare la luce di Caravaggio e dal realismo delle sue figure *(si veda pittura italiana, ala Denon).* Insieme ai magnifici dipinti di **Valentin de Boulogne** *(Il concerto, Il giudizio di Salomone)* emerge la figura di **Nicolas Reignier** e della sua *La buona Ventura.* Sotto Luigi XIII, alle allegorie un poco accademiche di **Simon Vouet** *(La ricchezza)*, si oppone lo stile austero e rigoroso di **Philippe de Champaigne (Ritratto di Richelieu).**

Sale 12-14 – **Nicolas Poussin** è considerato il più classico dei pittori francesi. Romano d'adozione, questo artista filosofo non rifiuta una certa sensualità ereditata da Tiziano. Nell'ultima parte della sua vita, si dedica soprattutto ai paesaggi. Tra i capolavori: *L'ispirazione del poeta, La grande baccanale, Il trionfo di Flora, I pastori dell'Arcadia* e *Le quattro stagioni (rotonda, sala 16)*, in cui le nozioni di natura come fonte di nutrimento, ciclo della vita e rinnovamento vengono espressi attraverso paesaggi freddi, ma armoniosi.

Sala 15 – La luce dorata pervade i paesaggi di **Claude Lorrain** *(Porto con Ulisse che riconduce Criseide al padre, Sbarco di Cleopatra a Tarso, Veduta di un porto al tramonto).*

Sale 25-29 – Numerose nature morte e scene di genere dipinte da artisti stranieri venuti a Parigi sono il frutto dell'influenza fiamminga. **Lubin Baugin** dipinge *Natura morta con cialdoni* e *Natura morta con scacchiera (sala 27 dietro il muro divisorio).* La pittura diviene realtà sociale con i fratelli **Le Nain** e le loro scene contadine *(Famiglia di contadini* che rivela una certa agiatezza: bell'aspetto dei visi, calice di vino).

170

Eustache Le Sueur (1616-1655) – E' un pittore d'interni (decorazioni del cabinet des Muses dell'hôtel Lambert) e di soggetti religiosi (*Vita di San Bruno* in 21 tele, dipinte per il convento des Chartreux a Parigi).

Georges de la Tour – I suoi dipinti affascinano per il gioco degli sguardi **(Il baro)** e per le ricerche sugli effetti della luce. I personaggi, rischiarati da tenui candele o torce, sono immersi nella notte: si crea così l'atmosfera di raccoglimento percepibile in **San Giuseppe falegname, La Maddalena con la lampada ad olio** o **San Sebastiano soccorso dalla vedova Irene.**

Sala 31 – **Il cancelliere Séguier a cavallo** è un ritratto ufficiale e solenne di **Le Brun**, del quale il cancelliere fu il primo protettore: la figura maestosa è circondata da paggi. Di fronte, i dipinti di **Philippe de Champaigne** tra i quali il celebre **Ex-voto del 1662**, opera che risponde all'ideale spirituale giansenista.

L'Accademia reale di pittura e di scultura, fondata nel 1648, raggruppa artisti che si specializzano nelle grandi composizioni religiose. Tra i dipinti realizzati per le chiese parigine, i **Mays** (doni di maggio) costituiscono una tradizione originale *(si veda Notre-Dame, le cappelle).*

Sala 32 – Immense composizioni di **Le Brun** sulla storia di Alessandro.

Sale 34-54: il 18° secolo – Il *Ritratto di Luigi XIV* di *Rigaud* (1701) piacque tanto al re che egli decise di tenerlo per sé ed inviare al nipote, Filippo V di Spagna (a cui il quadro era destinato) solo una copia.

Lo spirito che caratterizza il Secolo dei Lumi già si riflette nella grazia sognante di **Watteau**: il colore si rischiara, i contorni si attenuano nel raffinato **Pellegrinaggio all'isola di Citera**, in cui i personaggi sono armoniosamente disposti all'interno di un paesaggio di aerea lievità. La pittura si impossessa del teatro con **Claude Gillot** (*Le due carrozze*, ispirato alla commedia dell'arte) e lo strano e famoso **Gilles** di **Watteau**. La rilassatezza di vita del 18° sec. traspare anche dalle scene di frivolezza di **Lancret** (*La lezione di musica, L'innocenza*), da quelle di caccia di **Jean-François de Troy** (*Colazione di caccia*) o dai ritratti di famiglia (*Autoritratto* di **Nicolas de Larguillière**).

Boucher rappresenta i soggetti mitologici con un'eleganza non priva di sensualità: *Venere e Vulcano*, ma soprattutto **Il riposo di Diana**, opera dai colori molto freschi e pervasa di preziosismo.

Una tendenza al realismo traspare dalle opere di **Chardin**, nature morte **(La razza, La fontanella di rame, Il buffet)** e scene d'interni (*Fanciullo con la trottola*). *Le déjeuner*, in cui il pittore ritrae la propria famiglia al momento della prima colazione, è un documento sui costumi ed il mobilio d'epoca.

Sale 41-45 – La collezione unica in numero e qualità dei delicati pastelli e miniature di **Quentin de la Tour** (*La marchesa di Pompadour*), Chardin ed altri, esposti nel «Couloir des poules» e nelle sale vicine, precede la grande pittura di soggetto religioso e mitologico che occupa la sala 43 con **Restout** (*La Pentecoste*) e **Subleyras** (*Cena in casa di Simone*).

Sale 46-47 – I paesaggi, che fino a questo momento fungevano semplicemente da sfondo alle figure, divengono essi stessi il soggetto dei quadri di **Vernet** (*La rada di Tolone, Veduta di Napoli*).

Sale 48-49 – La gioia di vivere, che la pittura di quest'epoca esprime, trova la sua realizzazione più completa nell'opera di **Fragonard**; il suo stile pieno di allegria e di vita trionfa nelle **Bagnanti:** opulenza dei nudi, luminosità cangiante dei colori, senso del movimento (notare il gioco di mani delle due figure a destra). La sua spontaneità si fa evidente nelle allegorie **(La Musica, L'ispirazione). Il chiavistello**, composizione di soggetto galante, ma dallo stile più rigoroso, risente dell'influsso di David e del neo-classicismo.

Poco prima della rivoluzione, **Hubert Robert** crea la moda dei dipinti raffiguranti rovine romane che egli idealizza, ravvicinando a volte monumenti che nella realtà si trovano lontani **(Il pont du Gard)**. Si osservino, dello stesso pittore, due tele rappresentanti la *Grande Galerie del Louvre* in corso di sistemazione in una, in rovina nell'altra.

Con **Greuze** che, su consiglio di Diderot, «fa la morale in pittura», si afferma un genere nuovo. Su uno sfondo rurale egli esalta il tema della famiglia come fonte di virtù **(La maledizione paterna, Il figlio punito).**

Sala 54 – Riservata a **David** ed ai suoi allievi. In particolare si notino il *Ritratto di Madame Trudaine* dello stesso David; *Bonaparte al pont d'Arcole* di **Gros** ed il *Ritratto di una negra* di **Marie-Guillemine Benoist**.

Sala 56 – Di **Prud'hon** *Ritratto di Marie-Marguerite Laignier* e *Venere al bagno o l'innocenza.*

Sale 60-73: il 19° secolo – L'espressione più alta dell'Impero e dello stile neo-classico si incarna in **Ingres**: il nudo delle sue scene antiche mette in risalto l'anatomia umana (*Il bagno turco*, eseguito 54 anni dopo la *Bagnante di Valpinçon* con lo stesso nudo visto di spalle). Con il ritratto di *Monsieur Bertin* si avvicina al realismo fiammingo. Forse ultimo dei grandi pittori neoclassici, si oppone con vigore alla scuola romantica che vede Géricault e Delacroix dare libero corso alle ricerche sul colore e sulla luce.

Géricault *(sala 61)* rappresenta spesso le corse dei cavalli *(Derby ad Epsom)* e dimostra ugualmente di essere un buon ritrattista *(Alienata con monomania del gioco)*. La foga romantica di **Delacroix**, caratterizzata da uno stile libero e tumultuoso e presente nel suo *Autoritratto* così come in *Paesaggio*, prefigura gli impressionisti.

Sala 63 – *Giovane uomo in riva al mare* (1837) è lo studio di una figura di **Hippolyte Flandrin**, eseguito quando era ospite di villa Medici (accademia di Francia a Roma). Questa tela deve la sua fama e bellezza alla semplicità estrema ed alla posa di completo abbandono dell'uomo, ripiegato su se stesso. A sinistra, prima di entrare nella sala 64, notare l'interessante *Toilette d'Esther*, di **Théodore Chassériau**.

Sale 65-73 – Di **Delacroix**, *Giovane orfana al cimitero* *(sala 71)*. **Corot** è celebre per i suoi paesaggi in cui fa vibrare la luce e studia la freschezza e la limpidità dell'aria *(**Ricordo di Mortefontaine**, La chiesa di Marissel, Il ponte di Mantes)*. Nell'arte paesaggistica raggiunge il suo apice con le vedute dipinte durante i suoi tre viaggi in Italia: *La Trinità dei Monti, I giardini di Villa d'Este, Volterra* e ***Firenze vista dai giardini dei Boboli***. Notare anche alcuni magnifici ritratti come *Ritratto di Marie-Laure Sennegon*, **Donna in blu**, *Donna con la perla* ed anche la sua ultima opera *L'interno della cattedrale di Sens*, dipinta un anno prima della sua morte.

★★★ GLI OGGETTI D'ARTE

Si trovano al 1° piano. Prendere il corridoio a destra, poi la scala mobile progettata da Pei.

Le sale in cui sono esposti i 5 500 oggetti d'arte dell'ala Richelieu esistono dal 1993. Per la loro ricchezza, varietà e valore meritano una visita accurata. Raccolti nel corso degli anni, a partire da un deposito di una parte del tesoro di St-Denis ai tempi della Rivoluzione, la collezione si è via via arricchita di bronzi e vasi in pietre dure della corona, di mobilio di case reali e di tutta una serie di altri oggetti.

Il tesoro medievale del Louvre – E' uno dei punti di orgoglio della visita del museo. I pezzi più famosi provengono dal tesoro dell'abbazia reale di St-Denis *(si veda in Dintorni di Parigi)*, che veniva utilizzata dalla monarchia francese come mausoleo. Notare in particolare i pezzi di oreficeria, ma soprattutto gli avori, alcuni millenari.

Sala 1 – L'entrata è fiancheggiata da due colonne in porfido, forse dell'atrium dell'antica basilica di San Pietro a Roma (4° sec.), con un busto d'imperatore in rilievo.

Bisanzio *(ala destra)* – Le chiese d'occidente si sono arricchite del saccheggio di Costantinopoli da parte dei crociati (1204). Arte «di lusso», gli **avori** risalgono soprattutto al 10° e 11° sec. La vetrina centrale *(dell'ala destra)* ospita un'*icona* in lapislazzuli con la Madonna orante su un lato ed il Cristo benedicente sull'altro. Tra gli avori, notare il **Trittico d'Harbaville** (10° sec.), un cofanetto con scene mitologiche, il magnifico **«avorio Barberini»** *(a sinistra del corridoio centrale)* che mostra un imperatore trionfante (6° sec.). L'oreficeria è rappresentata da **frammenti di reliquiari** a volte inseriti in quadri creati successivamente. Alcuni **mosaici** di una finezza straordinaria fungono da icone «portatili»: *Trasfigurazione di Cristo* (inizio 13° sec.), *San Giorgio* (1ª metà del 14° sec.).

Carlomagno *(a sinistra)*: **l'Alto Medioevo** – Nella vetrina di fronte all'entrata, la *statuetta equestre di Carlomagno o di Carlo il Calvo* del 9° sec. (il cavallo è stato restaurato) si ispira alla statuaria antica.
Gli avori non sono meno sontuosi di quelli di Bisanzio.
Gli oggetti scoperti a St-Denis nel 1959, nella tomba della regina Arnegonda, sposa di Clotario I (511-561, figlio di Clodoveo), illustrano il talento degli orafi «barbari»: grande spilla, **fibbia a placche**, paio di fibule incrostate di granati. La patena di serpentina *(vetrina centrale)* ornata da pesci è un'opera proveniente dalla corte di Carlo il Calvo. La montatura potrebbe provenire da un laboratorio di St-Denis.

Sala 2 *(1ª parte)*: **l'arte romanica e primo periodo gotico** – Suger, abate di St-Denis (1122-1151) vuole rendere la sua abbazia una delle chiese principali della cristianità: vi sperimenta un nuovo metodo costruttivo, basato sull'incrocio di volte a ogiva, ed arricchisce il suo tesoro di vasi liturgici tra i quali la famosa **aquila di Suger** che utilizza un vaso in porfido antico; a destra **vaso in cristallo «d'Alienor»**, lavoro forse iraniano del 6° o 7° sec., a sinistra **brocca di sarda** bizantina del 7° sec.
Le vetrine di sinistra ospitano begli oggetti provenienti dalla Germania tra i quali un'*Acquamanile* (sorta di brocca) a forma di grifone *(illustrazione)*. Molte opere sono legate all'Impero fondato da Ottone il Grande nel 962: *reliquiario quadrilobato di Sant'Enrico* (l'imperatore Enrico II, canonizzato nel 1152) in rame smaltato ornato di cabochon di cristallo di rocca; *reliquiario del braccio di Carlomagno*, proveniente dal tesoro di Aix-la-Chapelle. L'arte ottoniana è rappresentata da due piccole, ma interessanti **tavolette in avorio** *(Moltiplicazione dei pani e dei pesci, Cristo con un bambino)*, elementi di un insieme offerto alla cattedrale di Magdeburgo da Ottone I, che ne è il fondatore. Nella vetrina all'estrema sinistra, bellissima rilegatura del tesoro della cattedrale di Maastricht (i duchi di Brabante

prestavano giuramento sul Vangelo in essa contenuto) e bell'olifante in avorio dell'Italia del Sud. A destra, un pezzo degli scacchi (stessa origine) rappresentante il re ed i suoi consiglieri. I due bracci della croce con magnifica decorazione vegetale ed animale sono un bell'esempio di arte mozarabica. La vetrina centrale ospita una brocca, opera fatimida, il cui coperchio a filigrana d'oro proviene dall'Italia.

Sala 2 *(2ª parte)* – Nella vetrina centrale, **spada da consacrazione** detta **di Carlomagno** o «**Joyeuse**». Il fodero è ornato da cabochon e risale al 13° sec. Nelle vetrine sulla destra vi è una bella serie di reliquiari e di placche limosine del 12° e 13° sec. del **ciborio di Alpais.**

Acquamanile (1400 circa)

A sinistra, croce con quattro bracci con il nome dell'abate Ugo, vetrate della regione di Soisson e monumentale reliquiario in rame dorato di San Potentino.

Sala 3: arte gotica – E' dominata dalla produzione dei laboratori parigini del 13° e 14° sec., imitata in tutta Europa. Lo sviluppo del mecenatismo reale e principesco favorisce lo sviluppo di un'arte cortese, con forme eleganti ed impiego di materie preziose, soprattutto l'avorio.

Di fronte all'entrata, bellissima **Vergine col Bambino** destinata alla Sainte Chapelle, opera che ne ispirò molte altre del gotico fiorito.

A sinistra, sempre in avorio, il famoso gruppo della **Deposizione** ed il **Polittico reliquiario della Vera Croce** (creato per una abbazia delle Ardenne), vero e proprio monumento con portico, pinnacoli ed arcate ogivali.

A destra l'*Angelo e la Madonna dell'Annunciazione* di un gruppo statuario differente e una corona-reliquiario della valle della Mosa.

La Vergine col Bambino detta **Vergine di Jeanne d'Evreux** venne donata da questa regina, vedova di Filippo il Bello, all'abbazia di St-Denis nel 1339. Le pieghe che sul lato terminano con «volute» sono caratteristiche delle prime Vergini del 14° sec. Il giglio fungeva da reliquario. Nelle vetrine laterali reliquie di San Luigi di Tolosa e di San Luca (opere napoletane) e una bella croce senese (vivace policromia degli smalti). Il **Reliquiario della Vera Croce di Jaucourt** *(a sinistra)*, sostenuto da due angeli inginocchiati, è un'opera bizantina.

Sala 4 – Al centro della sala si staglia lo **scettro di Carlo V**, da lui destinato alla consacrazione del figlio. Sullo sfondo, il monumentale **retablo italiano degli Embriachi**, in legno ed osso. A sinistra, la **Main de justice**, creata nel 1804 per la consacrazione di Napoleone I e la corona di Carlomagno con un gran numero di cammei provenienti da un reliquiario di St-Denis. Notare, di lato, la **croce della pianeta**, ricamo in seta, fili d'oro ed argento ed osservare soprattutto l'espressione dei volti (Boemia, 1380).

Quattro medaglioni in smalto in basse-taille, cangianti e colorati, illustrano una tecnica proveniente dall'Italia, già utilizzata per gli smalti della base della «Vergine di Jeanne d'Évreux»: un sottile strato di smalto colorato e traslucido viene fatto colare su un rilievo in oro o argento e dà così riflessi iridescenti.

Nelle vetrine a destra rispetto allo scettro di Carlo V, sono esposti i pezzi più famosi del tesoro di St-Denis quali il **fermaglio** ornato di un fiore di giglio (Parigi 14° sec.) ed una bellissima rilegatura che racchiude un avorio parigino del 14° sec. (dittico della passione).

Sala 6 – Gli arazzi sono stati eseguiti nelle Fiandre o nel Nord della Francia. Le vetrine ospitano capolavori di oreficeria: la **scacchiera detta «de Saint Louis»** dai pedoni e piano in cristallo di rocca, un reliquiario della flagellazione veneziano, ma soprattutto una piccola lastra in rame sulla quale, su uno strato di smalto nero, **Jean Fouquet** *(si veda pittura francese)* ha dipinto il suo **ritratto** (1450 circa) in grigiobruno e oro, primo autoritratto francese.

Sale da 7 a 17 – Questa serie di sale segue in parallelo la galerie des Chasses de Maximilien. Nella sala 11 sono raccolti smalti dell'epoca di Luigi XII. Degno di nota è l'**autoritratto** di **Alberti** *(sala 12)*, grande teorico del Rinascimento, qui visto di profilo.

Nella sala 13, i bassorilievi di Riccio, destinati ad una chiesa, mescolano i motivi religiosi alle concezioni filosofiche dei sapienti dell'università di Padova. La sala seguente ospita bei medaglioni, tra i quali *Leonello d'Este* di **Pisanello** *(si veda anche La pittura italiana)*. Oltre ai principi italiani si riconoscono *Dante, Pietro l'Aretino* e *Maometto II*, il conquistatore di Costantinopoli.

Tra gli smalti limosini del 16° sec. *(sala 15)*, si noti in particolare la serie del **Maestro dell'Eneide** *(Il cavallo di Troia)*.

Sala 18 – Ospita la **collezione Sauvageot**, che comprende numerosi esempi di vetri europei (Venezia, Germania). Un quadro mostra un gabinetto del 1856.

Galerie des Chasses de Maximilien (sala 19) – La serie di sontuosi arazzi in filo di seta, lana ed oro apparteneva alle collezioni della corona. Intessuti a Bruxelles intorno al 1530, su disegni di Bernard van Orleyet, rappresentano 12 scene di caccia nella foresta di Soignes, a Sud-Est della città. Ad ogni scena corrisponde un mese dell'anno ed un segno dello zodiaco. I personaggi sono i nipoti dell'imperatore Massimiliano: i futuri Carlo V, Ferdinando I e Maria d'Ungheria. Al centro, alcune vetrine contengono **maioliche** italiane decorate con grottesche (Urbino), scene mitologiche, bibliche o storiche (curiosa scena degli *Amanti sorpresi dalla morte*, in cui l'allegoria funebre trattiene, fra i denti, la veste di una giovane donna in fuga).

Galerie de Scipion (sala 20) – Il ciclo di arazzi intessuti alla manifattura dei Gobelins su richiesta di Luigi XIV, racconta la storia di Scipione l'Africano. E' la copia di una delle più famose serie rinascimentali di Bruxelles: Il Grande Scipione di Francesco I. Al centro della sala, smalti francesi del 16° sec. *(La terra ed il mare, piatto di Minerva)*.

Di fianco alla scala, l'armatura di Enrico II, decorata da scene delle guerre tra Cesare e Pompeo.

Sale 21-23 – Fra gli smalti di Léonard Limosin, si noti il *ritratto del connestabile Anne de Montmorency*. Nella sala 22 vi è un magnifico retablo. Belle le maioliche (soprattutto la brocca) del laboratorio di St-Porchaire (Saintonge).

Notare la serie dei 12 busti di Cesare *(sala 23)* con il corpo in argento e la testa in pietra dura e, sotto, un veliero in cristallo di rocca.

Sala 24 *(vi si accede dalla sala 21)* – Ai muri sono appesi magnifici arazzi di Audenarde del 16° sec. che rappresentano *Le fatiche d'Ercole*, in un quadro di rigogliosa vegetazione. L'oreficeria manierista tedesca (i cui centri principali sono Norimberga ed Augusta) mostra il suo virtuosismo nelle brocche, nelle statuette equestri e nel bacile in cui si trovano rane, gamberi, serpenti e tartarughe.

Sala 25 – La collezione Adolphe de Rothshild riunisce, sotto un **soffitto** rinascimentale, bronzi fiorentini del 16° sec. tra i quali una scimmia, ornamento di una fontana di Giovanni da Bologna. In fondo alla sala, un bellissimo pastorale spagnolo in cristallo di rocca ed argento dorato.

Rotonde Jean Boulogne (sala 26) – Riunisce numerosi bronzi del maestro e dei suoi allievi. Ai muri, bellissimi arazzi di Ferrara raffiguranti scene di metamorfosi. Le effigi del Crepuscolo, dell'Aurora, della Notte e del Giorno sono imitazioni delle statue giacenti di Michelangelo per la cappella dei Principi a Firenze.

Tesoro dell'ordine del Santo Spirito (sale 27 e 28) – L'ordine più prestigioso dell'Ancien régime venne fondato da Enrico III durante le guerre religiose, per riunire la nobiltà intorno alla corte reale. Il Cordon Bleu ne era l'insegna (vedere quello di Luigi XVI nella vetrinetta). Il patrocinio dell'ordine venne scelto dal re che era stato eletto re di Polonia (1573) ed era salito al trono di Francia (1574) il giorno di Pentecoste. Il tesoro contiene sontuosi pezzi di oreficeria. Nella **cappella**, ricostruita, alcuni sontuosi mantelli di cavalieri ed ufficiali dell'ordine ed ornamenti d'altare ricamati del 17° sec. Bellissimi l'**elmo e lo scudo di Carlo IX** rivestiti in oro e smalti dai colori vivaci.

Sale 29-31 – Mobilio francese della seconda metà del 16° sec., molto influenzato dall'architettura. Ceramiche francesi di **Bernard Palissy** popolate da bisce d'acqua, anfibi, gamberi, pesci e lucertole. Piatti in smalto dai magnifici riflessi metallici.

Salle d'Effiat (sala 32) – Contiene pezzi del mobilio Luigi XIII proveniente dal castello di Puy-de-Dôme: un letto a baldacchino e sei poltrone e, di lato, un gabinetto in ebano. Il bellissimo arazzo di *Mosè salvato dalle acque* apparteneva ad una serie consacrata all'Antico Testamento (disegno di **Simon Vouet**) ed era destinato al Louvre.

Sale 33-34 – Al centro della prima sala, **cofanetto in oro detto «d'Anna d'Austria»**, esempio unico di oreficeria francese dell'inizio del regno di Luigi XIV. La sala 34 è sistemata come sala di riposo. Sul *guéridon* appartenuto a Luigi XIV, un magnifico **Giove che fulmina i Titani** di **Algardi** (1598-1654).

Il 18° secolo – *Vi si accede dalla sala 34. La sezione è aperta il lunedì, il mercoledì, il venerdì ed occasionalmente il sabato. Le sale sono in fase di allestimento.*

Notare, all'entrata *(vetrina di destra)*, la sobrietà delle linee e di decorazione del nécessaire da viaggio di Maria Antonietta. Il gusto della regina, riconoscibile negli ornamenti (mazzolini di fiori e nastri), si volge poi alla grazia e sobrietà dello stile neoclassico. Il gabinetto cinese contiene il delizioso scrittoio della regina di Adam Weisweiller, realizzato con insoliti materiali accostati in maniera raffinata (notare, sul lato, l'uso dell'acciaio). Le sedie di **Jacob**, uno dei creatori dello stile Impero *(si veda la camera di Mme Récamier)*, accompagnano i mobili in lacca di **Carlin**. Il secrétaire a rullo di **Riesener**, nuovo genere di mobile, precede la bellissima scrivania di **Bennman**, sulla quale lavorò Napoleone durante il suo soggiorno alle Tuileries. **Oeben** si distingue nei cubi degli intarsi, **Lelou** per i comò dalle linee diritte. La sala Rothschild, creata da poco, riunisce bellissimi mobili ornati di placche di porcellana di Sévres e dei pot-pourri della marchesa di Pompadour. **Cressent** illustra il passaggio dalla solennità del Grand Siècle alla fantasia Rocaille. La decorazione si ingentilisce: le volute modellano e danno vita a motivi vegetali *(Comò con la scimmia)*. **Carel**, con un comò laccato di Coromandel, e **Bernard Van Riesen Burgh** sono rappresentativi dello stile Luigi XV. Il primo è **Boulle** che apre, alla fine del regno di Luigi XIV, l'età d'oro del mobile alla francese realizzando mobili quali il comò e lo scrittoio. Famose le sue opere di ebano con intarsi in stagno, tartaruga e rame (armadi, scrivania dell'Elettore di Baviera). Meravigliosi arazzi dei Gobelins a sfondo rosa (gli *amori degli Dei*), ispirati ai disegni di Boucher, candelabri, «lampade», «cartel», pendoli, consolle, piccoli scrittoi che confermano la grande creatività e la delicatezza di gusti di un'epoca tra le più raffinate.

La Restaurazione e l'epoca di Luigi Filippo (1815-1848) – *Sulla destra, a partire dalla sala 34. Le nuove sale dedicate alla Restaurazione seguiranno quelle del Primo Impero, lato rue Rivoli.* Vi si ammirano la **Toilette dell'Escalier de cristal**, nome di un negozio in cui si producevano mobili in bronzo dorato e in cristallo di Baccarat, il letto di Carlo X alle Tuileries e la bellissima **coppa di Vendanges** di Froment-Meurice.

Primo Impero – Monumentale **centro tavola** in bronzo dorato ed intarsi in marmo di **Valadier** *(sala 67)*. Il raffinato mobilio della **Camera di Mme Récamier** *(sala 69)*, dei fratelli **Jacob** (1798), servirà da modello allo stile Impero. Osservare le delicate figure dei cigni sul letto. La giovane donna, il cui salone fu il focolaio dell'opposizione a Bonaparte, venne ritratta da David *(si vedano i Grandi formati della pittura francese, ala Denon)*.

Il grande *serre-bijoux* dell'imperatrice Giuseppina, detto **«grand écrin»** è una creazione di **Jacob-Desmalter** *(sala 73)*. Il progetto è però di Charles Percier, architetto del Louvre, ed i disegni dei bronzi sono di Chaudet.

Gli appartamenti Napoleone III – *Li si può raggiungere dalla cour Marly, dalla scala du Ministre o, rispettando la cronologia, dalla scala Lefuel e le sale Primo Impero.*

Il visitatore si trova immerso in un mondo d'oro, velluto rosso cremisi e cristalli. Il duca di Morny non ha mai abitato in questi appartamenti richiesti dal ministro di Stato Fould (incaricato delle relazioni fra il Governo e le Camere). L'architetto che terminò il Louvre, **Lefuel**, ha concepito un arredo rigoglioso, esuberante da vedersi, la notte, alla luce dei lampadari. Lo stile Luigi XIV veniva utilizzato per le sale di gala dei palazzi ufficiali.

E' uno dei rari grandi arredi del Secondo Impero che sia giunto a noi completo di mobilio. Si compone di un'anticamera, di una galleria d'ingresso, di un salone detto «salon-Théâtre» (che serviva da scena per le feste musicali), di un grande salone (in cui si potevano riunire 265 spettatori), di un boudoir o «salon de la terrasse», di una piccola e di una grande sala da pranzo. Quest'ultima con un enorme buffet in legno nero. Fra gli altri mobili, si notino gli «indiscrets» (divanetti a forma elicoidale a tre posti). Per la decorazione delle pareti vengono utilizzati tutti i possibili procedimenti del trompe-l'œil: dipinti murali che imitano gli intarsi, decorazioni in cartapesta, finti marmi policromi. I saloni vennero inaugurati nel 1861 ed assegnati più tardi al ministero delle Finanze.

★★ LA SCULTURA FRANCESE

Occupano praticamente tutto il pianterreno: le cour Marly e Puget, il passage Bouchardon che le mette in comunicazione e le sale che le fiancheggiano.

L'apertura dell'ala Richelieu è coincisa con la riscoperta della scultura al Louvre. Sotto le magnifiche vetrate dei due cortili interni Marly e Puget, il visitatore può contemplare da ogni angolatura i gruppi che ornavano i parchi reali del 17° e 18° sec. L'insieme rinascimentale è molto ricco e si sposa con l'immagine di un'arte elegante in cui la figura femminile domina sovrana. Le sculture medievali debbono essere viste a complemento di quelle conservate a Cluny. La scultura neoclassica, l'arte di Rude, Barrye, Pradier, a lungo dimenticata, beneficia di una nuova presentazione.

Sale 1-3: l'Alto Medioevo e l'arte romanica – L'architettura romanica favorisce lo sviluppo della scultura che, in ogni regione, ha poi avuto un suo svolgimento originale. Il visitatore, dopo aver attraversato la **porta del priorato di Estagel** (Gard) del 12° sec., dalla decorazione stilizzata, si trova di fronte a tre bei capitelli doppi provenienti da un'abbazia della Linguadoca.

Il *«Cristo Courajod»*, appartenente ad una Deposizione del 12° sec., è testimonianza di un'arte già compiuta. Notare il *San Michele che abbatte il drago* di Nevers, bella composizione triangolare, una Vergine in Maestà dell'Auvergne, bei capitelli appesi alle pareti ed il *Retablo di Carrières-sur-Seine (sala 3)* che segna la transizione dall'arte romanica all'arte gotica.

Sale 4-9: l'arte gotica – Epoca delle cattedrali, il Medioevo «gotico» dà vita ad una scultura in cui la dolcezza, la raffinatezza e l'idealizzazione dei volti o il loro realismo non hanno nulla da invidiare alle più belle creazioni antiche.

Le **statue-colonna** della chiesa di Corbeil illustrano, nel loro stile lineare e rigido, la spiritualità della nascente arte gotica. Nel 13° e 14° sec. si assiste al fiorire di differenti caratteristiche che rispecchiano specifici aspetti regionali: raggianti angeli della cattedrale di Reims e frammento del pontile della cattedrale di Chartres *(San Matteo che scrive sotto la dettatura dell'angelo)*. La sala Maubuisson *(sala 5)* ospita bellissimi elementi di retablo in marmo; la sala seguente una serie di Vergini col Bambino (soprattutto dell'Ile-de-France) in pose convenzionali ed anche una *Vergine dell'Annunciazione di Javernant*. A partire da questa sala sono esposti frammenti di monumenti funerari. Notare soprattutto le due piccole statue giacenti di Carlo IV il Bello e della regina Giovanna d'Évreux e la statua di Carlo V.

Sale 10-12: la fine del gotico (15° sec.) – I monumenti funerari assumono proporzioni considerevoli: statua giacente di Anna di Borgogna (notare la delicatezza dei lineamenti) che riposa su una lastra di marmo nero, **tomba di Philippe Pot**, siniscalco della Borgogna, opera prestigiosa, famosa per le figure piangenti incappucciate.

Nella sala 11 si trova il *San Giorgio che uccide il drago*, celebre bassorilievo di **Michel Colombe**, la cui bella cornice è opera di artisti italiani: si può già parlare di arte rinascimentale. La sala 12 ospita i resti della cappella dei Commynes (figure oranti dipinte).

Sale 13-19: il Rinascimento – L'umanesimo del Rinascimento francese, ai tormenti dell'artista medievale, unisce le ricerche anatomiche dell'Antichità classica.

Il passage de la «Mort-St-Innocent» porta il nome di questa macabra figura *(in fondo a sinistra)* che si ergeva, fino al 1786, al centro del cimitero parigino. Notare, all'entrata, sulla destra, il *Retablo della Resurrezione di Cristo* in stile gotico fiammeggiante (dal delicato e complesso ricamo) ed una santa con in mano un libro (simbolo di saggezza) ed una palma (simbolo del martirio).

Gli scultori francesi cercano l'eleganza delle linee dietro la delicatezza del modellato. Le reminiscenze dell'antichità classica e l'influenza dell'arte italiana sono temperati da questo ideale estetico: statua giacente dell'*ammiraglio Philippe de Chabot* di **Pierre Bontemps**, levità e delicatezza dei bassorilievi di **Jean Goujon**, scultore ed architetto del Vieux Louvre, vigore e maestria delle opere di **Germain Pilon** *(Monumento dedicato al cuore di Enrico II* con il gruppo delle Tre Grazie, **Vergine del dolore**). La sensualità riservata della **Diana d'Anet** evoca le tendenze della scuola di Fontainebleau *(si veda la pittura francese)*.

L'arte manierista modella le figure in forme più contorte (gli *schiavi* della statua equestre di Enrico IV al Pont-Neuf). Nell'ultima sala, si trova la *«Pyramide des Longueville»* ornata da bellissimi rilievi in bronzo dorato.

Il classicismo viene annunciato da Simon Guillain *(Monumento al Pont-au-Change)* e da François Anguier *(Monumento funerario di J.A. de Thou)*.

La **scala Lefuel** spiega un impressionante gioco di rampe e di arcate *(accesso al tesoro medievale ed alla pittura fiamminga del 17° sec.)*.

Il 17° secolo – Sotto i regni di Enrico IV e Luigi XIII, si assiste ad una certa stasi della scultura francese. Il regno di Luigi XIV vede invece fiorire la statuaria. La presentazione a terrazze valorizza i magnifici gruppi che ornavano i parchi delle dimore reali o principesche (Marly, Versailles, Sceaux, les Tuileries).

La cour Marly – Sfortunatamente scomparso, il **castello di Marly** *(si veda la Guida Verde Ile-de-France, in francese o inglese)* era luogo di relax per Luigi XIV, che si sottraeva così alla rigida etichetta in compagnia di qualche cortigiano accuratamente scelto. La proprietà venne abbellita da magnifici gruppi scultorei alla fine del 17° e durante il 18° sec.

Nella cour Marly sono riunite le opere statuarie del castello e del parco omonimi. Nella prospettiva dell'Abreuvoir, destinato al bagno dei cavalli, si trovavano **La fama del re** (con la Fama che suona la tromba e Mercurio, messaggero degli dei) di **Coysevox** ed i famosi **Cavalli di Marly** di **Guillaume Coustou**, suo nipote.

Crypte Girardon – Passaggio tra le due corti, ospita un bel rilievo di Pierre Puget, che illustra l'incontro tra Diogene e Alessandro: la decorazione sullo sfondo richiama il Foro Romano. Fra i busti, notare il **Grand Condé**, bronzo di Antoine Coysevox, che sottolinea la bruttezza e la magrezza di questo soldato ed al contempo la sua nobiltà (corazza ornata da grifoni). La *statua equestre di Luigi XIV* di **François Girardon** è una versione ridotta di quella che si trovava in place Vendôme.

Cour Puget – Le prime statue che attirano lo sguardo sono gli **Schiavi** della place des Victoires che, come quelli della statua equestre di Enrico IV al Pont Neuf, ornavano il piedestallo della statua equestre di Luigi XIV. Tutte queste effigi reali sono scomparse durante la Rivoluzione. La corte deve il suo nome alle famose opere di **Pierre Puget**, scultore marsigliese autodidatta, pittore, decoratore, architetto. Puget è impressionato dal barocco italiano, e la sua produzione acquisisce toni particolari: *Milone di Crotone* (originariamente nei giardini di Versailles) e l'*Ercole a riposo* acquistato da Colbert per Sceaux.

Tra le erme, notare soprattutto quelle della dimora di Colbert *(a sinistra)*, tra le quali la straordinaria figura tremante e imbacuccata dell'*Inverno*. Al livello inter-

Pierre Puget, *Milone di Crotone*

medio, incantevole statua della duchessa di Borgogna di **Coysevox** e l'imponente *Giulio Cesare* di **Nicolas Coustou**. Il bassorilievo dell'hôtel di Bourbon-Condé (appeso al muro) introduce l'arte delicata di **Clodion**.

Il livello superiore è dedicato alla scultura neoclassica: bella replica del *fauno «Barberini»* conservato a Monaco, *Edipo e Euforbo* di **Denis-Antoine Chaudet** e *Orlando furioso*, bronzo tormentato di **Jehan Duseigneur**.

Il 18° secolo *(sale verso la rue Rivoli)* – Le sculture di piccole dimensioni, soprattutto le terracotte, attirano più delle grandi figure in marmo.

Sala 22 – *Amore* che con il dito alle labbra intima il silenzio di **Falconet** è una bellissima scultura richiesta da Mme Pompadour per il giardino del suo palazzo d'Evreux, attuale Eliseo. In vetrina, *Bagnante* (1757) che tende il piede verso l'acqua della fontana.

Sala 23 – Di **Bouchardon**, *Amore si costruisce un arco dalla clava di Eracle* non ha ottenuto successo al momento della sua presentazione alla corte nel 1750 (l'Amore era troppo realistico).

Sala 24 – La *figura di Voltaire nudo* (1776), audace opera di **Jean-Baptiste Pigalle**, è una rappresentazione serena di un vecchio filosofo. La *Bagnante (o Venere)* di **Christophe-Gabriel Allegrain** è una figura elegante.

Sala 25 – La piccola galleria dell'Accademia raccoglie le opere di ingresso all'Académie royale de peinture et de sculpture. Molte le pose contorte: *Il gladiatore morente* di **Pierre Julien**. Il *Mercurio che calza le ali* (in marmo), la cui bella torsione del busto accompagna lo sguardo attento, è il capolavoro di **Pigalle**.

Sala 26 – Busto in terracotta di *Mme Favart*, famosa attrice, ad opera di Defernex. Di Augustin Pajou è il bronzo di *Jean-Baptiste Lemoyne*.

Sala 27 – Sempre di **Pajou**, il busto della contessa Du Barry è una famosa immagine della favorita; *Psiche abbandonata* (nel momento in cui scopre il volto del suo amante, Amore) fece scandalo per la sua nudità completa e per il doloroso realismo della sua espressione.

Sala 28 – La *testa di Voltaire* in marmo (1778) di **Jean-Antoine Houdon** *(vicino alla finestra)* è stata scolpita in seguito all'accoglienza trionfale di Parigi al difensore degli oppressi. E' l'«orrido sorriso» dello scrittore sarcastico all'età di 84 anni (dalle labbra serrate). I busti dei *bambini Brongniart* sono di una incomparabile freschezza.

Sala 29 – La «galerie des grands hommes» (spazio centrale) riunisce una serie di effigi in marmo.

Cour Puget, scultura

Sala 30 – E' dedicata all'incantevole arredo di **Clodion** per la sala da bagno dell'hôtel de Bésenval.

Sala 31 – Le sculture neoclassiche: al centro, l'imponente statua allegorica della *Pace* (in bronzo ed argento) di **Denis-Antoine Chaudet**. Sulla destra l'*Amore e la farfalla* dello stesso artista e l'*Innocenza* di Jean-Baptiste Roman. A sinistra *Psiche e Zefiro (vicino alla finestra)* e, in una vetrina, statua in argento di Enrico di Navarra da bambino.

Sala 32 – Le figure mitologiche di **Jean-Jacques Pradier**, scultore ufficiale, sono caratterizzate da pose di abbandono. Il *Genio della Libertà* in bronzo è una replica di quello che si eleva sulla colonna della Bastiglia.

Sala 33 – E' consacrata a **François Rude** e **Antoine-Louis Barye**. Il primo ha scolpito *La Marsigliese* sull'Arco di Trionfo (il modello del volto è nella vetrina), il *Mercurio che calza le ali* al centro della sala ed un grazioso *Pescatore napoletano*. Il secondo è uno scultore di animali, ed in particolare studioso della morfologia degli animali feroci. I bronzi di Barye mostrano un gusto romantico per l'esotismo e l'Oriente e conobbero un grande successo: *Caccia al leone, Tigre che divora un gaviale*.

★★★ LE ANTICHITA' ORIENTALI

Prendere la scala mobile fino al pianterreno, entrata di fronte.

Nel 1843 **Paul-Émile Botta**, console francese a Mossoul (Iraq) riporta alla luce le vestigia della città nuova costruita dal re assiro Sargon II dove oggi si trova Khorsabad. Il primo museo assiro apre al Louvre nel 1847. Le nuove sale ospitano i primi trattati, le prime leggi, le prime rappresentazioni storiche di cui noi abbiamo testimonianza.

Nella regione paludosa del corso inferiore di Tigri ed Eufrate, tra il 3300 ed il 2800 a.C., nasce una civiltà urbana (attuale Iraq). Prima della costituzione dei primi imperi il paese dei Sumeri è frazionato in città rivali.

Sala 1a: La Mesopotamia arcaica (dalle origini al 3° millennio) – Nell'antico sito sumero di **Tello** (antica città di Girsu) viene alla luce la famosa *Stele degli avvoltoi* (2450 a.C. circa) che celebra la vittoria di un re sumero di Lagash sulla città rivale di Umma: su un lato sono rappresentati il dio protettore della città che imprigiona i nemici in una rete, sull'altro il principe alla testa dei suoi fanti, ed in seguito su un carro da guerra. Testimonianze del conflitto secolare tra queste due città sono anche i curiosi «coni» che riportano, in caratteri cuneiformi, testi di riforme e regolamenti. Nelle vetrine adiacenti la sala 1b, rilievo votivo di Ur-Nanshe *(a sinistra),* fondatore della dinastia di Lagash e vaso dedicato da Entemena al dio Ningirsu *(a destra).*

Sala 1b: La cultura sumerica si estende a Nord, fino all'attuale Siria (sito di **Mari**). Uno dei costumi praticati era di offrire statuette di personaggi in adorazione destinate a perpetuare le preghiere dei fedeli. Il Louvre ne possiede una bella collezione proveniente dal tempio di Ishtar: la più bella raffigura l'*intendente Ebih-il* (metà del 3° millennio), vestito con un'ampia gonna. Notare l'espressione sorridente del viso reso luminoso dagli occhi in lapislazzuli.

Sala 2: la Mesopotamia del 3° millennio – La dinastia semita di Akkad (2340-2200 a.C.) realizza l'unità della Mesopotamia intorno ad **Agade**, città mai scoperta, ma che si presume si trovasse nei dintorni di Babilonia. La magnifica **stele di Naram-Sin** (2250 a.C.) ne è testimonianza. In arenaria rosa, rappresenta il re che, camminando sui cadaveri dei nemici, si inerpica su una montagna. A sinistra della stele una vetrina raccoglie bei sigilli cilindrici. Intorno al 2130 a.C., viene realizzato a Lagash (che ritrova l'indipendenza con il declino della dinastia di Agade) l'impressionante gruppo di **statue del principe Gudea** e di suo figlio Ur-Ningirsu. Il sovrano, la cui veste porta una lunga dedica agli dei, è a volte rappresentato con strumenti da architetto.

Sala 3: Hammurabi (1792-1750 a.C.) – All'inizio del 2° millennio, **Babilonia** entra nella storia: il suo sovrano distrugge Mari e conquista la Mesopotamia. Il famoso **codice di Hammurabi** (1792-1750) è una stele in basalto nero alta più di 2 m. In cima, il re riceve dal dio giudice Shamash (gli strumenti di misura che ha in mano simboleggiano la giustizia) le 282 leggi incise. Una testa in diorite *(vetrina a destra del codice),* rappresenterebbe il sovrano invecchiato.
All'impero babilonese succede nell'8° e 7° sec. a.C., quello assiro. Dopo il 6° sec., che vede l'apogeo di Babilonia con Nabucodonosor, l'impero persiano si estende su tutto l'Oriente, dal Mediterraneo all'India.

Cour Khorsabad (Sala 4) – I grandi rilievi assiri provenienti dal palazzo di Sargon II a Dûr-Sharrukin (l'attuale Khorsabad) sono stati collocati, rispetto all'osservatore, all'altezza originale. Due tori alati a cinque zampe erano posti davanti alla 3ª porta della cinta di Khorsabad; il muro di fronte rievoca la facciata della sala del trono (il toro alato al centro è una copia dell'originale che si trova all'Oriental Institut di Chicago). Sui muri, bellissimi bassorilievi: *Portatori di mobilio del re, Trasporto di legno del Libano* e, di fronte, *Tributari della Media.*

Anatolia, dalle origini al 1° millennio a.C. (sala 5) – Gli Ittiti si stanziarono sull'altopiano anatolico (al centro dell'attuale Turchia) a metà del 2° millennio. Furono loro ad annientare la dinastia di Hammurabi. La loro scrittura a geroglifici sopravvisse alla caduta dell'impero e la si ritrova sulla *stele del dio della tempesta* di Til Barsip.

Til Barsip (sala 6) – La decorazione del palazzo di questa capitale di provincia è costituita da affreschi che, giunti in frammenti, sono stati ricostruiti.

Arslan Tash – Altra capitale di provincia, che ci ha lasciato bellissimi **avori** *(Vacca che allatta il vitellino),* bottino di guerra proveniente da città fenice o aramaiche.

Mesopotamia, Siria del Nord, Nimrud – I rilievi del palazzo di Assurnasirpal II (883-859 a.C.) mostrano geni alati benedicenti, dalla testa d'uccello, davanti all'albero sacro e lo stesso re seguito dallo scudiero.
In una vetrina, frammenti di una porta in bronzo del palazzo del re Salmanasar III a Balawat (9° sec. a.C.).

Ninive – I **Rilievi del palazzo di Assurbanipal** sono da annoverarsi tra i capolavori della scultura universale (conservati soprattutto al British Museum a Londra). Soffermarsi sugli episodi della campagna di Elam: la presa di una città, la deportazione della popolazione, la vista della città di Arbeles dalle molteplici torri. Sul muro in fondo, il re Assurbanipal II sul suo carro. Nell'ultima serie di rilievi, una bellissima testa di cavallo davanti alle guardie del re.

179

L'Iran – La transumanza tra le montagne del Fars (ad Est, sull'altopiano dove più tardi si leverà Persepoli) ed il pian di Susa, aperta alle influenze della Mesopotamia, è all'origine del primo «stato» iraniano: l'Elam.

Susa e l'altopiano iranico dal 5° all'inizio del 3° millennio a.C. (sala 7) – Sin dalla fine del 5° millennio, la ceramica elamita si distingue per la bellezza delle decorazioni con animali molto stilizzati o disegni geometrici.

Susa nel 3° millennio (sala 8) – Arredo di tombe e templi. Il **vaso in terracotta** dipinta conteneva diversi oggetti: vasi in alabastro, armi ed utensili in rame. Questi erano l'oggetto di un intenso traffico attraverso l'Asia centrale ed il Golfo persico.

Iran e Battriana, 3° ed inizio del 2° millennio a.C. (sala 9) – In una vetrina a sinistra, esempi di metallurgia del Luristan (regione a Nord-Ovest dell'Elam) tra i quali alcune asce ed un curioso «stendardo» traforato con, al centro, dei personaggi.

Inizio del 2° millennio: antichità di Battriana, brillante civiltà ai confini dell'Asia centrale influenzata da quella elamita. Una statuetta femminile chiamata «**principessa di Battriana**»

Principessa di Battriana, inizio del II millennio a.C.

indossa una sontuosa veste *(illustrazione)*. *«Lo sfregiato»* è il soprannome di una statuetta che rappresenta un genio di montagna.

Susa in epoca medio-elamita (1500-1100 a.C.). Sala 10 – L'arte del bronzo raggiunge il suo apogeo: **statua della regina Napirasu.**

I pannelli in mattoni sui quali si alternano uomini-toro che proteggono una palma e dee Lama, decoravano la facciata di un tempio.

La parte a Nord della Cour Carrée, consacrata alla continuazione del percorso nell'arte iraniana, sarà in corso di sistemazione fino al 1997. La descrizione viene data con riserva.

Dal 6° al 4° sec. Susa conosce l'apogeo grazie ai grandi re achemenidi; i lavori di oreficeria raggiungono in questo periodo un notevole livello di raffinatezza (bracciali e coppe in oro e argento). Il colossale capitello del palazzo di Dario a Susa dà un'idea delle dimensioni gigantesche del palazzo dei re persiani. Sui muri corrono i celebri fregi in mattoni smaltati del palazzo di Susa: *fregio degli Arcieri, dei grifoni e dei leoni* (500 a.C. circa).

Fra le tombe fenicie, il sarcofago della mummia di Eshmunazar II, re di Sidone (5° sec. a.C.), rivela l'influenza egizia in Siria. Vi è trascritto un testo di maledizione. Alcune sculture in marmo, provenienti da Sidone, rievocano il culto di Mitra; alcuni bronzi, rievocano il culto di Giove eliopolitano in Siria in epoca romana.

La vasca di Amatonte in calcare, realizzata nel 5° sec. a.C., era probabilmente destinata ad accogliere la riserva d'acqua necessaria alle cerimonie del tempio della città. I mosaici del palazzo di Bichapur (3° sec. d.C.), di epoca sassanide, segnano la transizione con l'arte musulmana.

L'arte del Levante

Sala D: Palestina e Transgiordania dalle origini all'età del ferro – La **stele di Mesha**, re di Moab (9° sec. a.C.), commemora la sua vittoria sui re d'Israele e la dinastia d'Omri e menziona per la prima volta il nome dello stato ebreo.

Sala C: Paesi del Levante, parte interna della Siria, dalle origini all'età del ferro – Terracotte (supporti di vasi e modelli di case) e statuetta in bronzo di un dio seduto.

Sala B: Paesi del Levante: Costa della Siria (Ugarit e Byblos) dalle origini all'età del ferro – Gli scavi di Ras Shamra, antica Ugarit, hanno rivelato la Fenicia, crocevia del mondo antico. E' in questo momento (1300 a.C. circa) che l'alfabeto – composto da segni cuneiformi – sostituisce la scrittura sillabica.

Sopra alcune statuette in bronzo ed in oro di Baal, dio della tempesta, bellissima **patera** con scene della caccia reale in oro sbalzato (14°-13° sec.). Oggetti di lusso: **coperchio di pisside** (scatola per trucco) che rappresenta una dea nell'atto di nutrire dei caprini (1250 a.C. circa), **pettorale** in stile egiziano ornato da un falco reale (2000-1600 a.C.), statuette in bronzo di divinità. Al centro della sala, *stele di Baal col fulmine.*

Sala A: Cipro — Sculture dell'isola di Cipro (7°-3° sec. a.C.): a destra, statue di culto (dea di Tricomo), coppe in electrum, bende funerarie in sottili lamine d'oro stampate.

★★ ARTE DELL'ISLAM

All'ammezzato, prima scala a destra, poi diritto.

Data la loro fragilità e la loro sensibilità alla luce, gli oggetti (tessuti, miniature), sono esposti nell'ammezzato in sale dall'atmosfera intima. Essi provengono dalla Spagna, dall'Egitto, dall'Iran, dalla Siria, dall'India (il Maghreb è rappresentato al Musée des Arts d'Afrique et d'Océanie, *si veda VINCENNES*).
Questo dipartimento apre uno squarcio sulla ricchezza delle collezioni musulmane del Louvre, con pezzi che si distinguono per la raffinatezza e l'estrema stilizzazione.

Il primo periodo — Dall'Iran: *piatto con perniciotto* (argenteria sassanide, 7°-9° sec.), pannello con stambecchi che si fronteggiano (Persia 7°-8° sec.), che diverrà un tema decorativo ricorrente.

Sala 2: il mondo abbasside (8°-10° sec.) — Il frammento di cenotafio o di cassa (Egitto, fine 9°-inizio 10° sec.), è un raro esempio di intarsio, tecnica che si diffonderà a partire dal 12° sec. Osservare l'uccello stilizzato su un fregio egizio. Anta della porta del palazzo di Djawsaq al-Khaqani (Iraq).

Sala 3: l'Occidente musulmano (10°-15° sec.) — L'apporto della civiltà musulmana all'Occidente sul piano filosofico, artistico e scientifico è considerevole. Il regno di Granada dura in Spagna fino al 1492.
A sinistra, *Leone dalla coda articolata*, forse la bocca di una fontana (Spagna, 12°-13° sec.); acquamanile della stessa origine, lavoro di un artigiano al servizio di un principe cristiano; meravigliosi cofanetti e pissidi in avorio (Spagna e Sicilia), in particolare la **pisside di Al-Mughira** (10° sec.); a destra, piccoli flaconi egizi tra cui alcuni in cristallo di rocca, bracciale in oro (Siria?, 11°-12° sec.) ed elementi di collana o pendenti.

Sala 4: Iran orientale, 10°-12° sec. — Piatto con decorazione epigrafica dell'11° o 12° sec. (vetrina di fronte all'entrata, in alto): «La scienza: il suo gusto è amaro all'inizio, ma più dolce del miele alla fine. Sano è chi la possiede.»

Sale 5 e 6: il periodo selgiuchide, 11°-13° sec. — Ceramiche, tra cui una brocca che termina con una testa d'animale *(al centro della prima vetrina)*. Le scienze e la tecnologia sono illustrate da sfere celesti, astrolabi, un piatto della bilancia finemente inciso ed un *nécessaire* da orefice. All'estrema sinistra: la scrittura (coltello dal manico in corallo, utilizzato per tagliare i calami).
Nella sala 6 notare il candeliere con anatre del Khurasan (12°-13° sec., *vetrina in fondo, al centro*), la cui decorazione richiama l'idea della luce, e la brocca traforata a testa di gallo *(a destra, 2ª sala)*.

Sala 7 — Stele funerarie e pietre scolpite.

Sala 8: Egitto, Vicino Oriente, Anatolia del 12° e 13° sec. — Questa sala ospita meravigliosi oggetti in rame incrostati d'oro e d'argento ed in pasta nera: *vaso Barberini* e *Battistero di San Luigi*, capolavoro dell'arte mammalucca (1300), che serviva al battesimo dei bambini di stirpe reale (notare i fiori di giglio).

Sala 9: i mammalucchi (1250-1517) — Ceramiche blu, belle lampade in vetro soffiato, leggio per il Corano. Vicino all'entrata, appeso al muro, vassoio con il nome di un sultano dello Yemen, proveniente da Il Cairo (14° sec.).

Sala 10: L'Iran mongolo, 13°-14° sec. — Ceramiche vetrinate turchesi; oggetti in rame finemente incrostati. Il piatto con i pesci (in oro e turchese) ricorda i céladon cinesi largamente esportati in epoca Song e Yuan.

Sala 11: i timuridi, 1370-1506 — Elementi di fregi, dal blu e turchese vivaci. L'arazzo detto *du siège de Vienne* (Persia o India, 17° sec.) proviene probabilmente dalla tenda di Qara Mustafà, generalissimo delle truppe ottomane al momento del secondo assedio (fr. *siège*) alla capitale austriaca (1683).

Iran safawide, 1501-1736 — E' un'epoca di splendore per la Persia, la cui capitale, Isfahan, è una delle città più grandi al mondo. Il pannello di rivestimento murale rappresenta scene di svago in un giardino; le due brossure sono ornate da scene di svago di corte all'aria aperta.

Iran qagiar, 1779-1924 — Il ritratto del secondo sovrano della dinastia è stato offerto all'ambasciatore di Napoleone I in Persia. Nella vetrina accanto, due felini del 19° sec. incrostati in oro ed argento.

India moghul, 1526-1858 – Il visitatore passa davanti ad un insieme di armi (pugnali), armature (elmi iraniani del 15° sec.) e basi di houka (pipe ad acqua). Notevole è il pugnale a testa di cavallo con manico in cristallo di rocca. Al centro della sala, il **tappeto** detto **di Mantes** (originariamente si trovava nella chiesa della città), è una bellissima opera iraniana della fine del 16° sec., popolato di animali. Intorno al medaglione centrale il combattimento della Fenice e del dragone.

Sala 12: il mondo ottomano, 14°-19° sec. – E' nel laboratorio imperiale di pittura e disegno, a **Iznik**, vicino a Istambul, che nascono i motivi decorativi che abbelliscono piastrelle e vasellame di ceramica. Alle tinte blu e bianche si aggiungono nel corso del 16° sec. il turchese, il verde, il malva ed il famoso rosso. Notare soprattutto lo stile «saz»: foglie allungate e dentellate (saz) miste a foglie dalla forma arrotondata, composita, o a fiori (tulipani, garofani, giacinti). Il capolavoro di questo stile è il **piatto con pavone** *(illustrazione)*, in cui l'uccello costituisce un motivo originale.

Piatto con pavone, metà del 16° sec.

Il tappeto rosso e blu notte con il medaglione centrale (18° sec., Turchia, Ushak) appartiene ad un genere destinato alla corte o alle moschee.

A sinistra rispetto all'entrata, osservare un tavolino da scrivano in legno con intarsi in madreperla e tartaruga (Istambul, 16° e 17° sec.), **coppette** in giada e cristallo di rocca con fili d'oro e pietre preziose e un anello da arciere (per proteggere il pollice dalle vibrazioni della corda). Al muro, due pannelli rappresentano la Mecca e la moschea di Medina.

Sala 13: arte del libro – Brossure e miniature (osservare quelle dell'India moghul, d'incomparabile eleganza).

★LES TUILERIES

Racchiuso tra il Louvre e place de la Concorde, il giardino delle Tuileries costituisce la prima parte della Via Trionfale, imponente prospettiva lineare la cui continuazione, passando per l'Arche de la Défense, costituisce la grande uscita Ovest di Parigi. Già Colbert, aveva previsto che fosse rettilinea fino alla foresta di St-Germain.

Un castello fantasma

Nell'arco di dieci secoli questa zona esterna alla città ha assistito alla progressiva limitazione del suo territorio rurale racchiuso a Est, a partire dal 14° sec., dal bastione di Carlo V. Nel 15° sec. esiste una discarica pubblica, poi si aggiungono alcuni macelli e attività di pelli conciate all'allume. Dal terreno viene estratta l'argilla che viene utilizzata da fabbriche di tegole, le *tuiles*, da cui appunto deriva il nome del luogo: *les Tuileries*.

Nel 1564 Caterina dei Medici *(si veda il Louvre)* ordina a **Philibert Delorme** di costruirle un castello alle «Tuileries». La costruzione viene però bloccata bruscamente. Da un oroscopo, Caterina avrebbe appreso che sarebbe morta «presso San Germano». Ora, sia le Tuileries che il Louvre dipendono da St-Germain-l'Auxerrois. Senza esitazione la regina madre fa costruire da Bullant un palazzo all'ombra di St-Eustache. La funesta predizione si compie malgrado tutto: è il vescovo di St-Germain che porta a Caterina l'estrema unzione. 22 anni più tardi (1594) Enrico IV entra a Parigi e fa riprendere i lavori: viene edificato il pavillon de Flore, prosegue e viene rialzata di un piano la galerie du Bord de l'Eau che, secondo i progetti della regina madre, avrebbe dovuto collegare il Louvre alle Tuileries; un viale collega il pavillon de Flore alle Tuileries. I lavori terminano alla morte del re nel 1610.

Luigi XIV fa aggiungere una sala teatrale (1659-1661) della capienza di 5 000 spettatori; le sue attrezzature sceniche le valgono il nome di Sala delle Macchine. Per facilitare i lavori del Louvre, il re s'insedia alle Tuileries nel 1664; Le Vau rimaneggia il castello ed edifica il pavillon de Marsan. Le feste, i balletti e gli spettacoli caratterizzano i tre inverni che il re passa alle Tuileries: Molière mette in scena l'*Anfitrione* negli appartamenti e *Psiche* nella Sala delle Macchine.

Le Tuileries nel 18° sec. – Nel 1715, alla morte del Re Sole, il Reggente riporta alle Tuileries il giovane Luigi XV che vi dimora fino al 1722, data del suo ritorno a Versailles. Subito il castello viene occupato da una popolazione disparata, ma gli appartamenti reali vengono risparmiati.

Nel 1725, la sala degli Svizzeri, sotto la cupola centrale, diventa la prima sala di concerti pubblici di Parigi, aperta nei giorni di festa religiosa; *Castore e Polluce*, capolavoro di **Giambattista Rousseau** (1737) viene riproposto nel 1764 in presenza del compositore. I concerti durano fino al 1789 e permettono ai parigini di conoscere i grandi compositori ed i virtuosi di tutta Europa: nel 1778, **Mozart** vi assiste all'esecuzione di due delle sue sinfonie.

Dopo l'incendio del suo teatro nell'aprile del 1763, l'Opéra s'installa nella Sala delle Macchine, risistemata da **Gabriel** e **Soufflot**; dal 1770 al 1782 le succede la *Comédie-Française* che mette in scena *Il Barbiere di Siviglia* di Beaumarchais (1775). Nel 1778, riceve trionfalmente **Voltaire**, accolto come una divinità in occasione della quarta rappresentazione d'*Irene* e incoronato due mesi prima della sua morte.

Anni di bufera – Riportata da Versailles alle Tuileries dal popolo affamato (5 ottobre 1789), la famiglia reale si mette in fuga il 20 giugno 1791, ma viene arrestata a Varennes-en-Argonne. Esattamente un anno dopo gli insorti entrati dal *Carrousel* invadono gli appartamenti reali, mettono un berretto rosso sulla testa di Luigi XVI e lo fanno brindare alla salute della nazione. Meno di due mesi più tardi, il 10 agosto, succede una strage. Il palazzo, difeso da novecento Guardie Svizzere, viene attaccato alle 6 del mattino dai rivoluzionari che forzano l'entrata e mettono i cannoni in batteria nel cortile. Luigi XVI si rifugia presso l'Assemblea legislativa e invia l'ordine alle Guardie Svizzere di cessare il fuoco. Seicento guardie vengono massacrate e la caserma viene incendiata. Il palazzo viene saccheggiato da cima a fondo.

Nel 1793, la Convenzione ha la sua sede nell'antica Sala delle Macchine, nuovamente risistemata; il Comitato di Salute Pubblica occupa gli appartamenti reali che orna con picche e berretti frigi. Il Consiglio degli Anziani ne prenderà il posto durante il Direttorio.

Fine dei lavori e rovine – Il 20 febbraio del 1800 Bonaparte, Primo Console, s'insedia alle Tuileries. Divenuto imperatore, **Napoleone I** continua ad abitarvi. Nel 1810, il suo matrimonio religioso con Maria Luisa viene celebrato nel Salon Carré del Louvre, e nel 1811, al pianterreno delle Tuileries, nasce il re di Roma. Dopo Napoleone, vi risiedono tutti i sovrani francesi. Luigi XVIII è l'unico re di Francia a morirvi nel 1824. Nel 1830 una sommossa scaccia Carlo X. Nel 1848 vi risiede Luigi Filippo e poi l'imperatrice Eugenia, reggente di Napoleone III, fatto prigioniero a Sedan nel 1870.

I lavori erano stati ripresi con Napoleone I: costruzione di un arco di trionfo che apriva il cortile delle Tuileries sul Carrousel; sgombero della piazza, costruzione della galleria Nord lungo la rue de Rivoli ed, infine, un nuovo teatro in sostituzione della sala della Convenzione.

Per uscire dalle Tuileries, occorreva attraversare la place du Carrousel ed imboccare a sinistra la piccola rue St-Nicaise che conduceva alla rue St-Honoré. La sera del 24 dicembre del 1800, una carrozza conduceva Bonaparte al teatro dell'Opera attraversando proprio rue St-Nicaise quando esplosero alcuni barili di polvere, situati in un carretto dai cospiratori partigiani del re. Per un piccolo ritardo il Primo Console ebbe salva la vita.

Sotto Napoleone III, gli architetti **Visconti** e poi **Lefuel** terminano la galerie Rivoli che collega le Tuileries al Louvre.

Durante la settimana sanguinosa della Comune (maggio 1871), le Tuileries vengono incendiate e per poco il fuoco non si estende a tutto il Louvre. Le rovine dell'incendio saranno ancora visibili nel 1883, al tempo della presidenza di Jules Grévy. Una famiglia corsa, discendente del conte Pozzo di Borgo, compra le pietre per innalzare, nel 1894, una riproduzione del palazzo su un terrazzo che domina Ajaccio (a sua volta preda delle fiamme nel 1978).

L'avenue du Général-Lemonnier passa sotto una terrazza che precedendo il vecchio posto del palazzo, domina il giardino.

Il primo giardino-passeggiata – Quando nel 1563, la regina madre Caterina dei Medici decide di farsi costruire un castello di fianco al Louvre *(si veda alla voce)*, compra altri terreni alle Tuileries e fa progettare un giardino all'italiana. Vi sono fontane, un labirinto, una grotta che **Bernard Palissy** decora con terrecotte ed un serraglio. La parte orientale della vasca ottagonale corrisponde ad un emiciclo sistemato a verde, celebre per il suo eco.

Enrico IV lo completa con un aranceto ed una serra dove si coltiva il baco da seta il cui nutrimento viene assicurato da un viale pieno di gelsi. Questo parco diviene passeggiata alla moda: per la prima volta un quadro naturale viene offerto alla vita elegante, confinata fino ad allora all'interno dei castelli e dei palazzi.

Il giardino francese di Le Nôtre – Nel 1664, Colbert affida l'abbellimento del parco a Le Nôtre che, nato vicino al pavillon de Marsan, è giardiniere delle Tuileries come suo padre e suo nonno.

Per rimediare alla naturale pendenza del terreno, Le Nôtre innalza due terrazze longitudinali di differente altezza. Crea così la magnifica prospettiva del viale centrale, scava le grandi vasche e sistema aiuole e pendii. Colbert considera l'opera talmente bella e riuscita da voler riservare il parco unicamente per la famiglia reale, ma il suo primo funzionario, Charles Perrault – il celebre scrittore – perora con successo la causa del pubblico.

Nel 18° sec. la moda del giardino si estende grazie ad alcune innovazioni: un ingegnoso imprenditore concepisce l'idea di affittare alcune sedie e installa i gabinetti a pagamento. Luigi Filippo riserva una parte del giardino per la famiglia reale.

Nel 1783, è appunto alle Tuileries che gli aeronauti Charles e Robert effettuano una delle prime ascensioni in aerostato.

Scene rivoluzionarie – L'otto giugno del 1794 si svolge nel parco la festa dell'Essere Supremo, messa a punto dal pittore David. Sulla vasca rotonda viene issato un monumento che rappresenta l'ateismo. Dopo il suo discorso, Robespierre vi appicca il fuoco con un gesto simbolico e l'immenso corteo si dirige poi al Champ-de-Mars.

La grande vasca riceve anche le spoglie di **J.J. Rousseau**, esumato dal parco d'Ermanonville per essere trasferito al Pantheon (10 e 11 ottobre 1794).

Le Tuileries oggi

Davanti al pavillon de Flore, allo sbocco dell'avenue du Général-Lemonnier sul lungosenna, montano la guardia due sfingi, portate da Sebastopoli dopo la presa di questa città nel 1885.

Terrasse du Bord de l'Eau – Da questa terrazza si gode una bella **vista★★** sui giardini, sulla Senna e sul Louvre. Era il terreno di gioco dei delfini, del re di Roma, del principe imperiale. Sotto i piedi del turista, una galleria sotterranea conduce alla place de la Concorde. E' appunto attraverso questo passaggio segreto, comunicante con i sotterranei delle Tuileries, che Luigi Filippo fuggì nel 1848. Un gruppo bronzeo di Landowski, *I Figli di Caino*, adorna la terrazza.

Parterres (Aiuole) – Tra l'avenue du Général-Lemonnier e la vasca rotonda, si trovano alcune belle statue di Le Pautre, Cain, Rodin. I vialetti intorno alla vasca rotonda sono ornati da copie di statue antiche e vasi decorativi.

Quinconces – Da ambedue le parti del viale centrale, che offre una magnifica **prospettiva★★★**, gli alberi sono sistemati in modo da simulare spazi chiusi, sistemati a verde e ornati da statue del 19° e 20° sec.: *L'Inverno, L'Autunno, La Sera*.

Un bell'insieme di **statue★** dello scultore Maillol, disseminate sull'erba (in attesa del loro ritorno al posto di origine tra le due braccia del Louvre, alla fine dei lavori), si segnalano per le loro forme piene di una vigorosa sensualità: *Pomona, L'Azione incatenata, Venere*.

Bassin octogonal e terrasses – Intorno all'ampia vasca si ergono statue, terrazze, rampe e scale, il tutto a comporre uno stupendo insieme architettonico:
1) *Le Stagioni* (Coustou e Van Clève).
2) Arcate provenienti dal Palazzo delle Tuileries.
3) Busto di Le Nôtre (Coysevox). L'originale è a San Rocco.
4) *Il Tevere*, copia di statua antica.
5) *La Senna e la Marna* (G. Coustou).
6) *Il Nilo*, copia di statua antica.
7) *La Loira ed il Loiret* (Van Clève).
8) Targa commemorativa in ricordo dell'ascensione di Charles e Robert in aerostato (1783).
9) *La Fama su un cavallo alato* (modello di Coysevox).
10) *Mercurio su un cavallo alato* (modello di Coysevox).

Fino al 1716, su questo lato delle Tuileries non esistevano uscite. Il fossato di cinta fatto scavare da Luigi XIII, pieno d'acqua, le separava dall'Esplanade, futura piazza della Concordia. Venne dunque costruito un ponte girevole che apriva o chiudeva il passaggio sul fossato. Nel 1719 il nuovo ingresso fu ornato con i Cavalli alati di Coysevox, trasferiti da Marly. Quando Luigi Filippo fece sistemare la piazza della Concordia, il ponte venne eliminato.

Alcune scale e rampe consentono l'accesso alle terrazze che corrono lungo tutta la lunghezza del giardino (terrazza dei Foglianti a nord, terrazza in Riva all'acqua a sud) e su cui si ergono gli edifici dello Jeu de Paume e dell'Orangerie.

I due padiglioni dell'**Orangerie** e dello **Jeu de Paume** sono stati costruiti all'epoca del Secondo Impero e, dall'inizio del 20° sec., vi sono state allestite esposizioni di opere d'arte.

Dopo aver accolto le collezioni degli Impressionisti, prima ospitate al Louvre ed ora esposte al museo d'Orsay, la galleria nazionale dello Jeu de Paume è sede di mostre d'arte contemporanea.

Le LUXEMBOURG★★

Carte Michelin n° 12 e 14 (pp. 31 e 43): J 13 e J 14, K 13, L 13.

L'area descritta si estende dal quartiere latino fino alla chiesa di St-Sulpice, includendo anche l'Odéon. L'elemento di maggior rilievo sono sicuramente i magnifici giardini del Lussemburgo, dedicati da Napoleone ai bambini, che anche oggi ne sono tra i principali frequentatori.

★★PALAIS ET JARDIN DU LUXEMBOURG

In epoca gallo-romana, quest'area è occupata da un accampamento e da alcune ville. Oggetto di ripetute invasioni, è poi lasciata completamente all'abbandono anche a causa della presenza di uno spirito maligno che, scegliendo come proprio domicilio una rovina (chiamata castello di Vauvert), semina il terrore nei dintorni. Nel 1257, i Certosini, installati da San Luigi a Gentilly, propongono al re di esorcizzare questo luogo. La loro azione liberatrice è talmente efficace che la lingua francese mantiene ancor oggi l'espressione *demeurer au diable Vauvert* (abitare a casa del diavolo) o, per deformazione, *aller au diable vert*.

I monaci, dopo la vittoria sul demonio, si stabiliscono qui e ricevono moltissimi aiuti finanziari: possono in tal modo costruire un ampio convento che possiede un vivaio ed un orto tra i più belli della capitale.

Il palazzo di Maria de' Medici – Dopo la morte di Enrico IV, Maria de' Medici, non trovandosi a proprio agio al Louvre, decide di fare costruire un palazzo che le ricordi l'antica dimora toscana. Nel 1612 acquista l'hôtel del duca Francesco di Lussemburgo e vari terreni destinati a formare un parco di grandi dimensioni (dal boulevard St-Michel raggiunge infatti la rue Notre-Dame-des-Champs), anche se poco profondo, perché limitato, a sud, dal recinto dei Certosini.

Nel 1615, **Salomon de Brosse** inizia la costruzione dell'edificio, ispirandosi al palazzo Pitti di Firenze. Il risultato suscita grande ammirazione. Ventiquattro grandi dipinti, destinati ad una delle gallerie e commissionati a Rubens nel 1621, devono illustrare allegoricamente la storia di Maria de' Medici (oggi esposti alla galleria Medici del Louvre).

La giornata degli inganni – Alla testa del partito dei «devoti», Maria de' Medici entra in aperto contrasto con la politica di Richelieu. Il 10 novembre 1630, nel corso di una violenta seduta svoltasi nel suo gabinetto del Lussemburgo, Maria strappa a suo figlio, Luigi XIII, la promessa di congedare il cardinale. I seguaci della regina, ormai sicuri della vittoria, sono già in trionfo; tuttavia, nell'arco di una giornata le sorti si capovolgono: Richelieu è confermato nelle sue funzioni e Maria è inviata in esilio a Colonia, dove morrà in completa miseria nel 1642. Il palazzo, ormai deserto, riprende il nome originario di Lussemburgo. Rimarrà proprietà della famiglia reale fino alla Rivoluzione.

Palazzo parlamentare – Nel 1790, il convento è abbattuto: ciò consente di prolungare i giardini e di estendere la prospettiva fino all'avenue de l'Observatoire. Durante il Terrore, il palazzo diviene prigione, destinata a coloro che dovranno essere ghigliottinati: tra gli altri, Danton, Fabre d'Églantine, Hébert.

Palazzo e giardini del Luxembourg

Successivamente ospita varie assemblee parlamentari, il Direttorio ed il Consolato; a tale scopo, Chalgrin, a cui già si deve la costruzione dell'Arco di Trionfo e dell'Odéon, trasforma completamente l'interno dell'edificio. Dal 1836 al 1841, Alphonse de Gisors amplia il palazzo dal lato dei giardini aggiungendo un nuovo avancorpo e due padiglioni laterali, adottando tuttavia lo stile della costruzione già esistente. Vi verranno inoltre allestiti i processi al maresciallo Ney, al cospiratore Luigi Napoleone Bonaparte (futuro Napoleone III) ed ai comunardi.

L'apertura del boulevard St-Michel (1855-1859) e della rue de Médicis (1860) amputa il parco appartenente all'ex terreno dei Certosini.

Durante la seconda guerra mondiale il palazzo è occupato dai tedeschi. Viene liberato il 25 agosto 1944 dalla Divisione Leclerc e dalla Resistenza.

Oggi è sede del **Senato**, composto da 319 senatori, eletti da un collegio costituito da deputati, consiglieri regionali, consiglieri generali e delegati dei consigli comunali. Eccetto per brevi interruzioni, questo organismo esiste dai tempi della Rivoluzione, pur con diverse denominazioni. Il Presidente del Senato ha il compito di svolgere provvisoriamente le funzioni di Capo dello Stato, in caso la Presidenza della Repubblica sia vacante. Assieme all'Assemblea Nazionale, il Senato esercita il massimo potere legislativo dello Stato francese (revisione della Costituzione, proposte legislative, controllo dell'azione governativa) e può inoltre fungere da arbitro in caso di dissenso tra l'Assemblea ed il Governo. L'esame e la votazione di progetti e proposte di legge, come del resto la presentazione di «questioni orali», a cui i ministri devono rispondere, si svolgono in sedute pubbliche.

★★ Il palazzo

Salomon de Brosse ha voluto ornare l'edificio con decorazioni fiorentine (bugnati, colonne anellate, capitelli toscani), pur seguendo, dal punto di vista strutturale, la tradizione francese: il cortile, circondato da un corpo centrale e da due ali laterali, è chiuso da una galleria ad arcate che si prolunga fino ad una porta monumentale, sovrastata da una cupola. La bella terrazza a balaustrata (a cui Chalgrin aveva sostituito una scalinata a due livelli) è stata rifatta come originariamente ideata da de Brosse. Il Piccolo Lussemburgo, residenza del presidente del Senato, comprende l'ex hôtel di Lussemburgo, offerto da Maria de' Medici a Richelieu, il chiostro e la cappella di un convento fondato dalla regina.

Interno ⊙ – Nella salle du Livre d'Or (sala del Libro d'Oro) sono custoditi quadri e rivestimenti lignei del 17° sec. che decoravano gli appartamenti di Maria de' Medici. L'ex biblioteca è ornata da famosi **dipinti★** di Delacroix *(Dante che attraversa il Limbo, Alessandro che fa deporre i poemi di Omero nel cofano d'oro di Dario)*. La sala delle sedute del Senato risale all'epoca di Luigi Filippo. La sala delle Conferenze, costruita da Alphonse de Gisors dal 1852 al 1854, presenta una ricca decorazione. Il bello scalone d'onore, dovuto a Chalgrin, conduce alla galleria dove, un tempo, erano esposti i dipinti di Rubens.

Esterno – Per rischiarare i locali del sottosuolo (allée de l'Odéon), sono stati realizzati due eleganti patii ornati di aiuole alla francese.

Nel 1974, allo scopo di ampliare i locali del Senato, è stata costruita una serie di edifici (dall'altra parte della rue de Vaugirard), la cui architettura si armonizza con la sobrietà delle costruzioni circostanti. Le vetrine delle gallerie al pianterreno contengono monete, medaglie e oggetti prodotti dalla Manifattura di Sèvres. Il portale (1716) di un palazzo precedente, costruito da Boffrand per la principessa palatina Anna di Baviera, è stato inserito nella facciata del n° **36**.

Al n° **17** della rue Garancière, si erge ancora un vecchio palazzo con mascheroni raffiguranti le *Stagioni*.

★★ I giardini

I giardini sono alla francese, eccetto la parte che costeggia la rue Guynemer e la rue Auguste-Comte, che presenta invece i vialetti tipici dello stile inglese. La tradizione agricola dei Certosini continua grazie ad alcuni corsi di arboricoltura e apicoltura tenuti nello spazio dell'ex vivaio (vicino alla rue d'Assas). La vicinanza della Sorbonne fa sì che i giardini siano spesso frequentati da studenti.

All'estremità di una vasca stretta e circondata da platani, si trova la **fontaine de Médicis★**; i bugnati ed altri elementi rivelano lo stile italiano (1624). Una nicchia contiene un gruppo marmoreo raffigurante il geloso ciclope Polifemo pronto a schiacciare gli innamorati Aci e Galatea (opera di Ottino, 1863); sul lato rivolto verso la rue de Médicis, un bassorilievo rappresenta *Leda ed il cigno* (1807).

Dall'epoca di Luigi Filippo, numerose statue sono state collocate a decorazione dei prati; sulle terrazze si trovano quelle raffiguranti le regine di Francia ed alcune donne famose. L'opera più bella di questo periodo è il monumento a Delacroix, opera di Dalou.

★ QUARTIER DE L'ODÉON

Confinante con il quartiere latino, questa zona è sempre animata da studenti ed insegnanti universitari.

Théâtre de l'Odéon – Il teatro viene costruito nel 1782 sui giardini dell'hôtel de Condé ed è destinato agli attori della Comédie-Française, che, da dodici anni, sono ospiti del teatro del Palazzo delle Tuileries.

Gli architetti sono Marie-Joseph Peyre e Charles de Vailly. La nuova sala, costruita secondo il gusto del momento in stile classico, prende il nome di Teatro Francese.

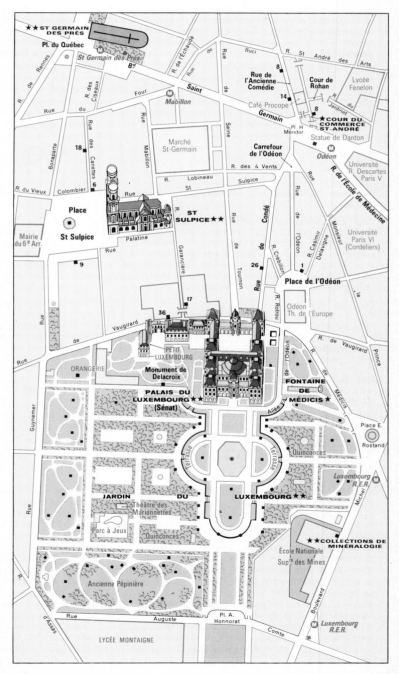

Dopo lo scoppio della Rivoluzione, gli attori, divisi in aristocratici e repubblicani, non riescono a trovare un'intesa (1792). Talma trascina con sé i più accesi e si stabilisce nella sala della rue de Richelieu, l'attuale Comédie-Française. I partigiani dell'Ancien Régime vengono ben presto imprigionati.

Nel 1797, il teatro viene riaperto con il nome di Odéon, che, per i Greci, era l'appellativo dato al monumento dove si svolgevano i concorsi di musica. Vi si tengono concerti, balli e successivamente si inaugura un repertorio drammatico che però non suscita molto interesse. Distrutta da un incendio, la sala viene ricostruita nel 1807 da Chalgrin, che riproduce gli antichi edifici. Tuttavia, nonostante il successo ottenuto dall'*Arlésienne* di Alphonse Daudet e gli sforzi di autori e attori di grande fama, il grande pubblico abbandona l'Odéon per le sale della riva destra della Senna.

Dal 1946 al 1959 prende il nome di sala Lussemburgo, poi Teatro di Francia, specializzandosi nella rappresentazione di opere del 20° sec., e sotto la direzione di Jean-Louis Barrault e Madeleine Renaud diviene uno dei più importanti palcoscenici di Parigi sino al 1968. All'interno, il moderno soffitto è opera di André Masson (1963).

Place de l'Odéon – Questa piazza semicircolare, rimasta inalterata nel tempo, fu aperta nel 1779 sui terreni appartenenti al palazzo di Condé. Le case che la circondano possiedono facciate semplici ed uniformi. Le strade che si dipartono dalla piazza sono state chiamate col nome di vari scrittori: Corneille, Racine, Voltaire (oggi Casimir-Delavigne), Molière (Rotrou), Crébillon, Regnard. Al n° 1 si trovava il caffè Voltaire, frequentato dagli enciclopedisti e poi da letterati quali Barrès, Bourget, Mallarmé, Verlaine.

Rue de Condé – E' fiancheggiata da vecchi palazzi. Al n° **26, Beaumarchais** scrisse il *Barbiere di Siviglia*, nel 1773. La rue Crébillon conduce alla place de l'Odéon.

Carrefour de l'Odéon – E' dominato dalla grande statua di Danton, eretta nel 19° sec.

★ **Cour du Commerce-St-André** – *Ingresso: 130, boulevard St-Germain*. La corte venne aperta nel 1776 dove un tempo sorgeva un gioco della pallacorda *(jeu de paume)*. Qui, all'interno di un solaio, il dottor Guillotin sperimentò su alcune pecore la «macchina filantropica per decapitare», di sua invenzione (1790). Al n° 8 Marat stampava il suo giornale *Ami du Peuple*. Al primo passaggio sulla destra (cancellata), all'angolo, all'interno di un negozio, sorge ancora una torre delle mura di cinta di Filippo Augusto.

Cour de Rohan – Nel 15° sec. faceva parte del palazzo degli arcivescovi di Rouen (da cui deriva, deformato, il nome di Rohan). Si susseguono tre cortili pittoreschi: il secondo presenta un bell'edificio in mattoni e pietra che ha sostituito alla fine del 16° sec. l'hôtel degli arcivescovi.

La tranquilla rue du Jardinet sbocca nella **rue de l'Éperon** dove sorge il liceo Fénelon, il primo ginnasio di Parigi per le fanciulle (1893).

Rue de l'Ancienne-Comédie – Un tempo era la rue des Fossés-St-Germain. Il nome attuale risale al 1770, anno in cui la Comédie-Française la lasciò per trasferirsi altrove.

Ottantun'anni di teatro – Quando il collegio delle Quattro Nazioni apre le sue porte, gli austeri Signori della Sorbona che lo dirigono fanno cacciare gli attori della Comédie-Française dalla vicina rue Mazarine. Questi si stabiliscono allora nella sala della pallacorda al n° 14. La facciata dell'edificio conserva ancora una graziosa *Minerva adagiata*, opera di Le Hongre. I pittori David, Gros, Horace Vernet hanno occupato gli atelier che si affacciavano sul cortile.

Il teatro è inaugurato nel 1689, con la *Fedra* di Racine ed *Il medico per forza* di Molière. In platea il pubblico, in piedi, è di estrazione popolare, mentre coloro che occupano i palchi fanno gran mostra di eleganza. Gli attori (tra i quali la famosa Armande Béjart, Lekain, la Champmeslé, Adrienne Lecouvreur, Mlle Clairon) recitano in mezzo ai gentiluomini seduti sul palco. Nel 1770 la sala minaccia di cadere e la compagnia si trasferisce al teatro del Palais des Tuileries, prima di prendere possesso dell'Odéon.

Al n° **8** della via si trovava il **restaurant d'Agneau** frequentato da Henri Murger, autore delle *Scene della vita di Boheme* (1848), Victor Hugo, Théophile Gautier, George Sand e Chopin.

Al n° **13** si trova il vecchio **Café Procope**, fondato circa nel 1686 da un omonimo siciliano; il locale divenne di gran moda e fu luogo d'incontro di letterati ed artisti: vi sedevano Voltaire, gli Enciclopedisti, Crébillon, Jean-Jacques Rousseau e Beaumarchais, poi, durante la Rivoluzione, fu frequentato da Marat, Danton, Robespierre, Bonaparte e, più tardi, da Musset, George Sand, Gambetta, Verlaine.

QUARTIER DE ST-SULPICE

★★ **Église St-Sulpice** – La chiesa fu fondata dall'abbazia di St-Germain-des-Prés per servire da parrocchia ai contadini che abitavano sulle sue terre e venne posta sotto la protezione di un santo arcivescovo di Bourges. Più volte ricostruita, fu ampliata nel 16° e 17° sec. Nel 1646 si iniziò dal coro e, nel corso di 134 anni, lavorarono all'opera ben sei architetti diversi.

Nel 1732, giunti alla facciata, se ne vuole cambiare lo stile greco-romano originario e, a tale scopo, è indetto un concorso; Servandoni lo vince presentando un progetto ispirato all'antichità che crea un notevole contrasto tra questa parte della chiesa e l'insieme dell'edificio. L'opera di Servandoni è stata successivamente modificata da Maclaurin e Chalgrin. Il genio di Delacroix prevale sugli altri venti artisti che hanno partecipato alla decorazione murale.

Esterno – La facciata non corrisponde più ai progetti di Servandoni: il frontone monumentale è stato eliminato, mentre i lucernari rinascimentali, destinati a coprire i campanili, sono stati sostituiti da balaustrate. Le torri sono asimmetriche: quella di sinistra è infatti più alta ed ornata rispetto a quella di destra, peraltro rimasta incompiuta.

Costeggiare la chiesa, sulla destra (rue Palatine). La facciata del transetto, con due ordini sovrapposti (colonne doriche e ioniche) e pesanti alette, è in stile barocco francese (gesuita).

Dall'angolo tra la rue Palatine e la rue Garancière, è possibile ammirare la possente ampiezza dell'edificio, sostenuto da massicci contrafforti a forma di mensole capovolte. La chiesa termina con la cappella della Vergine, da cui emergono una cupola ed un'abside aggettante.

Interno – Le proporzioni dell'edificio sono estremamente insolite: ad una lunghezza di 113 m e larghezza di 58 m, fa riscontro una volta alta 34 m.

La chapelle des Saints-Anges è decorata da **pitture murali★** di Delacroix: nella volta, *San Michele che abbatte il demonio*; sulla parete destra, *Eliodoro cacciato dal tempio* (questi, ministro del re di Siria, vuole impossessarsi dei tesori del tempio di Gerusalemme ed è colpito da tre angeli giustizieri, uno dei quali è a cavallo); sulla parete sinistra, *Giacobbe che lotta con l'angelo*. Delacroix eseguì queste composizioni, intrise di romantica passionalità, tra il 1849 ed il 1861.

La bella **cassa d'organo★** è stata disegnata da Chalgrin nel 1776. Lo strumento fu ricostruito da Cavaillé-Coll nel 1862 ed è uno dei migliori di Francia, oltre che il più grande; tra gli illustri organisti che ne furono titolari occorre ricordare il maestro Dupré, che proseguì la grande tradizione inaugurata da Widor, e successivamente Jean-Jacques Grunewald. Oggi è suonato dal maestro Daniel Roth.

Due conchiglie gigantesche, a fianco dei secondi pilastri della navata, fungono da acquasantiere: furono offerte a Francesco I dalla Repubblica di Venezia, poi donate a St-Sulpice da Luigi XV (1745). A Pigalle si deve la scultura delle rocce marmoree che le sostengono.

Nel transetto, una striscia di rame, orientata in direzione nord-sud, unisce una lastra incastrata nel pavimento della crociera destra ad un obelisco di marmo, nella crociera sinistra. Al solstizio d'inverno, un raggio di sole illumina l'obelisco, passando a mezzogiorno attraverso un foro situato nella finestra superiore della crociera destra; all'equinozio, invece, il raggio colpisce la lastra. Questa meridiana, risalente al 1744, indica l'ora di mezzogiorno.

Contro i pilastri del coro poggiano belle statue di Bouchardon: Cristo, Maria e gli Apostoli.

La **chapelle de la Vierge★** (lungo la linea dell'abside) è stata decorata sotto la direzione di Servandoni; nella nicchia dell'altare, si noti una *Madonna col Bambino*, capolavoro di Pigalle; sulle pareti, alcuni dipinti di Van Loo; nella cupola, un affresco di Lemoyne.

Place St-Sulpice – Nel 1754, cioè all'inizio dei lavori, la piazza fu disposta a semicerchio; le facciate delle case dovevano tutte assomigliare a quella del n° 6, all'angolo della rue des Canettes, opera notevole dell'architetto fiorentino Servandoni. Il progetto iniziale fu tuttavia abbandonato.

Al centro si erge la fontana di Visconti (1844), le cui nicchie contengono le statue di quattro famosi predicatori (Bossuet, Fénelon, Massillon, Fléchier): da qui il nome ironico di fontana dei quattro «punti cardinali», poiché nessuno di questi insigni vescovi divenne mai cardinale!

Il n° **9** era un tempo occupato dal Seminario di San Sulpicio, ora sede di alcuni funzionari del ministero dell'Educazione, a seguito della legge di Separazione tra Stato e Chiesa (1906).

Rue des Canettes – E' così chiamata per il bassorilievo del n° **18** raffigurante alcune anatre.

Per tutto ciò che è oggetto di un testo all'interno di questa guida consultate l'indice alfabetico alla fine del volume.

MADELEINE-Faubourg ST-HONORÉ★★

Carte Michelin n° 12 e 14 (pp. 17, 18 e 30): E 9, F 9, F 10, F 11, G 10, G 11, G 12.

E' un borgo di origini antiche, dove i lussuosi negozi (antiquari, gallerie d'arte, profumerie, alta moda) espongono gli oggetti più raffinati ed attraenti. Concentrate nei dintorni della rue Royale e rue de l'Élysée, le prestigiose vetrine propongono tutte le ultime novità in fatto di moda. Il centro ideale del quartiere è la Madeleine, la chiesa dedicata a Santa Maria Maddalena.

★★LA MADELEINE

La chiesa di Santa Maria Maddalena è, per i parigini, semplicemente *La Madeleine*, uno degli edifici più noti della capitale. Deve questa fama sia al suo aspetto di tempio greco che all'eccezionale posizione in cui è situata: all'imbocco dei boulevard ed in fondo ad una delle prospettive della Concorde. Poche chiese hanno vissuto una storia altrettanto movimentata. Contant d'Ivry ne inizia la costruzione nel 1764, sulla base di progetti ispirati alla chiesa di San Luigi degli Invalidi. L'opera viene poi continuata da Couture che però fa tabula rasa dei precedenti piani per prendere invece come modello il Pantheon. I lavori subiscono un'interruzione dal 1790 al 1806. Diversissimi sono gli utilizzi a cui si prevede di adibire l'edificio: palazzo legislativo, biblioteca, borsa, Tribunale di Commercio, Banca di Francia. Nel 1806 Napoleone decide infine che qui venga eretto un tempio in onore dei soldati della Grande Armée. I lavori vengono affidati a Vignon. Tutto quanto è stato costruito viene abbattuto e, lentamente, viene edificato l'attuale tempio greco. Nel 1814, Luigi XVIII decide che la Madeleine sia consacrata a chiesa. Sotto Carlo X, intorno ad essa si estendono ancora terreni abbandonati. Nel 1837, l'Amministrazione cerca un luogo in cui realizzare la stazione della prima linea ferroviaria (Parigi-St-Germain) e l'edificio rischia di essere adibito a tale uso. La consacrazione avviene infine nel 1842. Nel periodo della Comune, il curato, l'abate Deguerry, viene fucilato dai Federati.

Visita – La chiesa è cinta da un imponente colonnato, composto da 52 colonne corinzie, alte 20 m, e coronato da un fregio riccamente scolpito. Davanti al grandioso peristilio si stende una monumentale gradinata di 28 scalini da cui si gode una bella **vista d'insieme★** sulla rue Royale, l'Obelisco, il Palais Bourbon e la cupola degli Invalides. Il gigantesco frontone della facciata è ornato da una scultura di Lemaire che raffigura il *Giudizio Universale*. Sulla porta di bronzo, alcuni bassorilievi ispirati ai Dieci Comandamenti. L'interno è composto da un vestibolo, un'unica navata ed un coro semicircolare. Nel vestibolo si ergono due gruppi marmorei: a destra, lo *Sposalizio di Maria*, opera di Pradier, e, a sinistra, il *Battesimo di Cristo*, opera di Rude. La navata è coperta da tre cupole che consentono alla luce di filtrare. I pennacchi sono ornati di alcune statue di Apostoli, opera di Rude, Foyatier e Pradier. Sull'altare maggiore, gruppo marmoreo di Santa Maddalena portata in cielo.

Place de la Madeleine – All'esterno della chiesa, sul lato destro, ha luogo un mercato dei fiori. Intorno alla piazza si allineano famosi negozi alimentari di lusso.

Boulevard de la Madeleine – Al n° **11** morì Alphonsine Plessis, resa famosa da Alexandre Dumas figlio sotto il nome di *Signora delle camelie* e da Verdi nella *Traviata*.

★ **Rue Royale** – Tra i palazzi costruiti da Gabriel a cui si deve anche place de la Concorde, si può godere dalla rue Royale una duplice prospettiva: il grandioso frontone e l'alto colonnato della Madeleine e, alle spalle, la bianca forma imponente del Palais-Bourbon, simile ad un'eco lontana spezzata dalla sottile sagoma dell'Obelisco. Qui hanno trovato sede alcuni negozi di lusso: Villeroy e Bosch, Lalique, St-Louis e Bouilhet-Christofle. Il palazzo di Gabriel era al n° **8**. Al n° **6** visse Madame de Staël. Il n° **3**, un tempo abitato da Richelieu, è occupato dal grande ristorante Maxim's.

Musée Bouilhet-Christofle ⊙ – *N° 9*. Presenta 150 anni di oreficeria. Lo sviluppo di questa società è legato all'introduzione della galvanizzazione per i processi di argentatura. L'impresa quindi, continuando anche la tradizione degli oggetti in argento massiccio, ne produce in metallo argentato. Si possono ammirare: una bomboniera in filigrana d'argento destinata al castello delle Tuileries e creata per Napoleone III, una sorprendente *fontaine à thé* (recipiente destinato alla tavola e dotato di un rubinetto da cui spillare la bevanda - in questo caso il tè), la collezione del piroscafo *Normandie* e numerosi pezzi contemporanei.

★★ RUE DU FAUBOURG-ST-HONORÉ

E' una via estremamente elegante.

L'imperatrice Eugenia fece eliminare, per superstizione, il n° 13 che, da allora, non è più stato ripristinato.

Al n° **6** di **rue d'Anjou** visse Marie-Joseph de La Fayette (1754-1834), eroe che combattè per la libertà e l'indipendenza degli Stati Uniti.

La Cour aux Antiquaires – *N° 54*. L'eleganza di questa galleria commerciale, fondata da Marie Laure Le Duc nel 1969, è completata da esposizioni di artigianato.

Palais de l'Élysée – *N° 55. Non aperto al pubblico*. L'edificio è stato costruito nel 1718 per il conte d'Évreux, genero del finanziere Crozat. Per qualche tempo è proprietà della marchesa di Pompadour, poi del finanziere Beaujon che lo fa ingrandire. Durante la Rivoluzione diviene sala da ballo pubblica. Caroline Murat e poi l'imperatrice Giuseppina vi stabiliscono la loro residenza, arricchendolo di decorazioni. E' in questo palazzo che Napoleone, dopo la sconfitta di Waterloo, deve firmare l'atto di abdicazione (22 giugno 1815). Il principe-presidente Luigi Napoleone Bonaparte vi risiede e vi prepara il colpo di Stato del 2 dicembre 1851: divenuto imperatore, Napoleone III si trasferisce al palazzo delle Tuileries.

Dal 1873 l'Eliseo è divenuto la residenza parigina dei presidenti della Repubblica.

Place Beauvau – Un bel cancello (1836) segna l'ingresso al Ministero degli Interni che, dal 1861, ha sede nel palazzo costruito nel 18° sec. per il principe di Beauvau.

Avenue Matignon – Ospita numerose gallerie d'arte, tra cui le gallerie Maurice Garnier, Taménaga, Daniel Malingue, Artfrance e Berheim-Jeune.

Maison Paul Poiret – Occupava una volta il n° **107**. E' il primo stilista a liberare il corpo femminile

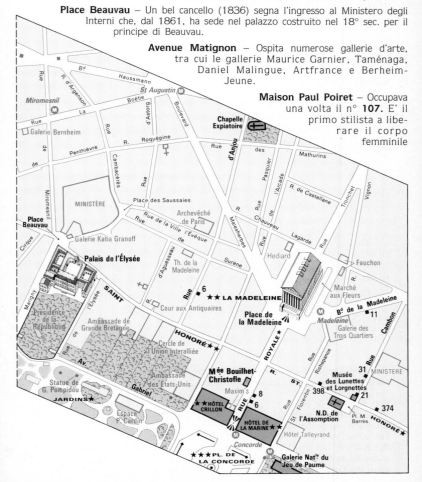

La Madeleine

dalle morse di lacci e corsetti, per vesti più morbide, dai colori forti e decisi (blu Persia, verde ed arancione) e d'ispirazione esotica (pantaloni larghi, da odalisca, alle maniche a kimono). Fu forse lui ad introdurre la moda del cappello a falde larghe ornato da piume.

Église St-Philippe-du Roule ⊘ – Chalgrin l'ha costruita, dal 1774 al 1784, su imitazione di una basilica romana. Nel 1845 fu aggiunto un deambulatorio. Nell'abside del coro, un bell'affresco di Chassériau raffigura la *Deposizione*.

DINTORNI

Cathédrale St-Alexandre-Newsky ⊘ - *12, rue Daru*. La chiesa russo-ortodossa di Parigi è stata eretta nel 1860 in stile neobizantino, come era di moda a Mosca in quell'epoca. L'edificio è dominato da cinque piramidi, sovrastate da cupole dorate. L'interno, a forma di croce greca, è ornato di affreschi, icone e dorature. Vi si svolgono stupende ed imponenti cerimonie liturgiche. Qui, il 12 giugno 1918, si sposarono Pablo Picasso e Olga Khoklova, accompagnati dai testimoni Max Jacob, Jean Cocteau, Guillaume Apollinaire e Sergei Diaghilev.

★★ **Musée Jacquemart-André** ⊘ - In questo elegante palazzo della fine del 19° sec. sono state raccolte interessantissime collezioni d'arte del 18° sec. e del Rinascimento italiano.
Al pianterreno, l'epoca Luigi XV è rappresentata da tele e disegni di Boucher, Greuze, Chardin, Watteau, sculture di Pigalle e Lemoyne, arazzi di Beauvais, mobili e oggetti d'arte. A testimonianza della pittura del 17° e 18° sec. sono esposti dipinti di Rembrandt, Van Dyck, Canaletto, Reynolds ed affreschi del Tiepolo (soffitto delle sale 4, 5 e 13 e della scala). Magnifici smalti limosini del 16° sec. e ceramiche di Palissy.
Le sale dedicate all'arte italiana offrono una selezione di alto livello qualitativo dei pittori primitivi toscani, del Quattrocento fiorentino (Botticelli, Della Robbia, Donatello) e del Rinascimento veneziano (Mantegna, Tintoretto, Tiziano). Si ammiri il famoso *San Giorgio*, opera di Paolo Uccello, ed un bel busto bronzeo del Bernini.

Le MARAIS★★★

Carte Michelin n° 12 e 14 (pp. 32 e 33): H 16, H 17 - J 16, J 17.

Il Marais, grazie all'intelligente restauro a cui è stato sottoposto, è uno dei quartieri più meritevoli di una visita accurata.

Cenni storici – Già all'epoca romana, l'attuale rue St-Antoine, soprelevata e protetta dalle alluvioni della Senna, collega Parigi a Melun. Nel 13° sec., qui si installano alcuni conventi: monaci e templari dissodano e bonificano la palude (marais). Ai bastioni eretti da Filippo Augusto, si affiancano ben presto le mura di cinta di Carlo V, chiuse a est dalla potente Bastiglia. Il quartiere del Marais, unito in tal modo alla città, viene consacrato a tutti gli effetti: Carlo V, dopo la fuga dal palazzo, si stabilisce all'**hôtel St-Paul**, tra la rue St-Antoine ed il lungofiume. Suo figlio, Carlo VI, a cui i medici raccomandano di distrarsi, trasforma questo palazzo in casa degli «Allegri svaghi». La rue des Lions-St-Paul e la rue Beautreillis ricordano l'antico serraglio e il parco reale.

All'inizio del 17° sec., la piazza Reale (attuale place des Vosges), creata per volere di Enrico IV, diviene il cuore del Marais, centro di vita elegante e di feste. Mentre i Gesuiti si stabiliscono in rue St-Antoine, i grandi signori ed i cortigiani fanno costruire tutt'intorno splendide residenze la cui decorazione viene affidata ai migliori artisti del Grand Siècle. Questa è l'epoca in cui, al Marais, viene realizzato il tipico hôtel privato alla francese, costruzione classica e discreta posta tra una corte e un giardino. Qui le preziose, i libertini, i filosofi tengono brillanti salotti, mentre i musicisti e gli oratori fanno risonare le volte di San Paolo e di San Gervaso.

Nonostante questo la moda si trasferisce verso i quartieri occidentali. Ai tempi di Luigi XVI, la nobiltà, già attratta dalla vicina isola di San Luigi, si concentra nei faubourg St-Honoré e St-Germain. La presa della Bastiglia segna la fine del Marais come quartiere residenziale, lasciato ormai alla rovina e all'abbandono.

★★★ PLACE DES VOSGES

E' la più antica piazza monumentale di Parigi.

L'hôtel des Tournelles – Nel 1407, dopo l'assassinio del duca di Orléans, la Corona acquista l'hôtel des Tournelles; vi si stabilisce Carlo VII e Luigi XII vi termina i propri giorni. Dopo la morte di Enrico II in torneo, l'edificio diviene inviso a Caterina de' Medici che ne ordina la demolizione.

La place Royale – Nel 1605, dopo aver previsto di installare in questo luogo una manifattura di seta, Enrico IV progetta di trasformare quest'area abbandonata in un elegante quartiere e, rifacendosi ad un'idea di Caterina de' Medici, pensa di realizzare una grande piazza quadrata in cui tutte le case «saranno edificate con ugual simmetria». Nel 1612, al termine dei lavori, affidati probabilmente a Métezeau, la «piazza reale» diviene il centro della vita elegante, dei caroselli e dei divertimenti

Place des Vosges

A. El/MICHELIN

193

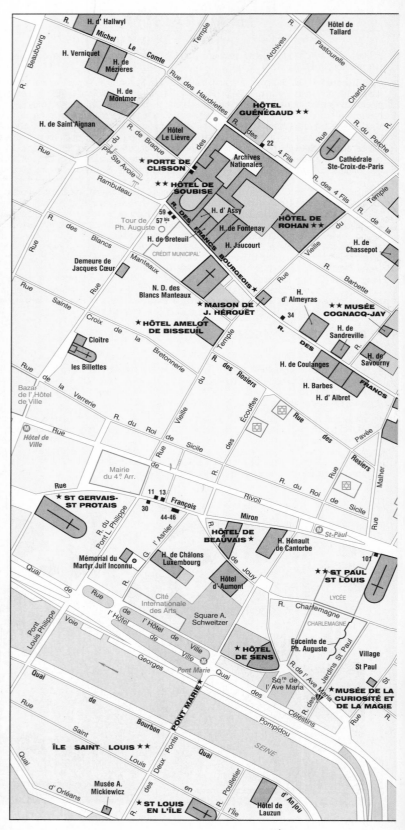

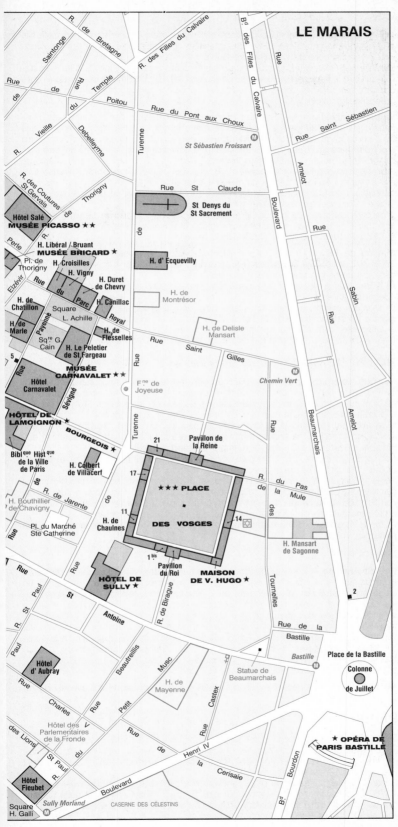

LE MARAIS

R. de Bretagne
Saintonge
Rue de
Temple
du
Poitou
Vieille
R.
Debelleyme
R. des Coutures
St Gervais
de
Thorigny
Perle

Rue du Pont aux Choux
Turenne
St Sébastien Froissart Ⓜ
Rue du Pont aux Choux

Rue Saint Sébastien
Amelot
Rue
Sabin

Hôtel Salé
MUSÉE PICASSO ★★

Rue St Claude
St Denys du
St Sacrement

H. Libéral / Bruant
MUSÉE BRICARD ★
H. Croisilles
Pl. de
Thorigny
H. Vigny
Enzévir
Rue du Parc
H. Duret
de Chevry
H. de
Chatillon
H. Canillac
Square
L. Achille
Royal
H. de
Marle
Payenne
Sq^re G.
Cain
H. de
Flesselles
H. Le Peletier
de St Fargeau
5
Rue
MUSÉE
CARNAVALET ★★
Sévigné
Hôtel
Carnavalet

H. d' Ecquevilly

H. de
Montrésor

H. de Delisle
Mansart

Boulevard

Rue

Beaumarchais

Chemin Vert Ⓜ

Amelot

HÔTEL DE
LAMOIGNON ★
BOURGEOIS ★
Bibl^que Hist^que
de la Ville
de Paris
de
R. de Jarente
H. Bouthillier
de Chavigny
Pl. du Marché
Ste Catherine
Rue
H. Colbert
de Villacerf
17
H. de
Chaulnes
11

Rue
Saint
Gilles

Rue
Turenne

F^ne de
Joyeuse

21
Pavillon de
la Reine
★★★ PLACE
DES VOSGES
14 ✡

R. du Pas
de la Mule
des

Rue
Tournelles

H. Mansart
de Sagonne

Rue
St
Paul
R. St Paul
Hôtel
d' Aubray
Rue
Charles
des Lions
St Paul
R.
Hôtel
Fieubet
Square
H. Galli Ⓜ

Antoine
HÔTEL DE
SULLY ★
1bis
Pavillon
du Roi
MAISON
DE V. HUGO ★

Beautreillis
Musc
R. de Birague
H. de
Mayenne
Castex
Petit
Rue
V
Hôtel des
Parlementaires
de la Fronde
St Paul
R.
Henri IV
de
Sully Morland
Boulevard
CASERNE DES CÉLESTINS

2

Rue de la
Bastille
Statue de
Beaumarchais
Bastille Ⓜ

Cerisaie
la
Bourdon
B^d

Place de la Bastille
Colonne
de Juillet

★ OPÉRA DE
PARIS BASTILLE

nonché il luogo di incontro dei duellanti che osano sfidare il divieto di Richelieu. Nel 1627, Montmorency-Bouteville e des Chapelles, battutisi sotto le finestre del cardinale, vengono decapitati in place de Grève.

Durante la Rivoluzione, questo luogo è ribattezzato piazza dell'Indivisibilità e la statua di Luigi XIII viene fusa (sarà sostituita nel 1818). Il nome di place des Vosges compare nel 1800 in onore del dipartimento che, per primo, effettuò il pagamento delle imposte.

La piazza attuale – Nonostante i rifacimenti, i 36 palazzi hanno mantenuto l'originaria armonia: alternanza di pietra e finti mattoni, pianterreno ad arcate, due piani coronati da tetti molto spioventi in ardesia, ornati di abbaini, cortili posteriori e giardini nascosti. L'edificio più importante è il **pavillon du Roi**, al centro del lato sud, cui fa eco, a nord, il **pavillon de la Reine**. Gli elementi decorativi sono estremamente sobri. Il sontuoso **hôtel de Chaulnes** (n° **9**), che, nel romanzo prezioso *Il Grande Ciro* era il palazzo Mexaris, ospita dal 1969 l'Accademia di Architettura *(non aperta al pubblico)*. I soffitti dell'hôtel de La Rivière (n° **14**), opera di Le Brun, si trovano al Musée Carnavalet *(si veda oltre)*.

Il percorso intorno alla piazza permette di far rivivere il ricordo di Mme de Sévigné (nata al n° **1 bis**), della bella cortigiana Marion Delorme (n° **11**), di Bossuet (n° **17**), Richelieu (n° **21**) e Victor Hugo (n° **6**).

★ **Maison de Victor Hugo** ⊘ – *6, place des Vosges*. Il museo è stato allestito nel 1903 nell'**ex hôtel de Rohan-Guéménée**, costruito all'inizio del 17° sec. Victor Hugo visse in questo palazzo dal 1832 al 1848.

Al primo piano, riservato a mostre temporanee, sono esposti a rotazione alcuni disegni da lui eseguiti.

Le sale che occupano il secondo piano rievocano le residenze del grande scrittore, mentre il «salotto cinese» ed i mobili della camera di Juliette Drouet nella sua casa di Guernesey offrono una testimonianza di come egli fosse anche un abile decoratore. Ritratti, busti, fotografie e ricordi di famiglia illustrano la sua lunga esistenza.

★ HÔTEL DE SULLY *62, rue St-Antoine*

L'edificio, costruito a partire dal 1625 probabilmente da Jean Androuet Du Cerceau, fu acquistato nel 1634 dall'allora settantacinquenne Sully, ex ministro di Enrico IV. Attualmente è occupato in parte dalla Cassa Nazionale dei Monumenti Storici e dei Siti. Il portale, che si affaccia sulla via ed unisce i due grandi padiglioni, è stato restituito allo stato originario. Il **cortile★★** del palazzo, ornato di frontoni ed abbaini scolpiti ed arricchito da una serie di figure rappresentanti i Quattro Elementi e due Stagioni, costituisce un notevole esempio di stile Luigi XIII.

Nel corpo principale del fabbricato sono stati restaurati alcuni soffitti a travetti dipinti, risalenti all'epoca della costruzione.

Negli appartamenti della seconda duchessa di Sully, situati nell'ala prospiciente il giardino, è stata restaurata la bella decorazione dipinta dei rivestimenti lignei e dei soffitti (1661). Al pianterreno del corpo principale e dell'ala prospiciente il giardino e nel seminterrato rimaneggiato hanno luogo esposizioni temporanee.

In fondo al giardino, l'Orangerie, risalente al 1625, consente il collegamento con la place des Vosges.

Dintorni

Rue St-Antoine – Importante arteria di comunicazione verso l'est, vedeva spesso il passaggio dei sovrani. Già nel 14° sec. la sua insolita larghezza ne faceva un luogo privilegiato per le passeggiate ed i festeggiamenti popolari. Nella parte antistante la chiesa, prima delle feste, la strada veniva disselciata e cosparsa di sabbia e fungeva poi da lizza per le giostre.

Nel 1559, **Enrico II** vi allestisce un torneo per festeggiare il matrimonio di sua figlia. Durante il combattimento viene ferito all'occhio dalla lancia del capitano delle guardie Montgomery e muore poco dopo all'hôtel des Tournelles. Montgomery, rifugiatosi in Inghilterra, verrà decapitato in place de Grève nel 1574. Nel corso del '600, la rue St-Antoine diventa la più bella via di Parigi.

Hôtel Colbert-de-Villacerf – *23, rue de Turenne*. Il bel salone dai pannelli dipinti è ora al Musée Carnavalet.

★★ HÔTEL CARNAVALET *23, rue de Sévigné*

Iniziato nel 1548 per Jacques des Ligneris, presidente del Parlamento, l'hôtel passa in proprietà alla vedova del signore di Kernevenoy. Il nome, deformato dal popolo, diviene Carnavalet. Verso il 1660, **François Mansart** conferisce all'edificio, di stile rinascimentale, l'aspetto attuale.

Marie de Rabutin, marchesa di Sévigné (autrice delle *Lettere*), vi abita dal 1677 al 1696. Successivamente vi risiedono finanzieri e magistrati e, all'epoca della Restaurazione, l'hôtel diviene sede della Scuola dei Ponti e delle Strade. Gli edifici che fiancheggiano i tre giardini risalgono al 19° sec.

Esterno – Il portale principale risale al 16° sec. I leoni che ornano l'ingresso e l'*Abbondanza* (nella chiave di volta) sono opera di Jean Goujon. Il globo terrestre che sosteneva questa figura è stato trasformato in maschera di Carnevale, con allusioni a Carnavalet.

La bella **statua★** di Luigi XIV, opera di Coysevox, sistemata al centro del cortile, si trovava un tempo all'Hôtel de Ville. La parte posteriore del corpo principale è ancora in stile gotico; gli unici elementi rinascimentali sono i rilievi delle quattro Stagioni. Le grandi figure che ornano le due ali sono del '600. I piccoli geni con le torce, in fondo all'ala sinistra, sono stati realizzati da Jean Goujon. L'arco di Nazareth (16° sec.) nella rue des Francs-Bourgeois proviene dal Palais de Justice.

★★ Musée Carnavalet ⊘ – Le collezioni illustrano la storia di Parigi e sono suddivise in ordine cronologico tra due hôtel collegati da una galleria al 1° piano: l'hôtel Carnavalet, in cui sono esposti oggetti del periodo che va dalle origini al 1789, e l'hôtel Le-Peletier-de-St-Fargeau, dedicato invece al periodo dalla Rivoluzione ai nostri giorni. Parte dell'hôtel Carnavalet è in corso di risistemazione.

A pianterreno, quattro sale sono dedicate all'archeologia. Rievocazione delle origini di Parigi fino al Medioevo attraverso collezioni preistoriche (selci tagliate, statere dei Parisii, brucanio, asce levigate), gallo-romane (bassorilievo, monete d'oro romane, fibule, recipienti per balsamo, vasellame in vetro), merovingie (fibbia in ferro con inserti in metallo prezioso, sarcofaghi), medievali (ceramiche, oggetti in materiale organico come calzature, scodelle, cucchiai).

Tre altre sale con immensi camini ci restituiscono l'atmosfera di una dimora rinascimentale. In una sala (**21**) sono ospitati i ricordi personali di Mme de Sévigné che visse qui per 20 anni. Lungo il grande scalone (**32**) che conduce al primo piano sono state ricollocate le pitture di

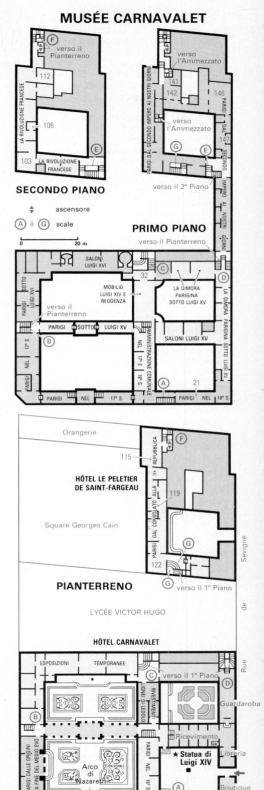

MUSÉE CARNAVALET

Brunetti, specialista di decorazioni a trompe-l'œil ai tempi di Luigi XV; questi dipinti ornavano un tempo la scalinata dell'hôtel de Luynes, poi demolito, in boulevard St-Germain. Sono esposti stupendi arredamenti negli stili Luigi XIV e Reggenza, Luigi XV e Luigi XVI, inseriti in un decoro di rivestimenti lignei provenienti da antichi palazzi.

La visita prosegue al 2° piano dell'**hôtel Le-Peletier-de-St-Fargeau**, dove il periodo della Rivoluzione e i suoi protagonisti sono ampiamente illustrati da pitture, sculture, incisioni, oggetti, preziose testimonianze di artisti celebri o di anonimi. Si notino in particolare il grande quadro di Charles Thevenin, la *Festa della Federazione* (103), il mobilio della famiglia reale durante la prigionia al Temple (106) e le tempere di Le Sueur (112).

Nelle vaste sale del pianterreno e del 1° piano sono rappresentati i grandi avvenimenti legati ai diversi regimi politici che costruirono la storia di Parigi: il Primo Impero e la Restaurazione, le Tre gloriose del 1830 (bozzetto rappresentante l'arrivo del duca d'Orléans in piazza del municipio) (119), la Monarchia di Luglio, le giornate di febbraio e giugno 1848, il Secondo Impero, la Comune del 1871. Quadri e ricordi testimoniano l'importanza della vita artistica: *ritratto di Mme Récamier*, opera di François Gérard (115), *ritratto di Franz Liszt* dipinto da Henri Lehmann (122), numerose scene di vita cittadina tra cui le opere di Béraud che rievocano la Belle Époque, ricostruzione della camera di Marcel Proust e di quella di Anna di Noailles (147).

Tre ambienti molto significativi sono stati inoltre ricostruiti in questo museo: il salone del Café de Paris, progettato dall'architetto Sauvage (141), il negozio del gioielliere Fouquet, realizzato da Mucha (142), e la sala da ballo dell'hôtel de Wendel, decorata da Sert (146).

Nella galleria che collega i due hôtel, alcune opere di pittori del 20° sec. (Signac, Marquet, Utrillo, Foujita), la cui visione della capitale è spiccatamente personale.

Dintorni

Rue de Sévigné – Procedendo lungo le facciate dell'hôtel Carnavalet e dell'hôtel Le-Peletier-de-St-Fargeau (n° **29**), si passa davanti all'**hôtel de Flesselles** (n° **52**), molto restaurato.

Rue du Parc-Royal – E' fiancheggiata da una serie di *hôtels* seicenteschi, che, nonostante i molti rimaneggiamenti, formano un insieme architettonico interessante di fronte allo square Léopold-Achille: **Canillac** (n° **4**), **Duret-de-Chevry** (n° **8**), **Vigny** (n° **10**), che ospita il Centro nazionale di Documentazione del Patrimonio, **Croisilles** (n° **12**), dove hanno sede la Biblioteca e gli Archivi dei Monumenti Storici.

Rue de Turenne – L'**hôtel d'Ecquevilly**, detto **du Grand Veneur** (n° **60**), presenta un bello **scalone d'onore★** dalla ringhiera in ferro battuto ornata di trofei di caccia. L'**Église St-Denys-du-St-Sacrement** ⊙, eretta ai tempi della Restaurazione a forma di basilica romana, custodisce due dipinti di Abel de Pujol, tra cui uno a grisaille raffigurante la predica di San Dionigi *(nel coro)*, i *Pellegrini di Emmaus*, dipinto a cera da Picot nel 1840, e soprattutto una notevole *Deposizione dalla Croce★*, dipinta da Delacroix (1844) sulla parete di fondo della cappella a destra dell'ingresso.

HÔTEL SALÉ *5, rue de Thorigny*

L'edificio fu costruito tra il 1656 ed il 1659 per Pierre Aubert, signore di Fontenay, esattore delle gabelle (imposte sul consumo di sale), da cui deriva il nome di hôtel Salé attribuitogli dalla maliziosa arguzia parigina. Dopo essere stato, nel 18° sec., la residenza della famiglia de Juigné, a cui apparteneva anche l'arcivescovo di Parigi inumato in Notre-Dame, l'hôtel ospitò la Scuola Centrale (dal 1829 al 1884) e, dal 1944 al 1969, la Scuola dei Mestieri artistici. Il restauro e la sistemazione, curati dall'architetto Simounet, hanno consentito di accogliere la donazione Picasso *(si veda sotto)*. L'interno ha conservato una bella **scala★** con ringhiera in ferro forgiato e con soffitto scolpito.

★★ **Musée Picasso** ⊙ – Nato a Malaga il 25 ottobre 1881, Pablo Ruiz Picasso studia alla scuola delle Belle Arti di Barcellona, poi a Madrid. Nel 1904, va a stabilirsi in Francia, da cui non si allontanerà più se non per brevi soggiorni all'estero. Muore a Mougins l'8 aprile 1973. Grazie ad una legge del 1968 che consente agli eredi di pagare i diritti di successione con opere d'arte, la Francia, che precedentemente non disponeva di un numero elevato di opere di Picasso, ha potuto acquisire la più importante collezione del grande artista. Essa comprende oltre 200 dipinti, un eccezionale insieme di sculture, collages e quadri in rilievo, più di 3 000 disegni e stampe, 88 ceramiche, libri illustrati e manoscritti.

La visita inizia al 1° piano, dove è esposto l'*Autoritratto blu*, e segue cronologicamente la vita dell'artista, connessa strettamente all'opera *(pannelli esplicativi)*. Sono rappresentate tutte le fasi della sua evoluzione e tutte le tecniche da lui adottate, tra cui gli studi per le *Demoiselles d'Avignon*, la *Natura morta con sedia impagliata*, il *Flauto di Pan*. A questa raccolta si aggiunge la collezione personale di Picasso, composta da una cinquantina di opere di artisti da lui ammirati (tra cui Braque, Cézanne e Rousseau), che costituisce la donazione Picasso. Al 3° piano vengono proiettati filmati sul pittore.

La rue des Coutures-St-Gervais e quindi la rue Vieille-du-Temple fiancheggiano il giardino e la maestosa facciata posteriore dell'hôtel Salé. Nel giardino pubblico alla francese, che continua quello del museo, si trova una fontana con gradini a cascata, opera di Simounet.

Dintorni

Rue de la Perle – I n° 3 e 5 sono occupati dall'hôtel de Chassepot.
Al n° 1 l'**Hôtel Liberal-Bruant,** una costruzione estremamente sobria eretta nel 1685 dall'architetto degli Invalides per se stesso che ha ritrovato il suo aspetto originario ed ospita attualmente il museo della serratura Bricard.

★ **Musée de la Serrurerie Bricard** ⊘ – Lungo cinque sale è possibile seguire lo sviluppo della serratura artistica, dall'epoca romana all'Impero: collezioni di chiavi in bronzo e in ferro, serrature gotiche in ferro battuto, picchiotti veneziani, serrature in bronzo dorato del castello delle Tuileries e del Palazzo Reale, stupende chiavi di ciambellani e serrature prevostali a segreto. Nel museo sono anche raccolti ferramenti dell'inizio '900 ed oggetti in ferro battuto attualmente realizzati dai laboratori Bricard. Nel cortile vi è un'antica bottega di fabbro.

★★HÔTEL DE ROHAN ⊘ *87, rue Vieille-du-Temple*

Delamair iniziò la costruzione del palazzo contemporaneamente all'hôtel de Soubise, nel 1705. Esso era destinato al figlio del principe e della principessa de Soubise, vescovo di Strasburgo e futuro cardinale di Rohan; divenne poi la residenza consecutiva di quattro cardinali di Rohan, principi-vescovi di Strasburgo, l'ultimo dei quali vi condusse una vita principesca fino al momento in cui l'affare della Collana della Regina (1785) causò la sua rovina.

> *L'Affare della Collana: fingendosi emissaria di Maria Antonietta, la contessa de La Motte persuase il cardinale di Rohan ad acquistare una collana molto costosa per ottenere i favori della regina. Impossibilitato a portare a termine il pagamento, il prelato decise di rivelare il nome della presunta commissionaria e venne per questo incarcerato. Anche se assolto al processo, questa implicazione segnò l'inizio della sua discesa.*

Napoleone assegna poi l'hôtel alla Stamperia imperiale e, quando questa cambia sede, il palazzo diviene parte degli Archivi nazionali (1927) e sfugge in tal modo alla distruzione.
Il cortile d'onore non presenta la stessa originalità di quello del palazzo Soubise. La facciata principale dà sul giardino comune ai due hôtel.
Nel cortile di destra, al di sopra delle antiche scuderie, si può ammirare il magnifico bassorilievo dei *Cavalli del sole*★★, opera di Robert **Le Lorrain**, in cui gli scalpitanti animali, a stento trattenuti, sembrano precipitarsi frementi verso l'abbeveratoio. Un bello scalone diritto conduce agli **appartamenti**★ dei cardinali, al cui ingresso si possono ammirare alcuni arazzi dei Gobelins.

I primi saloni sono ornati di arazzi di Beauvais (disegni attribuiti a Boucher).
La decorazione interna ancora esistente risale al 1750. Si ammirino il Salone dorato, il delizioso Gabinetto delle scimmie, decorato da Christophe Huet (su questo modello furono poi realizzate le «scimmierie» e le cineserie di Chantilly e Champs) ed i delicati rivestimenti lignei delle camerette (Gabinetto delle fiabe).

Cavalli del Sole

Ph. Gajic/MICHELIN

199

Cameretta della principessa – E' molto interessante per i suoi medaglioni che rappresentano i quattro elementi e per le soprapporte eseguite da Van Loo, Restout, Tremolières e Boucher.

La sala successiva, chiamata «sala del baldacchino», conduce verso un'ultima sala dedicata ad una esposizione: *Patriottismo... Nazionalismo in Francia dal 1789 al 1945*.

★ **Musée de l'Histoire de France** ⊘ – Dall'apertura del CARAN (1990), che accoglie i lettori degli Archivi nazionali, il museo occupa i due piani dell'hôtel de Soubise.

Al pianterreno, l'antica **sala di lettura**, che ha conservato i suoi tavoli, è adesso allestita con una presentazione di documenti sul Medioevo.

Questi documenti, ripartiti secondo un ordine cronologico, dalla metà del 7° sec. fino al 15° sec., descrivono gli avvenimenti storici, l'unificazione del regno, lo sviluppo delle grandi istituzioni monarchiche. La società medievale viene evocata attraverso una presentazione tematica: religione e clero; insegnamento e università; guerra e armata; nobiltà, società rurale e regime dei terreni; Terzo Stato; città e commerci.

Tra i pezzi più notevoli troviamo un *editto* di Clodoveo II, redatto in latino su un foglio di papiro; il *diploma di Ugo Capeto* (988); un documento in lingua d'oc (attorno al 1103), testimonianza delle prime tracce di questa lingua. Da notare anche i due testamenti (1222) di Filippo Augusto, i più antichi che ci siano giunti da un re di Francia e una lettera commovente indirizzata da Giovanna d'Arco agli abitanti di Reims (6 Agosto 1429) per esortarli a difendere la loro città. Mediante questa presentazione, il visitatore può soffermarsi sui grandi avvenimenti della nostra storia, scegliere i pezzi che illustrano un tema preciso (le crociate, la guerra dei cent'anni), oppure esaminare l'evoluzione della scrittura o dei sigilli.

Dintorni

★ **Rue des Francs-Bourgeois** – *Tratto compreso tra rue des Archives e rue Vieille-du-Temple*. Il nome originario di questa antica via era rue des Poulies (via delle Puleggie), poiché un tempo ospitava numerose botteghe di tessitori. Nel 1334, furono qui fondate «case di elemosina», i cui abitanti, esonerati dal pagamento delle tasse date le loro scarse risorse economiche, erano chiamati «franchi borghesi», da cui deriva l'attuale nome della strada.

Contro il muro del n° **59**, frammento di facciata di un hôtel del 1638, non più esistente. Dietro il portale del n° **57 bis** si erge una delle torri della cinta realizzata da Filippo Augusto, risalente a 800 anni fa. Di fronte al Credito Municipale, un tempo Monte di Pietà, gli hôtel d'**Assy** (n° **58 bis**), de **Breteuil** (n° **58**), de **Fontenay** (n° **56**) e de **Jaucourt** (n° **54**) fanno parte degli Archivi di Francia.

Rue Vieille-du-Temple – Al n° **54**, la **maison de Jean Hérouët★**, tesoriere di Luigi XII, ha conservato le sue finestre ripartite e l'elegante torretta a sporto (1510 circa).

A poca distanza si ergeva, nel 15° sec., l'**hôtel Barbette**, dimora discreta della regina Isabella di Baviera che lanciò la moda dei balli in maschera; il suo consorte, Carlo VI, soggetto a crisi di pazzia, risiedeva invece all'hôtel St-Paul. «Se il re mi infastidisce quando è pazzo, ancor più mi infastidisce quando non lo è», usava confidare la regina con cinismo.

★ **Hôtel Amelot-de-Bisseuil (o des Ambassadeurs d'Hollande)** – *N° 47*. Questo palazzo ha sostituito nel 1655 la residenza medievale dei marescialli di Rieux, compagni d'armi di Du Guesclin e di Giovanna d'Arco. Qui accanto, nel 1407, il duca Luigi d'Orléans, che si era recato a visitare la regina Isabella all'hôtel Barbette, venne crudelmente ucciso dagli uomini di Giovanni senza Paura. Ebbe così inizio la terribile guerra civile tra i Borgognoni e gli Armagnac, nel corso della quale Parigi fu occupata dagli inglesi (dal 1420 al 1435) ed assediata invano da Carlo VII e Giovanna d'Arco.

L'hôtel del 17° sec., rimaneggiato dai diversi proprietari, fu preso in affitto dal cappellano dell'ambasciata di Olanda, da cui deriva il nome.

Hôtel Amelot-de-Bisseuil,
particolare della porta

Nel 1776, l'intraprendente scrittore **Beaumarchais** vi installò un commercio di armi destinate ai rivoltosi americani, poi un Istituto di beneficenza per le povere madri nutrici. Poco dopo, vi portò a termine la commedia *Le nozze di Figaro*.

La **porta★**, ornata di maschere ed allegorie, è una delle più belle del Marais *(suonare per visitare il 1° cortile. L'hôtel non è aperto al pubblico)*. Il corpo principale e le due ali sono decorati con diversi motivi scolpiti e quattro meridiane dipinte a grisaille.

Église Notre-Dame-des-Blancs-Manteaux – *Rue des Blancs-Manteaux*.
Un tempo qui si ergeva un convento fondato da San Luigi per l'ordine mendicante dei Servi della Vergine, i cui membri indossavano un mantello bianco. I Benedettini di San Guglielmo, i *Guglielmiti*, che ne presero il posto alla fine del '200, ricostruirono la cappella del convento nel 1695. Sotto il Secondo Impero, Baltard vi applica la facciata settecentesca della chiesa di Sant'Eligio, distrutta dai lavori di Haussmann nella Cité. Attualmente è sede del Credito Municipale.

L'interno è molto interessante per i rivestimenti lignei che lo ornano (portale interno, cassa d'organo, mensa) e soprattutto per lo stupendo **pulpito★** fiammingo, i cui pannelli intarsiati d'avorio e stagno sono incorniciati in legno dorato, in stile rococò (1749). La chiesa, il cui grande organo è famoso per la splendida sonorità, ospita spesso importanti concerti.

Demeure de Jacques Cœur – *40, rue des Archives*.
Nel 1971, il restauro di un edificio occupato da una scuola ha portato alla luce una facciata decorata con pannelli a reticelle di mattoni rossi e neri, consentendo di riconoscere la dimora di Jacques Cœur, ministro delle finanze di Carlo VII. Questa casa, risalente al '400, è una delle più antiche di Parigi.

Église des Billettes ⊙ – *22, rue des Archives*.
E' qui che la leggenda colloca, nel 1290, il miracolo del «Dio bollito». Jonathas, un usuraio, tagliuzza un'ostia, poi la getta in un pentolone di acqua bollente. L'acqua si trasforma in sangue che scorre nella strada e attira l'attenzione. Il sacrilego viene bruciato vivo. Qui, nel 14° sec., i frati della Carità, chiamati «billettes» (plinti) per via del loro scapolare che riproduce il pezzo araldico rettangolare così chiamato, erigono un convento. Subentrano poi i Carmelitani che nel 1756 costruiscono la chiesa attuale diventata luterana nel 1812.

Cloître des Billettes ⊙ – *1ª porta a sinistra della chiesa*.
Unico chiostro medievale ancora esistente a Parigi. E' disposto attorno ad un piccolo cortile. Si può notare l'architettura molto semplice della volta delle gallerie e delle arcate ad angolo, le cui nervature ricadono su peducci addossati ai pilastri.

★Rue des Francs-Bourgeois – *Tratto compreso tra rue Vieille-du-Temple e rue Payenne*.
Al n° **34** l'ex **hôtel Poussepin** (1603) è divenuto sede del centro culturale svizzero. Al n° **30**, l'**hôtel d'Almeyras** (1598) nasconde la facciata in mattoni e pietra dietro un curioso portale ornato di teste di ariete. L'**hôtel de Coulanges** (nn **35-37**), divenuto la casa d'Europa, risale al '700, mentre l'**hôtel de Sandreville** (n° **26**), di fronte, è del 1586. Al n° **29 bis** e **31** si trova l'**hôtel d'Albret**. Costruito nel 16° sec. dal conestabile di Montmorency, fu rimaneggiato nel '600. La facciata, rimaneggiata nel 18° sec., è di notevole interesse. Restaurata, vi ha sede oggi la direzione degli Affari Culturali del Comune di Parigi. L'**hôtel Barbès** (n° **33** – *entrare nel cortile*) è stato costruito verso il 1634.

★★MUSÉE COGNACQ-JAY ⊙ *8, rue Elzevir*.

Le collezioni qui ospitate, dedicate all'arte europea del 18° sec., sono state raccolte dai fondatori dei magazzini della Samaritaine che le lasciarono poi in donazione al Comune di Parigi. Questa raccolta è oggi ospitata nell'hôtel Donon, completamente restaurato, il cui corpo principale (fine del 16° sec.), dal tetto elevato, ricorda lo stile di Philibert Delorme. L'insieme, perfettamente omogeneo per stile e gusto artistico, offre un quadro estremamente preciso della vita raffinata del Secolo dei Lumi. Le sale, decorate con rivestimenti lignei, presentano, al pianterreno, una selezione eccezionale di disegni (Watteau) e pitture (Rembrandt, Ruysdaël, Largillierre, Chardin). La vita e i personaggi della corte di Luigi XV sono rappresentati da alcuni ritratti di Maria Leszczynska, di madame Adelaïde, sua figlia e di Alessandrina, la figlia di Madame de Pompadour. Al 2° livello, alcune tempere (opera di Mallet) ci danno invece un'idea della vita borghese, austera ed elegante allo stesso tempo, all'epoca di Luigi XVI. Le figure di bambini e la fantasia di Fragonard contrastano con le terrecotte di Lemoyne e le opere di Greuze, raggruppate nella sala ovale. Una galleria di sculture (Falconet, Houdon, Clodion), per lo più di ispirazione italiana, ospita anche alcune tele di Hubert Robert e di Boucher. Al 3° livello spiccano Madame Vigée-Lebrun e il suo tempo, un letto alla polacca, alcuni pastelli (la *Présidente de Rieux* e l'*Autoritratto* di Latour) e dipinti inglesi. Si ammirino, nel grande salone dal rivestimento in legno di quercia, un cassettone e un tavolo ovale stampigliati RVLC e una coppia di cassettoni opera di Carlin. Alcune tele di scuola veneziana sono esposte in un gabinetto (*Piazza S. Marco* del Guardi), mentre vetrine accolgono porcellane di Sassonia e di Sèvres, oggetti preziosi da toilette, nonché tabacchiere e scatole per confetti.

Dintorni

Hôtel de Savourny – *4, rue Elzevir*. Ha un pittoresco cortile interno.

Rue Payenne – Al n° **5** di rue Payenne visse e morì François Mansart. Lo square Georges-Cain è sistemato a giardino lapidario. L'**hôtel de Marle**, detto **di Polastron-Polignac** (n° **11**), si distingue per la bella maschera in cima al portale e per il tetto a carena. Questo palazzo è oggi territorio svedese ed ospita un centro culturale. L'**hôtel de Châtillon** (n° **13**), ha una bel cortile e una bella scala.

★ HÔTEL DE LAMOIGNON *24, rue Pavée*

L'hôtel d'Angoulême è stato costruito nel 1585 per Diana di Francia, figlia legittimata di Enrico II. Nel 1658 vi si stabilisce Lamoignon, presidente del Parlamento, che riceve Racine, Mme de Sévigné, Bourdaloue e Boileau, autore del poemetto eroicomico *Il Leggio (si veda la Sainte Chapelle nella CITÉ)*, composto per rispondere ad una sua sfida. Nel palazzo nacque Lamoignon de Malesherbes, difensore di Luigi XVI, ed abitò lo scrittore Alphonse Daudet. La garitta quadrata a sporto che si erge all'angolo della via permetteva di sorvegliare l'incrocio. In fondo al cortile, l'imponente corpo principale dell'edificio è diviso da sei pilastri corinzi che si innalzano fino alla cornice, primo esempio a Parigi del cosiddetto «ordine colossale». Due abbozzi di ali sono coronati da frontoni ricurvi, ornati di attributi di caccia e di mezzelune (motivi ornamentali allusivi a Diana).

Bibliothèque Historique de la Ville de Paris – Questa biblioteca, fondata nel 1763 e trasferita qui di nuovo nel 1968, è particolarmente ricca di materiale relativo alla Rivoluzione francese. Oltre alle collezioni di libri, dispone di un preziosissimo fondo, sezioni di periodici, manoscritti, carte topografiche, manifesti, fotografie ed un originale settore di attualità (ritagli di giornali, volantini). La posizione, la tranquillità e la sistemazione della **sala di lettura**, che presenta travi e travetti dipinti, ne fanno una delle più belle di Parigi.

Dintorni

Rue des Rosiers – Come l'adiacente rue des Écouffes (il nome deriva da *ecoufle* che, in francese antico, significava *nibbio* e, in questo caso, si riferiva all'insegna di un usuraio, raffigurante un nibbio reale), la rue des Rosiers è una delle vie più caratteristiche del **quartiere ebreo**, formatosi nel 4° ar. I negozi dalle insegne ebraiche offrono prodotti rituali, carni kasher, specialità orientali. L'inattività del sabato contrasta con la grande vivacità che anima gli altri giorni della settimana.

★★ ÉGLISE ST-PAUL-ST-LOUIS *99, rue St-Antoine.*

E' il più antico esempio di stile gesuita a Parigi, successivo solo all'Église des Carmes. Nel 1580, nell'attuale liceo Carlo Magno, i Gesuiti istituiscono una casa per ospitare i religiosi che abbiano già pronunciato i voti. Luigi XIII offre i terreni necessari per la nuova chiesa, i cui lavori di costruzione durano dal 1627 al 1641; in onore del sovrano, essa verrà dedicata a San Luigi. Il progetto è di E. Martellange, architetto della Compagnia del Gesù, e si ispira a quello della chiesa del Gesù a Roma, modello di architettura barocca. I Gesuiti sono espulsi tra il 1761 ed il 1764 e, dal 1795 al 1804, il convento diviene Scuola Centrale, poi liceo. Dopo la demolizione della vecchia chiesa di San Paolo, i due nomi San Paolo e San Luigi vengono accorpati nell'edificio della rue St-Antoine (1796).

Facciata – La facciata, che presenta tre ordini classici di colonne, nasconde la cupola, grande elemento innovativo introdotto dallo stile gesuita. Nelle chiese posteriori (Sorbona, Val-de-Grâce, Invalides), tale difetto verrà eliminato.

Interno – Nessuna navata laterale, ma cappelle comunicanti. La volta a botte consente una notevole luminosità. In corrispondenza della crociera del transetto si erge una bella cupola sormontata da un lucernario. Questo luminoso insieme architettonico è arricchito da una abbondante quantità di sculture e di elementi ornamentali. Il pubblico dei fedeli che assistevano alle cerimonie religiose era impegnato quasi in una gara di eleganza: questa molteplicità di elementi conferiva quindi alle funzioni un aspetto teatrale. Il mobilio, assai ricco andò perso durante la Rivoluzione. I reliquiari in argento che contenevano i cuori di **Luigi XIII** e di **Luigi XIV** furono fusi per realizzare la statua della Pace di Chaudet ed il prezioso contenuto fu acquistato dal pittore Saint-Martin per farne materiale da lavoro: macinati con olio, i cuori servirono infatti per comporre un impasto scuro, la *mumie*, che dava alle tele una velatura meravigliosa. Il pittore utilizzò comunque solo una parte del cuore di Luigi XIV, che, a quanto sembra, era più grande rispetto all'altro. Durante la Restaurazione, ne restituì i resti a Luigi XVIII e ricevette in compenso una tabacchiera d'oro. Le due conchiglie dell'acquasantiera, disposte all'ingresso, furono offerte da Victor Hugo ai tempi in cui risiedeva in place des Vosges. Nella crociera, tre quadri, risalenti al 17° sec., illustrano la vita di San Luigi. Il quarto, andato perso, è stato sostituito dal *Cristo nell'Orto degli Ulivi*, opera di Delacroix (1826). All'interno della cappella, sulla sinistra dell'altare maggiore, si erge la statua marmorea della *Madonna Addolorata* di Germain Pilon (1586).

Nel cortile nel n° **101,** si trova l'antico convento dei Gesuiti, oggi **Lycée Charlemagne,** con una bella scala sormontata da una cupola in trompe-l'œil che rappresenta *L'apoteosi di San Luigi.*

Dintorni

Rue François-Miron — Antica strada romana che attraversava le paludi, prende il nome da un prevosto dei mercanti sotto il regno di Enrico IV. Nel Medioevo scendeva dal monticello di San Gervaso ed era fiancheggiata dalle case di città appartenenti ad alcune abbazie dell'Ile-de-France.

L'**hôtel Hénault-de-Cantorbe,** al n° 82, presenta un interessante balcone a balaustre in pietra e grazioso cortile interno. Vi è ospitata la **Maison Européenne de la Photographie** ⊙.

★ **Hôtel de Beauvais** — *N° 68. Non aperto al pubblico.* Nel 13° sec. questa era la proprietà parigina dell'abbazia di Chaalis, vicino a Senlis. Caterina Bellier, detta Cathau la Guercia, è la prima cameriera di Anna d'Austria. Nel 1654, il ruolo galante che l'esperta quarantenne sa esercitare nei confronti del giovane Luigi XIV, allora di soli 16 anni, le consente di guadagnare una vera fortuna. Viene concesso a lei ed al marito, Pierre Beauvais, un titolo nobiliare ed essi acquistano l'ex terreno degli abati di Chaalis su cui l'architetto Lepautre costruisce loro un sontuoso palazzo, utilizzando persino le pietre destinate al Louvre. Nel 1660, è dai balconi di questo hôtel che Anna d'Austria, la regina d'Inghilterra ed i più importanti personaggi della Corte assistono all'ingresso trionfale di Luigi XIV e di Maria Teresa.

Nel 1763, quando il giovane **Mozart**, a 7 anni, si reca in Francia col padre e la sorella, viene ospitato qui presso l'ambasciatore di Baviera e vi dà alcuni concerti.

Un gruppo di volontari dell'*Associazione per la salvaguardia e la valorizzazione della Parigi storica*, ha portato alla luce nel sottosuolo dei nn **44-46** i begli **scantinati★** gotici della casa parigina dell'**abbazia d'Ourscamp** ⊙, nel dipartimento dell'Oise.

Le due case con intelaiature lignee, molto restaurate, ai nn **13** e **11** risalgono ai tempi di Luigi XI. Si dice che la bella Maria Touchet, amante di Carlo IX, abbia abitato al n° **30.**

Rue Geoffroy-l'Asnier — L'**hôtel de Châlons-Luxembourg** (n° **26**), costruito nel 1610, ha un bel portone scolpito ed una interessante facciata di mattoni e pietra.

Mémorial du Martyr Juif Inconnu ⊙ — Il Monumento commemorativo del Martire Ebreo Ignoto, custodisce, nella cripta, la fiamma-ricordo delle vittime ebree del nazionalsocialismo; vi è anche ospitato un museo sugli ebrei nella lotta contro l'hitlerismo.

Hôtel d'Aumont – *7, rue de Jouy.* Costruito da Le Vau all'inizio del '600, viene poi rimaneggiato ed ampliato da François Mansart e decorato da Le Brun e Simon Vouet. Il giardino alla francese è probabilmente progettato da Le Nôtre. Fino al 1742 è la residenza dei duchi di Aumont che vi organizzano fastosi ricevimenti ed accumulano collezioni di «curiosità». Il cortile interno e le facciate presentano invece una decorazione estremamente sobria, quasi austera. Dopo i degradi subìti nel corso del 19° sec., l'edificio è stato restaurato ed attualmente è sede del Tribunale amministrativo.

★ **Hôtel de Sens** – *1, rue du Figuier.* Insieme con l'hôtel de Cluny e la casa di Jacques Cœur, costituisce una delle tre grandi dimore private del Medioevo a Parigi.

L'edificio fu costruito dal 1475 al 1507 per gli arcivescovi di Sens, dai quali dipese il vescovato di Parigi fino al 1622. Durante la Lega, divenne un focolare di intrighi con il cardinale di Guisa. Nel 1594, mentre a Notre-Dame si canta il *Te Deum*, Monsignor di Pellevé vi muore di furore per l'ingresso a Parigi di Enrico IV, ex protestante.

Nel 1605, la regina Margot (Margherita), prima moglie di Enrico IV, stabilisce la propria dimora nell'hôtel dopo aver trascorso un lungo esilio in Alvernia. Nonostante i suoi 53 anni, conduce una vita galante ancora intensa. Accecato dalla gelosia, uno scudiero uccide un rivale con un colpo di pistola proprio nella carrozza dell'ex regina; quest'ultima lo fa decapitare davanti all'hôtel, lasciando poi il Marais per trasferirsi al Pré-aux-Clercs.

Dal 1689 al 1743, la dimora è occupata dal servizio delle diligenze di Lione. Questo tragitto è talmente rischioso che i viaggiatori, prima di mettersi in viaggio, fanno testamento. Il famoso attacco al *corriere di Lione* nel 1796 fu sferrato proprio contro una vettura di questa linea.

Le vecchie case che incorniciavano l'edificio sono state demolite. La facciata è ornata di torrette d'angolo e da un alto abbaino con fioroni di pietra. Le due porte ad ansa, di diversa dimensione, sono coronate da un arco a sesto acuto.

Passando sotto la volta del portale, di stile gotico-fiammeggiante, si accede al cortile. La torre quadrata a cui conduce la scala a chiocciola presenta una bertesca (sorta di balcone con piombatoia). Le facciate esterne sono anch'esse ornate di torrette e begli abbaini.

La **bibliothèque Forney** ⊘ ospita documentazioni sulle belle arti, le arti decorative e le tecniche industriali. Ricche collezioni di manifesti e di tappezzerie.

Village St-Paul – E' un isolato che si stende tra le rue des Jardins-St-Paul, Charlemagne, St-Paul e l'Ave-Maria, vivacizzato da cortili interni intorno ai quali si dispongono case e negozi di antiquariato.
La rue des Jardins-St-Paul, un tempo antistante alle mura della città, conserva un lungo frammento delle fortificazioni, troncato ai lati da due torri: esso costituisce il più importante resto parigino della **cinta eretta da Filippo Augusto** e, a quel tempo, collegava la **torre Barbeau**, situata all'attuale n° 32 di quai des Célestins, alla postierla San Paolo. In questa via, nel 1553, morì **Rabelais**. In fondo si può godere una prospettiva sull'abside e la cupola dell'Église St-Paul-St-Louis.

★ **Musée de la Curiosité et de la Magie** ⊘ – *11, Rue Saint-Paul.* Dopo aver sceso alcuni scalini, il visitatore penetra in un susseguirsi di ambienti a volta ed è accolto dalla **Veggente di Pigalle**, automa che non cessa di scandire i suoi «buongiorno!». La collezione permette di farsi un'idea dell'ingegnosità degli accessori della «fisica divertente», come era chiamata nel 17° e nel 18° sec. la prestidigitazione (il nome risale al 1815), arte che in effetti esiste fin dal tempo degli Egizi, che truccavano i loro templi con abili meccanismi idraulici. Al centro del percorso una scena, alcune sedie e dei gradini servono per gli spettacoli di prestidigitazione che vengono organizzati regolarmente *(compresi nel biglietto d'entrata; durata: mezz'ora circa).*
Il visitatore scopre poi la scatola dorata della donna segata in due e i mille ed uno strumenti necessari per fare sparire gli oggetti e deformare la realtà. Si possono notare i graziosi **legni torniti**, piccoli oggetti di bosso, il più delle volte fabbricati a Nuremberg. Facevano parte delle scatole di fisica divertente che, nel secolo scorso, si regalavano ai bambini. Ci sono poi le **scatole a sorpresa o sovrapposte** (il gioiello sparito era naturalmente nella scatola più piccola...) e gli automi. Sono altresì interessanti gli oggetti in metallo malleabile (ottone, metallo bianco), fabbricati a Dinand (Belgio), e quindi chiamati «dinanderie»: vaso inesauribile, pentola con tortorelle, palline con foulard.
Sopra la porta e le vetrine, nella sala degli automi, si possono vedere alcune **illusioni ottiche** tra le quali ve n'è una piuttosto lunga, incavata, che l'occhio continua a trasformare in un volume pieno. Dei dadi ed un busto cavo di **Robert Houdin** (1805-1871), diplomatico e orologiaio di genio che diede i titoli nobiliari all'arte della prestidigitazione nel 19° sec. *(si veda il PALAIS-ROYAL),* producono lo stesso effetto. Le sale successive racchiudono altre illusioni ottiche e giochi di specchi. Piatti decorati con scene di fiera, di luna-park, di venditori ambulanti e di ciarlatani ornano l'ultima sala dove una cassetta video parla dell'infatuazione per l'irrazionale e la magia durante l'Illuminismo.

Hôtel d'Aubray o de la Brinvilliers – *12, rue Charles-V. Chiuso al pubblico.* La scala dell'ala sinistra presenta una bella rampa in ferro battuto. Il nome dell'hôtel deriva dal fatto che qui visse l'avvelenatrice Brinvilliers *(si veda l'Arsenale).*

Hôtel Fieubet – *Square Henri-Galli.* Venne costruito nel 1680 da Gaspar Fieubet, cancelliere di Anna d'Austria, su progetto di Hardouin-Mansart. Verso il 1850, il proprietario sovraccaricò la facciata di decorazioni. Dal 1877 è sede di un collegio.

Sulle tracce di Modì

Nel 1906, poco più che ventenne, Modigliani si trasferisce a Parigi e affitta uno studio a Montmartre, in rue Caulaincourt. Nel 1909 conosce Brancusi, che gli trova a Montparnasse un atelier vicino al suo, al 14 di Cité Falaguière. Al 1910 risale la breve ma intensa relazione con la grande poetessa russa Anna Achmatova, che ricorderà nelle sue memorie i pomeriggi piovosi trascorsi sulle panchine del Jardin du Luxembourg a recitare a due voci l'amato Verlaine, i vagabondaggi notturni per la vecchia Parigi e le visite al Louvre alla scoperta dell'Egitto. Nel 1917 si trasferisce con la giovane studentessa Jeanne Hébuterne in Rue de la Grande Chaumière. Il 24 gennaio 1920 muore di meningite tubercolare all'ospedale della Carità e viene sepolto al cimitero Père Lachaise.

Parc MONCEAU★

Carte Michelin n° 12 e 14 (p. 17): E 9, E 10.

Il parco di Monceau è situato in uno dei quartieri più ricchi di Parigi.
Nel 1778, il duca d'Orléans, futuro Filippo Égalité, affida al pittore-scrittore
Carmontelle il compito di allestire un giardino nella pianura di Monceau, ricca di
selvaggina.
L'artista progetta allora un parco con strutture «illusionistiche», su modello dei giardini inglesi e tedeschi: piramide, pagoda, tempio romano, rovine feudali, mulini olandesi, fattoria svizzera, naumachia, poggi, isolette e boschetti.
La rotonda all'ingresso, detta Padiglione di Chartres, fu progettata da Ledoux ed un tempo era una garitta del dazio della cinta degli Esattori Generali. Si noti il bel cancello d'ingresso in ferro battuto. Qua e là nel parco sono state collocate alcune statue a scopo ornamentale. Anche gli alberi sono stupendi: si ammirino in particolare l'acero montano, il platano d'Oriente ed il ginkgo biloba.
La naumachia ricorda le simulazioni di combattimento navale (naumachie) dei Romani.
Le colonne che la circondano provengono dal mausoleo incompiuto di Enrico II a
St-Denis. L'arcata rinascimentale che si erge a poca distanza da qui ornava un tempo,
fino alla Comune, il vecchio Municipio di Parigi.

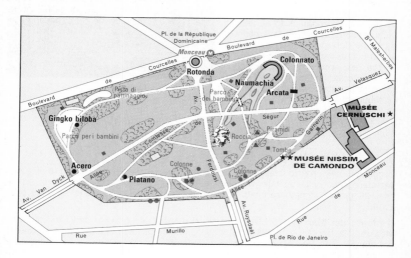

Dintorni

★ **Musée Cernuschi** ⊘ – *7, avenue Vélasquez*. Donato dal banchiere Henri Cernuschi alla città di Parigi nel 1896, il museo custodisce capolavori dell'antica Cina: terracotte neolitiche, giade e bronzi arcaici, ceramiche, belle statuette funerarie e pitture ad inchiostro. Di notevole pregio una mirabile statua di Bodhisattva in pietra, risalente al 5° sec., ed il dipinto arrotolato dei Cavalli e Palafrenieri, capolavoro della pittura Tang su seta (8° sec.).
Ad intervalli, alternativamente alle esposizioni temporanee, al 1° piano viene presentata una collezione di pitture cinesi tradizionali moderne ad inchiostro su carta.

★★ **Musée Nissim de Camondo** ⊘ – *63, rue de Monceau.* Nel 1936, il conte di Camondo offrì il suo palazzo, vicino al parco di Monceau, e le sue ricche collezioni del 18° sec. al Musée des Arts Decoratives, in ricordo del figlio Nissim, perìto durante la grande guerra.
La dimora ricrea con gusto e raffinatezza l'atmosfera del '700, grazie anche alla presenza di pezzi d'arredamento di eccezionale valore artistico: salotti rivestiti di legno, mobili firmati dai grandi ebanisti dell'epoca (Riesener, Weisweiler), tappeti della Savonnerie ed arazzi di Beauvais, dipinti del Guardi e di Hubert Robert, oggetti di oreficeria

Cavaliere Han

207

(Roettreis). Di notevole pregio sono in particolare gli stupendi arazzi disegnati da Oudry, su cui sono raffigurate le fiabe di La Fontaine, lo scrittoio a rullo opera di Oeben e lo splendido servizio da tavola «di Buffon», in porcellana di Sèvres con uccellini diversi uno dall'altro.

Musée Henner ⓥ – *43, avenue de Villiers*. Il museo custodisce dipinti e soprattutto disegni e schizzi dell'artista alsaziano Jean-Jacques Henner (1829-1905); la proiezione di un audiovisivo consente di seguire la sua evoluzione artistica.

Dopo un viaggio in Italia, egli si ispirò notevolmente a Tiziano ed al Correggio, inserendo nei suoi paesaggi figure mitologiche ed armoniche: su sfondi crepuscolari si stagliano infatti ninfe e naiadi dalla carnagione luminosa.

H. Maertens/Musée Camondo

Mobile di Riesener

MONTMARTRE★★★

Carte Michelin n° 12 e 14 (pp. 6, 7 e 19): da C 12 a D 14.

Orgogliosa del proprio statuto di «Libero Comune», la *Butte* (collina) è il luogo più eterogeneo della capitale: viali anonimi si affiancano a graziosi angoli di campagna, un piccolo vigneto recintato e pittoresche scale ripide sboccano su ampi orizzonti.

Il monte dei Martiri – Sebbene per alcuni il nome Montmartre derivi da monte di Mercurio, la tradizione, risalente all'8° sec., vuole che esso abbia origine da monte dei Martiri. San Dionigi, primo vescovo di Parigi, l'arciprete Rustico e l'arcidiacono Eleuterio, dopo aver subìto nella Cité il supplizio della graticola, sarebbero stati decapitati infatti su questa collina verso il 250. Sempre secondo la leggenda, Dionigi, raccolto da terra il proprio capo insanguinato, si diresse verso nord, raggiungendo il luogo destinato a divenire St-Denis.

RMN © SPADEM

Il Sacré-Cœur di S. Valadon

Una potente abbazia – La rue des Abbesses (via delle Badesse) tramanda il ricordo delle quarantatré madri superiori del convento delle Benedettine, collocato sulla collina nel 12° sec. Quando, nel 1589, il re di Navarra, futuro Enrico IV, cinge d'assedio Parigi, stabilisce il proprio quartier generale in questo luogo; tuttavia l'anno successivo deve ritornare in guerra, dopo esser riuscito a conquistare, si dice, solo la giovane badessa Claudia di Beauvilliers, di 17 anni.

Sotto il regno di Luigi XIV, il convento «in alto» (situato cioé in cima alla collina), la cui cappella diventerà l'attuale chiesa di San Pietro, cade in rovina ed è abbandonato: le badesse si trasferiscono nel convento «in basso», a fianco del poggio. Nel 1794, mentre la collina viene provvisoriamente denominata Mont-Marat, viene ghigliottinata l'ultima badessa e gli edifici sono demoliti.

Poco tempo dopo deve terminare lo sfruttamento delle cave di gesso le cui gallerie sotterranee, lunghe alcuni chilometri, minacciano di far crollare la collina. Oltre trenta mulini a vento, impiegati per macinare la selce ed il grano, vengono messi in disuso.

L'inizio della Comune – Nel 1871, dopo la capitolazione di Parigi, gli abitanti di Montmartre trasportano sulla *Butte* 171 cannoni che, altrimenti, sarebbero caduti in mano ai prussiani. Su ordine di Thiers, il generale Lecomte riesce a prenderne possesso il 18 marzo, ma non è in grado di spostarli. Fatto prigioniero dalla folla, viene fucilato insieme al generale Thomas e l'esecuzione ha luogo in corrispondenza dell'attuale n° **36** di rue du Chevalier-de-La-Barre. Questo episodio sanguinoso segna l'inizio della Comune e Montmartre rimarrà nelle mani dei Federati fino al 23 maggio.

La bohème – Nel corso del 19° sec., la vita pittoresca ed il clima di libertà che si respira a Montmartre attirano artisti e scrittori. Berlioz, Nerval, Murger, Heine precedono la grande generazione degli anni a cavallo tra il 1871 ed il 1914: il mercato delle modelle di place Pigalle diventa meta degli imbrattatele in cerca di ispirazione, le sartine trascorrono una vita da bohémien, come ben descrive Gustave Charpentier nel romanzo musicale *Louise*.

I primi circoli poetici (Club degli Idropati, il Gatto Nero) si trasformano in caffè-concerto, dove fioriscono le più svariate forme di arte: le canzoni di Aristide Bruant, i poemi di Charles Cros e Jehan Rictus, l'umorismo di Alphonse Allais, i disegni di Caran d'Ache e André Gill.

Al **Moulin-Rouge**, fondato nel 1889, gli spettatori si accalcano per applaudire Yvette Guilbert, Valentin il Disossato, Jane Avril e Louise Weber, detta la Goulue (spesso raffigurata nei manifesti di Toulouse-Lautrec).

Fino alla Grande Guerra, grazie al *Lapin Agile* e al *Bateau Lavoir*, la *Butte* rimane il centro principale dell'attività artistica e letteraria della capitale. Sarà poi Montparnasse ad avere il sopravvento, mentre a Montmartre si concentrerà la vita dei divertimenti notturni.

DA PLACE DE CLICHY A PLACE DU TERTRE

Place de Clichy – Sempre estremamente animata, occupa il luogo in cui sorgeva una delle barriere volute dall'architetto Ledoux. Nel marzo 1814, il maresciallo Moncey vi dispose eroicamente le truppe a difesa della città contro gli alleati.

Boulevard de Clichy – Tracciato sulle mura di cinta degli Esattori Generali, è fiancheggiato da cinema e grandi birrerie. All'angolo con la rue Caulaincourt e con la rue Forest, il Gaumont-Palace, un tempo la più grande sala cinematografica di Parigi, è stato sostituito da due grandi alberghi.

Lungo tutto il percorso, il boulevard è vivacizzato da una serie ininterrotta di ristoranti, cinema, locali notturni di ogni tipo che lo rendono un polo di attrazione della Parigi by night.

Un po' più distante, sulla sinistra, il **théâtre des Deux Anes** (teatro dei Due Asini) (n° 100) continua la tradizione degli *chansonniers*.

Sulla **place Blanche**, il cui nome deriva da alcune cave di gesso che vi si trovavano un tempo, dominano le ali del famoso **Moulin-Rouge**, sala da ballo che, con il suo *French cancan*, furoreggiò nella Parigi della Belle Époque e venne immortalato da Toulouse-Lautrec.

Al n° **5**, villa Guelma : **Raul Dufy**, dal 1911 al 1953, ha dipinto alcune delle sue tele più belle.

Place Pigalle – Alla fine del 19° sec., la piazza (spesso descritta nei romanzi di **Simenon**) e le vie adiacenti, che sembrano uscire dai romanzi di Carco, costituivano un quartiere animato soprattutto da studi di pittori e da caffè letterari, tra cui il più istrione era *La Nuova Atene*. Questa piazza è ora sempre illuminata dalle luci e dalle insegne dei ritrovi e frequentata da una folla eterogenea.

Boulevard de Rochechouart – Al n° 118 sorge l'ex cabaret della *Belle-en-Cuisses*. Al n° 84 Rodolphe Salis fondò, nel 1881, il teatro-cabaret del *Chat Noir* (Gatto Nero), reso famoso dal ritornello cantato da Aristide Bruant:

Je cherche fortune	*Au clair de la lune*
Tout autour du Chat Noir	*A Montmartre le soir* (1)

Si osservi, al n° **72**, la facciata in stile belle époque dell'ex sala da ballo dell'Élysée-Montmartre.

---

(1) *Cerco fortuna / intorno al Gatto Nero / Al chiaro di luna / A Montmartre di sera.*

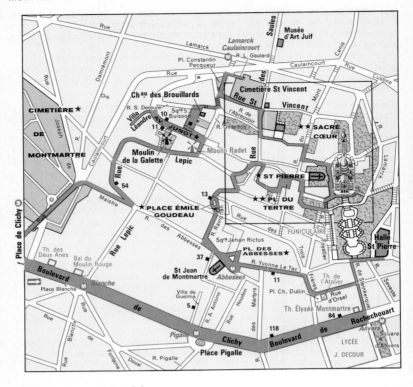

Quartier des Abbesses

Halle St-Pierre – Si trova ai piedi della collina ed è un bell'esempio di architettura metallica del 19° sec. Vi sono attualmente ospitati due musei.

Ospita al pianterreno esposizioni temporanee rinnovate una volta all'anno.

Al 1° piano, il **Musée d'Art naïf Max-Fourny** ⊘ espone opere contemporanee (pitture e sculture) provenienti da una trentina di paesi.

Martyrium – *11, rue Yvonne-Le-Tac*. Una cappella ha sostituito un santuario del Medioevo che contrassegnava il luogo in cui, secondo la tradizione, sarebbero stati decapitati San Dionigi ed i suoi compagni. Proprio nell'antica cripta, il 15 agosto 1534, Ignazio di Loyola, Francesco Saverio ed i loro seguaci fecero voto di apostolato al servizio della Chiesa. Nacque in tal modo la Compagnia di Gesù che, riconosciuta nel 1540 da papa Paolo III, divenne l'ordine dei Gesuiti.

★ **Place des Abbesses** – E' il cuore vivente di Montmartre. L'entrata del metro di **Hector Guimard** è una delle uniche due ancora esistenti a Parigi. Lo square Jehan-Rictus segna il luogo in cui sorgeva la vecchia sede del Comune di Montmartre, successivamente del 18° ar. Nel 1870 vi si sposò Verlaine, poco prima che Clemenceau ne divenisse sindaco.

Église St-Jean-de-Montmartre – E' dedicata a S. Giovanni Evangelista. Terminata nel 1904 dall'architetto de Baudot: è il primo edificio religioso costruito in cemento armato.

A causa del rivestimento esterno, la gente del quartiere la chiama chiesa di San Giovanni dei Mattoni. Gli esperti rimangono ancora stupefatti di fronte all'arditezza della sua armatura ed alla esile struttura dei pilastri e delle putrelle che la sostengono. Sulla destra della facciata, una gradinata segna l'inizio della rue André-Antoine. In basso, al n° **37**, all'interno di una modesta sala, di cui non rimane nulla, furono allestiti nel 1887 i primi spettacoli di attori dilettanti, da cui ebbe poi origine il teatro libero di Antoine.

Bateau-Lavoir – Questo famoso edificio, originariamente in legno, distrutto da un incendio nel maggio 1970 proprio quando ne era stato deciso il restauro, ha anticipato, nella storia dell'arte, la «Ruche» di Montparnasse. Ora, dopo essere stato ricostruito, ospita atelier di artisti ed alloggi. Situato al n° 13 della graziosa **place Émile-Goudeau★**, fondatore del Club degli Idropati, vide nascere, verso il 1900, le moderne correnti di pittura e poesia; qui Picasso, Van Dongen, Braque, Juan Gris crearono il cubismo (con le famose *Demoiselles d'Avignon* di **Picasso**) e Max Jacob, Apollinaire, Mac Orlan infransero i canoni tradizionali dell'espressione poetica.

Auberge de la Bonne Franquette – L'incrocio★, formato da rue Norvins con rue des Saules e rue St-Rustique, è stato immortalato da Utrillo sulle sue tele, commovente ricordo della Montmartre di un tempo.

Intorno al 1890, il cabaret della Bonne-Franquette ha visto passare un numero elevatissimo di artisti. La stretta rue St-Rustique segna il punto più elevato della *Butte* e di Parigi (129,37 m).

Espace Dalí ⊘ – *11, rue Poulbot*. Riunisce sculture, litografie e stampe del surrealista catalano S. Dali (1904-1989).

La piccolissima **place du Calvaire** offre una vista particolarmente ampia su Parigi.

★★ **Place du Tertre** – Al mattino, questa vecchia piazza comunale conserva l'aria di paese che aveva un tempo. I numerosi ristoranti che la animano le conferiscono però un aspetto completamente diverso al pomeriggio e di sera: essa diviene allora, con la sua immagine multicolore e gli artisti che la frequentano, sempre impegnati a proporre le proprie «croste», il centro turistico di Montmartre.

Il n° **21** (ex 19 bis) è la sede del Comune libero, fondato nel 1929 da Jules Depaquit, che ancor oggi mantiene sulla *Butte* una serie di tradizioni folcloristiche e di iniziative organizzate dall'ufficio turistico. Il Comune del paese si trovava originariamente al n° **3** che ora ospita la casa dei P'tits Poulbots, figure di fanciulli che hanno soppiantato le divertenti immagini rese popolari dal disegnatore Poulbot all'inizio del secolo.

★ **Église St-Pierre** – Insieme a St-Germain-des-Prés ed a St-Martin-des-Champs, questa chiesa, unico vestigio della grande abbazia di Montmartre, è una delle più antiche della capitale. L'edificio, iniziato nel 1134 sul luogo in cui sorgeva una chiesa merovingia, venne terminato alla fine dello stesso secolo. Le volte della navata sono state ricostruite nel 15° sec. Le tre porte di bronzo (San Dionigi, San Pietro e la Madonna), che ornano la facciata e risalenti al 18° sec., sono opera dello scultore italiano **Gismondi** (1980).

Interno – Quattro colonne di marmo, a capitelli, provengono forse da un tempio romano che dominava la collina; due sono appoggiate alla parete interna della facciata, allineate ai pilastri della navata, mentre le altre due si trovano nel coro, sulla cui unica campata si possono ammirare le ogive più antiche di Parigi (1147), dalle spoglie modanature.

Nella navata laterale sinistra si osservi la pietra tombale della regina Adelaide di Savoia, sposa di Luigi VI il Grosso, che si ritirò nell'abbazia di Montmartre, da lei fondata, e vi morì nel 1154.

I capitelli, d'ispirazione romanica, sono rovinati o rifatti. Dal 1953, l'abside e le navate laterali sono illuminate da interessanti vetrate moderne, opera di Max Ingrand. Le quattro facce dell'altare maggiore, realizzate da Froidevaux nel 1977, sono coperte da lastre smaltate raffiguranti la vigna, la Vergine Maria, San Pietro e San Domenico; l'immagine di Montmartre si staglia sullo sfondo. Anche la Via Crucis, in bronzo, venne eseguita dallo scultore italiano Gismondi.

Jardin du Calvaire – *Non aperto al pubblico*. Su questo luogo sorgeva l'abbazia delle Benedettine. Sopra l'abside della chiesa, nel 1794 la Convenzione fece innalzare il primo ripetitore telegrafico di Chappe, che metteva in comunicazione Parigi e Lille.

Cimetière St-Pierre (ou du Calvaire) – *Aperto solo il 1° novembre*. A nord della chiesa si schiude l'antichissimo e minuscolo cimitero di San Pietro, sulla cui porta bronzea, opera di Gismondi, è raffigurata la Resurrezione. Vi sono ospitate le tombe del navigatore Bougainville (di cui è sepolto solo il cuore), dei mugnai Debray, proprietari del Moulin de la Galette, di Félix Desportes, primo sindaco di Montmartre.

★★ Basilique du Sacré-Cœur

In seguito alla sconfitta del 1870, alcuni cattolici, in segno di fiducia nei destini della Chiesa e della Francia, fanno voto di erigere sulla collina di Montmartre una chiesa consacrata al Cuore di Cristo. Nel 1873, l'Assemblea Nazionale dichiara che tale costruzione è di pubblica utilità.

Paul Abadie, già noto per aver restaurato la chiesa di St-Front di Périgueux, si ispira a questa per disegnare i piani romanico-bizantini della nuova basilica, i cui lavori di costruzione, iniziati nel 1876, terminano solo nel 1914, grazie ad una sottoscrizione nazionale che raccoglie 40 milioni di franchi; la chiesa viene consacrata nel 1919. Da oltre un secolo, giorno e notte è meta ininterrotta di fedeli che vi si alternano in adorazione.

Il monumento – La sua alta mole bianca fa ormai parte del paesaggio parigino. Le quattro cupole minori sono sovrastate da un'enorme cupola e dal campanile (80 m). L'interno della basilica, che ben svolge il ruolo di chiesa di pellegrinaggio, è decorato con mosaici. Sulla volta del coro, Luc-Olivier Merson ha voluto raffigurare la devozione della Francia al Sacro Cuore.

Le vetrate, distrutte nel bombardamento del 1944, sono state sostituite.

La salita alla **cupola** ⊘ consente di vedere dall'alto l'interno della chiesa. Dalla galleria esterna si gode, col bel tempo, un **panorama★★★** che si stende per un raggio di 30 km.

In una **cripta** ⊘ è custodito il tesoro e si può usufruire di un audiovisivo storico sulla basilica e sul culto del Sacro Cuore.

Il campanile porta una delle più grandi campane del mondo, la **Savoyarde**, del peso di 19 tonnellate. Fusa a Annecy nel 1895, venne offerta alla basilica dalle diocesi della Savoia.

La terrazza davanti alla basilica offre, a 100 m di altezza dalla Senna, una magnifica **vista★★** su Parigi *(tavola d'orientamento)*. La terrazza domina lo square Willette, sistemato nel 1929 *(un servizio di funicolare consente di evitare la salita delle rampe e delle scale).*

DAL SACRÉ-CŒUR AL CIMETIÈRE DE MONTMARTRE

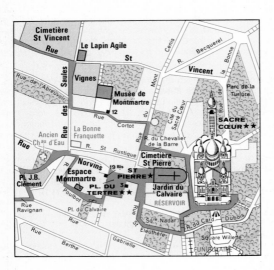

Rue Cortot – La casa al n° **12** ha avuto per inquilini Renoir, Othon Friesz, Utter, Dufy, Émile Bernard, Suzanne Valadon e suo figlio Utrillo. Costituisce inoltre l'ingresso al Musée de Montmartre.

Musée de Montmartre ⊘ – Il museo custodisce una ricca collezione di ricordi sulla bohème di questo quartiere, sui cabaret e gli imbrattatele che lo frequentavano ed ospita anche interessanti mostre temporanee. L'edificio era la casa di campagna dell'attore Rosimond, morto nel 1686 sul palcoscenico, come Molière. All'interno sono stati riprodotti il Café de l'Abreuvoir (Caffè dell'Abbeveratoio), frequentato da Utrillo, e lo studio di Gustave Charpentier, compositore di *Louise;* sono inoltre raccolti documenti su Clemenceau, sindaco di Montmartre nel 1870.

Le vigne – Il 1° sabato di ottobre, giorno in cui si tiene il bando della vendemmia, è occasione di grandi festeggiamenti.

Rue St-Vincent – L'**incrocio★** con la rue des Saules è uno degli angoli più suggestivi della *Butte:* le scalette, il ripido pendio lungo il cimitero, la macchia di verde verso il Sacro Cuore gli conferiscono un fascino rustico, ravvivato dal celebre **Lapin Agile** seminascosto da un albero di acacia. Questo locale, in origine *Cabaret degli Assassini*, chiamato poi dal nuovo proprietario *Alla mia compagna*, fu poi ribattezzato dal pittore A. Gill, da cui deriva il simpatico gioco di parole. Tra il 1900 ed il 1914 era il ritrovo di scrittori ed artisti principianti, spesso squattrinati come F. Carco, R. Dorgelès, P. Mac Orlan, Picasso e Vlaminck. Ai nostri giorni, ogni sera vi si esibiscono artisti di talento *(ore 21, eccetto il lunedì).*

All'angolo di rue du Mont-Cenis, Hector Berlioz compose *Aroldo in Italia* e *Benvenuto Cellini.*

Cimetière de St-Vincent – In questo semplice e piccolo cimitero riposano H. Baur, E. Goudeau, A. Honegger, M. Utrillo, M. Aymé, Dorgelès e Gabrielo.

Château des Brouillards – Il Castello delle Nebbie è una ricca casa di campagna del 18° sec. (vi abitò Nerval), divenuta poi sala da ballo. Il parco è l'attuale square Suzanne-Buisson con la statua di San Dionigi, ove, secondo la leggenda, egli avrebbe lavato la propria testa mozzata.

★ **Avenue Junot** – Questa via larga e tranquilla è stata aperta verso il 1910 sulla famosa *macchia* di Montmartre, terreno abbandonato e malfamato dove il vento faceva girare i mulini. Oggi vi si susseguono atelier di artisti e villini, tra i quali la Frazione degli Artisti (n° 11) o la **Villa Léandre** (n° 25).

Butte Montmartre – Au Lapin Agile

Moulin de la Galette – La popolare sala da ballo del Moulin de la Galette, che furoreggiò alla fine dell'800, ispirò molti pittori, tra cui Renoir, Van Gogh e Willette.

Il mulino a vento che, da oltre sei secoli, domina la *Butte* è il vecchio Buratto difeso eroicamente contro i cosacchi dal mugnaio Debray (1814), il cui cadavere fu poi crocifisso sulle pale in movimento. Di lato si erge la *mire du Nord*, osservatorio astronomico risalente al 1736 *(per lo schema si veda PORT-ROYAL)*. All'angolo con la rue Lepic si innalza il **mulino Radet**.

Rue Lepic – E' l'ex cammino delle Cave, sistemato all'epoca di Napoleone III. Ogni anno, in autunno, su questo ripido pendio si svolge una pittoresca corsa di lentezza di vecchie vetture. **Van Gogh** abitò, insieme al fratello, al n° 54.

★**Cimetière de Montmartre** ⊘ – *Accesso attraverso la scala sinistra.* In questo cimitero sono sepolti personaggi famosi tra cui pittori, attori, uomini politici, poeti e scrittori.

1) Lucien e Sacha Guitry.
2) Famiglia Cavaignac (statua di Rude).
3) É. Zola (traslato al Panthéon nel 1908).
4) E. Labiche.
5) Hector Berlioz.
6) Greuze.
7) Heinrich Heine.
8) François Truffaut.
9) Th. Gautier.
10) Henri Murger.
11) Hittorff.
12) Edgar Degas.
13) Léo Delibes.
14) Poulbot.
15) Jacques Offenbach.
16) Nijinsky.
17) Ernest Renan e Ary Scheffer.
18) A. Dumas figlio.
19) Edmond e Jules de Goncourt.
20) Charcot.
21) Stendhal (Henry Beyle, che volle scritto sulla Papide « milanese »).
22) A. de Vigny.
23) L. Jouvet.
24) A. Plessis, la signora delle Camelie.
25) La « Goulue ».
26) Dalida.

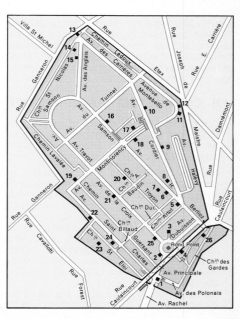

MONTPARNASSE★★

Carte Michelin n° 12 e 14 (pp. 41 e 42): L 11, L 12, M 11, M 12.

La grande operazione urbanistica degli ultimi 20 anni ha modificato notevolmente questo vecchio quartiere di artisti e gente del popolo. Accanto a vecchie case, si ergono oggi moderni grattacieli per uffici e abitazioni. Coesistono in tal modo due mondi completamente diversi.

Il monte Parnaso – Come a Montmartre e a Montrouge, anche qui il secolare sfruttamento delle cave aveva ammucchiato detriti, creando in tal modo una piccola altura erbosa e deserta; quando gli studenti vengono cacciati da Pré-aux-Clercs dalla regina Margot, si rifugiano in questo luogo, dove amano declamare versi e comporre poesie. Assegnano a questa collinetta il nome di Mont Parnasse, con chiaro riferimento alla mitologia greca (il monte Parnaso era infatti la sede sacra di Apollo e delle Muse).
Nel corso del 18° sec. l'altura è spianata, ma il viale che più tardi sarà qui aperto, frammento delle mura di cinta degli Esattori Generali con alcune barriere doganali, ne conserva il nome.

Un luogo di divertimenti – A partire dalla Rivoluzione, verso la periferia della città nascono numerosi caffè e cabaret: il giardino delle Montagnes-Suisses, l'Élysée-Montparnasse, la sala da ballo l'Arc-en-Ciel, la Grande Chaumière sono i primi centri della vita notturna: da qui la polka ed il can-can conquistano Parigi. Al carrefour de l'Observatoire, dove avvenne l'esecuzione del maresciallo Ney, sorge la famosa sala da ballo Bullier, poco antecedente alla Closerie des Lilas. Al Constant e nelle bettole vicine si danza la mazurka e si beve il vinello asprigno di Suresnes.
Haussmann tuttavia interviene per porre termine a questo incontrollato sviluppo del quartiere: apre la rue de Rennes, i boulevard Arago e d'Enfer (futuro boulevard Raspail), collega e lottizza i villaggi Plaisance, Vaugirard e Montrouge.

La bohème di Montparnasse – Verso il 1900, numerosi poeti e scrittori d'avanguardia si trasferiscono sulla riva sinistra della Senna, specialmente a Montparnasse, dove si sono già stabiliti Alfred Jarry e il Doganiere Rousseau. Li seguono anche Henri Murger, il cui romanzo Scene della vita di bohème è ambientato proprio in questo quartiere, Apollinaire, Max Jacob, Jean Moréas. Ogni martedì, Paul Fort, principe dei poeti, organizza rumorose «serate di poesia» alla Closerie des Lilas.
Dopo l'esposizione universale del 1900, al passage de Dantzig viene riallestito l'ex padiglione dei Vini, che, col nome di **La Ruche** (Alveare), raggiunge la stessa celebrità del Bateau-Lavoir di Montmartre. Qui Modigliani, Soutine, Chagall, Zadkine, Léger acquistano locali di abitazione ed atelier. Nei caffè del boulevard (Le Dôme, La Coupole, La Rotonde), si ritrovano a discutere esiliati politici russi (Lenin, Trotzky), musicisti (Stravinskij, Satie e il «Gruppo dei Sei»), poeti (Cendrars, Breton, Fargue, Cocteau) ed altri artisti come Hemingway, Foujita, Picasso, Eisenstein, Ibañez.
E' l'epoca d'oro della **scuola di Parigi,** che terminerà solo con lo scoppio della guerra di Spagna e la seconda guerra mondiale.

Montparnasse oggi – Le terrazze dei grandi caffè e birrerie e numerosi locali notturni hanno creato la celebrità di Montparnasse come meta dei nottambuli e dei festaioli. Accanto a questo mondo alla moda è però rimasta la Montparnasse tradizionale, quella abitata da artisti e da gente comune, piccoli commercianti e artigiani. L'assetto urbanistico del quartiere sta tuttavia gradualmente modificandosi: la zona a sud-ovest della place du 18-Juin-1940 è ormai divenuta un importante centro commerciale, nato col complesso Maine-Montparnasse; il rinnovamento del settore Vandamme-Nord ha creato una quantità notevole di uffici, alloggi, parcheggi, strutture sportive ed alberghiere, mentre la zona Plaisance, che nel 19° sec. era ancora un villaggio, ha visto la nascita di modernissimi grattacieli.

★IL COMPLESSO MAINE-MONTPARNASSE

L'operazione Maine-Montparnasse nasce da un progetto del 1934 aggiornato nel 1958, quando assume le dimensioni di un grande piano urbanistico: i lavori iniziano nel 1961 e vedono, tra le tappe più importanti, la costruzione della torre (settembre 1973).

Place du 18-Juin-1940 – Fino al 1967, su questa piazza, circondata da numerosi caffè, si trovava la stazione Montparnasse, costruita verso la metà dell'800 col nome di Imbarcadero di Chartres. Il 22 ottobre 1895, assurge alla celebrità grazie ad uno strano incidente: il treno proveniente da Granville non può frenare, sfonda la banchina di arresto ed attraversa l'atrio. Al termine di questa spaventosa corsa, il locomotore rimane sospeso a qualche metro sopra il marciapiede. Fortunatamente ciò provoca più paura che danni. Questa vecchia costruzione è tuttavia «storica» per essere stata il quartier generale di Leclerc durante la liberazione di Parigi: fu proprio qui che, il 25 agosto 1944, il governatore militare tedesco von Choltitz firmò la resa della sua guarnigione (lapide all'ingresso del centro commerciale, lato sinistro).
Nell'edificio cubico di 12 piani, che ospita il **Centro Tessile internazionale (CIT)**, oltre 200 ditte svolgono la propria attività commerciale basata sull'esportazione.

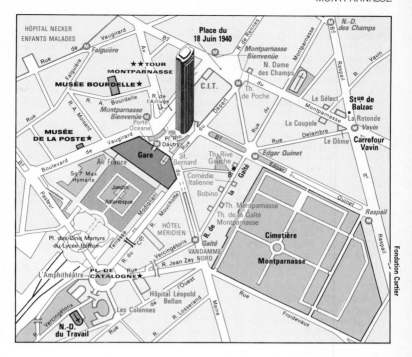

★★ Tour Montparnasse – La sagoma oblunga di questa torre, al centro del quartiere, su cui domina con i suoi 209 m di altezza (59 piani), è ormai integrata al paesaggio parigino. Di notte, si staglia sopra i tetti della città, simile ad una nave illuminata. La rigorosa geometria delle linee verticali è attenuata dalla pianta ovale e dalle facciate di vetro dell'edificio.

Con tale realizzazione, dovuta agli architetti Eugène Baudoin, Urbain Cassan, Louis de Hoym de Marien e Jean Saubot, l'operazione Maine-Montparnasse raggiunge l'aspetto più spettacolare.

Le fondamenta (ben 56 pilastri!) raggiungono una profondità di 70 m nel terreno per poter sostenere il peso di 120 000 t dell'edificio.

La struttura si compone di due parti, indipendenti l'una dall'altra per quanto concerne il carico sul suolo: un nucleo centrale in cemento armato, la cui forma si adatta alle linee esterne dell'edificio, e, articolato su questo, uno scheletro in acciaio in corrispondenza della facciata, che copre una superficie di ben 39 000 m^2 di vetri anti-riflesso color bronzo.

Salita alla torre ⊙ – In meno di 40 secondi, l'ascensore conduce i visitatori fino al 56° piano, da cui si gode uno straordinario **panorama★★★** che abbraccia completamente la città. Davanti alla finestra sono collocate tavole di orientamento.

La topografia di Parigi, lo spettacolo dall'alto della vita che vi si svolge, le dimensioni a volte inaspettate dei monumenti (come ad esempio la grandezza del Louvre in rapporto al parco del Lussemburgo) rivelano un aspetto insospettato della capitale. Da qui si aprono bellissime prospettive: quella di Montparnasse giunge fino al Champ de Mars ed alla Torre Eiffel e si prolunga alla Défense. Di notte, la vista di Parigi illuminata costituisce uno spettacolo quasi magico. Qui, al 56° piano, si trovano un bar ed un ristorante panoramico. Al 59° piano si apre una terrazza all'aperto da cui, con il bel tempo, la vista giunge fino a 49 km di distanza.

Sotto un'area pedonale in granito rosa di Sardegna, che separa la torre dalla nuova stazione Montparnasse, si snoda l'avenue du Maine.

La Gare Montparnasse – I tre imponenti edifici di 18 piani in cemento e vetro che ne circondano 3 lati conferiscono alla stazione la forma di una U. I due edifici laterali, lunghi 250 m, corrono paralleli ai binari. La stazione vera e propria occupa invece l'area centrale e si sviluppa su 5 piani. Il leggìo della piccola cappella di S. Bernardo è stato ricavato da una traversa di rotaia.

L'ingresso principale, la porte Océane, è un'immensa vetrata a forma di arco. Una piattaforma di cemento ricopre i binari e sostiene il più grande giardino pensile di Parigi: il **jardin Atlantique** (*accesso dalla stazione o dalla place des Cinq-Martyrs-du-Lycée-Buffon*), che poggia su 12 pilastri di cemento armato, a 18 m di altezza sui binari della stazione. Sul lato verso la stazione sono stati creati due **musei** ⊙ dedicati al **maresciallo Leclerc de Hauteclocque** e **Jean Moulin**, eroi della resistenza antinazista.

DINTORNI

★ **Musée Bourdelle** ◷ – *16, rue Antoine-Bourdelle*. Poco conosciuto fino al 1910, Bourdelle incontra il favore del pubblico con la presentazione del suo *Ercole arciere uccide gli uccelli del Lago Stymphele*. L'artista, diventato famoso in tutto il mondo dopo diverse esposizioni negli Stati Uniti ed in Giappone, si spegne al Vésinet nel 1929. Criticato per la sua enfasi, venne anche accusato di praticare un'arte rozza e arcaica. L'arte di Bourdelle è un'arte di sintesi. La fonte è nelle sue origini rurali, nel gusto per l'arte romanica, bizantina e gotica che rappresentano l'unione tra architettura e scultura: per lui l'arcaismo è di tutti i tempi.

I **gessi dei rilievi del Théâtre des Champs-Élysées★** sono particolarmente preziosi. Hanno lo stesso volume di quelli sistemati in loco e possiedono un modello che il loro autore ha attenuato lavorando il marmo. L'ampio atrio è stato costruito nel 1959. Vi ritroviamo *La Francia*, L'*Ercole arciere★★*, il **Monumento in onore del Generale Alvéar** affiancato dalle quattro virtù *(la Vittoria, l'Eloquenza, la Libertà, la Forza)*. Il frutto, graziosissimo nudo femminile e, nell'emiciclo, il *Centauro morente* e *Carpeaux al lavoro* (bronzo). Le due sale adiacenti mostrano gli studi del *Monumento di Montceau-les-Mines*, al quale Bourdelle dà la forma di una lampada da minatore, e quello del *Monumento al generale Alvear*. Questo monumento, in onore di uno dei capi dell'indipendenza argentina, è stato inaugurato a Buenos Aires nel 1926 e si riallaccia alle statue equestri del Rinascimento.

Il giardino contiene diversi bronzi, tra cui le *Virtù* ed alcune figure animali, pezzi di un *monumento a Debussy* che non fu mai realizzato.

Tra il vestibolo dell'entrata e il grande atrio, sotto il portico, ci sono i *busti di Anatole France*.

La bottega di Bourdelle, nonché il suo appartamento, sono rimasti tali e quali. Alcune statue medievali testimoniano dell'infatuazione dello scultore per questa forma d'arte. In cucina, sopra il lavandino, *Autoritratto* del 1925, e il banco di lavoro del padre dell'artista sul lato che dà sulla strada.

Pieno di bronzi, il giardino interno, più segreto, è gradevole e fresco durante la bella stagione.

La seconda serie di botteghe è disposta in fila ed è illuminata da larghe vetrate. Potrete scoprirvi la **Testa di Apollo★** (bronzo), *Rodin al lavoro* e la serie molto espressiva dei **Beethoven★**.

Ultimato nel 1992, il prolungamento, concepito da Christian di Portzamparc, presenta l'insieme degli studi e dei frammenti del *Monumento a Adam Mickiewicz*, eretto vicino alla piazza dell'Alma *(si veda alla voce)* e del *Monumento della guerra del 1870*, costruito a Montauban (tra cui le *Figure urlanti* e la *Colonna Roland*). Il primo piano del prolungamento ospita i cartoni degli *affreschi del teatro dei Champs Élysées* e di piccoli gessi policromi.

Portalettere in automobile 1899

★ **Musée de la Poste** ◷ – *34, boulevard de Vaugirard*. Vengono illustrati lo sviluppo ed il ruolo svolto dalle Poste nella storia. Attraverso una ricca collezione di documenti (tra cui lettere di argilla di più di 4 000 anni fa, tavolette di cera e pergamene), modelli in scala (battelli e vagoni postali) e cimeli, il museo ripropone lo sviluppo del servizio postale nel tempo. L'esposizione di tutti i francobolli francesi emessi dal 1849 (momento dell'istituzione dell'affrancatura postale), di parecchi francobolli stranieri e la presenza di una rotativa per la produzione di francobolli a taglio dolce rendono questo museo una tappa interessante per gli appassionati di filatelia.

★ **Place de Catalogne** – Due sorprendenti edifici a sei piani dell'architetto Ricardo Bofill, per le loro proporzioni e reminiscenze classicistiche, risaltano nettamente sull'ambiente circostante: l'anfiteatro di pietra e le **colonne** in vetro, collegate tra loro da una facciata semicircolare di stile neoclassico. Al centro della piazza si trova una fontana scolpita, *Il crogiolo del Tempo*, a forma di disco enorme incastrato nel terreno.

Église Notre-Dame-du-Travail – *59, rue Vercingétorix*. Costruita nel 1900, costituisce uno dei rari esempi, presenti a Parigi, di architettura metallica applicata ad un edificio religioso. Le putrelle visibili di ferro simboleggiano il tentativo di trovare un'unità tra luogo di culto e luogo di lavoro.

Colonne Bofill

Rue de la Gaîté – Dal 18° sec., questo antico sentiero di campagna ha iniziato ad affollarsi di cabaret, sale da ballo, ristoranti e luoghi di divertimento: da qui il nome di «via della Gaiezza». La sua fama, dovuta a locali quali la Mère Cadet, le Veau qui Tète, Le Bal des Gigoteurs, continua ancor oggi grazie ai teatri Rive Gauche (n° 6), Bobino, in cui si esibì anche Edith Piaf (n° 20), Gaîte-Montparnasse (n° 26), Comédie Italienne (n° 17) e Montparnasse (n° 31), celebre per il suo repertorio di dramma popolare.

Cimetière Montparnasse ☉ – *L'ingresso è lungo il boulevard Edgard-Quinet*. Vi sono sepolte numerose celebrità.

Carrefour Vavin – *Place Pablo-Picasso*. Era un tempo il punto culminante del monte Parnasse ed oggi, con la sua continua animazione, costituisce il centro del vecchio quartiere. Sul terrapieno del boulevard Raspail si erge la famosa statua di Balzac, di Rodin; nel 1939, quando venne eretta in questo luogo, fu oggetto di forti polemiche. Cinema, birrerie famose (il Dôme, la Rotonde, il Sélect, la Coupole) e ristoranti si affacciano sul boulevard Montparnasse.

Fondation Cartier ☉ – *261, boulevard Raspail*. Concepito da **Jean Nouvel**, l'edificio organizza esposizioni di arte contemporanea.

Cimetière Montparnasse:

1) J.-P. Sartre e Simone de Beauvoir.
2) Soutine, pittore.
3) Baudelaire (tomba collettiva con sua madre ed il patrigno Aupick).
4) Laurens, scultore.
5) Antoine Bourdelle, scultore (senza iscrizione).
6) Dumont d'Urville, circumnavigatore del globo.
7) Tristan Tzara, scrittore rumeno.
8) Zadkine, scultore russo.
9) Mounet-Sully, attore.
10) Houdron, scultore.
11) Jussieu, botanico.
12) Rude, scultore.
13) Serge Gainsbourg, compositore, interprete.
14) Le Verrier, astronomo.
15) Cenotafio di Baudelaire.
16) Henri Poincaré, matematico e statista.
17) César Franck, organista e compositore.
18) Guy de Maupassant, scrittore.
19) Bartholdi, creatore della Statua della Libertà a New York.
20) Kessel, giornalista e scrittore francese.
21) André Citroën, costruttore automobilistico.
22) Pigeon.
23) *Il Bacio*, scultura di Brancusi.
24) Sainte-Beuve, scrittore.
25) Saint-Saëns, compositore.
26) Vincent d'Indy, compositore.
27) H. Langlois.
28) L.-P. Fargue, poeta.
29) Boucicaut, uomo d'affari.

217

Parc MONTSOURIS★

Carte Michelin n° 12 e 14 (p. 55): R 13 – S 13, S 14.
Ⓜ Porte d'Orléans, R.E.R Cité Universitaire.

I viali ombreggiati del parco di Montsouris ed i prati della Città Internazionale degli studenti formano un'isola verde nel sud di Parigi.

★ **Il parco** – Nel 1868, Haussmann inizia la sistemazione di quest'area, occupata, fino a quel momento, da terreni abbandonati, cave e numerosi mulini. Dopo dieci anni, il parco, grande 16 ettari e sistemato all'inglese, è ultimato. I vialetti serpeggianti conducono a monticelli, cingendo cascatelle ed un grande lago artificiale (il giorno dell'inaugurazione, questo improvvisamente si svuotò e l'ingegnere responsabile, per tale motivo, si suicidò).

Il parco è dominato dalla mira del sud che indica il passaggio dell'antico **meridiano** di Parigi *(per la pianta si veda Il LUXEMBOURG)*. In prossimità si erge un edificio che ospita l'Osservatorio meteorologico comunale.

Intorno al parco – Alcune viuzze, come la rue des Artistes e la rue St-Yves, su cui si affaccia la Cité du Souvenir (Città del Ricordo) al n° **11**, hanno conservato il vecchio «pavé» e la tranquilla vita di un tempo. Agli inizi del secolo, si trasferirono qui, attratti dalla calma, numerosi pittori, tra cui il Doganiere Rousseau e Georges Braque, che aveva il proprio atelier nell'omonima via (ad Ovest del parco). Nella stradina **Villa Seurat**, centro artistico del periodo a cavallo tra le due guerre, abitarono tra gli altri il pittore Gromaire, Lurçat (creatore di importanti cartoni per arazzi), la scultrice Orloff, Henri Miller e Soutine. La casa al n° **7 bis** è stata eretta dall'architetto Perret.

L'avenue Reille e l'avenue René-Coty sono sovrastate dagli enormi serbatoi di Montsouris, coperti da un tappeto erboso. Esistono da un secolo e forniscono l'acqua potabile a metà città, raccogliendo le acque della Vanne, del Loing e del Lunain. Le trote dell'acquario sono la prova evidente della purezza dell'acqua.

★ **Cité Internationale Universitaire de Paris** – *Ingresso principale: 19-21, boulevard Jourdan.* La Città internazionale degli studenti si trova ai margini del parco di Montsouris e si estende su una superficie di 40 ettari. I 37 edifici ospitano oltre 5 500 studenti provenienti da 120 paesi. Ogni casa ha una vita «autonoma», sottolineata dall'architettura che la caratterizza e che ricorda quella del paese di appartenenza.

Nel 1925 fu fondata la prima casa, la Fondazione Deutsch-de-la-Meurthe. Il Padiglione Internazionale (1936), con piscina, teatro ed ampi saloni, è stato donato da John-D. Rockefeller Jr. Il Padiglione svizzero e quello franco-brasiliano sono dovuti a Le Corbusier (1950-1958). La Fondazione Avicenne (1968) presenta un'interessante architettura moderna, ideata da Claude Parent. Infine, dall'altra parte del raccordo anulare (boulevard périphérique), nel sobborgo di Gentilly, si erge l'**Église du Sacré-Cœur** ⊙ (1931-1936), antica parrocchia della Città Universitaria. La facciata, ornata di un bassorilievo di Saupique, è sovrastata da un alto campanile; l'interno dell'edificio è estremamente sobrio, dominato dal blu delle vetrate.

MOUFFETARD★

Carte Michelin n° 12 e 14 (p. 44): L 15 – M 15.
Ⓜ Censier-Daubenton.

Questa zona animata di Parigi, che confina con il Quartier Latin, è ricca di ristorantini e di negozi di abbigliamento frequentati soprattutto da studenti.

Église St-Médard ⊙ – Originariamente era la parrocchia di un piccolo borgo in riva alla Bièvre. La costruzione iniziò dalla navata verso la metà del 15° sec. e terminò nel 1655. Il patrono, San Medardo, fu consigliere dei re merovingi.

★ **Rue Mouffetard** – E' una delle vie più originali di Parigi, con la sua atmosfera vivace e variopinta. Vi si affacciano numerosi negozietti con insegne a volte pittoresche e molto vecchie: al n° 122, A la bonne Source (Alla buona Fonte),

I Convulsionari

Nel 1732, Luigi XV fa chiudere il cimitero di San Medardo, sulla cui porta è affissa una breve composizione in versi, ironica accusa al re: »In nome del re è proibito a Dio compiere miracoli in questo luogo!» In tal modo è posto termine al movimento dei Convulsionari (Convulsionnaires), nato in seguito alla morte del diacono Paride (1727), un giovane giansenista vissuto in povertà per molti anni e considerato santo. Il suo corpo è inumato nel cimitero di San Medardo sotto una pietra di marmo nero. Sulla sua tomba vengono a pregare giansenisti malati o infermi e ben presto si verificano alcune guarigioni: si grida allora al miracolo e cresce l'isteria collettiva con conseguenti «convulsioni» di molti devoti.

sulla cui facciata è scolpito un pozzo; al n° 69, sopra l'insegna (scomparsa) del Vieux Chêne (Vecchia Quercia), era scolpito un albero. Il n° 104 è l'inizio del passage des Postes e, di fronte, al n° 101, quello del tranquillo passage des Patriarches.

La storia della fontana all'angolo con la rue du Pot-de-Fer è legata al rifacimento dell'acquedotto di Arcueil, voluto da Maria de' Medici per fornire l'acqua al suo Palazzo del Luxembourg. Le acque eccedenti furono fatte confluire verso le fontane del circondario, tra cui anche questa. I bugnati all'italiana che la ornano ricordano la fontana de' Medici.

In occasione della demolizione della casa al n° 53 (1938), furono scoperte 3 350 monete d'oro con l'effige di Luigi XV, nascoste da Louis Nivelle, scudiero e consigliere del re.

Sulla piccola **place de la Contrescarpe**, la targa al n° 1 ricorda il Cabaret de la Pomme de Pin (Cabaret della Pigna), celebrato da Rabelais.

Vecchie vie – Nel Medioevo, tutte le vie adiacenti erano occupate da collegi per studenti borsisti. In rue Rollin, al n° **11,** visse Cartesio dal 1644 al 1648. Dal 1747 al 1754, Denis Diderot (1713-1784) visse al n° 3 della **rue de l'Estrapade** quando dirigeva la pubblicazione dell'*Enciclopedia,* vera e propria summa tecnologica dell'epoca.

La **rue Tournefort,** antica e tranquilla, offre all'inizio uno scorcio sulla cupola del Panthéon.

La **rue Lhomond** è fiancheggiata da scalini che sottolineano l'antico livello della collina. Al n° 30, la chapelle du Séminaire du St-Esprit, costruita da Chalgrin nel 1780 e riccamente decorata, è coperta da una volta a botte ribassata. Al n° 55, troviamo il pittoresco **passage des Postes.**

Al n° 10 di rue Vauquelin, sotto una tettoia (che non esiste più ma che è immortalata da un paesaggio nel cortile della scuola), Pierre e Marie Curie isolarono il

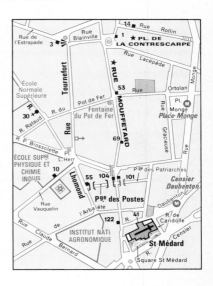

radio nell'ottobre del 1898 e fissarono il carattere atomico della radioattività.

Le chiese non si visitano durante le funzioni.

La MUETTE

Carte Michelin n° 12 e 14 (pp. 26 e 27): H 4, H 5 – J 4, J 5.
Ⓜ *Ranelagh, La Muette. Per lo Square Lamartine: R.E.R Av. H. Martin.*

Il castello di un tempo ed il grande giardino che qui si stendeva sono stati sostituiti da un lussuoso quartiere dove i prati del Ranelagh e il ricco museo Marmottan ricordano ancora il passato.

Il quartiere – Il nome potrebbe derivare dal fatto che qui sorgeva un padiglione di caccia (fatto costruire da Carlo IX) in cui venivano rinchiusi i falchi durante la muta (fr.: mue). Questo nome venne poi assegnato al castello eretto da Philibert Delorme, il cui parco si estendeva fino al bois de Boulogne.

Tra i proprietari che si succedettero nel tempo compaiono alcuni personaggi illustri: Margherita di Valois (prima moglie di Enrico IV), Luigi XIII, la duchessa di Berry, figlia del Reggente, Luigi XV, la marchesa di Pompadour. Il futuro Luigi XVI e Maria Antonietta vi trascorrono i primi anni di matrimonio.

Con la Rivoluzione inizia la suddivisione del terreno. Nel 1820, il fabbricante di pianoforti Sébastien Érard acquista il castello e la parte del parco confinante con il Ranelagh. Dopo un secolo, il conte di Franqueville porta a termine la lottizzazione.

Il parco Ranelagh – Nel 1774, viene costruito un caffè dove i parigini venivano a danzare all'aperto. Successivamente si aggiungono una sala da ballo ed un piccolo teatro. Il ritrovo è chiamato *Piccolo Ranelagh,* dal nome di un lord inglese che, nelle vicinanze di Londra, aveva creato un analogo locale di divertimenti, divenuto ben presto di gran moda. Il caffè è rimasto fino agli inizi del Secondo Impero, quando Haussmann installò l'attuale giardino (1860), oggi meta preferita dei bambini che qui dispongono di alcune aree gioco.

★★ **Musée Marmottan** ⊙ – *2, rue Louis-Boilly*. Nel 1932 lo storico d'arte Paul Marmottan donò all'Accademia delle Belle Arti il palazzo di sua proprietà e le sue ricche collezioni del Rinascimento (arazzi, sculture), del Consolato e Primo Impero (dipinti di Vernet, medaglioni e ritratti della famiglia imperiale, mobili, ritratti spirituali di Louis Boilly). Grazie alla donazione Donop de Monchy (1950), si è arricchito di alcune opere impressioniste.

Nel 1971, Michel Monet ha donato al museo 65 tele che suo padre dipinse quasi esclusivamente a Giverny, in Normandia, e che ora sono esposte nella galleria sotto al giardino. Le opere più interessanti di questa raccolta sono costituite da una splendida serie di ninfee, glicini, iris e scene di giardino. Altre invece, testimoniano l'importanza data da Monet alla variazione della luce nelle diverse ore del giorno e della stagione: *Il Parlamento di Londra, Il Pont de l'Europe, La Cattedrale di Rouen*. Di notevole importanza sono anche alcuni quadri di Renoir, Sisley, Pissarro ed acquerelli di Boudin e Signac.

La donazione Wildenstein ha apportato al museo 228 miniature di diverse scuole europee dal 13° al 16° sec. A questi capolavori si è recentemente aggiunta, grazie alla donazione Duhem, una sessantina di quadri, disegni ed acquerelli, tra cui uno stupendo *Mazzo di fiori* di Gauguin, dipinto a Tahiti, ed un interessante pastello di Renoir, *Fanciulla seduta con cappello bianco*.

Dintorni

Square Lamartine – Circonda i pozzi artesiani di Passy scavati nel 1855. Gli abitanti del quartiere vi raccolgono acque solforose a 28° C che si trovano a circa 600 m di profondità.

Lungo la lussuosa **avenue Henri-Martin** (un tempo avenue de l'Empereur), nel punto in cui taglia avenue Victor-Hugo, è stata collocata la statua di **Rodin**, *Victor Hugo e le muse*, gruppo in bronzo realizzato dal calco originale dopo l'Occupazione.

Scoprite la Francia con le **Guide Verdi Michelin** *in italiano.*
Parigi, Castelli della Loira, Costa Azzurra, Corsica e Bretagna vi aiuteranno nella programmazione del viaggio e nelle visite in terra di Francia.

L'OPÉRA ★★

Carte Michelin n° 12 e 14 (pp. 18 e 30): da F 12 a G 11.

Questo quartiere, caratterizzato dalla presenza dell'Opéra-Garnier e dalla bellissima place Vendôme, offre al visitatore la possibilità di percorrere una serie di arterie tra le più eleganti della capitale e di trascorrere piacevolmente le serate, grazie ai numerosi teatri che ne animano la vita notturna.

★★ L'OPÉRA-GARNIER

La celebrità di questo teatro lirico francese, il prestigio della sua compagnia e del corpo di ballo, la grandiosità dello scalone d'onore e del foyer, la sontuosità della sala: tutto ciò stimola il turista a trascorrervi una serata. Il teatro dell'Opéra di Parigi ha cambiato spesso sede. Fu al Palazzo delle Tuileries, al Palais Royal, ove vennero dati lo *Zoroastro* di Rameau e l'*Orfeo ed Euridice* di Gluck, e, a partire dal 1990, alla Bastiglia ove risiede tuttora. La collocazione dell'Opéra è stata determinata dal piano urbanistico di Haussmann. Già nel 1820 aveva preso corpo l'idea di

---

Qualche talento indimenticabile

Fra i vari maestri che hanno calcato le scene dell'Opéra Garnier si possono ricordare (a semplice titolo di esempio):

1888	Jean de Reszké nell'opera *Romeo e Giulietta* di Gounot
1895	Rose Caron che partecipa alla riabilitazione parigina di *Tannhäuser* di Wagner
1928	Georges Thill nel *Rigoletto* di Verdi
1929	Ida Rubinstein nel *Bolero* di Ravel
1947	Yvette Chauviré in *Giselle,* il balletto su musica di Adam
1964-65	Maria Callas nella *Tosca* di Puccini e nella *Norma* di Bellini

e citiamo ancora:

1979	*Lulù* di Alban Berg
1983	*San Francesco d'Assisi* di Olivier Messiaen
1985	La regia di Ruth Berghaus del *Wozzeck* di Alban Berg
1985	La regia di Gotz Friedrick della *Katia Kabonova* di Janacek.

Scalinata dell'Opéra

costruire un nuovo teatro lirico e, a tale scopo, nel 1860, viene indetto un concorso a cui partecipano 171 candidati. La vittoria viene conseguita da un architetto di 35 anni allora sconosciuto, Charles Garnier, a cui era stato assegnato il gran premio di Roma; nel giro di un anno, egli riesce a risolvere i problemi dovuti alla presenza di un corso d'acqua sotterraneo. I lavori tuttavia sono interrotti per alcuni anni e l'inaugurazione della sala avverrà solo nel 1875, da parte di Mac-Mahon. Il sogno di Garnier era quello di creare uno «stile Napoleone III», in grado di contrastare la tendenza dell'epoca ad imitare opere antiche. Il suo monumento però non ha fatto scuola. L'edificio tuttavia costituisce il miglior risultato architettonico del Secondo Impero.

Questo immenso teatro copre una superficie di 11 237 m^2. Il palcoscenico può contenere 450 comparse ed il lampadario centrale ha un peso superiore a 6 tonnellate; tuttavia, data la vastità delle dépendance e dei corridoi, la sala può ospitare solo 2 200 spettatori.

Se da un lato i balletti e le opere classiche propongono ancora cartelloni prestigiosi, dall'altro gli spettacoli di musica e di danza moderna hanno conquistato ormai un fitto calendario nei programmi dell'Opéra. La Sala Garnier, grazie ad alcune sistemazioni tecniche del palcoscenico e delle quinte, ha fatto un vero e proprio salto di un secolo. Un'ulteriore innovazione è rappresentata dal fatto che l'Opéra si trasferisce anche su altre scene parigine (Palazzo dei Congressi). Il personale occupato in questo teatro è composto da ben 1 100 addetti.

Il monumento – La facciata principale è rivolta sulla place de l'Opéra. Sopra la gradinata, alcune arcate fanno da cornice ad una serie di statue e gruppi marmorei. Garnier, che desiderava affidarne l'esecuzione a Carpeaux, fu costretto a suddividere gli incarichi tra più artisti. Il gruppo scolpito da Carpeaux, *La Danza*, minacciato dagli agenti atmosferici ed attualmente esposto al Musée d'Orsay, è stato sostituito da una copia eseguita da Paul Belmondo.

Al 1° piano si apre una loggia maestosa su cui si affaccia il foyer. Dietro la cupola che copre la sala, in corrispondenza del tetto del palcoscenico, si erge un frontone triangolare.

Per poter meglio valutare le imponenti dimensioni del monumento, occorre farne il giro dal lato destro. Il padiglione che sporge sulla facciata laterale era quello destinato agli abbonati. Le carrozze potevano entrare nel cortile, illuminato da lampadari sostenuti da statue con figure femminili, opera di Carrier-Belleuse. Sulla facciata posteriore si apre l'ingresso degli uffici amministrativi, degli artisti e delle scenografie. La rue Scribe si snoda lungo il padiglione dell'Imperatore. La doppia rampa visibile doveva consentire alle carrozze del sovrano l'accesso diretto al piano su cui si trovava il suo palco.

Attualmente questo padiglione è occupato dalla biblioteca e dal museo.

★★★ **Interno** ⊙ – Una particolarità del monumento è rappresentata dall'utilizzo, voluto da Garnier, di marmi provenienti da tutte le cave francesi, la cui gamma di colori è estremamente varia: bianco, blu, rosa, rosso, verde. Il **Grande Scalone** ed il **Grande Foyer** sono opere notevoli concepite per rendere ancor più fastoso l'insieme dell'edificio. Il soffitto della **sala**, che si può visitare al di fuori dell'orario delle prove, venne decorato da Chagall sul tema di opere e balletti famosi e fu qui collocato nel 1964.

Biblioteca-museo – Memoria vivente dell'Opéra dal 18° sec., la biblioteca venne fondata ufficialmente nel 1866 e installata nel Padiglione dell'Imperatore nel 1882. Essa contiene tutte le partiture delle composizioni eseguite all'Opéra dal 1669, volumi sulla danza, il canto, la musica e le arti teatrali.

Le collezioni del museo vengono presentate a rotazione nella rotonda in pietra grezza. La scala dove sono esposti disegni tecnici di Garnier conduce al primo piano verso la galleria di stampe (dalle pareti rivestite in legno d'epoca), la galleria dei modellini (scenari del 18° sec.) e la galleria del museo (dipinti di Hubert Robert, Renoir, Henner).

Il riformatore tedesco del melodramma, Christoph Willibald Gluck, è l'autore di Orfeo ed Euridice, *di cui fornì anche una rielaborazione in francese, presentata all'Opéra il 2 agosto 1764.*

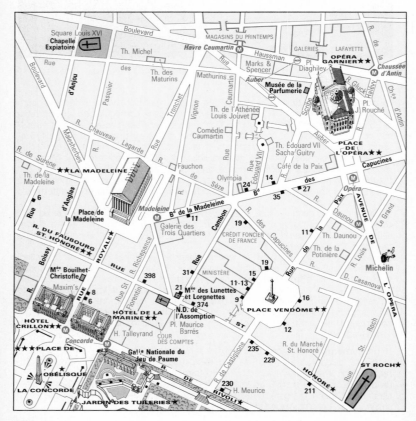

IL QUARTIERE

★★ Place de l'Opéra – Haussmann non volle che la piazza dell'Opéra svolgesse il ruolo di semplice cornice destinata solo a mettere in risalto l'«Accademia nazionale di Musica» e quindi realizzò e fece confluire in questo luogo una serie di vie che l'hanno poi trasformata in punto nevralgico della città. L'opinione pubblica accusò il prefetto di aver nutrito ambizioni eccessive. L'incrocio, per quei tempi, sembrava immenso. La piazza è incorniciata dalle eleganti vetrine di Lancel (articoli di cuoio, oggetti regalo), di Clerc (gioielli, oreficeria) e dalle terrazze del famoso Café de la Paix che inducono i passanti a fermarsi.

Le Grand-Hôtel – *2, rue Scribe*. E' un importante vestigio dell'epoca di Napoleone III (1862), conosciuto per la grande rotonda della sala «Opéra», ora un ristorante. Qui risiedevano grandi personalità quali il Granduca Dimitri, Offenbach, Churcill o Eisenhower quando erano in visita a Parigi.

Paristoric ⊙ – *4, rue Scribe*. Filmati sulla storia e i monumenti di Parigi, dalla Lutezia romana ai nostri giorni.

Musée de la Parfumerie Fragonard ⊙ – *9, rue Scribe*. Vi sono esposti diversi strumenti che danno un'idea dei processi utilizzati nella fabbricazione dei profumi nel 19° sec. a Grasse. Interessante la collezione di boccette e flaconi di diversi paesi, l'*orgue de parfumeur* (espositore in cui sono raccolte tutte le sostanze odorose) ed etichette che ripercorrono circa 3 000 anni della storia del profumo.

★ Avenue de l'Opéra – La costruzione di questa arteria stradale iniziò nel 1854, su progetto di Haussmann, contemporaneamente alle due estremità, e fu portata a termine nel 1878. L'ostacolo più rilevante era costituito dalla collinetta di San Rocco, tra le attuali rue Thérèse e des Pyramides. Qui Giovanna d'Arco fece porre alcune colubrine per sostenere l'attacco delle sue truppe contro la Porte St-Honoré. Sebbene nel 1615 la collina fosse già stata spianata, le viuzze intorno rimasero assai malfamate fino alla fine del 17° sec., quando il quartiere fu completamente demolito dai picconi. L'enorme quantità di materiale di sterro servì a riempire gli scavi del Campo di Marte.

In poco più di un secolo, l'avenue de l'Opéra è divenuta una via molto prestigiosa, una delle arterie di maggior traffico della capitale. Qui i turisti possono acquistare quanto di meglio Parigi offre in materia di souvenirs: profumi, foulard, articoli da regalo. Durante il giorno, l'animazione è resa ancora più frenetica dalla presenza di grandi banche, società immobiliari, compagnie di trasporti, librerie. Le attività più importanti sono però la pubblicità ed il turismo: intorno all'agenzia Havas (n° **26**) si dispongono, lungo le vie adiacenti, le compagnie aeree e marittime nonché gli uffici turistici di numerosi paesi.

Al n° **27** la porta d'entrata del Centre National des Arts Plastiques rappresenta il Palais Royal in trompe-l'œil.

★★ PLACE VENDÔME

Questo stupendo complesso architettonico testimonia la grandiosità del Grand Siècle.

Intorno al 1680, Louvois, sovrintendente alla costruzione degli edifici, progetta di realizzare una piazza monumentale sui terreni a nord della rue St-Honoré, piazza che dovrà fare da cornice ad una colossale statua di Luigi XIV. I piani prevedono l'edificazione di palazzi destinati ad ospitare le Accademie, la Biblioteca, la Zecca,

---

Servizi Turistici Michelin

Nella Francia del 1900 non circolano più di tremila automobili, il cui passaggio semina il panico nelle campagne. I cosiddetti «chauffeurs» acquistano il petrolio dal droghiere. André Michelin, fratello di Édouard, fabbricante di pneumatici, dedica loro un'agile pubblicazione dalla copertina rossa: è la Guida Francia, tuttora conosciutissima per la ricchezza di informazioni pratiche, la selezione di risorse alberghiere e la classifica annuale di «stelle della buona tavola» che la contraddistinguono.

Nel 1908, André Michelin apre a Parigi un *Ufficio Informazioni per viaggi automobilistici* al servizio del viaggiatore che può trovarvi itinerari e carte stradali. Quindi mette in cantiere, nel 1910, la preparazione della carta di Francia in scala 1/200 000, impone la numerazione di tutte le strade (1913) che in seguito farà delimitare con le ben note pietre miliari quadrate di lava smaltata. Dopo la Grande Guerra, inizia la pubblicazione delle Guide dei Campi di Battaglia, che precedono le guide turistiche regionali (la prima, dedicata alla Bretagna, esce nel 1926), attualmente note come Guide Verdi Michelin.

La **Boutique Michelin** è al n° 32 di avenue de l'Opéra.

l'Hôtel degli Ambasciatori straordinari ed ambiscono a superare, in quanto a sontuosità, la place des Victoires. Nel 1685 vengono acquistati l'hôtel del duca di Vendôme (figlio di Enrico IV e di Gabriella d'Estrées) e l'attiguo convento delle Cappuccine.

Sarà **Jules Hardouin-Mansart** a disegnare la piazza attuale che, originariamente denominata piazza delle Conquiste, prenderà poi il nome di piazza di Vendôme o di Luigi il Grande. Nel 1699 è inaugurata la statua equestre del re, opera di Girardon; a quel tempo tuttavia intorno al monumento si erge solo un insieme di facciate, dietro le quali i terreni non hanno ancora trovato acquirenti. I lotti vengono comprati a titolo speculativo da finanzieri, architetti, esattori generali. La prima costruzione risale al 1702, l'ultima al 1720. Durante la Rivoluzione la statua del re è abbattuta e

Place Vendôme

la piazza diviene place des Piques per assumere poi nuovamente il nome di place Vendôme. Nel 1810, Napoleone vi erige la colonna di Austerlitz.

La piazza – I palazzi che si affacciano sulla piazza presentano un ordine inferiore composto da grandi arcate e due superiori scanditi da pilastri. I tetti sono animati da abbaini. Il complesso architettonico non risulta peraltro monotono grazie agli avancorpi delle facciate principali ed agli angoli smussati di questa vasta piazza rettangolare di 224 x 213 m.

Ogni edificio evoca un ricordo o un nome: al n° **19**, l'ex hôtel d'**Évreux** (1710) è ora occupato dal governatore del Credito Fondiario di Francia, il n° **15** ospita l'**hôtel Ritz**, mentre l'ex Cancelleria del Regno è l'attuale sede del Ministero della Giustizia (nn **13** e **11**): nel 1848 sulla facciata venne collocato un metro campione. Alla fine del 19° sec., il n° **9** era il palazzo del Governatore militare di Parigi; al n° **12**, nel 1849 morì Chopin, il n° **16** era lo studio del medico tedesco Mesmer: qui accorreva tutta la capitale, attratta dai suoi esperimenti di magnetismo animale, eseguiti tra l'altro con una tinozza contenente sbarre di ferro, attorno a cui i pazienti cadevano in trance.

Sulla place Vendôme e nei dintorni si affacciano famose gioiellerie tra cui Van Cleef e Arpels, Boucheron e Mauboussin.

Il quartiere generale di «Coco» Chanel

E' la fine del 1910, **Gabrielle Chanel** (1883-1971), discendente di venditori ambulanti delle Cevenne, abile nel mondo del denaro e delle corse, s'installa come modista al n° **21** della **Rue Cambon**. Dieci anni più tardi si trasferisce al n° **31**. Donna d'affari, lancia nel 1920, il suo «*Numero 5*», profumo equilibrato e nello stesso tempo indefinibile in cui si mescolano le fragranze della flora, della fauna e delle essenze di sintesi.

Chanel fu soprattutto abile nella scelta delle tinte e una insuperabile professionista del taglio. Sapeva utilizzare i materiali poveri (jersey, tweed, plaid) e rinunciare all'ornamento a beneficio di una linea che diventò popolare. La reputazione di questa donna indipendente, *l'Irregolare* come era chiamata da Edmonde Charles-Roux, ammessa a far parte degli ambienti della poesia, della pittura e della coreografia, si basa soprattutto sui suoi abiti. Qual è la donna che non sognava di possederne uno? Uno di questi, rosa, fu macchiato dal sangue del presidente degli Stati Uniti, John Fitzgerald Kennedy, quando si accasciò, assassinato, sulle ginocchia della moglie Jacqueline a Dallas il 22 Novembre 1963.

La colonna – A imitazione della colonna Traiana a Roma, il fusto di pietra, alto 44 m, è circondato da una spirale in bronzo, fusa con i 1 250 cannoni presi nella battaglia di Austerlitz, su cui sono rappresentate scene militari. Sulla sommità della colonna si ergeva, in un primo tempo, la statua di Napoleone I, in veste cesarea, sostituita poi, nel 1814, da quella di Enrico IV. Durante i Cento Giorni questa scomparve. Successivamente Luigi XVIII vi colloca una statua che raffigura un enorme giglio; Luigi Filippo fa poi erigere di nuovo l'effigie di Napoleone – Piccolo Caporale –, sostituita poi da Napoleone III con una riproduzione della prima statua. Nel 1871, la Comune decreta l'abbattimento del monumento; di tale provvedimento verrà poi accusato il pittore Courbet che sarà costretto all'esilio. Durante la III Repubblica la colonna viene rialzata definitivamente ed alla sommità è posta una replica della statua primitiva.

Rue de la Paix – Realizzata nel 1806, nell'area che ospitava il convento delle suore cappuccine, si chiamò in un primo tempo rue Napoléon. Dall'alto della colonna che domina la piazza, l'Imperatore volge le spalle a questa strada.
Questa via elegante e lussuosa deve la propria fama soprattutto alle gioiellerie e oreficerie che vi si affacciano; tra queste, alcune, come Cartier (n° **11**), hanno conquistato prestigio internazionale.

★ **RUE ST-HONORÉ** *(per la parte a sud di place Vendôme si veda PALAIS ROYAL)*

Il tratto compreso tra la rue Royale e la rue de Castiglione offre vetrine allettanti. La fama di questa via è ormai secolare: sotto l'Ancien Régime vi avevano sede i fornitori della Corte, della nobiltà e della finanza.

Hôtel de Mme Geoffrin – *N° 374*. Ai tempi di Luigi XV, qui risiedeva la nobildonna, sposatasi a 14 anni con un ricco manifatturiere e poi rimasta vedova appena diciassettenne: qui tenne un salotto letterario che acquistò notorietà in tutta l'Europa.

Musée des Lunettes et Lorgnettes ⊙ – *N° 380*. In questo museo viene presentata la storia degli occhiali, dei binocoli e di altri strumenti ottici.

Église Notre-Dame-de-l'Assomption – *Place Maurice-Barrès*. Addossata ai moderni edifici della Corte dei Conti (qui trasferita nel 1912 a seguito dell'incendio appiccato dai rivoluzionari della Comune al Palazzo d'Orsay), sorge la cappella dell'ex convento delle suore dell'Assunzione, oggi chiesa polacca di Parigi. L'edificio, a pianta circolare e coronato da una cupola di dimensioni sproporzionate, fu costruito nel 17° sec. su disegno di Ch. Errard. Nell'interno, sopra l'altare, si può ammirare un quadro di Vien, l'*Annunciazione* (18° sec.), e, sulla destra, l'*Adorazione dei Magi*, opera di Van Loo. Sul soffitto, affresco di Charles de La Fosse: l'*Assunzione della Santa Vergine*.

Al n° **398** si trovava l'abitazione in cui visse Robespierre fino alla vigilia della sua esecuzione, il 9 Termidoro (27 luglio) 1794.

Il piccolo Mozart a soli sette anni si esibiva in tutta Europa con la sorella Nannerl. Durante la tournée parigina conobbe Diderot, d'Alembert, il pittore van Loo e la Pompadour.

Musée D'ORSAY★★★

Carte Michelin n° 12 e 14 (p. 30): H 12.
Ⓜ Solférino, RER museo d'Orsay (linea C). Ingresso principale: 1, rue de Bellechasse.
Ingresso alle grandi esposizioni: quai Anatole-France.

Da stazione a museo – Alla fine del 19° sec., la compagnia delle Ferrovie di Orléans acquista il terreno occupato dalle rovine del palazzo d'Orsay per costruirvi un nuovo capolinea. La compagnia decide di accogliere il progetto presentato da **Victor Laloux** (1850-1937), che prevede di mascherare l'aspetto industriale (struttura in vetro e metallo) con una facciata esterna ispirata a quella del Louvre e con soffitti interni ornati di cassoni e di stucchi. Si procede anche alla sistemazione dell'albergo attiguo alla stazione. I lavori sono conclusi nell'arco di due soli anni, cosicché l'inaugurazione dell'edificio può aver luogo il 14 luglio 1900.

La stazione d'Orsay, da cui partono le linee dirette a tutta la zona sud-occidentale della Francia, è la prima stazione ad essere concepita per la trazione elettrica; per circa quarant'anni, vede partire giornalmente ben 200 treni. Tuttavia, l'elettrificazione della rete consente la circolazione di treni di lunghezza maggiore rispetto ai precedenti e quindi i suoi marciapiedi risultano ormai troppo corti. Vittima del progresso, nel novembre 1939 è costretta a porre termine alla circolazione sulle grandi linee e a limitare la propria attività alla periferia parigina, assumendo poi il triste ruolo di stazione fantasma. Non essendo più destinata al traffico ferroviario, diviene il centro delle più svariate attività: luogo di raccolta dei prigionieri nel '45 e scenario per il film *Il Processo*, di Kafka, girato da Orson Welles nel 1962.

L'albergo attiguo chiude i battenti il 1° gennaio 1973, dopo aver svolto comunque un ruolo storico: proprio qui, nella sala delle feste, il 19 maggio 1958 il generale de Gaulle si dichiarò pronto «ad assumere i poteri della Repubblica», ponendo così fine alla crisi iniziatasi il 13 maggio ad Algeri.

Il 1973 è anche l'anno in cui prende forma il progetto di utilizzare la stazione d'Orsay per un museo dedicato al 19° sec. Su iniziativa di Valéry Giscard d'Estaing, il 20 ottobre 1977 è assunta la decisione di allestire il museo. Gli architetti a cui è affidato tale compito sono P. Colboc, R. Bardou e J.P. Philippon. L'italiana Gae Aulenti, a cui si deve anche la risistemazione interna del museo nazionale d'Arte Moderna di Parigi e del Palazzo Grassi a Venezia, è incaricata di curare l'allestimento e la decorazione. Dopo sei anni di lavori, il 1° dicembre 1986 François Mitterrand presiede alla cerimonia di inaugurazione del museo.

INFORMAZIONI PRATICHE

Segreteria telefonica per informazioni generali ☎ 01 45 49 11 11. Sito Internet www.musee-orsay.fr

Portatori di handicap – Le persone con mobilità ridotta hanno a disposizione sedie a rotelle e percorsi speciali. Vengono proposte visite guidate per non vedenti, non udenti e persone con handicap mentali.

Visite guidate – Visite generali, tematiche, monografiche, di esposizioni temporanee (1 h e 1/2) 36 FF; «Un'opera da vedere» (1 h) 24 FF. Appuntamento alla biglietteria (accueil) per gruppi. Programma e orari nel dépliant Nouvelles du Musée d'Orsay, disponibile in biglietteria. Per informazioni ☎ 01 40 49 48 73.

Conferenze e dibattiti – Sabato dalle 11 alle 12.30. Ingresso gratuito e accesso diretto (sagrato Bellechasse, porta riservata ai gruppi). Gli inviti si ritirano il giorno stesso dalle 10 alle 11 alla biglietteria (accueil).

Concerti e spettacoli lirici – È possibile prenotare 21 giorni prima, telefonando al ☎ 01 40 49 47 17 dal lunedì al venerdì dalle 9 alle 12 o rivolgendosi alla cassa dell'auditorium (livello – 2) tutti i giorni tranne il lunedì, dalle 10 alle 17.15. Spettacoli: h 12.30 – 80 FF, 40 FF sotto i 26 anni; h 15 e 20 – 130 FF, 60 FF sotto i 26 anni. Per informazioni ☎ 01 40 49 49 66.

Libreria e bookshop – Aperti dalle 9.30 alle 18.30 (il giovedì fino alle 21.30). Accesso diretto dal quai Anatole-France per la libreria e dal sagrato Bellechasse per il bookshop.

Bar e ristorante – *Café des Hauteurs* (al livello superiore) aperto negli stessi orari del museo e *Restaurant du Musée d'Orsay*, nelle sale del ristorante della vecchia stazione, aperto il mezzogiorno e il giovedì sera (livello intermedio).

Collezioni permanenti ⊙ – I tre livelli (pianterreno, livello intermedio e livello superiore) ospitano le collezioni relative a tutte le forme d'arte (pittura, scultura, architettura, arti decorative, cinema, fotografia, arti grafiche, musica, letteratura, storia), presentate in ordine cronologico, e forniscono un panorama eccezionale sulla vasta produzione artistica del periodo 1848-1914. Il museo d'Orsay costituisce quindi un momento di raccordo tra il Louvre ed il Musée d'Art Moderne (Centre Georges-Pompidou). Si notino, sulla piazza antistante l'ingresso, le sculture di animali e le rappresentazioni dei cinque continenti.

Dopo la visita al pianterreno, che illustra il periodo 1848-1870, occorre passare al livello superiore, dove sono ospitate le opere impressioniste, post-impressioniste, della scuola di Pont Aven e dei nabis. Per ultimo si accede al livello intermedio dedicato alla fine del 19° sec. ed agli inizi del 20° sec. (Art Nouveau e scultura dal 1870 al 1914). Prima di iniziare la visita, alla destra degli sportelli si noti la statua raffigurante il *Genio della Patria* (1), dettaglio dell'altorilievo dell'Arco di Trionfo, opera di Rude (1784-1855), da cui emerge la grande potenza espressiva di questo artista.

Grande orologio del corridoio centrale con *il David* di Antonin Mercie

Pianterreno anni 1848-1870

Il **Leone** (2) – Opera di **Antoine Louis Barye** (1796-1875), scultore animalista di grande vigore realistico. Si notino anche le *Sculture allegoriche* (3).

Scultura corridoio centrale

Il periodo 1850-1870, animato dal romanticismo nato intorno al 1830, trae ispirazione dall'Antichità e dal Rinascimento.

Pradier (1790-1852) – Pur essendo uno scultore classico, conferisce alle sue creazioni una sfumatura romantica.

Saffo (4)

Carpeaux (1827-1875) – E' influenzato prima da Rude e poi da Michelangelo. Scultore ufficiale, realizza busti di estrema raffinatezza e partecipa alla decorazione dei monumenti pubblici, tra cui la fontana che raffigura le quattro parti del mondo, destinata ai giardini del Luxembourg.

Ugolino (5)
Fontana del giardino del Luxembourg (6)

La Danza (8) – Gruppo originale in pietra di Carpeaux, che ornava la facciata dell'Opéra e che è stato sostituito sulla facciata da una copia di Paul Belmondo. Questo girotondo di ninfe, una delle ultime grandi opere dell'artista, non tiene conto dell'anatomia per meglio sotrtolineare il movimento e la spontaneità degli atteggiamenti.

Un posto d'onore, e precisamente nel mezzo del corridoio centrale, è occupato dal dipinto *I Romani della Decadenza* (7), quadro di **Thomas Couture** (1815-1879), pittore che privilegiò il genere delle grandi composizioni storiche.

L'architettura del Secondo Impero (1852-1870)

Il modellino del quartiere dell'Opéra – *In fondo al corridoio centrale.*
Una lastra di vetro protegge un modellino in scala 1/100 che rappresenta il complesso urbanistico del quartiere dell'Opéra. In quest'area l'architetto Charles Garnier (1825-1898) seppe inserire il nuovo teatro dell'Opéra, favorendo le linee curve rispetto alle rette, l'esuberanza ornamentale, la policromia (marmo, bronzo, rame, porfido) e l'abbondanza della statuaria. La sezione longitudinale dell'Opéra consente di scoprire il foyer, il palcoscenico, la sala per gli spettatori, le macchine e la decorazione. L'Opéra è evocata anche da *La Danse* (8).

Viollet-le-Duc (1814-1879) – *Pavillon Amont.* Architetto e scrittore, questo artista è soprattutto noto come restauratore di grandi monumenti gotici. Il suo interesse è rivolto prevalentemente alla decorazione dipinta (pitture murali delle cappelle di Notre-Dame di Parigi).

Le arti decorative (1850-1880)

Sull'estrema destra del corridoio centrale, accesso dal fondo o dal centro del corridoio, dietro il quadro di Thomas Couture. I pezzi esposti mostrano l'eclettismo del periodo 1850-1880, caratterizzato da colonizzazioni, viaggi, esposizioni universali, tra cui, soprattutto, quella del 1867 che fece scoprire al mondo occidentale le arti del Giappone (**servizio da tavola in stile giapponese** – **9** – in maiolica fine, commissionato da Eugène Rousseau al pittore incisore Bracquemond).

Le nuove ditte industriali si circondano di artisti che uniscono il Bello all'Utile e che sono in grado di realizzare sia pezzi unici (mobile da toilette della casa Froment Meurice – **11**) che oggetti di serie. La **ditta Christofle** vive uno sviluppo senza precedenti grazie al processo di galvanizzazione che consente una produzione corrente in metallo argentato pur mantenendo la tradizione di argenteria di lusso. Alcuni pezzi, quale il **Vaso dell'Educazione di Achille** (**12**), sono realizzati in occasione di esposizioni universali. La fama dell'**ebanista Diehl** è dovuta ai suoi numerosi cofanetti in tutti gli stili e materiali e ai suoi mobiletti; realizza comunque anche mobili di lusso per le esposizioni. Il **medagliere** (**13**), il cui soggetto si ispira al passato merovingio (bassorilievo in bronzo argentato di Frémiet), fu considerato una delle creazioni più originali presentate nell'esposizione del 1867. **Jules Desfossé** ricorre ad alcuni pittori per realizzare magnifici paesaggi su carte da parati; il **giardino di Armida** (**14**) è la parte centrale di uno scenario di Müller.

La pittura (1848-1880)

Classicismo, romanticismo e accademismo – *Corridoio destro, nelle immediate adiacenze delle arti decorative.* Gli anni intorno al 1850 sono dominati da **Ingres** e **Delacroix** che incarnano il conflitto tra classicismo e romanticismo. La maggior parte delle loro opere è ospitata al Louvre.

Classicismo:

Ingres (1780-1867) – Rimane molto fedele alla linea ed ai contorni.	*La Sorgente* (**15**) *Giove e Antiope* (**16**)

Romanticismo:

Delacroix (1798-1863) – Ricerche sul colore e sulla luce.	*La Caccia ai leoni* (**17**)

Accademismo:

Chassériau (1819-1856) – Tenta di conciliare disegno e colore.	*Il Tepidario* (**18**)

Cabanel (1823-1889) – Ottiene un vivo successo al salone del 1863.	*La nascita di Venere* (**19**)
Winterhalter (1806-1873) – Pittore mondano, ritrattista ufficiale della corte di Napoleone III.	*Ritratto di Mme Rimskij-Korsakov* (**21**)

Gli inizi del simbolismo – *Corridoio destro.* **Puvis de Chavannes** (1824-1898), famoso per le pitture murali, si ispira a soggetti di carattere biblico. I suoi colori a strati *(en aplat)* e uniformi e il suo sforzo di semplificazione creano un'atmosfera di raccoglimento (*Il povero pescatore* – **22**). **Gustave Moreau** (1826-1898) si ispira a temi mitologici ed allegorici. Nelle sue tele regna un certo mistero dovuto alla grazia languida e sensuale dei suoi eroi (*Orfeo* – **23**, *Giasone e Medea* – **24**). **Edgar Degas** (1834-1917) adotta fin dall'inizio (prima del 1870) colori freschi e luminosi. Le sue costruzioni rigorose si accompagnano ad una perfezione del disegno. Sono esposti numerosi ritratti (*Famiglia Bellelli* – **25**, *Ritratto di giovane donna* – **26**).

Il realismo e la scuola di Barbizon – *Prima parte del corridoio sinistro (Collezione Chauchard).* Gli artisti, reagendo allo sviluppo delle città industriali, riscoprono la campagna. Così, alcuni, divenuti attenti osservatori della vita quotidiana o della natura, non esitano a rappresentare personaggi a grandezza naturale; Corot si stabilisce a Barbizon nel 1830, seguito poi da altri pittori: insieme costituiranno la scuola di Barbizon. Prediligono i colori cupi ed i crepuscoli e si ispirano prevalentemente ai paesaggi boschivi di Fontainebleau.

Realismo:

Daumier (1808-1879) – Litografo e illustratore in primo luogo, ama raffigurare la realtà sociale e politica con una vena molto caustica.	*Busti dei parlamentari* (**27**) *La lavandaia* (**29**)

Scuola di Barbizon:

Théodore Rousseau (1812-1867) – Considerato il capo del gruppo, traduce in modo mirabile gli effetti effimeri della luce.	*Un viale nella foresta di L'Isle Adam* (**31**)

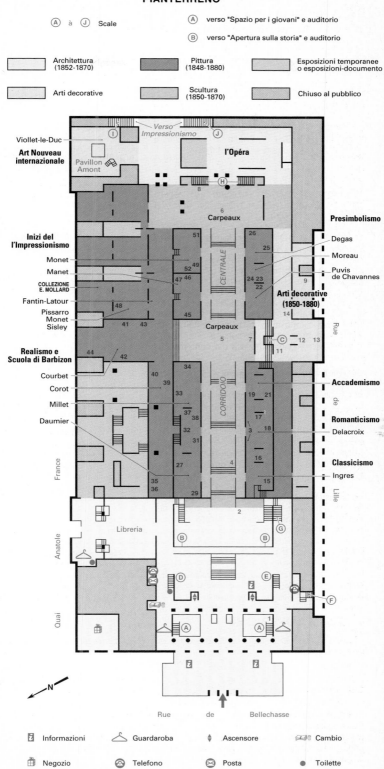

PIANTERRENO

(A) à (J) Scale

(A) verso "Spazio per i giovani" e auditorio

(B) verso "Apertura sulla storia" e auditorio

Architettura (1852-1870)

Pittura (1848-1880)

Esposizioni temporanee o esposizioni-documento

Arti decorative

Scultura (1850-1870)

Chiuso al pubblico

Verso Impressionismo

Viollet-le-Duc

Art Nouveau internazionale

Pavillon Amont

l'Opéra

8

6 Carpeaux

Presimbolismo

Inizi del l'Impressionismo

51

26

25

Degas

Moreau

Monet

52 49

24 23 22

Puvis de Chavannes

9

Manet

47 46

COLLEZIONE E. MOLLARD

CENTRALE

Arti decorative (1850-1880)

Fantin-Latour

48

14

Pissarro
Monet
Sisley

41 43

45

5 Carpeaux

7

12 13

11

Realismo e Scuola di Barbizon

44 42

34

Rue

Courbet

40

Accademismo

39

Corot

33

19 21

de

Millet

37 38

17

Romanticismo

Daumier

32

3 18

Delacroix

31

27

4

16

Classicismo

35
36

29

15

Ingres

France

2

CORRIDOIO

Lille

Libreria

(B) (B)

(G)

Anatole

(D) (E)

(F)

Quai

(A) 1 (A)

N

Rue de Bellechasse

🛈 Informazioni   Guardaroba   Ascensore   Cambio

Negozio   Telefono   Posta   Toilette

Millet (1814-1875) – Figlio di contadini, rimane, per tutta la sua esistenza, fedele alla terra ed alla vita dei campi. L'**Angelus** ha attirato le critiche di chi vi vedeva solo un intento moralizzatore. Di fatto il pittore si limita ad esprimere la sua personale comprensione del mondo rurale.	*L'Angelus* (**32**) *Spigolatrici* (**33**) *Primavera* (**34**)
Troyon (1810-1865) – Si specializza nel dipingere quadri animati da bestiame.	*Buoi che vanno ad arare* (**35**)
Rosa Bonheur (1822-1899) – Dipinge scene rustiche e animali.	*Aratura nella regione di Nevers* (**36**)
Corot (1796-1875) – Studia la luce che si riflette nel sottobosco e negli stagni.	*La radura* (**37**) *Il mulino di St-Nicolas-lès-Arras* (**38**) *Il catalpa* (**39**)
Daubigny (1817-1878) – Legato agli aspetti più semplici della vita, ai riflessi dei fiumi, al silenzio delle foreste.	*La mietitura* (**40**)
Courbet (1819-1877) – Per la maggior parte dei soggetti trae ispirazione da Ornans, suo paese natale. *Un funerale a Ornan* segna la nascita del realismo in pittura. Tredici anni prima di Victor Hugo, Courbet ci mostra i poveri del suo villaggio, caratterizzati da una grande semplicità, ma dignitosa e composta. La forza della gente viene inoltre sottolineata dalle linee compositive, tutte orizzontali, a cui fanno riscontro alcuni personaggi «verticali». L'opera non venne compresa dai contemporanei.	*Un funerale a Ornans* (**41**) *Lo studio del pittore* (**42**) *Ritratto dell'artista* (**43**) *L'origine del mondo* (**44**)

Gli inizi dell'impressionismo – *Seconda parte del corridoio sinistro.* Come reazione ai colori cupi, la nuova generazione di artisti vuole trasferire sulle tele le vibrazioni luminose e le impressioni cromatiche. L'unico loro interesse risiede nella luce, la sua analisi e i suoi effetti; da qui deriva la predilezione per i giardini soleggiati, la neve, la nebbia, la carnagione. Subiscono il fascino della foresta di Fontainebleau, ma preferiscono stabilirsi a Chailly. Pur non integrandosi al circolo di Barbizon, accettano i consigli dei loro predecessori.

Manet (1832-1883) – Respinge le convenzioni accademiche con l'arditezza cromatica e compositiva.	*Olimpia* (**45**) *Il balcone* (**46**) *Il pifferaio* (**47**)
Fantin Latour (1836-1904) – Ammiratore di Manet, entra in amicizia con il gruppo dei Batignolles. Dipinge numerosi ritratti e mazzi di fiori dal fascino delicato.	*Un angolo di tavolo* (**48**)
Bazille (1841-1870) – E' sensibile alla luce che accentua i contrasti.	*La riunione di famiglia* (**49**)
Monet (1840-1926) – E' il vero creatore dell'impressionismo *(si veda oltre).*	*La gazza* (**51**) *La colazione sull'erba* (**52**)

LIVELLO SUPERIORE

Accesso attraverso la torre dell'esposizione di architettura o la scala mobile, dietro la torre.

Collezione Moreau-Nélaton – Presenta dipinti del primo periodo impressionista. L'opera principale è *La colazione sull'erba* di **Manet** (**53**). Notare anche l'*Omaggio a Delacroix* di **Fantin-Latour** (**54**), il *Ponte di Argenteuil* di **Sisley** (**55**), i *Papaveri* ed *Il ponte della ferrovia ad Argenteuil* di **Monet** (**56**).

La colazione sull'erba – Presentata da **Édouard Manet** nel 1863 al salon des Refusés (salone dei rifiutati), il dipinto scandalizza il pubblico per il soggetto (ripreso peraltro dal *Concerto Campestre* di Tiziano) e la critica per l'utilizzo di una luce frontale, senza ombre né profondità. Due anni più tardi, nel 1865, Manet scandalizza la buona società con *Olympia*.

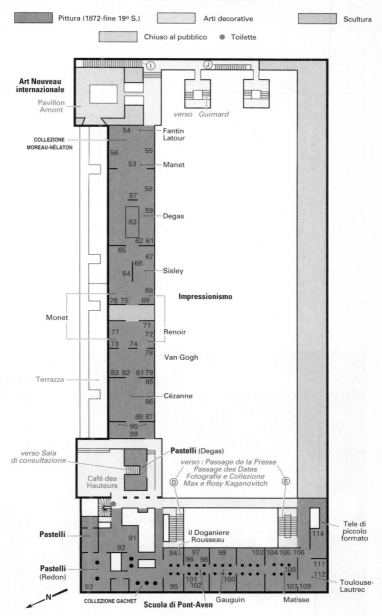

LIVELLO SUPERIORE

Pittura (1872-fine 19° S.)   Arti decorative   Scultura

Chiuso al pubblico   ● Toilette

Art Nouveau internazionale

Pavillon Amont

verso Guimard

COLLEZIONE MOREAU-NÉLATON

54 — Fantin Latour

56   55

53 — Manet

58

57

59 — Degas

63

62 61

65

67

66

64 — Sisley

68

76 75   69   **Impressionismo**

Monet

71

77   72 — Renoir

73   74

78

Van Gogh

Terrazza — 83 82   81 79

85

86 — Cézanne

88 87

90

89

verso Sala di consultazione — **Pastelli** (Degas)

verso : Passage de la Presse Passage des Dates Fotografie e Collezione Max e Rosy Kaganovitch

Café des Hauteurs

D   E

Pastelli   il Doganiere Rousseau   Tele di piccolo formato

114

91

92

94   97   99   103 104 105 106

96 98

111

Pastelli (Redon)   108

112

93   95   101   100   107 109 — Toulouse-Lautrec

102

N

COLLEZIONE GACHET   **Scuola di Pont-Aven**   Gauguin   Matisse

L'impressionismo a partire dal 1872

Gli artisti, dopo la guerra del 1870 che li aveva dispersi, si ritrovano nella regione dell'Ile-de-France: Pontoise, Auvers-sur-Oise. Stanchi di essere respinti dai saloni ufficiali, decidono di formare un gruppo allo scopo di presentare esposizioni libere. La prima ha luogo nel 1874 presso il fotografo **Nadar** ed è in questa occasione che gli artisti espositori ricevono l'epiteto di impressionisti: il termine deriva dal quadro di **Claude Monet** *Impressione Sole Nascente* (Musée Marmottan). A questa prima mostra faranno seguito altre sette.

Caillebotte (1848-1894) – Grazie alla partecipazione ad alcune esposizioni impressioniste, è più famoso come mecenate: a lui dobbiamo la donazione Caillebotte che costituisce una parte importante delle collezioni impressioniste del museo.

I piallatori (57)

Degas (1834-1917) – Inizialmente attratto da Ingres, rimane fuori dal gruppo fino al termine del Secondo Impero. Più sensibile al movimento che alla luce, i suoi soggetti privilegiati sono rappresentati dal mondo del teatro, della danza e dalle corse dei cavalli.

L'assenzio (**58**)
La scuola di danza (**59**)
Ballerine blu (**61**)
Le stiratrici (**62**)
Sculture (**63**)

Ballerine blu – **Degas**, più sensibile al movimento che alla luce, ama le scene d'interno e rivela, in questo momento catturato alla realtà, la fatica muscolare a cui sono sottoposte le danzatrici che, nonostante lo sforzo, devono mantenere il sorriso sulle labbra, come vuole la coreografia. Si ammirino anche le *Corse a Longchamps* e l'*Orchestra dell'opéra*.

Pissarro (1830-1903) – Ama i campi, le colline, le vie, i paesini animati da contadine spesso rappresentate con tocco estremamente poetico.

I tetti rossi (**64**)

Sisley (1839-1899) – Affascinato dalla luce dell'Ile-de-France, trascorre gli ultimi vent'anni della vita a Moret-sur-Loing. Essenzialmente paesaggista, trasferisce sulle sue tele la fluidità dell'acqua e il passaggio delle nuvole nel cielo.

Inondazione a Port-Marly (**65**)
Neve a Louveciennes (**66**)

Renoir (1841-1919) – Trascinato da Monet, si indirizza verso l'impressionismo nel 1875 e si fa interprete della gioia di vita. Nei suoi nudi femminili, esalta la sensualità delle bagnanti dalla carnagione madreperlacea (*Bagnanti* - **91**).

L'altalena (**67**)
Studio con torso (**68**)
Il ballo del Moulin de la Galette (**69**)
Fanciulle al piano (**71**)
Ballo in città
e Ballo in campagna (**72**)

Il ballo del Moulin de la Galette di Auguste Renoir

Monet (1840-1926) – E' il pittore più rappresentativo dell'impressionismo. Traduce con estrema freschezza l'atmosfera dei luoghi dove va a soggiornare. Nel 1883, dopo essersi stabilito a Giverny, inizia a dipingere le famose ninfee.

Il Parlamento di Londra (**73**)
Donne in giardino (**74**)
La stazione di Saint-Lazare (**75**)
La rue Montorgueil (**76**)
La cattedrale di Rouen (**77**)
Ninfee blu (**92**)

Van Gogh (1853-1890) – Nato in Olanda, comincia a dipingere solo nel 1880 dopo aver svolto l'attività di pastore nel Belgio. Entrando in contatto con gli impressionisti, scopre la luce della Provence e dona ai suoi colori tonalità più

Ritratto dell'artista (**78**)
Ritratto del dottor Paul Gachet (**79**)
La chiesa di Auvers-sur-Oise (**81**)
La siesta (**82**)
L'arlesiana (**83**)

La chiesa di Auvers-sur-Oise di Vincent Van Gogh

chiare; artista dal temperamento tormentato, muore suicida a Auvers-sur-Oise, nonostante le cure e l'amicizia del dottor Gachet e l'intenso legame epistolare con il fratello Théo.

Ritratto dell'artista – Questo autoritratto tradisce il tormento e l'inquietudine dell'artista vicino ai trent'anni: linee decise, colori forti e violenti contrasti. Si vedano anche *la camera di Van Gogh ad Arles* e *Notte stellata*.

Cézanne (1839-1906) – Ritornato a Aix-en-Provence dopo alcuni anni trascorsi con Pissarro a Auvers, crea con ampi tocchi luminosi figure dai contorni e dai rilievi accentuati, pur mantenendo una certa semplicità nei volumi.

Lo zio Dominique (**85**)
I giocatori di carte (**87**)
Natura morta con mele e arance (**88**)
La donna con la caffettiera (**89**)

L'Estaque, visto dal golfo di Marsiglia (**86**) – **Paul Cézanne** ritrae il paesaggio provenzale a lui caro. La luce, i volumi evidenziati da macchie di colore, le forme geometriche piene, sembrano quasi preannunciare Gauguin e i cubisti.

I successori dell'impressionismo (fine del 19° sec.)

Pastelli – Questa tecnica fu rivalorizzata grazie a grandi artisti quali Degas, Redon, Manet. Temi privilegiati sono paesaggi, ritratti, nature morte, scene di vita quotidiana.

La scuola di Pont-Aven – Il fascino di Pont-Aven, piccolo villaggio bretone, attira numerosi artisti (Gauguin, Émile Bernard, Sérusier, Lacombe): eliminazione dei dettagli, semplificazione delle forme, tonalità vive e nette.

Il neoimpressionismo – Questo movimento artistico sistematizza il tocco piccolo e rapido degli impressionisti e la sua tecnica consiste nel dividere le tinte in piccoli punti di colore puro per rendere il riverbero effimero della luce: da qui il nome di pointillisme o divisionismo.

Pastelli di Redon (1840-1916) – Con questa tecnica l'artista traduce al meglio i suoi sogni fantastici.

Il Budda (**93**)

Henri Rousseau, detto il Doganiere (1844-1910) – Occupa un posto a parte nella storia della pittura per le scene naïf o allegoriche.

La guerra (**94**)
L'incantatrice di serpenti (**95**)

La scuola di Pont-Aven

Gauguin (1848-1903) – Soggiorna spesso a Pont-Aven prima di stabilirsi in Oceania, dove subisce il fascino della bellezza dei paesaggi e degli abitanti.

Gli Alyscamps a Arles (**96**)
Autoritratto con il Cristo giallo (**97**)
La bella Angèle (**98**)
Donne di Tahiti (**99**)
Il cavallo bianco (**100**)

Émile Bernard (1868-1941) – Sopprime i dettagli per mantenere solo la forma essenziale.	*Maddalena nel Bosco d'Amore* (**101**) *Bretoni con ombrelli* (**102**)

Neoimpressionismo

Seurat (1859-1891) – Si colloca alle origini del divisionismo. *Il circo*, rimasto incompleto alla morte dell'artista nel 1891, è un chiaro esempio dell'uso scientifico dello spettro dei colori per ottenere luminosità e movimento.	*Il circo* (**103**)
Signac (1863-1935) – Vuole conferire ai suoi dipinti una maggiore impressione di luminosità.	*La boa rossa* (**104**) *Il castello papale* (**105**)
Luce (1858-1941) – Dipinge scene urbane, soggetti di vita operaia e di lavoro industriale.	*Notre-Dame de Paris* (**106**)
Cross (1856-1910) – La sua tecnica assume un carattere sempre più netto e vigoroso.	*Aria serale* (**107**)
Matisse (1869-1954) – Questo autore, tra neoimpressionismo e fauvismo, pone un'attenzione tutta particolare all'uso del colore puro (e della sua intensità) come mezzo espressivo.	*Lusso, calma e voluttà* (**108**)
Toulouse-Lautrec (1864-1901) – Attento osservatore della vita notturna di Montmartre, con tratto incisivo ha schizzato ritratti e scene di teatro o di circo.	*Jane Avril che danza* (**109**) *La pagliaccia Cha-U-kao* (**111**) *Il letto* (**112**) *Cartelloni della Goulue* (**90**)

Si noti, al passaggio, Il *Talismano* (**114**) di Sérusier *(si vedano i nabis)*.

Passage de la Presse (Galleria della Stampa) – Offre un vasto panorama di giornali d'epoca. La stampa, grazie all'invenzione degli annunci ed al lancio del «petit journal» da cinque centesimi, si estende a strati sempre più vasti della popolazione; parallelamente a questo processo di democratizzazione, si assiste ad una diversificazione del mezzo giornalistico con reportage, sport, articoli di gastronomia e soprattutto i romanzi d'appendice (quali ad esempio *I misteri di Parigi* di Eugène Sue) e ad un sempre più diffuso utilizzo delle illustrazioni.

Collezione Max e Rosy Kaganovitch – Sono esposte belle tele *fauves*, tra cui *Restaurant de la Machine a Bougival* di Vlaminck e *Ponte di Charing Cross* di Derain.

Passage des Dates (Galleria delle Date) – *Situato sotto il Passage de la Presse.*
Una serie di pannelli consente una ricostruzione storica partendo da una data, un avvenimento o una determinata opera.

Fotografia – La vasta raccolta di opere esposte (circa 13 000 immagini) testimonia lo sviluppo estremamente ricco dell'arte fotografica in Francia e all'estero, dall'invenzione del dagherrotipo (1839) alla prima guerra mondiale.

LIVELLO INTERMEDIO DALLA FINE DEL 19° SEC. AL 1914

Pittura e scultura agli inizi della III Repubblica

Ala sinistra, prima metà partendo dalla salle des Fêtes (sala delle feste).

Sia la sala delle feste che la sala da pranzo dell'ex hôtel, trasformata in ristorante del museo, hanno mantenuto le decorazioni dipinte, scolpite e dorate originarie.

Naturalismo, pittura storica e simbolismo – Il gusto ufficiale della **III Repubblica** si orienta verso il naturalismo e l'artista trae quindi ispirazione dai fatti reali e dalla vita quotidiana.
Successivamente si svilupperà il simbolismo, corrente opposta sia al realismo che all'impressionismo: la creazione artistica non nasce più dalla rappresentazione della realtà, ma dalla trasfigurazione del sogno, del pensiero e dall'atmosfera poetica e religiosa. Questo movimento, nato in Gran Bretagna con Burne-Jones, si svilupperà soprattutto in Francia.

Jules Lefebre (1836-1911) – I suoi nudi femminili idealizzati hanno avuto un grande successo.	*La Verità* (**116**)
Bouguereau (1825-1905) – *Salle des Fêtes.* Influenzato da Raffaello, nelle sue composizioni allegoriche o mitologiche ricerca la purezza del disegno ed il rispetto delle forme.	*La nascita di Venere* (**117**)

LIVELLO INTERMEDIO

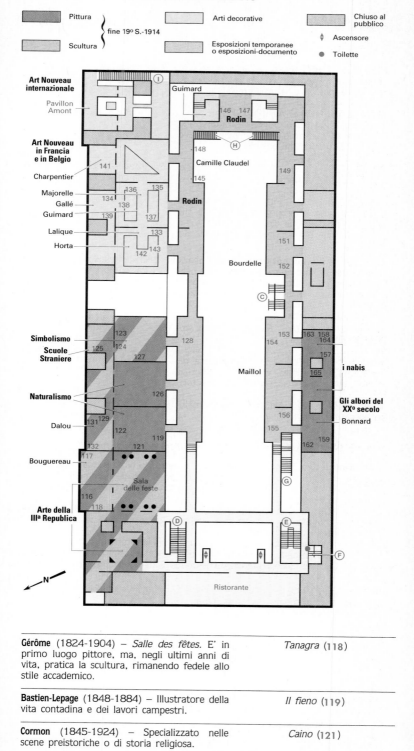

| | Pittura | |
| | Scultura | } fine 19° S.-1914 |

Arti decorative

Esposizioni temporanee o esposizioni-documento

Chiuso al pubblico

↕ Ascensore

● Toilette

Art Nouveau internazionale

Pavillon Amont

Guimard

Art Nouveau in Francia e in Belgio

Charpentier

Majorelle

Gallé

Guimard

Lalique

Horta

Simbolismo

Scuole Straniere

Naturalismo

Dalou

Bouguereau

Arte della IIIª Republica

Rodin

Camille Claudel

Rodin

Bourdelle

Maillol

Sala delle feste

Ristorante

i nabis

Gli albori del XXº secolo

Bonnard

N

Gérôme (1824-1904) – *Salle des fêtes*. E' in primo luogo pittore, ma, negli ultimi anni di vita, pratica la scultura, rimanendo fedele allo stile accademico.

Tanagra (**118**)

Bastien-Lepage (1848-1884) – Illustratore della vita contadina e dei lavori campestri.

Il fieno (**119**)

Cormon (1845-1924) – Specializzato nelle scene preistoriche o di storia religiosa.

Caino (**121**)

Detaille (1848-1912) – Specialista della pittura militare.

Il sogno (**122**)

In queste sale sono anche esposte opere di artisti non francesi, rappresentanti di queste grandi correnti artistiche:

Böcklin (1827-1901) – Nato in Svizzera, ma affascinato dall'Italia, crea soprattutto opere di carattere mitologico.	*La caccia di Diana* (123)
Burne-Jones (1833-1898) – Pittore inglese ammiratore di Botticelli e di Michelangelo, trae ispirazione dalle leggende medievali.	*La ruota della fortuna* (124)
Klimt (1862-1918) – Austriaco. Forme stilizzate in spazi senza profondità caratterizzano le opere di questo pittore simbolista, dallo stile più decorativo che pittorico.	*Rose tra gli alberi* (125)
Breitner (1857-1923) – Pittore di temi storici e della vecchia Amsterdam.	*Due cavalli bianchi che tirano dei pali ad Amsterdam* (126)
Homer (1836-1910) – Pittore naturalista nato a Boston, deve la propria fama sia alle sue scene campestri che ai dipinti dalle forti tonalità cromatiche che esprimono la potenza del mare.	*Notte d'estate* (127)

La scultura monumentale – La proclamazione della III Repubblica (4 settembre 1870) vede affluire numerose commesse per la decorazione dei nuovi edifici o per la realizzazione di statue o busti. Alcuni artisti si ispirano a temi storici o mitologici, altri invece rimangono fedeli alla realtà quotidiana. Anche attraverso la scultura si assiste ad una riscoperta dello stile barocco caratterizzato da ampiezza gestuale ed accentuazione espressiva.

Fremiet (1824-1910) – Ricerca la verità storica nei minimi dettagli.	*San Michele* (128)
Meunier (1831-1905) – Si fa interprete dei lavori più umili, dalla vita dei pescatori a quella degli operai e soprattutto dei minatori.	*La mietitura* (129)
Dalou (1838-1902) – Uno dei maggiori naturalisti del 19° sec.	*Contadino* (131) *Baccanale* (132)

L'Art Nouveau *ala sinistra, seconda metà e Pavillon Amont.*

L'Art Nouveau in Francia e in Belgio – Il desiderio di emanciparsi dal passato e di esprimersi in uno stile nuovo è all'origine del principale movimento sviluppatosi in Europa intorno al 1890, soprattutto in architettura e nelle arti applicate: l'Art Nouveau o Modern Style

La caratteristica principale di questa corrente, legata sostanzialmente al progresso industriale, consiste in una estrema ricchezza di forme flessuose, decorate con motivi vegetali.

Il principio fondamentale dell'Art Nouveau, l'«Arte nel tutto», stimola gli artisti a unirsi in associazioni. Movimento di artisti e di artigiani nato sotto l'impulso di Émile Gallé, la Scuola di Nancy costituisce il punto di avvio dell'Art Nouveau francese.

Lalique (1860-1945) – Dopo aver studiato la scultura e disegnato carte da parati, si dedica alla lavorazione del vetro stampato ed ai gioielli. E' un orefice moderno, che sa utilizzare materiali differenti (metallo, avorio, pietre, vetro soffiato e colorato) e colori, ispirandosi al mondo della fauna e della flora.	*Pendente da collo e catena* (133)
Gallé (1846-1904) – Inizialmente maestro vetraio, diviene poi ceramista ed ebanista decoratore, lanciando la moda delle ceramiche in stile floreale.	*Vasi* *Vetrina con libellule* (134) *Piatto ornamentale* (135)
Majorelle (1859-1926) – Decora i suoi mobili in mogano con bronzi dorati che rappresentano orchidee o ninfee, il suo fiore preferito.	*Scrittoio, Libreria* (136) *Letto* (137)

Gruber (1870-1930) – Esplica la sua attività in diversi campi artistici prima di dedicarsi definitivamente alle vetrate.	*Porta di un salone di prova a Nancy* (**138**)
Carabin (1862-1932) – I suoi mobili sono più opere di scultura che di ebanisteria.	*Libreria* (**139**)
Charpentier (1856-1909) – Scultore-medaglista.	*Sala da pranzo della villa del banchiere Adrien Bénard a Champrossay* (**141**)
Guimard (1867-1942) – Famoso per la creazione delle edicole che ornano l'ingresso di alcune stazioni della metropolitana di Parigi.	*Panca destinata ad una sala fumatori Finto camino*
Belgio: Van de Velde (1863-1957) – Costruisce case e disegna mobili secondo criteri di funzionalità pur rimanendo fedele al principio della continuità della linea e del piano. Crea un modello di sedia dalle forme pure.	*Scrittoio e poltrona* (**142**)
Horta (1861-1947) – Architetto e decoratore, realizza le sue creazioni con grande fantasia.	*Rivestimento in legno e mobilia per l'hôtel Aubecq a Bruxelles* (**143**)

L'Art Nouveau internazionale – Già dal 1880 si assiste in Inghilterra alle prime manifestazioni dell'Art Nouveau che si estenderà poi in tutte le grandi città europee (Vienna, Milano, Glasgow) e negli Stati Uniti.

Michael Thonet (1796-1871) – Crea a Vienna una fabbrica di mobili in faggio verniciato.	*Mobilio in legno ricurvo*
Glasgow: Mackintosh (1868-1928) – Architetto e decoratore, decora abitazioni con muri e mobili bianchi e luoghi pubblici (sala da tè di Argyle Street).	*Tavolo da sala, letto Cassettone e specchio da toilette*
Chicago: Wright (1867-1959) – Riabilita l'abitazione individuale con la famosa serie di «case per la prateria». Nello spazio dei locali, le sedie hanno un ruolo particolarmente importante.	*Sedie*
Vienna: Loos (1870-1933) – Esalta la semplicità delle linee diritte e dei volumi spogli.	*Arredamento per camera da letto*

Rodin e la sua influenza *seconda parte della terrazza.*

Rodin (1840-1917) – Gli ultimi anni del secolo sono dominati dalla forte personalità di Rodin, le cui opere esposte consentono di seguirne tutta l'evoluzione. Dal 1880, inizia una serie di busti di personalità legate al mondo artistico *(Laurens, Victor Hugo)* ed un ritratto simbolista di Camille Claudel, *Il Pensiero* (**145**). Per la realizzazione della *Porta dell'Inferno* (**146**), Rodin scompose la scultura in frammenti, utilizzati come opere indipendenti: *Il Pensatore, Il Bacio, Fugit Amor, Ugolino ed i suoi figli*, da cui emerge un pathos tormentato. La **statua di Balzac** (**147**), il cui capo si erge in atteggiamento di estrema fierezza, è considerata uno dei capolavori dell'artista che ha saputo trasmettere alla materia tutta la forza creativa dello scrittore.

Dopo Rodin – Anche il torinese Medardo Rosso ha caratterizzato la fine del secolo cercando di infondere nelle sue opere, come gli impressionisti, le vibrazioni luminose. Alcuni discepoli di Rodin, quali ad esempio Desbois, subirono fortemente l'influenza del maestro, mentre altri (Bartholomé, Bourdelle) se ne staccarono tentando di ritrovare l'equilibrio ed il rigore della scultura antica.

Camille Claudel (1864-1943) – Fu, per lungo tempo, collaboratrice e musa ispiratrice di Rodin.	*L'Età matura* (**148**)
Medardo Rosso (1858-1928) – L'artista privilegiò l'uso della cera, materiale più malleabile, e seppe ricreare nelle sue sculture l'impressione fuggitiva di un momento.	*Ecce Puer* (**149**)
Bourdelle (1861-1929) – Ha tratto spesso ispirazione dall'arte antica.	*Testa di Apollo* (**151**) *Eracle arciere* (**152**)

Maillol (1861-1944) – Le sue numerose figure femminili sono caratterizzate da forme vigorose ed equilibrate.	*Il Mediterraneo* (**153**) *Monumento a Cézanne* (**154**)
Joseph Bernard (1866-1931) – Rivaluta il taglio diretto dei blocchi di legno o di pietra, obbedendo così al bisogno di sincerità.	*Donna e fanciullo che danzano* (**155**) *La danza* (**156**)

La pittura agli albori del 20° sec.

I nabis – Questo movimento nasce nel 1880 a Pont-Aven con il *Talismano (livello superiore* – *114)*, dipinto, sulla base delle indicazioni di Gauguin, da Sérusier: questo artista trasmette ai compagni il suo entusiasmo creativo e nasce così il circolo dei «nabis» (parola ebraica che significa profeta).

Maurice Denis (1870-1943) – Teorico del gruppo, trasforma i suoi soggetti dedicati alla vita quotidiana in affreschi mistici.	*Le Muse* (**157**)
Bonnard (1867-1947) – I suoi motivi decorativi e le linee sinuose testimoniano l'influenza delle stampe giapponesi.	*La partita di croquet* (**158**) *In barca* (**159**) *La loggia* (**162**)
Vuillard (1868-1940) – Dalle sue scene intimiste o di strada emana un fascino sottile e discreto.	*Giardini pubblici* (**163**) *A letto* (**164**)
Vallotton (1865-1925) – Il suo potente realismo ed i colori in «aplat» preannunciano l'espressionismo.	*Il pallone* (**165**)

Dopo il 1900, la loro pittura subisce un cambiamento: i colori si addolciscono ed il disegno ha una maggiore elaborazione. Si dedicano alle grandi decorazioni: *In barca* (Bonnard), *La biblioteca* (Vuillard).

Per i grandi viaggi d'affari o di turismo,
Guida Rossa Michelin: Main Cities Europe.

PALAIS-ROYAL★★

Carte Michelin n° 12 e 14 (pp. 19, 30 e 31): G 12, G 13 - H 13.

Accanto ad alcune testimonianze del passato (Palais Royal, Bibliothèque Nationale ed Église St-Roch), le grandi arterie che attraversano il quartiere (avenue de l'Opéra e rue de Rivoli) rispecchiano la vivacità di vita della Parigi moderna.

★★LE PALAIS-ROYAL

L'ex palazzo di Richelieu, in cui ha sede attualmente il Consiglio di Stato e di cui si possono vedere le facciate, non è aperto al pubblico. Il tranquillo giardino ha mantenuto l'aspetto incantevole che aveva nel 18° sec.

Il Palazzo del Cardinale – Nel 1624, Richelieu, appena nominato primo ministro, acquista in prossimità del Louvre un hôtel ed alcuni terreni adiacenti alle mura di cinta erette da Carlo V.
Nel 1632, affida all'architetto Jacques Lemercier l'incarico di erigere un vasto edificio, il futuro palazzo cardinalizio.

Il Palazzo Reale – Al momento della morte (1642), il cardinale lascia l'hôtel di sua proprietà a Luigi XIII, che, ben presto, lo seguirà nella tomba. La ricca dimora, ormai detta Palazzo Reale, è scelta come residenza da Anna d'Austria, che, lasciato lo scomodo Louvre, vi si stabilisce assieme al giovane Luigi XIV. La Fronda tuttavia costringerà la famiglia reale a lasciare il palazzo. Quando Luigi XIV, torna a Parigi, si stabilisce al Louvre e vi fa alloggiare Enrichetta di Francia, vedova di Carlo I d'Inghilterra, e successivamente sua figlia, Enrichetta d'Inghilterra.

Gli Orléans – Enrichetta d'Inghilterra muore improvvisamente per una malattia fulminante (famosa è l'orazione funebre pronunciata da Bossuet) ed il palazzo è dato in appannaggio a suo marito, Filippo d'Orléans, fratello di Luigi XIV.
Suo figlio governa come Reggente fino al raggiungimento della maggiore età di Luigi XV; pur essendo dotato di una vivace intelligenza, conduce una vita estremamente dissoluta: famose sono ad esempio le lussuose cene organizzate al Palazzo Reale.

Nel 1780, la proprietà dell'edificio passa a Luigi Filippo d'Orléans, che, in perenne stato di ristrettezze economiche, organizza un' importante operazione immobiliare: su tre lati del giardino, fa costruire una serie di case da affittare, ornate da facciate uniformi e da gallerie animate da negozi. Questo interessante complesso architettonico è realizzato da **Victor Louis**, l'architetto del teatro di Bordeaux. Alle tre nuove vie che vengono aperte sono assegnati i nomi dei cadetti d'Orléans: Valois, Montpensier, Beaujolais. Il Palazzo Reale diviene meta preferita per le passeggiate dei parigini. Dal 1786 al 1790, Philippe-Égalité affida ancora all'architetto Louis la costruzione della sala del Teatro Francese, oggi Comédie-Française, e del teatro del Palais-Royal che si affaccia sulla rue de Montpensier e sulla rue de Beaujolais. Questa sala ha subìto numerosi rimaneggiamenti e vi vengono rappresentati i vaudeville.

Dopo la Rivoluzione, il palazzo funge da «bisca» fino a quando, nel 1801, Napoleone vi colloca alcune sedi amministrative e, nel 1807, la Borsa ed il Tribunale di Commercio.

Grazie a Luigi XVIII, questa residenza ritorna nelle mani degli Orléans; da qui, nel 1830, Luigi Filippo si dirigerà all'Hôtel de Ville per essere proclamato re.

Il giardino di un tempo – Nel corso della Rivoluzione, il giardino svolge la funzione di club all'aperto. Il 13 luglio 1789, davanti al caffè Foy (nn 57-60 galerie Montpensier), **Camille Desmoulins** distribuisce al popolo foglie di ippocastano come fossero coccarde.

Nel 18° sec., il giardino ospita un circo, poi è trasformato in maneggio, sala da ballo e teatro: tutto finisce con l'incendio del 1798.

Le attrazioni vengono trasferite all'interno delle gallerie: ombre cinesi, gabinetto delle cere (precursore del Musée Grévin), sala di fisica di divertimento e di automi, illusioni ottiche e, sotto il regno di Luigi Filippo, spettacoli del prestigiatore Robert Houdin.

Una clientela eterogenea frequenta i numerosi caffè; tra questi esiste persino un «Café Mécanique», anticipazione degli attuali distributori automatici di bevande. Si organizzano anche molti giochi d'azzardo. Nel 1838, la chiusura delle case da gioco causa il declino delle gallerie. Gli edifici, incendiati durante la Comune, sono restaurati dal 1872 al 1876. E' al Palais-Royal che **Charlotte Corday** acquista il pugnale con cui ucciderà Marat ed il giovane Bonaparte vivrà la sua prima avventura galante.

Per molti anni Jean Cocteau visse in un appartamento della galerie de Montpensier; la scrittrice Colette volle morire al n° 94 della galerie de Beaujolais, dopo aver a lungo osservato dalla finestra la vita di Parigi.

Il Palais Royal oggi

★ **Il Palazzo** – La facciata che si innalza sulla place du Palais-Royal comprende un corpo centrale e due ali laterali ed è austeramente decorata con trofei d'armi e con figure allegoriche scolpite nel 18° sec. da Pajou.

Il teatro costruito per volontà di Richelieu si trovava dove attualmente si snoda l'ala destra dell'edificio. **Molière** occupò questa sala nel 1661 e vi realizzò alcuni dei suoi capolavori. Una sera del 1673, mentre recita *Il Malato immaginario*, fu colpito da malore e, da lì, fu trasportato nella sua abitazione, al n° **40** di rue de Richelieu, dove spirò. Agli attori fecero seguito i cantanti del teatro lirico di Lulli, distrutto poi da un incendio nel 1763.

Al n° **202** di rue St-Honoré fu costruita un'altra sala teatrale, inghiottita anch'essa dalle fiamme nel 1781. Il teatro lirico fu quindi trasferito nel boulevard St-Martin.

Al n° **6** di rue de Valois (si ammiri il bel balcone dell'edificio) nel 1638 Richelieu presiedette alle prime sedute dell'Académie Française. A fianco si apre la place de Valois, piccolo spazio urbano, quasi insolito per la sua tranquillità, un tempo sede delle cucine del Palazzo cardinalizio.

Cour d'honneur – Vi si accede attraverso il passaggio a volta. Presenta un'imponente facciata centrale sovrastata da statue allegoriche e due ali fiancheggiate da gallerie. L'intero spazio è occupato da una creazione monumentale di **Daniel Buren** (260 colonne nere e bianche di altezza disuguale). Tra il cortile e il giardino corre un doppio colonnato, risalente alla Restaurazione: esso costituisce la galerie d'Orléans, un tempo sormontata da una volta in ferro e vetro, oggi ornata di due fontane scolpite da Pol Bury.

La galleria del lato Valois è chiamata galerie des Proues (galleria delle Prore), per la decorazione a motivi nautici in rilievo applicati sui muri (Richelieu era infatti esperto in navigazione).

★★ **Il Giardino** – Le facciate costruite dall'architetto Victor Louis costituiscono un quadro imponente ed elegante. Sotto le gallerie si affacciano numerosi negozi di oggetti decorativi e di filatelia. Dal lato del Palais-Royal, su un prato all'inglese, dietro ad una statua, un piccolo supporto sostiene il piccolo giocattolo chiamato il «cannone del Palais-Royal», che, dal 1786 al 1914, sparò ogni mezzogiorno quando il calore del sole riusciva ad incendiare il detonatore posto sotto ad una lente. Dal 1990 ha ripreso a sparare ogni mezzogiorno.

IL QUARTIERE

★ **Place André-Malraux** – Questa piazza, creata da Napoleone III, è ornata di due graziose fontane moderne e si apre sulla bella prospettiva dell'avenue de l'Opéra.

Comédie-Française – *L'entrata si trova in rue de Richelieu, 2.* Nel 1680, Luigi XIV unifica la compagnia teatrale di Molière con gli attori dell'Hôtel de Bourgogne; la nuova associazione, la sola autorizzata a recitare a Parigi, prende il nome di Comédie-Française.

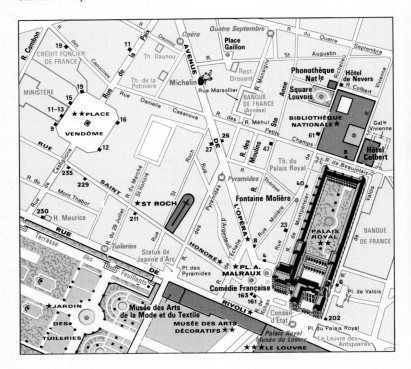

La compagnia tuttavia gode di poca simpatia da parte della Sorbona e dei benpensanti della capitale ed è costretta a trasferirsi nel teatro Guénégaud, in rue de l'Ancienne-Comédie, poi nel Palazzo delle Tuileries e all'Odéon. Durante la Rivoluzione, l'associazione si scinde in due parti: da un lato i repubblicani, dall'altro i realisti. Nel 1792, i primi, trascinati da Talma, si stabiliscono nell'edificio che, ancor oggi, è occupato dalla Comédie-Française.

Napoleone I si interessa molto al teatro, a Talma (grande attore drammatico) e soprattutto... alla prima attrice, Mlle Mars. Nel 1812, col «decreto di Mosca», conferisce alla compagnia lo statuto fondamentale: essa diventa dunque una società di attori, comprendente membri fissi, provvisori ed allievi e diretta da un amministratore, nominato dal governo. Il 21 febbraio 1830, in questo teatro debuttò con l'*Ernani* il giovane drammaturgo **Victor Hugo,** conseguendo un successo trionfale.

Per tradizione, il repertorio della Comédie-Française è costituito dai classici francesi Molière, Corneille, Racine, Marivaux, Musset, Beaumarchais, anche se a questi oggi si aggiungono anche autori stranieri e moderni: Shakespeare, Cecov, Pirandello, Claudel, Giraudoux, Anouilh, Ionesco, Beckett.

Nel foyer, lo spettatore ha la possibilità di ammirare la famosa statua di **Voltaire★★**, opera di Houdon, nonché la poltrona su cui si accasciò Molière, colpito da malore, durante la rappresentazione del *Malato immaginario*.

★ Rue St-Honoré

Il **Café de la Régence**, fondato nel 1681 in place du Palais-Royal, fu trasferito nel 1854 a causa dell'ampliamento della piazza e occupava una volta il n° **161** della rue St-Honoré.

Porte St-Honoré – All'altezza del n° **163** della rue St-Honoré si trovava, nelle mura di cinta erette da Carlo V, la porta davanti alla quale fu ferita **Giovanna d'Arco,** l'8 settembre 1429. A quel tempo Parigi era in mano agli inglesi.

Carlo VII e le sue truppe erano accampate a St-Denis. Giovanna d'Arco si fermò per qualche momento a pregare nel santuario di St-Denis (oggi la cappella è al n° 16 di rue de la Chapelle, 18° ar.).

La fortezza è protetta da un fossato pieno d'acqua che Giovanna e i suoi soldati vogliono riempire di fascine. Mentre, con la lancia, l'eroina misura la profondità dell'acqua, viene colpita alla gamba da una freccia. Le prime cure le vengono prestate in una casa che si trovava al n° **4** dell'attuale place André-Malraux; le sue truppe, nel frattempo, battono in ritirata.

Sebbene questo sia l'unico episodio ad unire la santa a Parigi, nella capitale esistono ben quattro statue dedicate all'eroina: in place des Pyramides, al n° 16 di rue de la Chapelle, in place St-Augustin e al n° 41 di boulevard St-Martin.

★ **Église St-Roch** – *269, rue St-Honoré*. Davanti alla chiesa di San Rocco ebbero luogo, il 13 vendemmiaio (5 ottobre 1795), violenti combattimenti. Un gruppo di realisti, volendo sferrare un attacco contro la Convenzione (con sede, a quel tempo, al palazzo delle Tuileries), tentò di raggiungere la rue St-Roch. Bonaparte, incaricato della difesa, fece sparare a distanza ravvicinata sugli insorti, ammassati sui gradini della chiesa o accalcati davanti alla facciata. Sono ancora visibili i segni delle pallottole.

Entrando nella chiesa sarà possibile rendersi conto delle profonde trasformazioni intervenute in seguito al rinnovo urbanistico di Haussmann: per entrare nell'edificio è necessario infatti salire tredici gradini, mentre un tempo, prima dell'apertura dell'avenue de l'Opéra, si doveva scendere sette.

La prima pietra della chiesa di San Rocco, santo che nel 1315 aveva curato gli appestati in Italia, fu posta da Luigi XIV. Nella realizzazione dell'edificio, l'architetto Lemercier non poté orientare normalmente la navata, data la presenza della collina dei Mulini: l'abside dovette quindi essere rivolta a nord e non ad est. Ben presto terminarono i soldi destinati alla costruzione. Solo grazie ad una lotteria organizzata nel 1705 i lavori vennero ripresi. Tuttavia, anziché ultimare la navata, lungo l'asse del coro venne inserita una serie di cappelle con le quali la lunghezza dell'edificio passò da 80 a 125 m.

Per prima venne eretta la **Chapelle de la Vierge★** (opera di Jules Hardouin-Mansart), con una cupola riccamente decorata; a questa fece seguito la Chapelle de la Communion, con cupola schiacciata. Nel 1719, grazie ad una generosa donazione del finanziere Law, convertitosi al cattolicesimo, sono ultimate le volte; nel 1736, Robert de Cotte esegue la facciata in stile gesuita. La Chapelle du Calvaire *(chiusa per lavori)*, l'ultima della serie, fu ricostruita nel 19° sec.

Nella chiesa sono inumati numerosi personaggi famosi, tra cui **Pierre Corneille** (1606-1684), **Le Nôtre** (1613-1700), l'abate di l'Épée, **Diderot** (1713-1784), il filosofo Holbach (1723-1789), Mme Geoffrin (1699-1777), famosa per il suo salotto frequentato dai più importanti illuministi.

Al 1° pilastro della navata sinistra una lapide ricorda che, nella chiesa, il 2 aprile 1810 Alessandro Manzoni ritrovò la fede.

1) Tomba di Enrico di Lorena, conte d'Harcourt, opera di Renard (17° sec.) e busto di François de Créqui, di Coysevox (17° sec.).

2) Monumento funebre dell'astronomo Maupertuis, opera di d'Huez, e statua del cardinale Dubois, di Guillaume Coustou.

3) Tomba del duca Charles de Créqui.

4) Goffredo di Buglione vittorioso, opera di Claude Vignon (17° sec.). Lapide di Duguay-Trouin, i cui resti mortali furono traslati nel 1973 a St-Malo per il tricentenario della sua nascita.

5) Affresco della cupola di J.-B. Pierre: il *Trionfo della Vergine (per l'illuminazione rivolgersi in sagrestia)*. Sull'altare, **Natività★**, dei fratelli Anguier, proveniente dalla chiesa di Val-de-Grâce.

6) *Resurrezione del figlio della vedova a Naïm*, opera di Le Sueur (17° sec.).

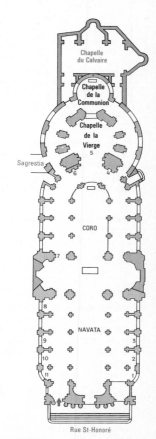

Chapelle du Calvaire

Chapelle de la Communion

Chapelle de la Vierge 5

Sagrestia

CORO

NAVATA

Rue St-Honoré

| | 17° S. | | 18° S. | | 19° S. |

7) Le Nôtre: busto eseguito da Coysevox ed iscrizione funebre.

8) Monumento dell'abate di l'Epée (19° sec.), inventore del linguaggio dei sordomuti.

9) Busto del pittore Mignard e statua di sua figlia, opera di **Lemoyne** (18° sec.).

10) Gruppo marmoreo di Lemoyne raffigurante il *Battesimo di Cristo*. Medaglione di Falconet.

11) Affreschi di Chassériau (19° sec.).

Al n° **211** (oggi hôtel St-James et Albany) si ergeva un tempo l'hôtel de Noailles. Nel 1774 La Fayette vi si sposò con una giovane discendente di questa famiglia. A poca distanza, sulla sinistra, si apriva il portone del **convento dei Giacobini**, nome dei Domenicani di San Giacomo. Nel 1789, un gruppo di politici si stabilì nel convento e ne prese il nome. Durante la Rivoluzione, i Giacobini, capeggiati da Robespierre, ebbero un ruolo decisivo. Nel 1810, il mercato St-Honoré e la via omonima occuparono lo spazio su cui si ergevano gli edifici conventuali.

Il convento dei Foglianti possedeva un giardino che confinava con il Maneggio delle Tuileries. Dal n° **229** al n° **235** rimangono ancora le case d'affitto erette dai monaci benedettini per incrementare le rendite del convento. Più tardi, il *Club des Feuillants* prese il nome da questo convento dove si stabilì nel 1791. I suoi adepti, di tendenza moderata, si erano separati dai Giacobini e furono rapidamente ridotti al silenzio dagli estremisti.

Rue de Castiglione – Un tempo era il Passage des Feuillants, che costeggiava il convento dei monaci benedettini.

★ Rue de Rivoli

Tra la rue de Castiglione e la place des Pyramides un tempo si trovava il **Maneggio** delle Tuileries, trasformato velocemente, nel 1789, in sala per le sedute dell'Assemblea Costituente. Fu poi sede dell'Assemblea Legislativa e, inizialmente, della Convenzione.

Il 21 settembre 1792 qui fu proclamata la Repubblica, all'indomani della vittoria di Valmy (targa commemorativa contro un pilastro del cancello delle Tuileries, di fronte al n° 230). L'11 dicembre 1792, in questa sala si apre il processo contro Luigi XVI, che, dopo quaranta giorni, terminerà con una condanna a morte. La costruzione di questa parte della rue de Rivoli, iniziata ai tempi di Napoleone I, durò fino al regno di Luigi Filippo. Le case, di fronte alle Tuileries, sono sostenute da arcate, fiancheggiate da negozi di moda e di souvenir.

Nel 1944, il comando delle truppe di Parigi, capeggiato dal generale von Choltitz, era installato nell'**hôtel Meurice** (n° 228). Mentre avanzavano i carri della Divisione Leclerc e i partigiani, il generale infranse l'ordine di Hitler di distruggere i ponti ed i principali monumenti della capitale e qui fu fatto prigioniero il 25 agosto. Parigi era libera e intatta.

Place des Pyramides – In uno dei palazzi che si affacciano in rue d'Argenteuil morì Corneille nel 1684. Sulla piazza si erge la statua equestre di **Giovanna d'Arco**, opera di Frémiet.

Sulla destra si erge il **pavillon de Marsan** che, con il pavillon de Flore (entrambi rifatti), costituisce quanto resta del Palazzo delle Tuileries, incendiato nel 1871.

★ **Musée de la Mode et du Textile** ⊙ – Le collezioni, presentate su due livelli, comprendono 20 000 abiti, 35 000 accessori dal XVII sec. ai nostri giorni e 21 000 campioni di tessuto, esposti a rotazione ogni sei mesi.

Rue de l'Échelle – Il nome deriva dalla scala (fr. *échelle*) che, sotto l'ancien régime, faceva accedere al patibolo: qui erano esposti al pubblico coloro che la sentenza vescovile giudicava colpevoli di poligamia, spergiuro, blasfemia.

★★ **Musée des Arts Décoratifs** ⊙ – *107, rue de Rivoli.* I numerosi pezzi esposti, di qualità eccezionale, consentono di seguire, su più livelli, l'evoluzione della sensibilità stilistica francese in scultura, pittura, mobili, arazzi, porcellane, oreficeria ed in tutti gli altri aspetti decorativi.

Al **livello 1**: esposizione degli oggetti d'uso nella vita quotidiana dal 1950 e ricostruzione di arredamenti (ad esempio l'abitazione di Jeanne Lanvin).

Al **livello 2**: oggetti d'arte decorativi del Medioevo e del Rinascimento.

Ai **livelli 3 e 4**: mobili e dipinti che, inseriti nel relativo ambiente, consentono di rivivere l'atmosfera della vita francese da Luigi XIV al Secondo Impero.

Al **livello 5**: i settori specializzati del museo (carte da parati, disegni) e centri di documentazione sulla moda, i tessuti, il vetro, i giocattoli, l'artigianato, la pubblicità.

Al **livello 6**: donazione Dubuffet (dipinti, disegni e sculture dell'artista).

Rue de Rohan – La strada corre sui terreni dell'ex ospizio dei Quinze-Vingts. Sotto Luigi XVI, il cardinale de Rohan, l'amministratore, lo trasferì in una caserma situata in rue de Charenton, dove risiede ancor oggi.

Rue de Richelieu – Al n° **23 bis** visse e morì Pierre Mignars, pittore di Anna d'Austria. La **Fontaine Molière** è opera di Visconti, mentre le statue ornamentali sono di Pradier. La casa del famoso commediografo si trovava a poca distanza da qui, al n° **40** di rue de Richelieu, dove Molière morì all'età di 51 anni il 17 febbraio 1673, dopo essere stato colto da malore sul palcoscenico del Palais-Royal.

Attraverso il cancello del n° **8** di **rue des Petits-Champs**, è possibile vedere il cortile e l'austera facciata in mattoni dell'hôtel del presidente Tubeuf, costruito nel 1633 da Le Muet e che ospita una parte della Biblioteca Nazionale. Di fronte si trovava l'hôtel di Colbert (1665), oggi restaurato, dove sono attualmente ospitati i servizi annessi della Biblioteca Nazionale. La **Galerie Colbert** (19° sec.), inglobata nell'hôtel, illustra, grazie alle sue vetrine, le attività della Biblioteca.

Bibliothèque Nationale e dintorni

★ **Bibliothèque Nationale** – *58, rue de Richelieu*. Già nel Medioevo i re di Francia raccoglievano manoscritti nei loro palazzi. Carlo V possedeva, nella sua biblioteca del Louvre, un migliaio circa di volumi, dispersi dopo la sua morte. Prima Carlo VIII e poi Luigi XII allestiscono una biblioteca a Blois, mentre Francesco I ne affiderà una a Guillaume Budé a Fontainebleau; qui, grazie all'ordinanza di Montpellier (1537), doveva essere depositato ogni esemplare stampato in Francia (questa legge oggi riguarda anche le riviste, i dischi e le fotografie).
Nel 17° sec., l'hôtel Tubeuf, ampliato da Mansart, diviene il palazzo di Mazzarino. Il cardinale vi raccoglie 500 quadri ed oggetti d'arte personali. Di fronte alla nuova Galerie Mazarine, Colbert depositò nel suo palazzo di rue Vivienne i 200 000 volumi della biblioteca reale (1666), che, nel 1720, vanno ad aggiungersi alle collezioni di Mazzarino. Nel 19° sec., gli attigui hôtel de Nevers e de Chivry vengono sistemati ed annessi all'hôtel de Colbert.

La Biblioteca Nazionale oggi – La Biblioteca Nazionale occupa una superficie di 16 500 m². Data la sua crescita ininterrotta, è stato necessario allestire alcuni servizi annessi, tra cui il Vivienne con la galerie Colbert. I documenti sono suddivisi in settori. Il settore **Libri stampati** comprende circa 12 milioni di volumi (i più antichi risalgono al 15° sec.), tra cui due Bibbie di Gutenberg, edizioni originali di Villon, Rabelais, Pascal. La **Sala di Lettura**, opera di Labrouste, è un modello di architettura metallica del Secondo Impero. Il settore **Manoscritti** comprende documenti originali su papiri, manoscritti del Mar Morto e miniati (evangeliario di Carlo Magno, Bibbia di Carlo il Calvo, salterio di San Luigi), pergamene, corrispondenze, manoscritti di Victor Hugo, Proust, Pasteur, Renan, Marie Curie. Vi sono poi i settori **Stampe e fotografie**, la più ricca collezione del mondo, le **Mappe e carte** (atlanti, mappamondi, portolani e carte antiche a partire dal 13° sec.), le **Monete, medaglie ed antichità**. Quest'ultimo settore è anche incaricato dello studio delle monete antiche scoperte in Francia (descrizione sotto). Vi è inoltre un settore **Fonoteca nazionale ed audiovisivi** che presenta dischi, registrazioni, macchine parlanti.

Visita – La facciata est del Cortile d'Onore è opera di Robert de Cotte (18° sec.). Dietro una vetrata si può vedere la sala di lavoro per i libri stampati (1868); aperta solo ai tesserati. In fondo all'atrio sulla destra si trova la galerie Mansart *(aperta durante le esposizioni)* che, dopo la bancarotta di John Law, ospitò temporaneamente la Borsa. Di fronte, nel salone d'Onore è custodito il calco di Voltaire, opera di Houdon (la scultura marmorea si trova alla Comédie Française); il cuore del filosofo riposa nello zoccolo della statua.
Attraverso lo scalone principale si giunge (nel mezzanino) al **Cabinet des Médailles et Antiques★** ⊙ (Museo delle Medaglie e delle Antichità). Tra i numerosi oggetti d'arte esposti, provenienti dalle collezioni reali e dalle confische attuate durante la Rivoluzione, estremamente interessanti sono i pezzi in avorio per il gioco degli scacchi, il leggendario trono del re Dagoberto, grandi cammei (tra cui quello della Ste-Chapelle). Al piano superiore si trova la stupenda **galerie Mazarine★** (Galleria Mazzarino) di Mansart *(aperta durante le esposizioni temporanee)*.

Square Louvois – È ornato di una fontana di Visconti (1844). Nel 1793, l'ex hôtel de Louvois fu occupato dall'Opéra; dopo l'assassinio del duca di Berry da parte di Louvel (1820), all'uscita dallo spettacolo, l'edificio fu distrutto e l'Opéra fu trasferita in rue Le Peletier.

Visite-conferenze vengono frequentemente dedicate a curiosità difficilmente accessibili. Il loro elenco settimanale viene pubblicato nella stampa, nel Pariscope e nell'Officiel des Spectacles.

All'angolo con **rue Colbert** si ergeva l'**hôtel de Nevers**, ex salotto letterario della marchesa di Lambert.

Rue Ste-Anne – Il n° **47** apparteneva un tempo a Lulli, che fece costruire questo palazzo nel 1671 dopo aver ottenuto un prestito di 11 000 franchi da Molière. La facciata sulla via è ornata di attributi della musica.

Rue des Moulins – E' così chiamata per i mulini che si ergevano un tempo su una collinetta, formatasi, come del resto la vicina collinetta di San Rocco, in seguito alle discariche pubbliche e livellata nel 1668. Uno dei mulini (il Radet) fu trasferito a Montmartre *(si veda alla voce)*.

Percorrendo la corta **rue Méhul** si giungeva un tempo al teatro Ventadour, dove, nel 1838, fu rappresentato per la prima volta il *Ruy Blas*, dramma storico di Victor Hugo. Questa sala ospita attualmente una dipendenza della Banca di Francia.

Place Gaillon – La fontana venne costruita nel 1707 e rifatta da Visconti (1827). Di fronte si trova il **ristorante Drouant**, famoso nel mondo delle lettere perché ogni anno, in autunno, vi ha luogo l'assegnazione del Premio Goncourt, il più prestigioso premio letterario francese.

PASSY

Carte Michelin n° 12 e 14 (p. 27): H 5, H 6 - J 5, J 6.

Frazione di boscaioli fin dal 13° sec., divenne famosa nel 18° sec. grazie alla scoperta delle sue acque ferruginose e fu incorporata nella città di Parigi nel 1859. Nel corso di poco più di un secolo i grandi palazzi hanno soppiantato in parte le ville ed i giardini di questo tranquillo quartiere residenziale.

Cimetière de Passy ⊘ – *2, rue du Commandant-Schloesing*. Costruito a terrazza sopra la place du Trocadéro, vi riposano dal 1850 le spoglie di personaggi famosi del mondo letterario (Francis de Croisset, Tristan Bernard, Giraudoux), della pittura (Manet, la sua allieva e cognata Berthe Morisot), della musica (Debussy, Fauré, André Messager), dell'aviazione (Henry Farman, Rozanoff, Costes) e del cinema (Fernandel). Nella cappella che domina il cimitero riposa Marie Bashkirtseff, una pittrice e poetessa russa morta a soli 24 anni.

Musée Clemenceau ⊘ – *8, rue Franklin*. Georges Clemenceau (1841-1929), prima

giornalista e poi statista di primo piano (comune di Montmartre, trattato di Versailles, Presidenza del Consiglio), visse per 34 anni in questo palazzo, nell'appartamento al pianterreno, lasciato intatto dal giorno della sua morte (1929). Al 1° piano si trova una galleria che raccoglie numerosi documenti e ricordi di questa insigne figura (fotografie, lettere, opere).

Musée du Vin – Caveau des Échansons ⊘ – Il n° 5 segna l'ingresso di antiche cave. Qui sorgeva la prima raffineria francese di zucchero da barbabietola, creata dall'Impero. Le gallerie scavate nella collina ospitano oggi il Museo del Vino. Sono esposti numerosi attrezzi e documenti che illustrano il lavoro del vignaiolo, del bottaio e dell'enologo; bella collezione di bottiglie antiche e di bicchieri. Nella cantina dell'ex abbazia, una serie di figure di cera rappresenta i monaci intenti alla vendemmia e al torchio.

Allée des Cygnes – Questa diga artificiale creata sotto la restaurazione, costituisce una piacevole passeggiata. Si gode di una bella vista sulla Maison de Radio-France e le torri del Front de Seine. All'estremità, sul pont de Bir-Hakeim si erge la **Statua della Libertà**, copia in scala ridotta della più celebre statua di New York.

Rue d'Ankara – Qui ha sede l'Ambasciata di Turchia, ove precedentemente sorgeva un castello appartenuto alla principessa di Lamballe, appartenuto in seguito al Dr. Blanche, specialista in malattie mentali che ebbe per pazienti anche gli scrittori Maupassant e Nerval.

★ **Rue Berton** – E' uno degli angoli più insoliti di Parigi, con i muri delle case ricoperti di edera ed i lampioni a gas.

Rue Raynouard – E' una via ricca di interesse storico. Vi hanno abitato numerosi personaggi famosi: Samuel Bernard (il potente finanziere di Luigi XIV), Jean-Jacques Rousseau e Béranger. Il giardino del n° 47 nasconde la casa di Balzac *(si veda più avanti)*. Gli edifici dal n° 51 al n° 55, in cemento, sono dell'architetto **Auguste Perret**.

Maison de Balzac ⊙ – Honoré de Balzac visse in questa casa dal 1840 al 1847, celandosi dietro lo pseudonimo di Mme de Breugnol, nome della sua governante, per sfuggire ai creditori. Ritratti e caricature dell'autore della Commedia Umana, quadri, incisioni, manoscritti e autografi sono una preziosa e ricca testimonianza della sua vita, della sua opera ed anche dell'epoca in cui visse. Il museo si compone anche di una biblioteca balzachiana.

Una tessera Musei e Monumenti
(in vendita nelle stazioni del metrò, nei musei e all'ufficio del turismo),
valida 1 giorno, 3 giorni o 5 giorni consecutivi,
consente di accedere direttamente e liberamente
alle collezioni permanenti di 70 musei e monumenti
di Parigi e della Regione parigina.

Cimetière du PÈRE-LACHAISE★★

Carte Michelin n° 12 e 14 (pp. 34 e 35): H 20, H 21.
M°: Père-Lachaise, Gambetta o Porte de Bagnolet.

Nel 1626, i Gesuiti acquistano una grande proprietà di campagna e vi costruiscono una casa di riposo dell'Ordine. Il padre de la Chaise, confessore di Luigi XIV, vi soggiorna spesso, contribuendo alla ricostruzione degli edifici, terminati nel 1682. Il nome di questo religioso rimane dunque legato al luogo. Nel 1763, i Gesuiti vengono espulsi. Il comune acquista il terreno nel 1803 e lo trasforma in cimitero su progetto di Brongniart.

Qui, il 28 maggio 1871, si svolge l'ultimo sanguinoso episodio della Comune. Gli ultimi insorti, asserragliati nel cimitero, sono attaccati dalle guardie governative, penetrate la sera precedente. Le tombe sono il triste teatro di una lotta feroce. Il giorno successivo, i 147 superstiti sono fucilati contro il muro di cinta, all'angolo sud-est del camposanto, da allora chiamato **Mur des Fédérés** (Muro dei Federati). Sulla piazza viene poi scavata una larga fossa, dove vengono gettati i corpi.

Questo cimitero ⊙ è il più vasto e famoso di Parigi. La ricca vegetazione e la posizione pittoresca attenuano per il visitatore l'impressione funebre. Moltissime sono le tombe degli uomini illustri che qui riposano e, per tale motivo, la visita assume un carattere di pellegrinaggio storico.

Le tombe indicate sulla pianta sono solo alcune tra le più importanti. Il Colombario è ornato, nel seminterrato, con una scultura di Paul Landowski.

Cimetière du Père-Lachaise

E. Baret

245

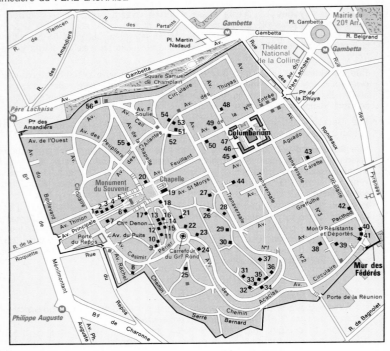

1) Colette.
2) Rossini (cenotafio).
3) A. de Musset (sotto un salice, secondo il suo desiderio).
4) Barone Haussmann.
5) Generali Lecomte e Thomas.
6) Félix Faure.
7) Arago.
8) Abelardo ed Eloisa.
9) Miguel Ángel Asturias.
10) Gustave Charpentier.
11) Chopin.
12) Cherubini.
13) Boïeldieu (cenotafio).
14) Bernardin de Saint-Pierre.
15) Grétry.
16) Bellini.
17) Branly.
18) Géricault.
19) Thiers.

20) David.
21) Claude Bernard.
22) Monge.
23) Champollion.
24) Auguste Comte.
25) Jim Morrison.
26) Gay-Lussac.
27) Corot.
28) Molière e La Fontaine.
29) Alphonse Daudet.
30) Famiglia di Victor Hugo.
31) Famiglia Bibesco (Anna de Noailles).
32) Maresciallo Ney.
33) Beaumarchais.
34) Larrey.
35) Marescialli Davout, Masséna Lefebvre.
36) Murat e Caroline Bonaparte.
37) David d'Angers.
38) Modigliani.

39) Édith Piaf.
40) Henri Barbusse.
41) Paul Éluard
Maurice Thorez.
42) Gertrude Stein, Alice B. Toklas.
43) Oscar Wilde.
44) Sarah Bernhardt.
45) Simone Signoret
Yves Montand.
46) Richard Wright.
47) Isadora Duncan.
48) Marcel Proust.
49) Guillaume Apollinaire.
50) Allan Kardec (fondatore della filosofia spiritistica).
51) Delacroix.
52) Michelet.
53) Gérard de Nerval.
54) Balzac e la contessa Hanska.
55) Georges Bizet.
56) Georges Méliès.

Dintorni

★ **Église St-Germain-de-Charonne** – *Place St-Blaise. Poco più di 4 km a sud-est del cimitero.* La chiesa e la place St-Blaise costituiscono il centro dell'antico villaggio di Charonne, un tempo circondato da vigne. Il visitatore sarà fortemente colpito dal contrasto tra le modeste case della rue St-Blaise, strada principale del vecchio villaggio, ed i moderni edifici che si ergono nei dintorni.

La costruzione si trova su un colle, al centro di un piccolo cimitero. Il tozzo campanile del 13° sec. poggia all'interno su massicci pilastri ornati di interessanti capitelli.

Secondo la tradizione, qui, nel 429, si sarebbe svolto l'incontro tra San Germano d'Auxerre e la futura Santa Genoveffa.

*Nella **Guida Rossa Michelin France** dell'anno troverete*
una selezione di alberghi confortevoli, tranquilli e ameni, e le relative installazioni
– piscina, tennis, spiaggia, giardino.
La guida offre anche una selezione aggiornata di alberghi e ristoranti che si segnalano per la qualità della cucina – pasti accurati a prezzi contenuti, stelle di ottima tavola.

PORT-ROYAL

Carte Michelin n° 12 e 14 (p. 43): L 13, L 14 - M 13, M 14.

Nella zona del Port-Royal una volta sorgevano numerosi istituti religiosi che con gli anni hanno ceduto il posto all'università *(si veda QUARTIER LATIN)* e ad altri istituti quali l'Osservatorio. L'area subì una notevole trasformazione sotto le direttive del barone Haussmann *(si veda la parte introduttiva di VIVERE LA CITTÀ).*

★★Quartier du Val-de-Grâce

La Valle di Grazia – In questo quartiere dove oggi sono concentrate cliniche e scuole, si stabilirono, nella prima metà del 17° sec., numerose comunità religiose, a cui si deve forse il nome stesso: nel 1615 le **Carmelitane** (284, rue St-Jacques), che accolsero Louise de la Vallière, abbandonata da Luigi XIV; nel 1612, le **Orsoline**; nel 1622, le **Fogliantine**, a cui Anna d'Austria fece erigere qui un convento; nel 1626, le **Visitandine**, ordine fondato da San Francesco di Sales.

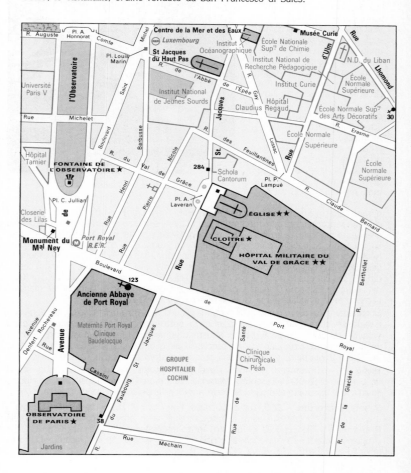

Ancienne abbaye de Port-Royal ⊙ – *123, boulevard de Port-Royal.* Costruita per volere di madre Angelica Arnauld come affiliata al convento di Port-Royal-des-Champs, conserva ancora il chiostro e la boiserie della sala capitolare.

Val-de-Grâce – L'abbazia ha conservato tutti gli edifici del 17° sec. Nel 1611, il cardinale de Bérulle stabilisce nella rue St-Jacques la confraternita degli Oratoriani; Anna d'Austria acquista il palazzo per destinarlo alle Benedettine del convento del Val-de-Grâce nella valle di Bièvres, a sud di Parigi. La regina si reca spesso dalle religiose per pregare, ma anche per ordire segretamente gli intrighi contro Richelieu.
All'età di 37 anni non ha ancora figli e fa voto di erigere per il convento una magnifica chiesa, qualora le nasca un bimbo. Quando, l'anno successivo (1638), dà alla luce Luigi XIV, mantiene la sua promessa. Il progetto dell'edificio è affidato a **François Mansart.**
E' lo stesso re, ancora in tenera età, a porre la prima pietra (1645), ma, poiché Anna d'Austria considera Mansart troppo lento, la direzione dei lavori passa a **Lemercier.**

247

★★ **Hôpital militaire du Val-de-Grâce** – Nel 1795, il Val-de-Grâce divenne ospedale militare e, nel 1850, vi si installerà la Scuola d'applicazione del Servizio di Sanità. In seguito alla costruzione del nuovo ospedale militare, il complesso architettonico è destinato al servizio sanitario dell'esercito, funzione a cui è ancor oggi adibito.

★★ **Chiesa** ⊙ – E', tra tutte le chiese francesi, quella che più si avvicina agli edifici sacri romani. Costruita in stile gesuita tra la Sorbonne e gli Invalides, possiede una imponente facciata a due piani con doppio frontone triangolare. La cupola, meno alta, ma più riccamente decorata rispetto alle altre cupole di Parigi, si ispira a quella che sovrasta la basilica di San Pietro a Roma.

All'interno, l'influenza barocca è estremamente evidente, soprattutto per quanto riguarda la volta scolpita della navata, il baldacchino monumentale (le cui sei colonne tortili di marmo incor-

Cupola del Val-de-Grâce

niciano l'altare) e la stupenda **cupola**★★, decorata con un famoso affresco di Mignard, su cui sono rappresentate ben duecento figure di dimensioni tre volte maggiori rispetto alla grandezza naturale. Le sculture sono opera di Michel Anguier e Philippe Buyster.

La chapelle St-Louis *(sulla destra)* era un tempo il coro delle Benedettine. Nella cappella di Sant'Anna *(sulla sinistra)*, riposano, dal 1662, i cuori degli esponenti della famiglia reale e della famiglia d'Orléans. Prima della Rivoluzione, ne erano custoditi 45, tra cui quello della regina Maria Teresa, di «Monsieur» (fratello di Luigi XIV), del reggente Filippo d'Orléans e di Maria Leszczinska, moglie di Luigi XV; la maggior parte tuttavia è andata persa *(si veda l'Église St-Paul-St-Louis)*.

Ex convento – *Lavori in corso.* Attraverso il portico *(a destra della chiesa)*, si raggiunge il **chiostro**★, cinto da due piani di gallerie con sottotetto mansardato. Dopo la seconda volta del cortile si accede ai giardini antistanti la maestosa facciata posteriore del convento. Un portico a colonne anellate precede il padiglione in cui risiedeva Anna d'Austria. In fondo al giardino, si scorge una facciata ricurva del nuovo ospedale.

Museo ⊙ – Documenti e cimeli riguardanti grandi medici militari e la storia del Servizio di Sanità dell'esercito. Materiale sanitario ed alcuni modelli in scala ridotta illustrano il trasporto e le cure dei feriti durante l'Impero e la Grande Guerra.

Schola Cantorum – *269, rue St-Jacques.* Fondata nel 1896 da Bordes, Guilmant e d'Indy per riportare in auge la musica religiosa, è attiva ancora oggi. Fino alla Rivoluzione, nella cappella di questo antico monastero di benedettini inglesi, qui rifugiatisi dopo lo scisma anglicano, riposavano le spoglie del re Giacomo II, morto in esilio a St-Germain-en-Laye (1701).

Intorno all'Observatoire

★ **L'Observatoire** ⊙ – Il 21 giugno 1667, giorno del solstizio d'estate, Colbert fa iniziare la costruzione dell'Osservatorio, secondo i progetti di Claude Perrault. Viene terminato nel 1672. Fino alla Rivoluzione, questo istituto fu diretto da quattro astronomi della famiglia Cassini, originari di Imperia (a Gian Domenico Cassini si deve la costruzione della grande meridiana di San Petronio a Bologna, nonché la scoperta di alcuni pianeti, di quattro satelliti di Saturno e della divisione dell'anello, che da lui prese il nome). La cupola e le ali dell'edificio sono invece aggiunti sotto il regno di Luigi Filippo.

Tra i lavori compiuti all'Osservatorio occorre segnalare il calcolo delle dimensioni reali del sistema solare (1672), l'esatta determinazione delle longitudini, fino ad allora stabilite in misura eccessiva (la riduzione della terra da est ad ovest fece pronunciare al Re Sole la famosa frase: «Questi signori dell'Accademia mi hanno rubato una grande parte dei miei Stati»), il calcolo della velocità della luce, la realizzazione di una grande mappa della luna (1679), la scoperta matematica del pianeta Nettuno (Le Verrier, 1846), l'invenzione di nuovi strumenti (astrolabio, cinepresa elettronica).

L'edificio – Le facciate dell'edificio rettangolare sono orientate verso i punti cardinali. Il meridiano di Parigi, calcolato nel 1667 e considerato fino al 1911 (anno in cui anche la Francia ha adottato il meridiano di Greenwich, vicino a Londra) meridiano zero, passa nell'asse mediano dell'edificio. Il lato sud corrisponde alla latitudine della capitale. Nelle vicinanze esistono varie meridiane, dette anche quadranti solari, che consentono di determinare l'ora di mezzogiorno *(vedere pianta a lato)*.

Dal 1919, l'Osservatorio è anche sede dell'Ufficio Internazionale dell'Ora che stabilisce l'orario universale coordinato (UTC), basato esso stesso sull'orario atomico internazionale (TAI). L'orologio parlante (☎ 3699) diffonde l'ora legale (UTC + 1 o 2 ore in estate) con una precisione al cinquantesimo di secondo.

Hôtel Massa – *38, rue de Faubourg-St-Jacques*. Ospita la Societé des Gens des Lettres.

Avenue de l'Observatoire – Gli edifici dell'Università Parigi V dominano i viali e le aiuole decorate. La **fontaine de l'Observatoire★** (1873), di Davioud, è ornata di figure femminili allegoriche che rappresentano i quattro continenti, scolpite da Carpeaux (l'Oceania, per ragioni di simmetria, non è stata raffigurata). Da qui si apre una bella prospettiva verdeggiante verso Montmartre. All'angolo del boulevard du Montparnasse, si trova la Closerie des Lilas, famoso caffè letterario. Di fronte, il possente monumento del **maresciallo Ney**, qui fucilato nel 1815. L'opera, di Rude (1853), era considerata da Rodin la più bella statua di Parigi.

Musée Zadkine ⊘ – *100 bis, rue d'Assas*. Lo scultore francese di origine russa, Ossip Zadkine (1890-1967) giunge a Parigi nel 1909 e ben presto inizia a lavorare la pietra e il legno, infondendo nelle sue opere le proprie inquietudini ed ansie. Nel museo sono esposti, tra l'altro, la *Donna con ventaglio*, del periodo cubista, *Le Menadi, La lezione di disegno, Prometeo* (in legno di olmo), il modello per il monumento La città distrutta, a Rotterdam, che simboleggia lo sconforto dell'uomo. L'ultima sala, dove vi sono gli attrezzi e il banco di lavoro dell'artista, ospita alcuni ritratti di Van Gogh ed il calco in gesso originale del monumento a Van Gogh eretto a Auvers-sur-Oise.

Dintorni

★ Les catacombes ⊘ – *1, place Denfert-Rochereau*. Al centro di **place Denfert-Rochereau** si erge la statua bronzea in scala ridotta del Leone di Bartholdi, a commemorazione della vittoriosa difesa di Belfort da parte del colonnello Denfert-Rochereau (1870-1871). I due padiglioni di Ledoux, elegantemente proporzionati ed ornati di fregi scolpiti, segnano la barriera d'Inferno *(si veda l'Introduzione, PARIGI IERI)*. In epoca gallo-romana, si operò un massiccio sfruttamento del sottosuolo dei «tre monti» (Montparnasse, Montrouge e Montsouris) per crearvi una rete di cave. Nel 1785 si pensò di utilizzare le parti abbandonate come ossari. A Montrouge furono trasferiti milioni di scheletri esumati dal cimitero degli Innocenti e dai cimiteri parrocchiali. Le ossa, sistemate contro i muri lungo le gallerie, creano una macabra atmosfera.

Durante la liberazione di Parigi nell'agosto 1944, vicino alla galleria che conduce all'ossario aveva sede il Comando centrale della Resistenza.

MERIDIANO DI PARIGI
(2°20'17" ad Est di Greenwich)

ST-OUEN

Moulin de la Galette — Mira del Nord

Place Pigalle

Comédie Française — Palais Royal (Cannone)

Ufficio delle Longitudini (Institut de France) — La Zecca (Meridiana)

St-Sulpice (Meridiana)

Jardin du Luxembourg

Osservatorio

Latitude de Paris 48° 50' 11"

Osservatorio Meteorologico

Mira del Sud Parc Montsouris

GENTILLY

Photothèque des Musées de la Ville de Paris

Scultura

Les QUAIS★★★

Carte Michelin n° 12 e 14 (pp. 31 e 32): da J 14 a K 16.

Il giro della Cité e dell'île St-Louis, percorrendo i lungosenna ed i ponti che attraversano il fiume (14 in tutto), consente di godere magnifiche **viste★★★** sui più bei paesaggi della capitale. La Senna, il cui corso in città, lungo 1 800 m, si snoda tra banchine di pietra, rimane ancor oggi la più bella via di Parigi, nonostante abbia ormai perso i dolci pendii e le spiaggette che un tempo lambiva. I parapetti sono animati dalle bancarelle dei *bouquinistes* (venditori di libri usati) che offrono vecchie edizioni, libri di seconda mano o stampe.

RIVE GAUCHE

Quai de Conti – Il quai de Conti fiancheggia l'Istitut de France e l'Hôtel des Monnaies, che si ergono di fronte alla flottiglia dei pompieri, e conduce al Pont-Neuf.

★ **Hôtel des Monnaies** – *11, quai de Conti.* Tra la rue Dauphine e le mura di Filippo Augusto, nel 13° sec. viene eretto l'hôtel de Nesle. Quando il principe di Nevers, Luigi di Gonzaga, lo fece ricostruire (1572), il palazzo fu chiamato hôtel de Nevers, poi hôtel de Conti, allorché la principessa de Conti vi si stabilì nel 1670.
Nel 18° sec. Luigi XV trasferisce la Zecca in questo palazzo ed affida ad Antoine, architetto fino a quel momento ancora sconosciuto, la costruzione dei nuovi laboratori (1768-1775). I parigini, ormai stanchi di colonnati e ordini sovrapposti, apprezzano la semplicità delle linee, l'austerità decorativa dei bugnati e del basamento e la bella disposizione degli avancorpi. Antoine, ormai famoso, è ammesso all'Accademia di architettura e risiederà nel palazzo della Zecca fino alla morte (1801).
Attraverso un ingresso con bella volta a cassettoni si giunge ad una scala a doppia rampa che conduce ad una serie di saloni affacciati sul Lungosenna, dove sono allestite le esposizioni temporanee. Il **Musée de la Monnaie** ⊘ si trova in fondo al cortile d'onore nelle antiche sale restaurate, destinate un tempo alla coniazione.
In esso viene ritracciata la

> ### Rive droite e rive gauche
> Rive droite e rive gauche indicano le due parti della città rispetto alla Senna. La distinzione per un parigino è più di una semplice divisione della città. Abitare o avere il proprio negozio sulla rive gauche infatti viene considerata condizione più prestigiosa, perché una volta (ed in alcuni casi tuttora) questa era luogo prescelto come dimora da artisti e scrittori.

storia della monetazione francese, a partire dalla sua apparizione intorno al 300 a.C., e ripercorsa l'evoluzione dell'arte della medaglia che si sviluppò particolarmente nel 16° sec. sotto l'influenza italiana. Delle pareti trasparenti consentono di osservare le due facce di monete e medaglie; inoltre quadri, incisioni, testi esplicativi illustrano avvenimenti politici, sociali e finanziari. Nell'antico laboratorio per la laminatura, sono di notevole interesse alcuni bilancieri e un torchio Uhlhorn del 1807, allora funzionante a vapore. Visite guidate ai **laboratori** ⊘.
Al n° 2 di rue Guénégaud si trova la **galleria commerciale** ⊘, in cui sono in vendita medaglie, gioielli e monete da collezione.

Rue de Nevers – Tra i nn 1 e 3, sotto l'arcata di un edificio, ed un frammento delle mura di cinta di Filippo Augusto si apre questa piccola strada, aperta nel 13° sec. e dall'originario aspetto medievale.

Quai des Grands-Augustins

E' il più antico lungofiume di Parigi: fu iniziato nel 1313 da Filippo il Bello. Prese il nome, a partire dal 1670, dai Grandi Agostiniani, monaci di origine italiana, qui insediati da San Luigi. Furono chiamati così per distinguerli, nel 17° secolo, dai Piccoli Agostiniani, il cui convento sorgeva dove ora si trova l'École des Beaux Arts e precisamente tra l'omonima via e la rue Dauphine. La grande sala era destinata alle assemblee del clero, talvolta a quelle del Parlamento ed anche a riunioni di laici. Nel 1578, Enrico III vi istituì l'Ordine cavalleresco del Santo Spirito, contraddistinto da un grande nastro azzurro ed abolito nel 1830, come del resto gli altri ordini dell'Ancien Régime. Durante la Rivoluzione, qui venivano stampati gli «assegnati», equivalenti agli odierni biglietti bancari. Sotto l'Impero, la bella cappella gotica fu sostituita da un mercato di selvaggina e pollame; nel 1869, la Compagnia Generale degli Omnibus adibì questo luogo a deposito di vetture, prima di installarvi la propria sede (n° 53 ter). L'edificio ospita attualmente la R.A.T.P. (Azienda Autonoma dei Trasporti Parigini) (Servizio turistico al n° **53 bis**).
A qualche distanza si ergono due hôtel del 17° sec., l'uno all'angolo con la rue des Grands-Augustins (ristorante Lapérouse, n° **51**), l'altro (n° **35**), ex hôtel Feydeau-Montholon, all'angolo con la rue Séguier.

Venditori di libri usati

Quai St-Michel

I negozi che si affacciano su questo lungosenna sono specializzati nella vendita di libri classici usati, veramente «provvidenziali» per gli studenti.

Place St-Michel – Risale all'epoca di Napoleone III. Contemporaneamente alla sua costruzione, fu anche rifatto il pont St-Michel, eretto nel 14° sec. La fontana è opera di Davioud. Nell'agosto 1944, questa piazza fu teatro di duri scontri tra gli studenti della Resistenza ed i tedeschi. Da quando è stata attivata la linea B della R.E.R., la piazza è diventata luogo di incontro di giovani e studenti.

Petit Pont – Fu il primo ponte di Parigi (1853). Già in epoca romana, la via commerciale che portava verso Orléans, l'attuale rue St-Jacques, sboccava qui su un ponte in legno sostituito poi, nel 1185, da un altro in pietra, eretto dal vescovo Maurice de Sully, a cui si deve anche la costruzione di Notre-Dame. Ben undici volte il ponte fu distrutto dalle piene o dagli incendi che divampavano nei mulini e nelle case in legno costruitevi sopra. Nel 1718, la madre infelice di un bimbo annegato nel fiume mise un cero acceso in un pane benedetto, come voleva la tradizione, affidandolo poi alla corrente. Il fuoco si propagò su due chiatte che trasportavano del fieno e investì tutto il ponte su cui non si potè più ricostruire. Il Castelletto (Petit Châtelet) controllava l'accesso al ponte; solo i saltimbanchi vi potevano passare senza pagare pedaggi, facendo esibire i loro animali.

Quai de Montebello

Nel Medioevo, il legno destinato alle costruzioni ed al riscaldamento era trasportato verso Parigi su zattere e veniva poi ammassato al Porto dei Ceppi, tra il Petit Pont e il Pont au Double.

Square René-Viviani – Nel 1928 fu ampliato e sistemato a giardinetto il piccolo spazio recintato intorno alla chiesa di St-Julien-le-Pauvre. Una robinia pseudoacacia, piantata circa nel 1680 ed ora sostenuta da un puntello, è stata conservata come esemplare: è infatti l'albero più vecchio di Parigi, insieme alla robinia dell'Orto Botanico. Fu il botanico Robin (da cui deriva il nome della pianta) a importare questa specie botanica dall'America del Nord. La **vista★★★** colpirà tutti i visitatori: la chiesa di St-Julien, seminascosta da una coltre di alberi; la rue St-Julien-le-Pauvre, con i tetti delle case affastellati in pittoresco disordine; la Cité e soprattutto Notre Dame, la cui mole, ammirata di tre quarti retrocedendo quanto basta, da nessun'altra parte risulta più bella.

Pont au Double – I due edifici dell'Hôtel-Dieu, nel 17° sec., erano collegati dal Pont au Double, il cui nome deriva dal *double tournois* (denaro di Tours) ritirato come pedaggio dall'ospedale. La costruzione attuale risale al 1885.

Amanti della pittura e della scultura: visitate le collezioni del Louvre per le opere anteriori al 1848 ed il Musée d'Art Moderne (Centre G.-Pompidou) per le opere posteriori al 1914.

Quai de la Tournelle

Appena prima del ponte dell'Arcivescovado
(1828), si può godere una bella vista su Notre-
Dame percorrendo il quai de la Tournelle, fiacheg-
giato da vecchie case.

Musée de l'Assistance publique Hôpitaux de Paris ⊘ –
L'ex hôtel Martin (1630) fu prima una comunità di fanciulle caritate-
voli votate alla cura dei malati poi, durante la Rivoluzione, una fucina per
baionette, ed infine, durante l'Impero, divenne Farmacia generale degli Ospizi.
Attualmente ospita il Museo degli Ospedali di Parigi. Il museo traccia la storia del
sistema ospedaliero nella capitale dai tempi dell'Hôtel-Dieu (650 circa), edificato
da San Landry, vescovo di Parigi, attraverso documenti, dipinti, oggetti. Al pianterreno sono state ricostruite la sala di guardia degli interni della carità, una sala
per i malati e una farmacia che comprende una bella collezione di vasi provenienti da diversi ospedali e case di Soccorso di Parigi.

Al n° 15, all'altezza del ponte della Tournelle, si trova il vecchissimo ristorante della
Tour d'Argent, dove Enrico IV avrebbe scoperto l'uso della forchetta. Piccolo museo
storico della tavola francese (solo per i clienti del ristorante).

Pont de la Tournelle – La costruzione in legno del ponte risale al 1370; più volte
rifatto, è stato molto ampliato tra il 1923 ed il 1928. Su di esso si erge una statua moderna di **Santa Genoveffa**, protettrice di Parigi, opera di Landowski.
In questo luogo un tempo si trovava la porta di San Bernardo che chiudeva la cinta
eretta da Filippo Augusto, scomparsa nel 1670. Il passaggio era controllato dall'alto di
una torre quadrata detta torre del castello della **Tournelle,** risalente al 14° sec., collegata
alla torre Barbeau grazie ad una barriera di catene, tesa attraverso il fiume. San
Vincenzo de' Paoli ottenne da Luigi XIV che la Tournelle fungesse da deposito per i
galeotti che dovevano essere imbarcati per Marsiglia due volte all'anno. La torre fu poi
distrutta nel 1787. Dal ponte si gode una mirabile **vista★★★** sull'abside di Notre-Dame.

All'angolo del quai St-Bernard, un ampio edificio moderno ospita l'Istitut du Monde
Arabe (si veda JUSSIEU).

Pont de Sully – Si appoggia sulla punta dell'isola di St-Louis, come il Pont-Neuf
sull'Ile de la Cité. La sua costruzione risale al 1876.
Dal primo braccio si apre una bella **vista★** su Notre-Dame, la Cité e l'isola
St-Louis. A monte si stende la zona industriale e si affacciano i porti e le banchine.
Sulla destra, il quai St-Bernard costeggia gli edifici dell'Università Pierre e Marie Curie.
Nel 17° sec., qui accorreva l'alta società di Parigi ed i membri della Corte, attirati dalla
spiaggia lambita dal fiume. Lo stesso Enrico IV non sdegnava, si dice, di confondersi tra i
bagnanti e giocare nell'acqua con il Delfino. In mezzo al ponte, un giardinetto, ultimo
resto degli antichi giardini dell'hôtel de Bretonvilliers, riveste la punta dell'isola St-Louis.
Dal secondo braccio si gode una bella **vista** sul quai d'Anjou e l'hôtel Lambert, il
porto dei Celestini, il pont Marie ed il campanile di San Gervaso.

RIVE DROITE

Lo **square Henri-Galli**, in fondo al pont de Sully, conserva alcuni massi provenienti dalla Bastille. Nel Medioevo, tra l'hôtel Fieubet e la Bibliothèque de l'Arsenal si trovava il convento dei Celestini, oggi caserma. A destra, tra il boulevard Morland e la Senna, si stendeva un tempo l'**isola Louviers**, terreno di esercitazioni per i balestrieri, adibito poi a deposito per il legno: nel 1843 il braccio del fiume è stato qui ricoperto, unendo in tal modo l'isola alla riva.

Quai des Célestins

Imboccando sulla sinistra questo tratto di lungosenna, si gode di una bellissima **vista★** sul ramo della Senna a nord dell'isola St-Louis e precisamente sul pont Marie. Sulla destra, all'altezza dello square de l'Ave Maria, si intravede l'hôtel de Sens.

★ **Pont Marie** – Questo vecchio ponte venne terminato nel 1635 e chiamato con il nome di uno dei lottizzatori dell'isola St-Louis. Presenta piccole nicchie e piloni sporgenti. Fu ricostruito nel 1850.

Quai de l'Hôtel-de-Ville

Cité Internationale des Arts – Costruita nel 1965, offre, per la durata di un anno, alloggio e laboratorio a pittori, compositori, architetti, scultori francesi e stranieri.

Si lascia sulla sinistra il pont Louis-Philippe, costruito all'epoca di Napoleone III in sostituzione di un ponte sospeso, troppo debole. Da qui, seguendone orizzontalmente l'asse, si vedono il Panthéon e l'Église St-Étienne-du-Mont.

Imboccare a destra la rue des Barres, da cui si apre una vista sull'abside della chiesa di San Gervaso ed i suoi originali muri rinforzati. Al n° 15, graziosa galleria dell'ex ossario. Seguire sulla sinistra la rue François-Miron. Le facciate uniformi delle case del cosiddetto **pourtour St-Gervais** (bordo di San Gervaso) (18° sec.), con i balconi in ferro battuto e l'olmo che li orna, conferiscono a questo luogo un'atmosfera particolare, che ricorda il passato.

★ **Église St-Gervais-St-Protais** – L'edificio è costruito su un piccolo poggio, riconoscibile dai gradini della facciata e da quelli della rue François-Miron. Già nel 6° sec. qui si trovava una basilica dedicata ai santi Gervaso e Protaso, due fratelli, entrambi ufficiali romani, martirizzati ai tempi di Nerone. La costruzione del corpo dell'edificio, in stile gotico fiammeggiante, è stata ultimata nel 1657.

Esterno – La chiesa possiede un'imponente facciata classica, la prima di Parigi (1616-1621), attribuita a Métezeau o Salomon de Brosse, su cui si dispongono tre ordini di stili: dorico, ionico e corinzio. Secondo gli usi di un tempo, l'olmo piantato sulla piazza costituiva un luogo di grande importanza sociale, teatro di riunioni, sentenze, ingaggi, incontri.

Interno – Della costruzione originaria, sono rimasti le volte in stile tardo-gotico, le vetrate del 16° sec. e begli stalli scolpiti risalenti al 16° e 17° sec., le cui misericordie raffigurano alcuni mestieri. L'organo è il più antico di Parigi: costruito infatti nel 1601, venne poi ampliato nel 18° sec. e su di esso suonarono gli otto organisti Couperin dal 1656 al 1826.

Risalendo la navata laterale sinistra, vicino al fonte battesimale, si trova un modello in scala ridotta della facciata della chiesa, scolpito da du Hancy, a cui si devono anche i grandi battenti del portale. Sul paliotto della terza cappella è rappresentata la Morte della Vergine, bassorilievo in pietra del 13° sec. Sulla sinistra del transetto, bella tavola di scuola fiamminga (16° sec.), raffigurante scene della Passione di Cristo. Sul pilastro sinistro della crociera del transetto, scultura gotica di Madonna col Bambino. L'esterno della sagrestia è ornato di un Cristo in legno, opera di Préault (1840), e di una bella grata in ferro battuto (17° sec.). Nella cappella della Vergine, notevole chiave di volta tardo-gotica con diametro di 2,50 m e profondità di 1,50 m. La cappella successiva custodisce il mausoleo di Le Tellier, gran cancelliere sotto Luigi XIV, a cui Bossuet dedicò una famosa orazione funebre (1686).

★ **Hôtel de Ville** – Questo edificio è il luogo in cui si svolge tutta l'attività amministrativa della città; inoltre vi si ricevono gli ospiti in visita ufficiale.

Cenni storici – La prima municipalità risale al 13° sec.; prima di allora l'amministrazione della città è affidata ai rappresentanti del re: conte, visconte, poi prevosto di Parigi.

L'*Ansa*, associazione dei mercanti-navigatori, è la più importante corporazione cittadina e detiene il monopolio della navigazione sulla Senna, l'Oise, la Marna e l'Yonne; inoltre stabilisce la regolamentazione del traffico fluviale e le imposte da riscuotere.

Nel 1260, San Luigi pone i capi di tale corporazione alla testa della comunità parigina, affidando loro una parte dell'amministrazione comunale. Si costituisce un consiglio municipale presieduto da un prevosto dei mercanti e da quattro scabini eletti dai notabili: a loro spetta la nomina dei consiglieri destinati ad assisterli nella vita amministrativa. La prima sede del consiglio è in place du Châtelet, nel Parlatorio dei Borghesi; da qui il prevosto **Étienne Marcel** la trasferirà, nel 1357, nella **Maison aux Piliers,** sulla place de Grève.

Sotto il regno di Francesco I, la Maison aux Piliers va in rovina ed il re affida l'incarico di erigere una nuova costruzione a Domenico Bernabei, detto Boccadoro per i suoi baffi biondi. I lavori sono avviati nel 1533, ma l'**Hôtel de Ville**, il Municipio, viene terminato solo agli inizi del 17° sec. La parte centrale della facciata attuale riproduce esattamente la struttura antica. Fino allo scoppio della Rivoluzione, la municipalità svolge un ruolo di secondo piano; infatti spetta al re nominare il prevosto dei mercanti (tra i quali Pierre Lescot, l'umanista Guillaume Budé, François Miron, Étienne Turgot, a cui si deve la famosa mappa di Parigi del 1734) e gli scabini, tutti necessariamente parigini.

Nel **luglio 1789**, dopo la presa della Bastiglia, gli insorti invadono l'Hôtel de Ville ed uccidono il prevosto Flesselles, reo di aver indugiato nel consegnare loro le armi. Il 17 luglio, Luigi XVI è costretto a recarsi in Municipio ed a passare sotto la «volta d'acciaio» massonica, doppia fila di spade incrociate sopra il suo capo. Deve poi baciare la coccarda tricolore appena adottata: tra il blu dei Capetingi ed il rosso di San Dionigi, colori della città di Parigi sin dal 14° sec., La Fayette ha fatto introdurre anche il bianco, colore dei re.

Ben presto il Municipio viene occupato da una **Comune** insurrezionale, guidata da Danton, Robespierre e Marat, che organizza la rivolta del 10 agosto 1792 e caccia il re dalle Tuileries. I Montagnardi, che saranno a capo della Convenzione, sono una emanazione della Comune, anch'essi influenzati dalle società segrete e dai clubs. Il 9 Termidoro (27 luglio 1794), la Convenzione fa rinchiudere il tirannico Robespierre al Luxembourg. Liberato dalla Comune, gli viene dato rifugio nel Municipio dove verrà trovato con la mascella fracassata da un colpo di pistola (non è dato sapere se si sia trattato di un tentato suicidio o di una iniziativa attuata dal gendarme che lo aveva in custodia). Il giorno successivo viene ghigliottinato.

Nel 1848, una nuova rivolta caccia Luigi Filippo, chiamato al trono diciotto anni prima. L'Hôtel de Ville diventa la sede del governo provvisorio, tra le cui fila siedono Lamartine, Ledru-Rollin, Arago. Alcune bande armate entrano nel Municipio per reclamare la sostituzione della bandiera tricolore con la bandiera rossa; **Lamartine** pronuncia allora la famosa apostrofe: «La bandiera rossa che ci portate ha fatto solo il giro del Campo di Marte, trascinata nel sangue del popolo nel 1791 e '93; il vessillo tricolore ha fatto il giro del mondo portando il nome, la gloria e la libertà della Patria.» Il 24 febbraio viene proclamata la Repubblica.

Nel 1851 Haussmann, prefetto del dipartimento della Senna, decide di sgombrare la zona adiacente l'Hôtel de Ville, per mettere maggiormente in risalto l'edificio. Fa sparire tutte le stradine che lo circondano, quadruplica la superficie della piazza e costruisce le due caserme della rue de Lobau.

Il 4 settembre 1870, dopo la disfatta di Sedan, Gambetta, Jules Favre e Jules Ferry proclamano dall'Hôtel de Ville la III Repubblica e costituiscono un Governo di Difesa Nazionale. Il 28 gennaio 1871, la capitolazione di Parigi solleva le ire del popolo, che, preso il potere, occupa il Municipio e vi insedia la Comune. Nel corso della cruenta settimana di repressione operata dall'esercito (21-28 maggio), i «Federati» appiccano il fuoco all'Hôtel de Ville, alle Tuileries e ad altri edifici.

Visita ⊙ – L'Hôtel de Ville è stato interamente ricostruito (1874-1882) dagli architetti Ballu e Deperthes in stile neorinascimentale. Le nicchie sulle facciate dell'edificio sono ornate di 146 statue di personaggi illustri e di città francesi. All'interno, lo scalone d'onore conduce alla sala delle feste ed ai saloni di ricevimento. La ricca decorazione, incerta tra stile rinascimentale e belle époque, testimonia l'arte ufficiale degli inizi della III Repubblica: pannelli di Jean-Paul Laurens *(Ricevimento di Luigi XVI all'Hôtel de Ville)* e pitture murali di Puvis de Chavannes *(Estate e Inverno),* cariatidi, rostri, soffitti a cassettoni, lampadari in cristallo di Baccarat. Si osservi la particolare architettura del triplo salone delle Arcate.

Place de l'Hôtel-de-Ville – Fino al 1830 il nome della piazza era **place de Grève** perché, allora, discendeva dolcemente alla Senna (*grève* significa greto). Nel Medioevo era il luogo di incontro di chi non aveva lavoro e da qui si è ereditata l'espressione: scioperare (fr. *grève*: sciopero). Vi si organizzano feste popolari ed ogni anno si accende il tradizionale falò di San Giovanni, alto 20 m.

Durante l'Ancien Régime, la piazza vede svolgersi parecchie esecuzioni di condannati a morte: vi vengono impiccati i borghesi e la gente del popolo, mentre i gentiluomini sono decapitati con la spada o la scure. Chi è riconosciuto colpevole di eresia o stregoneria è arso vivo. Gli assassini sono sottoposti al supplizio della ruota, mentre i crimini di lesa maestà sono puniti con lo squartamento.

Sulla piazza del Municipio, le lastre di granito rappresentano, al centro, la nave, ossia lo stemma dei mercanti-navigatori del 13° sec.

Quai de Gesvres

Il lungofiume inizia all'altezza del pont d'Arcole, ricostruito nel 1888; da qui si apre una bella vista sugli edifici eretti da Haussmann (Hôtel-Dieu, Prefettura di Polizia, Tribunale di Commercio) e sul Palais de Justice.

Pont Notre-Dame – In epoca romana costituiva il Grande Ponte, a cui faceva riscontro il Piccolo Ponte del ramo meridionale. Dopo l'incendio appiccatovi dai Normanni, fu ricostruito su palafitte nel 1413. Fu il primo ponte ad essere chiamato con un nome ufficiale e le case che vi si ergevano furono le prime a ricevere una numerazione. L'opera crollò nel 1499. Fu ancora riedificato e ornato, questa volta, di case tutte identiche, con facciate riccamente decorate, poiché l'ingresso solenne dei sovrani in città prevedeva questo percorso. Una di queste abitazioni è assai celebre: nel 1720, Watteau dipinse infatti la famosa insegna per il mercante di quadri Gersaint, che aveva qui il proprio negozio (attualmente il quadro si trova al castello di Charlottenburg a Berlino). Il ponte attuale risale al 1913.

★**Tour St-Jacques** – E' quanto resta dell'antico campanile della chiesa di St-Jacques-la-Boucherie, costruita sotto il regno di Francesco I ed abbattuta nel 1802. Nel Medioevo questo era il punto di incontro dei pellegrini in cammino verso Santiago di Compostella. In cima alla torre, alta 52 m, è installata una stazione di rilevamento metereologico. Quando fu aperta la rue de Rivoli, si dovette procedere ad eliminare la collinetta su cui si ergeva la torre ed eseguire lavori di sottomurazione. La statua di Pascal ricorda gli esperimenti da lui eseguiti nel 1648 per stabilire il peso dell'aria, successivi a quelli sul Puy-de-Dôme.

Place du Châtelet – Prende il nome da una fortezza, Il Grand Châtelet, che un tempo vi si ergeva a difesa del pont au Change. Su di essa si affacciavano le sedi delle ricche corporazioni cittadine (macellai, trippai, scuoiatori, conciatori). La **fontana**, del 1808, detta della Palma per la forma del capitello, il cui basamento (1858) è ornato di statue di sfingi, commemora le vittorie di Napoleone I. La piazza è inquadrata da due teatri, costruiti da Davioud nel 1862. Dal 1980, il Teatro dello Châtelet ha preso il nome di Teatro Musicale di Parigi. L'ex teatro Sarah Bernhardt, divenuto nel 1968 Théâtre de la Ville, si è caratterizzato come centro culturale popolare. Nel 1855, qui fu trovato impiccato Gérard de Nerval.

Pont au Change – Il ponte del Cambio, che dà sulla place du Châtelet, venne eretto nel 9° sec. da Carlo il Calvo ed occupato dagli orafi-cambiavalute, a cui si rivolgevano gli stranieri per cambiare il denaro. Le case sopra il ponte erano talmente vicine da consentire l'attraversamento della Senna senza nemmeno vederla. Il ponte attuale risale al Secondo Impero.

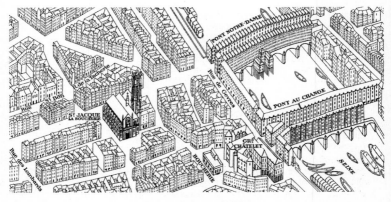

Place du Châtelet nel 1734

Quai de la Mégisserie

Il quai de la Mégisserie (Concia) era così chiamato poiché, fino alla Rivoluzione, questo era il luogo in cui i macellai uccidevano e scuoiavano le pecore, conciandone poi le pelli in un puzzo orrendo. Un po' più lontano si incontravano i cosiddetti *adescatori*, incaricati di arruolare volontari per l'esercito. Al loro posto oggi si assiste alla vivace attività dei venditori di sementi, uccelli, pesci esotici ed articoli da pesca. Bella **vista★★** sul Palais de Justice e la Conciergerie nonché sulle vecchie case del quai de l'Horloge e sul Pont-Neuf.

Allo sbocco del Pont-Neuf si ergono i grandi magazzini della **Samaritaine:** il nome ricorda una pompa sistemata un tempo sotto il Pont-Neuf che erogava l'acqua al Louvre ed alle Tuileries. Dalla terrazza superiore del grande magazzino 2 della Samaritaine si gode una mirabile **vista★★** su tutta Parigi.

★★ Église St-Germain-l'Auxerrois – San Germano, vescovo di Auxerre nel 5° sec., a cui si deve la proclamazione della santità di Geneviève di Nanterre, non va confuso con San Germano di Parigi, patrono di St-Germain-des-Prés.

Nell'8° sec. qui si ergeva un santuario, distrutto dai Normanni, sulla cui area Roberto il Pio fece edificare una chiesa. L'edificio attuale riassume cinque secoli di architettura: campanile romanico, coro gotico a raggiera, portico e navata tardogotici (gotico fiammeggiante), portale rinascimentale.

Nel 18° sec. vengono eliminati il timpano ed il pilastro centrale onde consentire il passaggio delle processioni; uguale destino colpirà in seguito lo stupendo jubé (pontile), opera di Pierre Lescot e Jean Goujon. Quando, nel 14° sec., i Valois si stabiliscono al Louvre, St-Germain-l'Auxerrois diviene la parrocchia dei re di Francia (a cui si devono le decorazioni e ricchi doni), che qui seguono gli uffici religiosi. Nella notte del 24 agosto 1572, la **notte di San Bartolomeo**, la campana suona il mattutino, dando così il segnale del massacro dei protestanti. Dopo la Rivoluzione, durante la quale viene adibita a magazzino di foraggio, la chiesa subisce un nuovo saccheggio (1831) per mano di rivoltosi antilegittimisti, insorti in seguito ad un servizio religioso celebrato in memoria del duca di Berry.

Nel 1838-1855, Baltard e Lassus intrapresero un complesso lavoro di restauro della chiesa, che ne ha ulteriormente accentuato l'aspetto composito.

Nella chiesa sono seppellite le salme dei poeti Jodelle e Malherbe e di numerosi artisti che risiedevano al Louvre: i pittori Coypel, Boucher, Nattier, Chardin, Van Loo, gli scultori Coysevox e i due Coustou, gli architetti Le Vau, Robert de Cotte, Jacques Gabriel, Soufflot. Dal 1926, ogni anno alcuni artisti soddisfano un voto espresso dal disegnatore Willette: la prima domenica di Quaresima si recano infatti a St-Germain-l'Auxerrois per ricevere le Ceneri e pregare per i colleghi che moriranno nel corso dell'anno.

Esterno – Dal lato dei magazzini della Samaritaine si apre la migliore vista sull'abside e sul campanile romanico addossato al transetto. Le navate laterali del coro possiedono nicchie di sottotetto dove erano raccolte le ossa prelevate dalle tombe del chiostro che circondava St-Germain. Il fregio che orna la cappella absidale, dono della famiglia Tronson, rappresenta il suo stemma, ossia dei tronconi di carpa.

Portico – Costruito tra il 1435 e il 1439, rappresenta l'elemento architettonico più originale della chiesa. Le statue dei pilastri sono moderne. Le campate esterne, più basse, sono sovrastate da salette, coperte di ardesia, che un tempo fungevano da archivi e da stanza del tesoro del capitolo. Le tre campate centrali hanno volte in stile gotico fiammeggiante con numerose nervature; le volte delle altre due navate sono invece in gotico semplice. Il portale centrale, di maggiore interesse, risale al 13° sec. Nella strombatura destra si osservi la scultura di Santa Genoveffa con un cero che un diavoletto tenta di spegnere ed un angelo è pronto a riaccendere con il candeliere.

Interno – La navata centrale è fiancheggiata da doppie navate laterali che giungono fino all'abside piatta. La cassa d'organo (1) del 17° sec. proviene dalla Ste-Chapelle. Di fronte al pulpito, nella navata laterale

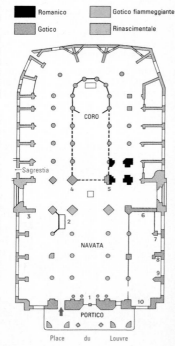

■ Romanico	Gotico fiammeggiante
Gotico	Rinascimentale

CORO

Sagrestia

NAVATA

PORTICO

Place   du   Louvre

nord, si trova il magnifico **bancone** (2) del 1684, che si ritiene fosse riservato alla famiglia reale. Nella quarta cappella, bel **dossale d'altare** (3) fiammingo, risalente agli inizi del 16° sec. *(illuminazione manuale).*

Si ammirino le antiche **vetrate** che ornano le finestre del transetto (fine 15° sec.) ed i due rosoni. La volta della crociera destra, suddivisa in molte sezioni, è un bell'esempio di stile tardo-gotico.

Intorno al coro corre una bella grata (18° sec.) davanti alla quale si ergono due statue policrome del 15° sec., San Germano (4) e San Vincenzo (5). Il Louvre custodisce fortunatamente alcuni bassorilievi dello jubé rinascimentale, abbattuto nel 1754. Nel Rinascimento, le colonne del coro furono scanalate ed i capitelli gotici torniti ed ornati di ghirlande.

La cappella del Santo Sacramento custodisce una statua della Vergine in pietra policroma del 14° sec. (6), un Crocifisso anch'esso del 14° sec. (7), una statua originale del portale maggiore, raffigurante Santa Maria l'Egiziana (8), una tavola (9) con l'Ultima Cena, opera di Theo van Elsen (1954) e un San Germano (10) del 13° sec.

Place du Louvre – Qui si trovava l'accampamento romano di Labieno (52 a.C.) e più tardi quello dei Normanni che cingevano d'assedio Parigi nell'885. Fino al Secondo Impero, tra il Louvre e la chiesa di St-Germain-l'Auxerrois si ergevano bei palazzi signorili, tra i quali il Petit-Bourbon (abbattuto nel 1660), in cui si tennero le sedute degli Stati Generali nel 1614. Molière vi rappresentò le sue commedie nel 1658 ed il giovane Luigi XIV vi danzò davanti alla Corte. Nel 1854, Haussmann trasforma la rue des Poulies nella grande rue du Louvre, divenuta poi, in questa parte, rue de l'Amiral-de-Coligny; sopprime l'ultima fila di case, sostituite dall'edificio in stile neorinascimentale progettato da Hittorff (municipio del 1° ar.) e dal campanile neogotico con 38 campane, eretto da Ballu.

Pont des Arts – Nel 1803, anno della sua costruzione, la sua struttura costituiva una doppia novità: era infatti il primo ponte in ferro e l'accesso era riservato ai soli pedoni. I passanti potevano sedersi su sedie, disposte tra casse in cui erano interrate piante di aranci. Al centro erano disposte due serre, contenenti rarità botaniche: qui si poteva trovare riparo in caso di pioggia. Fino al 1849, l'uso voleva che si pagasse il pedaggio di un soldo, così come avveniva per molti altri ponti. Il ponte attuale è in acciaio e presenta solo sette arcate anziché otto.

Da qui si gode una splendida **vista★★★**: il Pont Neuf si snoda per tutta la sua lunghezza, attraversando la punta bassa e verdeggiante del Vert-Galant. Dietro si erge il Palazzo di Giustizia, la cui mole è spezzata dalla guglia della Ste-Chapelle; sopra i tetti spiccano le cime delle torri e la guglia di Notre-Dame. Sulla sinistra, dietro una coltre di platani, si intravedono i due teatri della place du Châtelet, la cima della torre St-Jacques, il Municipio e la vetta del campanile di St-Gervais. A valle si vedono il Louvre ed il pont du Carrousel.

Il Louvre non è un semplice museo.
È un tuffo nella storia e nell'arte.
Lasciatevi trasportare alla corte dei re di Francia
nel misterioso Egitto
nell'antica Grecia
nello sfarzo degli appartamenti
di Napoleone III
o immergetevi nei minuziosi meandri della pittura fiamminga
nell'armonia del Rinascimento italiano
nella sontuosità delle grandi tele francesi
ed infine riposate lo sguardo e la mente nelle ampie ed ariose corti Puget
e Marly, arricchite da sculture e...piante.

Le QUARTIER LATIN★★★

Carte Michelin n° 12 e 14 (pp. 43 e 44): K 14, K 15, L 14, L 15.

Questa zona della riva sinistra della Senna, costruita sulla parte romana di Parigi, ha per tappe principali la Sorbonne, il Panthéon e St-Étienne-du-Mont.

La denominazione «quartiere latino» trae origine dal fatto che, sino al 1789, la lingua ufficiale delle scuole era il latino, utilizzato da professori ed allievi persino nella vita quotidiana. Questo quartiere è oggi il vivace punto di incontro della gioventù di tutto il mondo. Il cuore dell'animazione è costituito dal **boulevard St-Michel**, con i suoi caffè e librerie. Intorno alla libreria Gibert si riuniscono venditori da cui è possibile acquistare libri di ogni tipo: nuovi o d'occasione, artistici o scolastici, francesi o in altre lingue.

Nelle vie adiacenti si trovano *caves* (cantine), cabaret, ristoranti esotici e cinema che animano la vita notturna.

La Lutezia gallo-romana – Nel 3° sec., Lutezia è una cittadina di circa 6 000 abitanti. I Galli occupano la Cité, mentre i Romani sono disposti sul territorio collinoso che diventerà in seguito la montagna di Santa Genoveffa. Qui si trovano tutti i monumenti pubblici tipici delle città colonizzate dai Romani. Dalla piana di Rungis, un acquedotto di 15 km trasporta l'acqua delle terme. Un quadrilatero di strade lastricate rappresenta il primo quartiere «latino». La collinetta di Montmartre è coronata da un tempio a Mercurio. Lutezia è già un importante nodo stradale: qui passa infatti la grande strada Soissons-Orléans, talmente frequentata da rendere necessario istituirvi la circolazione a senso unico.

Nella Cité, già dal 250 d.C., cioé dall'evangelizzazione di San Dionigi, si ergeva un santuario cristiano, di cui tuttavia non rimangono tracce. Poco più tardi inizia il periodo delle migrazioni ed i barbari invasori incendiano completamente la riva sinistra della Senna, ponendo termine alla dominazione romana (tra il 276 e il 280).

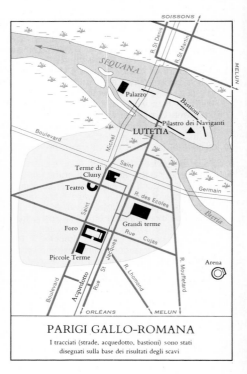

PARIGI GALLO-ROMANA

I tracciati (strade, acquedotto, bastioni) sono stati disegnati sulla base dei risultati degli scavi

L'Alma mater medievale – Nel 12° sec., docenti, scrivani e studenti della Cité, liberatisi dalla tutela del vescovado, si trasferiscono sulla riva sinistra, nelle vicinanze del convento di Santa Genoveffa e di San Vittore. Nel 1215, papa Innocenzo III li autorizza a fondare una corporazione: nasce in tal modo l'Università di Parigi, la prima creata in Francia.

Da tutti i paesi accorrono studenti per iscriversi, secondo la disciplina scelta (Teologia, Medicina, Arti liberali, Diritto canonico) o secondo la «nazione» di provenienza, ai numerosi collegi che si sono aperti sulla collina: il collegio di Sorbon (1253); il collegio d'Harcourt, fondato nel 1280 sulle rovine del teatro di Lutezia, oggi liceo St-Louis; il collegio di Coqueret; il collegio degli Scozzesi; il collegio di Clermont, creato dai Gesuiti nel 1550 e divenuto liceo Louis-le-Grand; il collegio Ste-Barbe, il collegio di Navarra o uno degli altri numerosi collegi. Questa gioventù turbolenta terrorizza i borghesi e non si lascia intimidire nemmeno dall'autorità reale. L'Università gode, d'altro canto, di una propria giurisdizione, di cui è oltremodo gelosa e orgogliosa: nel 1407, il prevosto del re, dopo aver fatto impiccare parecchi studenti, è obbligato a recarsi personalmente presso il patibolo per slegarne i corpi e quindi implorare perdono alla Sorbona.

Tuttavia anche i Francescani (San Bonaventura), i Domenicani (Sant'Alberto Magno, San Tommaso d'Aquino), poi gli Oratoriani (Malebranche, Massillon) hanno un grande seguito di allievi e l'Università tenta di fare interdire loro l'insegnamento, ma i vari tentativi falliscono.

Dalla tutela all'autonomia – Nel 1793, tutte le Università vengono soppresse dalla Convenzione. Il latino cessa di essere la lingua ufficiale.

Nel 1806, Napoleone crea l'Università Imperiale di Francia, sottoposta all'autorità del Ministro della Pubblica Istruzione. Le accademie che la compongono ricevono direttamente l'incarico dallo Stato. Tuttavia le tradizioni universitarie e l'afflusso di studenti mal si adattano a questo controllo e alla rigorosa regolamentazione degli studi. Le nuove costruzioni (rue des Saints-Pères, Halle aux Vins, Censier) ed il decentramento periferico (Orsay, Nanterre, Châtenay-Malabry) non possono impedire la rivolta studentesca del maggio 1968. Nel 1987, il numero degli studenti è di circa 295 000, suddivisi tra le tredici università della regione parigina che coprono tutte le discipline.

★★PANTHÉON ⊘

La piazza – La piazza semicircolare e la **rue Soufflot** sono incorniciate dalle facciate simmetriche dell'ex Facoltà di Diritto (opera di Soufflot, 1772) – oggi sede delle Università Parigi I, Parigi II e Parigi V – e dagli edifici di Hittorff (1844). Al n° **14** sorgeva la chiesa del **Convento dei Giacobini**, fondato sull'area di una cappella di San Giacomo dai primi Domenicani giunti a Parigi nel 1217. Uno dei frati di questo convento, **Jacques Clément**, fu l'assassino di Enrico III.

Il Pantheon – L'imponente costruzione, la cui cupola risplende su tutta Parigi, si erge al centro della piazza. La gloriosa funzione di questo edificio l'ha reso uno dei luoghi più visitati della capitale.

Un voto reale – Nel 1744, Luigi XV, essendosi ammalato molto gravemente a Metz, decise di fare un voto: se fosse guarito, avrebbe eretto un magnifico edificio in sostituzione della chiesa ormai semidistrutta dell'abbazia di Santa Genoveffa. Ristabilitosi, il re affida la realizzazione del suo voto al marchese di Marigny, fratello della Pompadour. **Soufflot**, che è sotto l'ala protettiva di Marigny, è incaricato di presentare un progetto: egli disegna un edificio gigantesco, a croce greca, lungo 110 m, largo 84 m e alto 83 m. Sotto l'enorme cupola del coro dei religiosi sarà posta l'urna della santa. Un'immensa cripta ospiterà i corpi dei monaci.
I lavori iniziano nel 1758, ma procedono molto lentamente, a causa di difficoltà finanziarie (Marigny è costretto a organizzare tre lotterie per reperire i fondi necessari). Nel 1778, l'assestamento del suolo provoca alcune crepe, fortunatamente poco rilevanti. L'incidente tuttavia viene sfruttato dai rivali di Soufflot, che muore nel 1780. Uno dei suoi allievi, Rondelet, porta a termine il corpo principale dell'opera nel 1789.

Il tempio della Fama – Nel 1791, la Costituente decide che la chiesa, non più aperta al culto, riceva d'ora in avanti «le ceneri dei grandi uomini dell'epoca della libertà francese». Come nell'antichità, essa sarà quindi il Panteon, dimora di tutti gli dei. Vi vengono inumate le spoglie di Mirabeau, Voltaire, Rousseau e Marat. Mirabeau vi resta fino al novembre 1793, Marat fino al febbraio 1795.
L'edificio viene consacrato a chiesa sotto l'Impero, necropoli sotto Luigi Filippo, ripristinato al culto cattolico con Napoleone III, adibito a quartier generale durante la Comune; nel 1885, diviene tempio laico per accogliere le ceneri di Victor Hugo.

Esterno – La Costituente trasformò il leggiadro edificio in una sorta di mausoleo e murò le quarantadue finestre previste da Soufflot per alleggerire le pareti, oggi di aspetto tanto austero, malgrado la ghirlanda e il fregio che ne percorrono i lati. Ai campanili, che fiancheggiavano l'abside, furono tolti due piani.
La maestosità della **cupola★★** è visibile quando ci si allontana dall'edificio. Per garantirne la solidità, Soufflot utilizzò un'armatura in ferro.
Il peristilio, preceduto da undici gradini, è composto da colonne scanalate che sostengono un frontone triangolare, il primo di questo genere a Parigi. Su di esso, David d'Angers ha raffigurato, nel 1831, la Patria mentre distribuisce agli uomini illustri le corone che le vengono tese dalla Libertà. Sulla sinistra, sono scolpite numerose figure di civili, mentre, sulla destra, preceduti da Bonaparte, sfilano i militari (tra loro si distingue il tamburino di Arcole). Ai lati della porta centrale, gruppi marmorei rappresentano il battesimo di Clodoveo, Santa Genoveffa e Attila.

Interno – Alle volte a botte in stile gesuita, Soufflot ha sostituito cupole schiacciate; anziché utilizzare arcate per separare la navata centrale da quelle laterali, egli vi ha eretto una serie di colonne che sostengono un fregio, una cornice e una balaustrata. La grande cupola centrale poggia su colonne inserite nella muratura, distruggendo in tal modo l'effetto di leggiadria. Il suo peso è di circa 10 000 tonnellate.
La seconda calotta della cupola è ornata da un affresco, commissionato da Napoleone a Gros, nel 1811, raffigurante l'apoteosi di Santa Genoveffa.
A questa seconda calotta è sospeso un **pendolo**, che riproduce il celeberrimo esperimento realizzato nel 1851 da **Léon Foucault**. Il pendolo, una sfera di acciaio di 28 kg appesa ad un cavo di 67 m, devia dal suo asse durante l'oscillazione, che lo costituisce al tempo stesso la prova della rotazione terrestre (la deviazione si esercita in senso contrario nei due emisferi) e della sua sfericità (è nulla all'equatore, si compie in 36 h a 45° di latitudine e in 24 h al polo). Al fascino del pendolo di Foucault non si è sottratto il mondo delle lettere, da esso infatti prende il titolo un celebre romanzo di Umberto Eco.

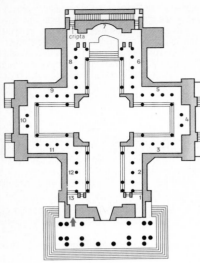

Place du Panthéon

1) Predica di San Dionigi (Galand).
2) Scene della vita di Santa Genoveffa (Puvis de Chavannes).
3) Carlo Magno incoronato imperatore e protettore delle Lettere (H. Lévy).
4) Miracolo degli Ardenti e processione della teca di Santa Genoveffa (Th. Maillot).
5) Battaglia di Tolbiac e Battesimo di Clodoveo (J. Blanc).
6) Morte e funerali di Santa Genoveffa (J.-P. Laurens).
7) Verso la gloria (Ed. Detaille).
8) Santa Genoveffa che veglia su Parigi e Santa Genoveffa che rifornisce la città (Puvis de Chavannes).
9) Storia di Giovanna d'Arco (J.-E. Lenepveu).
10) L'idea della Patria, l'Abbondanza, la Capanna, la Peste (Humbert). Monumento ai Militi ignoti (Landowski).
11) Vita di San Luigi (Cabanel).
12) Santa Genoveffa calma i parigini terrorizzati dall'arrivo di Attila (Delaunay).
13) Martirio di San Dionigi (Bonnat).

Le pareti del Panthéon sono ricoperte di **dipinti★** eseguiti dopo il 1877. I più celebri, quelli di Puvis de Chavannes, illustrano la storia di Santa Genoveffa. In fondo all'edificio e agli angoli del transetto si trovano gruppi monumentali di sculture moderne.
Una scala permette l'accesso alla cupola da cui si gode di una bella **vista★★** su Parigi.

Cripta – La cripta, situata sotto l'edificio, ne ha le stesse dimensioni. All'ingresso, un'urna contiene il cuore di Gambetta, qui posto l'11 novembre 1920, quando fu inumato il Milite Ignoto sotto l'Arco di Trionfo. Vi si trovano le tombe di parecchi uomini famosi della storia di Francia tra i quali Soufflot, Jean Moulin, La Tour d'Auvergne, Victor Hugo, Émile Zola, Louis Braille (inventore del metodo di scrittura per ciechi) e René Cassin, il Padre della Dichiarazione Universale dei diritti dell'uomo, il matematico Lagrange, l'esploratore Bougainville, Pierre e Marie Curie, e, dal 1996, André Malraux.

Bibliothèque Ste-Geneviève ⊘ – *10, place du Panthéon.* La biblioteca dell'università venne costruita nel 19° sec. dove sorgeva il collegio di Montaigu, conosciuto per la qualità del suo insegnamento, per l'austera disciplina e per la sua... sporcizia: i borsisti che vi erano ospitati non mangiavano mai carne e dormivano per terra, «tra pidocchi, pulci e cimici». La biblioteca (1844-1850) è opera di

Bibliothèque Ste-Geneviève

E. Baret

Pontile di St-Étienne

Labrouste, uno dei maestri dell'architettura in metallo; il nucleo dei 2 700 000 volumi qui raccolti è composto dai preziosi manoscritti e incunaboli dell'abbazia di Santa Genoveffa.

Dietro la biblioteca, il **collegio Ste-Barbe**, fondato nel 1460, è l'ultimo sopravvissuto tra tutti i collegi del Quartier Latin.

Nel cortile dei nn **19-21** di rue Valette, sorge ancora una torre esagonale, risalente al 1560, detta **Tour de Calvin** (Torre di Calvino). E' tutto ciò che rimane dell'antico collegio di Fortet, dove il duca di Guisa creò nel 1585 la Santa Lega, che riuscirà a cacciare il re Enrico III da Parigi.

★★ Église St-Étienne-du-Mont – *Place Ste-Geneviève*.

Nella singolare chiesa di S. Stefano al Monte viene venerata, con particolare devozione, Santa Genoveffa.

I servitori dell'abbazia di Santa Genoveffa assistevano agli uffici religiosi nella cripta della chiesa abbaziale. A partire dal 1220, il loro numero è però talmente elevato da rendere necessaria la costruzione di una chiesa parrocchiale, dedicata a Santo Stefano. I due edifici sono attigui.

Alla fine del 15° sec., la nuova chiesa, ormai divenuta troppo angusta, deve essere ricostruita. I lavori iniziano dal campanile e dall'abside, nel 1492. Nel 1610, la regina Margherita, prima moglie di Enrico IV, pone la prima pietra della facciata, mentre la consacrazione avrà luogo nel 1626.

La **facciata★★** è estremamente originale: tre frontoni sovrapposti ne occupano il centro. Il campanile conferisce all'insieme un maggior senso di verticalità. Sulla parte destra, si osservi la notevole elevazione delle navate laterali, sopra le cappelle.

Il coro, costruito per primo, possiede aperture ad arco spezzato, in stile gotico fiammeggiante; nella navata centrale appaiono finestre rinascimentali a tutto sesto.

Interno ☉ – E' ancora di struttura gotica, malgrado risalga al 16° sec.; l'altezza delle arcate della navata centrale e del coro ha tuttavia impedito di collocare il triforio abituale. Vi si trova solo una serie di finestre. Le pareti delle navate laterali, molto elevate, hanno permesso la costruzione di ampi vani luminosi. Un'elegante tribuna balaustrata attraversa gli alti pilastri.

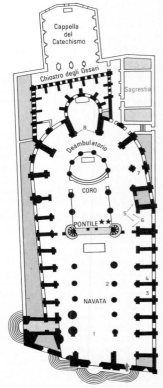

Place Ste Geneviève

261

La volta della crociera del transetto, in stile gotico fiammeggiante, presenta numerose nervature; la sua chiave pensile, molto lavorata, forma un'imposta di 5,50 m.

La cassa dell'organo (17° sec.), che possiede 90 registri, è riccamente decorata; attualmente, questo prezioso strumento ha come titolare Marie-Madeleine Duruflé.

I vani presentano belle vetrate, per la maggior parte risalenti al 16° e 17° sec. Le più importanti si trovano nel deambulatorio e nel coro.

Il **pontile**★★ *(jubé)* è l'unico esistente a Parigi. Nel 15° e 16° sec., tutte le grandi chiese possedevano questa galleria trasversale, riservata alle prediche ed alla lettura dell'Epistola e del Vangelo. Contrariamente alle tribune, il pontile di Santo Stefano al Monte, grazie alla sua ampia arcata, permetteva ai fedeli di vedere il coro. La parte centrale è in stile rinascimentale, mentre le porte laterali sono classicheggianti. E' possibile accedere alla piattaforma ed alla galleria del coro attraverso due belle scale a giorno. Le estremità sono ornate di due splendide figure femminili che raffigurano la Fama.

1) Lapide di marmo indicante il luogo dove Monsignor Sibour, arcivescovo di Parigi, fu ucciso da una coltellata vibratagli da un prete interdetto (3 gennaio 1857).

2) Pulpito★ (1650) sostenuto da un Sansone.

3) Vetrata★ raffigurante la *Parabola dei convitati* (1586): gli invitati, anziché prendere posto alla tavola preparata dal padre di famiglia, si recano alle proprie occupazioni.

4) *Deposizione* (16° sec.).

5) Sopra l'arcata, due ex voto offerti dalla città di Parigi: a destra, *La Città ringrazia Santa Genoveffa*, dipinto da de Troy (1726); quello di sinistra (1696) è di Largillière.

6) Epitaffio di Racine, composto da Boileau, ed epitaffio di Pascal.

7) **Teca con le reliquie di Santa Genoveffa**. I resti della santa, inumati nella cripta della vicina abbazia (vedere più avanti), furono bruciati nella piazza di Grève nel 1793. In occasione della demolizione della chiesa abbaziale (1802), fu ritrovata la pietra del primo sarcofago, oggi coperta da una teca in rame dorato. Vi sono deposte alcune reliquie della santa.

8) Accanto ai pilastri della cappella della Vergine sono stati sepolti Pascal e Racine, il primo nel 1662, il secondo nel 1711, esumato da Port-Royal-des-Champs.

Chiostro «degli Ossari» – Due piccoli cimiteri fiancheggiavano un tempo la chiesa, a nord e ad est. Qui furono traslate dal Panthéon le spoglie di Mirabeau e di Marat. Nel deambulatorio, a destra, si apre il chiostro che circondava il cimitero dell'abside, forse un antico ossario. La grande galleria, in fondo e sulla sinistra, è stata completata agli inizi del 17° sec. con belle **vetrate**★, notevoli per i loro vivaci colori. Vi sono raffigurati il *Miracolo dell'Ostia profanata*, il *Vascello mistico*, la *Manna*, il *Frantoio mistico*.

Di fronte, la cappella dei Catechismi è stata aggiunta da Baltard nel 1859.

Lycée Henri-IV – In questo luogo Clodoveo, in seguito alla vittoria di Vouillé sui Visigoti, fece costruire, nel 510, una ricca basilica

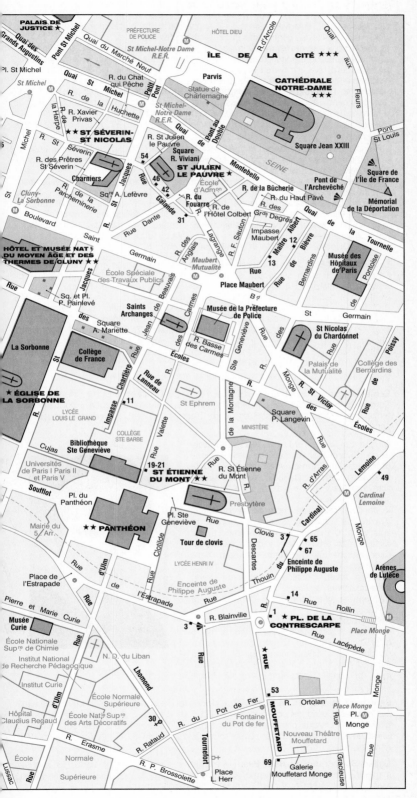

dove fu sepolto accanto a sua moglie Clotilde e a Santa Genoveffa. Enorme è la devozione popolare alla santa, tanto che presto viene fondata un'abbazia di canonici agostiniani (i *Génovéfains*), la cui potenza spirituale, giuridica e territoriale rivaleggia con quella dei Benedettini di St-Germain-des-Prés.

La pietà medievale era espressa in ogni circostanza: guerre, epidemie, inondazioni e calamità pubbliche erano l'occasione per un digiuno generale e per un'immensa processione della teca attraverso Parigi, riccamente addobbata; a tale avvenimento partecipavano tutti i conventi della città ed i corpi costituiti, mentre i campanili suonavano ripetutamente le campane. La Rivoluzione pose termine a questi festeggiamenti, abbattendo gli stessi edifici abbaziali, dei quali rimangono solo il refettorio (sulla rue Clotilde) ed alcune cantine gotiche, nonché il campanile della chiesa, detto **Tour de Clovis** (torre di Clodoveo). Il liceo Henri-IV occupa questo luogo dal 1796.

All'angolo della rue Descartes, sorge la canonica della chiesa di St-Étienne-du-Mont, costruita dal duca d'Orléans, figlio del Reggente, allorché si ritirò nell'abbazia di Santa Genoveffa, dove morì nel 1752.

A qualche distanza, si può ancora scorgere un importante frammento delle **mura di cinta di Filippo Augusto**, al n° **3** della rue Clovis; la cinta raggiungeva i 10 m d'altezza. Qui mancano solo le feritoie. Al n° **65** della rue du Cardinal-Lemoine (di fronte alla rue Clovis), una nobile facciata indica il **Collège des Escossois** ⊘ (Collegio degli scozzesi), proprietà della chiesa cattolica di Scozia dal 14° sec. (oggi foyer Ste-Geneviève). All'interno, una bella scala conduce alla cappella in stile classico dove riposa, dal 1701, il cervello di Giacomo II.

Secrétariat d'État à la Recherche – *1, rue Descartes*. Molte importanti istituzioni accademiche si sono succedute a questo indirizzo. In primo luogo il collegio di Navarra, fondato nel 1304 da Giovanna di Navarra, moglie di Filippo il Bello e destinato a settanta studenti poveri. Venne frequentato da Enrico III, Enrico IV, Richelieu e Bossuet. Successivamente, nel 1794, vi si installò l'**École Polytechnique**, fondata dalla Convenzione per sopperire alla mancanza di ingegneri e, sotto Napoleone (1802) venne trasformata in collegio militare. Tra gli allievi vi figuravano Auguste Comte, Henri Poincaré, Albert Lebrun, André Citroën, Albert Leprun e Valéry Giscard d'Estaing. Le donne vi vennero ammesse per la prima volta nel 1972. Nel 1977 il collegio venne trasferito a Palaiseau.

Dalla rue Descartes si accede allo splendido giardino di paulonie.

École Normale Supérieure – *45, rue d'Ulm*. Questo celebre istituto, fondato dalla Convenzione nel 1794, ha qui sede dal 1847. La «Normale» segna il punto di partenza per l'élite della classe dirigente francese (docenti universitari, scienziati, uomini politici).

Musée Curie ⊘ – *11, rue Pierre-et-Marie-Curie*. Si trova al pianterreno della sezione di Fisica e Chimica dell'Istituto Curie nell'antico Istituto del Radio, fondato su iniziativa di Marie Curie e destinato alla ricerca scientifica e medica.

Vi sono conservati le copie dei premi Nobel ricevuti dai Curie, fotografie e soprattutto apparecchi che sono serviti alla scoperta del radio e allo studio della radioattività naturale, nonché gli strumenti utilizzati dalla figlia dei Curie, Irene, e da suo marito Frédéric Joliot, i quali scoprirono nel 1934 la radioattività artificiale (corpi creati artificialmente e che hanno una durata di vita cortissima).

Nello studio di Marie Curie si trova il cofanetto che racchiudeva il grammo di radio offerto nel 1921, in seguito ad una sottoscrizione fatta dalle donne degli Stati Uniti. Accanto allo studio c'è il laboratorio di chimica personale (decontaminato) di Marie Curie.

Archives Laboratoire Curie

Marie Curie

Centre de la Mer et des Eaux ⊘ – *195, rue St-Jacques*. Questo Centro dipende dall'Istituto Oceanografico, fondato nel 1906 da Alberto I di Monaco, ed ha l'obiettivo di diffondere la conoscenza dell'oceano, delle sue risorse e della sua funzione. Gli strumenti utilizzati a tale scopo sono esposizioni su temi specifici, acquari, film ed audiovisivi.

Église St-Jacques-du-Haut-Pas – Costruita tra il 1630 ed il 1685, fu uno dei maggiori centri del giansenismo. Vi riposano le spoglie dell'abate di Saint-Cyran, confessore di Port-Royal-des-Champs, e dell'astronomo Cassini.

Institut National des Jeunes Sourds – Nel 14° sec., qui si trovava un ospizio per i pellegrini che si recavano al santuario spagnolo di San Giacomo di Compostella, tenuto dai frati di San Iacopo d'Altopascio (fr. *Haut-Pas*), vicino a Lucca. Nel 1790, l'edificio fu messo a disposizione dei sordomuti dell'Abbé de l'Épée.

École Nationale Supérieure des Mines – *60, boulevard St-Michel.* Fondata nel 1783, fu trasferita nel 1815 in questo ex hôtel de Vendôme, abitato un tempo dal maresciallo Lefebvre e da sua moglie, Madame Sans-Gêne.
Le **collezioni di mineralogia**★★ ⊙ qui custodite sono tra le più ricche del mondo. Gli appassionati di geologia potranno trovare vere rarità: pietre preziose, minerali, cristalli multicolori, meteoriti presentati a luce nera.

LA SORBONNE

Fondazione – Un canonico di Parigi, Robert de Sorbon (secondo la tradizione, porta il nome del suo villaggio natale nelle Ardenne), divenuto confessore di San Luigi, fonda nel 1253, con l'aiuto del re, un collegio per ospitare sedici studenti poveri e impartire loro l'insegnamento della teologia. Questa è l'origine della Sorbona, che, durante tutto l'Ancien Régime, costituirà il centro degli studi teologici e la sede dell'Università di Parigi. In questi edifici, nel 1469, su invito di Luigi XI, tre tipografi di Mainz installano la prima stamperia di Francia.

Lotte politiche e religiose – Filippo il Bello ottiene dalla Facoltà di Teologia la condanna dei Templari. Durante la guerra dei Cent'Anni, l'Università è borgognona e riconosce Enrico V d'Inghilterra come re di Francia. Uno dei luminari dell'istituto, il vescovo Cauchon, è inviato al processo di Rouen e farà condannare Giovanna d'Arco. L'Università sarà l'avversaria implacabile dei protestanti e, nel 18° sec., dei filosofi.

Feste universitarie – La festa della Sorbona e dell'Università è stata istituita da Luigi XI e viene celebrata il 28 gennaio, giorno di San Carlo Magno. Un'altra data importante è quella di San Barnaba (11 giugno), che apre la fiera di Lendit, a St-Denis. Il rettore, i priori, i professori e gli studenti vi si recano in processione. La testa del corteo procede solitamente con molta dignità, mentre le ultime file sono spesso più «animate» dalla vivace presenza degli studenti. Ciò è dovuto al fatto che questo giorno coincide con il termine di pagamento delle rette dovute ai professori: momento doloroso che gli studenti tentano di dimenticare facendo baldoria.

Da Richelieu ai giorni nostri – Richelieu, eletto preside della Sorbona, decide di ricostruire gli edifici e la chiesa che cadono in rovina. I lavori si protraggono dal 1624 al 1642. Nel 1792, l'istituto e l'Università vengono chiusi, ma nel 1806 sono riattivati per ordine di Napoleone. La Sorbona, ricostruita e notevolmente ampliata da Nénot dal 1885 al 1901, diviene il principale centro di insegnamento superiore della Francia. Nel 1968 è uno dei maggiori centri di contestazione studentesca.

L'edificio – Comprende ventidue anfiteatri, due musei, sedici sale per esami e ventidue per conferenze, trentasette studi per i professori, duecentoquaranta laboratori, una biblioteca, una torre per esercitazioni di fisica ed una torre per l'osservatorio astronomico, vari uffici, i locali per il rettore. Le parti più interessanti sono, dal lato della rue des Écoles, il vestibolo, lo scalone ed il grande anfiteatro, dove è esposto il famoso dipinto di Puvis de Chavannes, raffigurante il *Bosco sacro*★.
Sale, gallerie, anfiteatri sono decorati con quadri storici o allegorici.
Il cortile d'onore, sul cui lato sinistro si trova l'ala della biblioteca, è dominato dal frontone e dalla cupola della cappella, in stile classico. Questo luogo, che sostituisce il «campus» delle moderne università, è punto di incontri e discussioni. Sotto le arcate, alcuni pannelli decorativi di Weerts rappresentano la fiera di Lendit a St-Denis.

★ **Église de la Sorbonne** ⊙ – L'edificio, di **Lemercier**, è stato costruito dal 1635 al 1642 in stile gesuita, analogamente all'Église St-Paul-St-Louis. Qui tuttavia la facciata ha proporzioni meno imponenti rispetto al resto del monumento. I due ordini sovrapposti, anziché i tre abituali, diventeranno un modello diffusamente imitato.
La **facciata laterale**★, che dà sul cortile d'onore della Sorbonne, è concepita in modo diverso: sopra il portale, costituito da dieci colonne corinzie, si sovrappongono il transetto e la cupola. L'insieme, di notevole effetto, deve essere visto dal fondo del cortile.
All'interno, il **sepolcro**★, in marmo bianco, del cardinale Richelieu è un'opera magnifica scolpita da **Girardon** nel 1694, su disegno di Le Brun. Durante la Rivoluzione, Lenoir riuscì a salvarlo dalla distruzione, nel 1792, ma due anni più tardi la tomba fu usurpata, mentre la chiesa diveniva tempio della Ragione. Dal 1971, le spoglie del cardinale, del quale si potè salvare solo il capo, riposano nuovamente nel coro della chiesa.
I pennacchi della cupola, dipinti da Philippe de Champaigne, rappresentano lo stemma di Richelieu, alcuni angeli ed i Quattro Padri della Chiesa.
Anche il duca di Richelieu, ministro di Luigi XVIII, è stato inumato in questo luogo. La Cripta contiene le spoglie degli universitari morti per la Francia.

Un altro tempio della cultura: il Collège de France – Questo rinomato collegio, dal glorioso passato, sorge sulla parte di rovine delle grandi terme gallo-romane, scoperte nel 1846, di cui non resta più traccia dal 1939.

Il «Collegio delle tre lingue» – L'Università del Medioevo parla un latino barbaro. Lo studio degli autori classici è proibito: Virgilio è ancora un autore sconosciuto. Nel 1530, su istanza del grande umanista Guillaume Budé, Francesco I fonda, con dodici «lettori reali», un nuovo insegnamento indipendente dalla Sorbona, dalla sua scolastica, dal suo spregio per la letteratura pagana. I professori ricevono dal re un compenso fisso che consente loro di tenere corsi gratuiti.
Nel «Collegio delle tre lingue» vengono insegnati il latino, il greco, l'ebraico. Enrico II fa alloggiare i lettori nei collegi di Cambrai e di Tréguier, dove sorgerà il Collegio reale di Francia, costruito sotto Luigi XIII. Alle tre lingue iniziali si aggiungeranno altre discipline: matematica, medicina, chirurgia, filosofia, arabo, siriano, botanica, astronomia, diritto canonico. Sotto Luigi XV verrà aperto il corso di letteratura francese.

Il collegio attuale – Nel 1778, gli edifici vengono ricostruiti da Chalgrin. Durante la Rivoluzione, l'istituto assume l'attuale denominazione; nel 19° e 20° sec. vengono realizzati importanti lavori di ampliamento.
Tra gli illustri frequentatori del Collège ricordiamo i fisici **A.-M. Ampère** (1775-1836) e **H. Bequerel** (1852-1908), l'egittologo **J.-F. Champollion** (1790-1832), gli storici **J. Michelet** (1798-1874) e **G. Duby** (1919-96), il filosofo **H. Bergson** (1859-1941), gli scrittori **P. Valéry** (1871-1946) e **R. Barthes** (1915-80), nonché i premi Nobel **F. Jacob** e **J. Monod** (medicina 1965), **J. Dausset** (medicina 1980), **J.-M. Lehn** (chimica 1987) e **P.-G. de Gennes** (fisica 1991).

Rue de l'École-de-Médecine – Ripercorre il tracciato di un'antica strada gallo-romana. Fino al 17° sec., il **n° 5** era la sede della *Confraternita dei Chirurghi dal lungo camice*, fondata da San Luigi, la sola che potesse eseguire operazioni di anatomia; i *Barbieri* invece, detti anche *Chirurghi dal camice corto*, avevano solo il diritto di praticare salassi e prestare assistenza ai parti. E' qui che **Sarah Bernhardt** nacque il 25 ottobre 1844. L'anfiteatro a lanterna del 1695 appartiene oggi all'Università Parigi III.
Al n° **15** sorgeva il **convento dei Cordiglieri**, religiosi francescani che, nel Medioevo, impartivano in questo luogo un insegnamento di insigne reputazione. Sotto Luigi XVI, il geometra **Verniquet** vi lavorò alla realizzazione della prima pianta trigonometrica di Parigi. Poco dopo, nel 1791, il circolo rivoluzionario di Danton, Marat, Camille Desmoulins, Hébert, che qui aveva la propria sede, assunse il nome del convento. Proprio qui di fronte abitava **Marat**, pugnalato nella sua vasca da bagno da Charlotte Corday, il 13 luglio 1793.
Gli edifici attuali, oggi Facoltà di Medicina Broussais-Hôtel-Dieu (Paris VI), furono costruiti tra il 1877 e il 1900, per ospitare la Scuola Pratica di Medicina. Dell'antico convento rimane oggi solo il refettorio-dormitorio dei monaci, in stile gotico fiammeggiante, situato nel cortile.
La parte centrale dell'antica Facoltà di Medicina (ingresso al n° 12), divenuta Università René-Descartes (Paris V), risale al 1775. Un colonnato ionico circonda un bel cortile, dove si erge la statua dell'anatomista Bichat, opera di **David d'Angers**. Gli studenti di medicina e chirurgia, severamente separati durante l'Ancien Régime, furono qui riuniti nel 1808 ed attualmente sono distribuiti tra le undici Unità di Insegnamento medico e di Ricerca della regione parigina.

Musée d'Histoire de la Médecine ⊘ – *Università René-Descartes, 12 rue de l'École-de-Médecine.* Una bella galleria perlinata, circondata da un balcone in ferro battuto, racchiude le collezioni del **collegio di chirurgia** che doveva possedere ugualmente una sala degli strumenti concepita come museo d'insegnamento. Ci vollero due secoli perché il progetto potesse realizzarsi. Le collezioni comprendono strumenti provenienti dai diversi rami della chirurgia, dall'Egitto fino alla fine del 19° sec., alcuni cofanetti farmaceutici portatili, rari astucci di medicina (tra cui quella che fu adoperata per effettuare l'autopsia del corpo di Napoleone I a Sant'Elena e quella del Dottor Gachet, ritratto da Van Gogh) e di chirurgia, una collezione di poppatoi, uno scrittoio a intarsio Boulle. In fondo alla galleria, *Trittico della vita di Sant'Anna*, opera fiamminga del 15° sec.

Rue Hautefeuille – Al n° 5 si trova una graziosa torretta del 16° sec., una volta residenza degli abati di Fécamp.

★★ MUSÉE NATIONAL DU MOYEN ÂGE – THERMES DE CLUNY, *6, place Paul-Painlevé*

L'antico palazzo degli abati di Cluny, le rovine delle terme romane, le magnifiche collezioni del museo costituiscono un insieme di notevole interesse per i visitatori.

Le Terme romane – Agli inizi del 3° sec., qui sorgeva un vasto edificio gallo-romano, di cui le attuali rovine rappresentano solo un terzo. Gli scavi hanno permesso di stabilire che si trattava di uno stabilimento di bagni pubblici, sicuramente costruito dalla potente corporazione dei mercanti navigatori parigini. Alla fine del 3° sec. lo stabilimento fu saccheggiato e incendiato dai barbari.

Il palazzo degli abati di Cluny – Verso il 1330 Pierre de Châlus, abate di Cluny in Borgogna, acquista le rovine e il terreno circostante per conto della potente abbazia, al fine di costruirvi un palazzo destinato agli abati che vengono a Parigi e al collegio fondato poco prima accanto alla Sorbona. Jacques d'Amboise, vescovo di Clermont e abate di Jumièges, ricostruisce l'edificio, corrispondente alla bellissima residenza attuale, tra il 1485 e il 1500.

Molti ospiti hanno spesso alloggiato nel palazzo. Nel 1515 Maria d'Inghilterra, vedova di Luigi XII (appena sedicenne, è stata sposata per tre mesi al re cinquantenne), vi trascorre il tempo di clausura che il suo lutto richiede. Francesco I, successore di Luigi XII, temendo che l'ex regina sia in attesa di un bimbo (che impedirebbe ai Valois-Angoulême l'ascesa al trono), la fa rigorosamente sorvegliare. Una notte, avendola sorpresa in compagnia del giovane duca di Suffolk, costringe i due a sposarsi immediatamente nella cappella e a far subito ritorno in Inghilterra.

Dama con Unicorno

Nel 17° sec. il palazzo serve da residenza ai nunzi papali, tra i quali Mazzarino.

Fondazione del museo – Durante la Rivoluzione, il palazzo, decretato bene nazionale, viene messo in vendita ed è abitato da diversi affittuari: un chirurgo, un bottaio, un tipografo, una lavandaia.

Nel 1833 Alexandre du Sommerard, un collezionista di oggetti medievali e rinascimentali, si stabilisce a Cluny. Alla sua morte, nel 1842, lo Stato acquista l'immobile e le sue collezioni. Dal canto suo, il Comune di Parigi, divenuto proprietario delle Terme dal 1819, le cede allo Stato a condizione che nel palazzo e in mezzo alle rovine sia allestito un museo, la cui direzione è affidata a Edmond du Sommerard, figlio di Alexandre. L'inaugurazione del museo avviene nel 1844. Il giardino che circonda le rovine è stato aperto al pubblico nel 1971.

★ **L'Hôtel de Cluny** – Cluny, con l'hôtel de Sens e la dimora di Jacques Cœur, è uno dei tre grandi palazzi privati del 15° sec. che ancora rimangono a Parigi. La tradizione medievale è ancora presente in alcuni elementi puramente decorativi (feritoie, torrette), a cui si affianca un ambiente estremamente piacevole ed una notevole raffinatezza ornamentale.

Attraverso un grazioso portale si accede nel cortile d'onore (bella vera da pozzo, del 15° sec.). L'ala sinistra è ornata di arcate. Il corpo centrale presenta finestre ripartite. Un fregio e una balaustrata in gotico fiammeggiante, da cui si dipartono doccioni, corrono lungo il tetto, abbellito da pittoreschi abbaini ornati di stemmi gentilizi. Una bella torre a cinque lati si erge ad aggetto sul corpo centrale e contiene una larga scala a chiocciola. Altre scale si trovano nelle torrette d'angolo.

★ **Le Terme** – Questo edificio, destinato ai bagni pubblici, fu costruito verso l'anno 200. La parte meglio conservata è il *frigidarium (sala XII)*, bella sala rettangolare lunga 21 m, larga 11 m, ed alta 14,5 m; le pareti, che presentano uno spessore di 2 m, sono state coperte con sculture rinvenute nel sottosuolo di Parigi. Questa sala è costruita con piccole pietre interrotte da file di mattoni rossi che formano catene. La volta a crociera poggia su mensole a forma di prua di nave, il che fa supporre che la costruzione delle Terme sia stata finanziata dai mercanti navigatori di Parigi. Durante il regno di Tiberio (dal 14 al 37 d.C.), la loro corporazione aveva dedicato a Giove il pilastro ritrovato sotto il coro di Notre-Dame, di cui una parte è esposta qui: il **pilastro dei nauti ( )** è la più antica scultura di Parigi.

Sotterranei delle terme – Di questi vasti sotterranei circa 500 m possono essere visitati. Vi si ritrovano le volte a botte costruite principalmente in mattoni romani.

HÔTEL ET MUSÉE NAT^L
DU MOYEN AGE ET DES
THERMES DE CLUNY

★★ Il museo ⊘ – Le ventitré sale del museo sono dedicate al Medioevo e alla produzione artistica in tutti i suoi aspetti.

Arti decorative del Medioevo – Il museo ospita capolavori dell'arte decorativa e dell'artigianato medievali: miniature, tessuti, ricami (sala III), arredi, armature e armi, utensili in ferro, vetrate (medaglioni della Ste-Chapelle – *sala VI*), ceramiche, abiti e oggetti liturgici, oggetti d'avorio (cofanetto bizantino dell'11° sec. – *sala XIX*), sculture (capitelli di St-Germain-des-Prés e di Ste-Geneviève, statue della Ste-Chapelle, *sale IX e X*, stalli provenienti dall'abbazia di San Luciano a Beauvais, *sala XVIII*).

La sala VIII ospita i più bei frammenti di scultura provenienti da Notre-Dame, tra i quali 21 teste della Galerie des Rois (ritrovate nella rue de la Chaussée-d'Antin nel 1977) che, benché mutilate, hanno conservato un'inattesa freschezza e una vivacità sorprendente. Il portale d'accesso a questa sala proviene dalla Chapelle de la Vierge a St-Germain-des-Prés.

La sala XIV riunisce i più grandi capolavori della fine del Medioevo: per la pittura, la *Vita della Vergine* (Inghilterra) e la *Pietà* di Tarascona; per gli arazzi, *Il figliol prodigo*; per la scultura, alcune opere di pietra, marmo e legno, tra le quali due grandi retabli fiamminghi: il retablo della Passione ed il retablo d'Averbode, nonché una statua di Santa Maria Maddalena, probabile ritratto di Maria di Borgogna.

L'oreficeria, ad eccezione dello splendido paliotto in oro dell'altare della cattedrale di Basilea *(sala XIX)*, è presentata nella sala XVI: rare corone votive dei re visigoti, rosa d'oro di Basilea, urne, reliquiari limosini in smalto a incavo.

Gli arazzi – Tra il 15° e gli inizi del 16° sec., nacque nella zona meridionale dei Paesi Bassi la tradizione degli arazzi a mille fiori *(mille-fleurs)*, caratterizzati da colori abbinati armoniosamente e estremamente luminosi, i cui temi dominanti sono la natura e la delicata raffigurazione di personaggi ed animali. Qui sono esposti molti esemplari di queste raffinate creazioni (sala IV, la *Vita signorile* illustra le attività di un signore e di sua moglie agli inizi del '500).

L'esempio più compiuto è rappresentato dalla **Dama con Unicorno**★★★ *(Dame à la Licorne – rotonda della sala XIII)*. Sei sono gli arazzi che compongono tale mirabile opera. Il leone e l'unicorno, che circondano una dama riccamente vestita, reggono gli stemmi della famiglia lionese Le Viste. Cinque di questi pezzi raffigurano, probabilmente, le allegorie dei sensi, mentre il sesto, in cui la giovane depone una collana in un cofanetto, rappresenterebbe la rinuncia ai piaceri dei sensi. Si notino, in ogni scena, il prato verde-blu che spicca su uno sfondo rosso uniforme, l'assenza di elementi decorativi, la ricchezza della rappresentazione del regno animale e vegetale.

Nelle cappelle e nelle sale adiacenti *(sale XX, XIX e XVIII)*, sono esposti begli arazzi, dedicati alla vita di Santo Stefano e provenienti dalla cattedrale di Auxerre.

★ **La cappella** – *Sala XX*. E' l'ex oratorio degli abati. La volta in stile gotico fiammeggiante, sostenuta da un pilastro centrale, è molto elegante. Un tempo, nelle dodici nicchie erano collocate le statue della famiglia d'Amboise; di esse rimangono gli zoccoli ed i baldacchini. Una scala di pietra, in una tromba a giorno, collega la cappella al giardino.

★★ QUARTIER ST-SÉVERIN

Questo è probabilmente uno dei quartieri più vecchi di Parigi. **Rue de la Harpe** era un'antica strada romana. In **rue de la Parcheminerie** solevano vivere scrivani pubblici e copisti. Oggi la vivacità di questo quartiere continua grazie alla folla di residenti, studenti e turisti attratti dai locali notturni e i ristoranti di cucina mediterranea, che ne garantiscono l'animazione fino a tarda notte.

★★ **Église St-Séverin-St-Nicolas** ⊘ – *1, rue des Prêtres-St-Séverin*. Nel 6° sec., viveva in questo luogo un anacoreta di nome Severino che fece prendere l'abito talare a Clodoaldo, nipote di Clodoveo. La cappella e la chiesa, edificate dopo la distruzione dell'oratorio da parte dei Normanni, presero il nome di un altro San Severino, abate elvetico.
Alla fine dell'11° sec., St-Séverin funge da parrocchia per la riva sinistra della Senna. Durante il secolo successivo, Foulques, curato di Neuilly-sur-Marne, vi predica la quarta crociata. La costruzione dell'attuale chiesa ha inizio nella prima metà del 13° sec. L'architetto ricostruisce, in stile gotico, le prime tre campate della navata, conservando provvisoriamente la facciata romanica dell'edificio precedente, mentre la realizzazione delle altre parti continua in stile gotico fiammeggiante sino al 1530. Nel 1681, la capricciosa Grande Mademoiselle, cugina di Luigi XIV, in disaccordo con la pieve di St-Sulpice, elegge St-Séverin a propria parrocchia. Grazie alle sue immense ricchezze, incarica Le Brun di modernizzare il coro. I pilastri vengono chiusi in «involucri» di marmo e legno e le arcate gotiche coperte da rivestimenti a tutto sesto.

Esterno – Le campate delle cappelle e delle navate laterali sono coperte da tetti dentellati con frontoni decorati da modanature e garguglie a forma di mostri. Il portale della facciata principale, risalente al 13° sec., proviene dalla chiesa di St-Pierre-aux-Bœufs, demolita nel 1839 in seguito all'apertura della rue d'Arcole, nella Cité. Ai piani superiori finestre, balaustrate e rosone sono in stile gotico fiammeggiante (15° sec.). All'ingresso della torre si apre lateralmente l'antico portico, il cui timpano è un rifacimento. Sulla sinistra, all'angolo esterno delle cappelle, una nicchia custodisce una statua di San Severino. Il coronamento e la guglia della torre risalgono al 15° secolo.

Interno – Le insolite proporzioni della chiesa (lunghezza 50 m, larghezza 34 m ed altezza della volta solo 17 m) risalgono al 14° e 15° sec., quando, per motivi di spazio, fu possibile ampliare l'edificio solo lateralmente. La chiesa, originariamente a navate laterali semplici, è stata affiancata da altre due navate laterali e da due serie di cappelle. A destra, la cappella della Comunione risale al 17° sec.

Navata – Le prime tre campate della navata si differenziano dalle altre per i corti pilastri ornati di capitelli. Sopra le arcate ad arco spezzato si apre un triforio, la cui armatura, come per le finestre superiori, presenta curve regolari a forma di trifogli o di rose.
Nelle altre campate, di stile gotico fiammeggiante, si noti l'assenza di capitelli sopra le colonne che sostengono le arcate. La muratura dei vani è interamente contorta. Nelle navate laterali, i capitelli dei pilastri centrali sono ornati di angeli, profeti e figure grottesche. Il prezioso organo possiede una notevole cassa in stile Luigi XV.

Coro – Le cinque arcate dell'abside, più elevate rispetto a quelle della parte rettilinea del coro, sono sovrastate da una volta, in gotico fiammeggiante, con numerosi comparti.
Il doppio **deambulatorio** ★★ è un capolavoro del gotico fiammeggiante: le molteplici nervature delle volte, che ricadono sulle colonne, lo rendono simile a un palmeto. Sul pilastro assiale, le nervature si prolungano a spirale lungo il fusto. Nel 1861, la capricciosa Grande Mademoiselle, cugina di Luigi XIV, «adottò» St-Séverin come parrocchia e sovvenzionò Le Brun per ammodernare il coro.

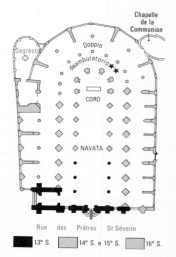

Chapelle de la Communion

Doppio deambulatorio ★★

Sagrestia

CORO

NAVATA

Rue des Prêtres St Séverin

■ 13° S.　□ 14° S. e 15° S.　▨ 16° S.

★ Vetrate – Le alte finestre possiedono belle vetrate della fine del 15° sec. Il rosone della facciata, nascosto in parte dall'organo, rappresenta un albero di Jesse (16° sec.). Moderne vetrate multicolori di Bazaine rischiarano le cappelle absidali.

Ossari (Charniers) – *Non aperti al pubblico.* L'antico cimitero, contornato dalle gallerie degli ossari, è stato coperto da un piccolo giardino. Nei sottotetti venivano ammucchiate le ossa prelevate dalle tombe, quando i posti del cimitero erano tutti occupati. Le gallerie, in parte conservate e restaurate, sono le sole medievali esistenti a Parigi.

Nel 1474, qui fu praticata la prima operazione chirurgica per l'estrazione di calcoli renali. Un arciere, condannato a morte, è affetto da questa malattia della vescica e viene sottoposto

St-Séverin-St-Nicolas, dettaglio del doppio ambulatorio

all'esperimento di un «chirurgo»; Luigi XI promette di graziare il condannato qualora sopravviva. L'uomo guarisce, liberandosi in tal modo dal calcolo e salvandosi contemporaneamente dal patibolo.

★ Église St-Julien-le-Pauvre – *1, rue St-Julien-le-Pauvre.* La piccola chiesa, l'ambiente pittoresco che la circonda, l'indimenticabile vista su Notre-Dame conferiscono a quest'angolo di Parigi un fascino particolare.

Qui, dal 6° sec., varie cappelle hanno avuto per patrono San Giuliano Martire, vescovo di Brioude, poi San Giuliano il Confessore, vescovo di Le Mans, soprannominato il Povero perché i suoi atti di carità depauperavano costantemente le sue sostanze, infine il traghettatore San Giuliano l'Ospitaliere. Prevalse da ultimo il nome di San Giuliano il Povero.

L'edificio attuale, contemporaneo a Notre-Dame, è stato costruito dai religiosi di Longpont, nei pressi di Montlhéry, tra il 1165 e il 1220. Dal 13° al 16° sec., le assemblee dell'Università si tennero nella chiesa, dove si svolgeva anche l'elezione del Rettore. Nel 1524 tuttavia, gli studenti, durante un tumulto, devastarono tra l'altro gli arredi, il che provocò, da quel momento, la chiusura della chiesa alle riunioni universitarie. Nel 1655 il priorato fu soppresso e la chiesa divenne cappella dell'Hôtel-Dieu. Dal 1889 l'edificio è destinato al culto cattolico di rito melchita.

Visita – Il portale che dà sul cortile ha sostituito il precedente nel 1651, dopo la demolizione delle due campate della navata centrale e della navata laterale destra. La facciata sinistra dell'edificio ed il coro danno sullo square René-Viviani *(per la descrizione dello square si veda les QUAIS – Quai de Montebello).*

Mentre la navata centrale è stata coperta da una volta a botte nel 1651, le navate laterali hanno conservato le volte gotiche. Il coro, la parte più bella della chiesa, è attraversato dal tramezzo ligneo dell'iconostasi che accoglie le icone o immagini sante. Si notino i **capitelli★** dei due pilastri, raffiguranti foglie di acanto e arpie. Nella navata laterale sud, singolare pietra tombale del 15° sec.

La piazza – Davanti alla chiesa si apre, simile ad un piccolo cortile, una piazzetta; sulla destra sorge una vecchia casa con cantine a volta.

La **vista★★** sulla rue Galande e su St-Séverin è una delle più note della vecchia Parigi, soggetto preferito da molti pittori. Un pozzo ad armatura di ferro, un tempo situato all'interno della chiesa, è addossato al portale; accanto si trovano due lastre dell'antica via romana che da Lutezia andava a Orléans.

Al n° 14 della **rue St-Julien-le-Pauvre** sorge l'ex palazzo del governatore del Petit Châtelet (17° sec.).

★QUARTIER MAUBERT

Il vecchio quartiere della Maube, recentemente oggetto di un lavoro di ristrutturazione, è un frammento di Parigi medievale, caratterizzato da strette e tortuose
viuzze. Il nome Maubert deriva probabilmente da una forma contratta di Maître
Albert, Sant'Alberto Magno, domenicano che nel 13° sec. insegnava teologia nella
piazza Maubert. Questo santo, teologo e scienziato tedesco fece importanti commenti a tutte le opere di Aristotele e studiò gli scienziati arabi; ebbe tra l'altro
come discepolo Tommaso d'Aquino.

Rue Galande – E' l'arrivo dell'antica strada romana proveniente da Lione. Sono
state portate alla luce numerose cantine e ogive medievali (nn **54-46**); al n° **42**,
sopra la porta, una pietra scolpita rappresenta San Giuliano l'Ospitaliere sulla sua
barca. Al n° **31**, un frontone del 15° sec.

Rue du Fouarre – Vi si tenevano i corsi pubblici dell'Università. Gli studenti ascol-
tavano le lezioni, seduti su fastelli di paglia (fr. *fouarre*). Dante avrebbe frequentato queste lezioni nel 1304.

Rue de la Bûcherie – Al n° 13 si trova la Scuola di Amministrazione del Comune
di Parigi che occupa i locali della prima facoltà di Medicina della capitale, fondata
nel 15° sec. La sua rotonda risale al 17° sec.

Impasse Maubert – E' qui che venne fondato il primo Collegio Greco di Parigi nel
1206. Qui era inoltre situato il laboratorio dei veleni della marchesa di Brinvilliers.

Rue Maître-Albert – Le vecchie case che fiancheggiano la via nascondono una rete
di sotterranei che collegano le rive della Senna ai vicoli vicini. Questi erano, sino agli
inizi del secolo, il rifugio di malandrini e cospiratori. Al n° **13** morì, nel 1820, il
negro Zamor, domestico favorito di Mme du Barry, che la denunciò e la fece ghi-
gliottinare.

Rue de Bièvre – Deve il proprio nome all'omonimo fiumiciattolo, di cui una dira-
mazione sfociava nella Senna in questo punto. Era un tempo il quartiere dei bar-
caioli e dei conciatori. Al n° **12**, l'ingresso al collegio St-Michel è dominato da una
statua rappresentante l'arcangelo Michele che abbatte il drago.

Place Maubert – Sin dall'alto Medioevo la piazza è stata un luogo di assembra-
menti e spesso il popolo vi eresse barricate.

Musée de la Préfecture de Police ⊙ – *1 bis, rue des Carmes*. Questo museo
ripercorre la storia della polizia parigina, dalle guardie del Medioevo sino al 1870,
anno di fondazione del corpo dei guardiani della pace.

Église des Sts-Archanges – *9 bis, rue Jean-de-Beauvais*. Acquisita dalla chiesa
ortodossa romana nel 1882, è dedicata agli arcangeli Michele, Gabriele e Raffaello.
Costruita nel 14° sec. come cappella del Collège de Beauvais, fondato da Jean Dor-
mous nel 1370, è stata ampiamente rimaneggiata.

Église St-Nicolas-du-Chardonnet – Nel 13° sec., in un campo dove crescevano i
cardi (*chardon* significa infatti cardo), viene eretta una cappella. A partire dal 1656,
questa fu sostituita dall'edificio attuale, rivolto verso nord, per mancanza di spazio
a est. Dedicata a San Nicola, patrono dei battellieri, ha ricevuto la facciata definitiva solo nel 1934.
All'esterno, la parte più interessante è rappresentata dalla **porta**★ laterale (sulla rue
des Bernardins), notevole lavoro di scultura su legno. Il disegno è di Le Brun, par-
rocchiano di St-Nicolas.
L'interno, in stile gesuita, è decorato con numerosi dipinti di Restout, Coypel, Le
Lorrain, Corot e soprattutto Charles Le Brun: il suo monumento funebre, opera di
Coysevox, è collocato in una cappella del deambulatorio, a sinistra, dopo la tomba
di sua madre, da lui stesso disegnata. A destra del coro, si noti l'interesssante
monumento dell'avvocato generale Jérôme Bignon, opera di Girardon. La cassa
dell'organo, del 18° sec., proviene dall'antica chiesa degli Innocenti.

Rue St-Victor – Ricorda l'abbazia di San Vittore, fondata nel 1113; questa, i cui
religiosi erano costituiti da canonici regolari, possedeva gli edifici conventuali, i giardini e la bella chiesa, dove fu sepolto il vescovo Maurice de Sully, nell'area
dell'attuale facoltà di Jussieu.

Rue de Poissy – Venne aperta nel 1772 sui giardini del **Collegio dei Bernardini**,
fondato nel 1246 per fornire una buona istruzione ai religiosi. I Bernardini,
monaci benedettini dell'ordine di Cîteaux, ne presero la direzione nel 14° sec.
Chiuso durante la Rivoluzione, fu adibito a deposito per i forzati in attesa
di essere imbarcati sulle galere. Dal 1845, gli edifici (18-24, rue de Poissy)
sono occupati da una caserma di pompieri. Dalla via, si scorge la parte superiore
del refettorio, con le diciassette campate. E' uno dei più bei vestiboli gotici di
Parigi *(non aperto al pubblico)*.

RÉPUBLIQUE

Carte Michelin n° 12 e 14 (pp. 32, 33 e 21): da G 15 a G 17, D 17.

La zona descritta comprende tre distinti quartieri che si sviluppano intorno a place de la République: il quartier du Temple, la zona intorno ad Arts et Métiers ed il canale St-Martin.

Place de la République – Nel 1854, Haussmann decide di sistemare l'immensa piazza attuale, importante elemento della sua strategia antirivoluzionaria. Il diorama, eretto nel 1822 da Daguerre, che aveva allestito qui il suo laboratorio fotografico, viene sostituito dalla caserma Vérines. Al posto delle tele dipinte, realizzate da Daguerre per dare l'illusione di una veduta naturale nelle varie ore del giorno, Haussmann fa disporre quadri trasparenti su vetro, perfezionando in tal modo il panorama.

Dalla piazza si irraggiano viali che attraversano il turbolento quartiere: il boulevard de Magenta, l'avenue de la République, il boulevard Voltaire, la rue de Turbigo.

Per la sistemazione della piazza (1854-1862), il prefetto fa radere al suolo il boulevard du Crime.

Al centro, si erge il monumento della Repubblica (1883), opera di Morice assai mediocre che fu preferita alla statua di Dalou, oggi sulla place de la Nation. Dalou fu comunque incaricato di scolpire i bassorilievi che ornano il piedestallo del monumento raffiguranti la storia della Repubblica, dal giuramento dello Jeu de Paume alla prima celebrazione del 14 luglio (dichiarato da allora festa nazionale), avvenuta sulla place de la Nation nel 1880.

★ QUARTIER DU TEMPLE

Questo popolare quartiere, un tempo sede dei Templari e dei Benedettini di St-Martin-des-Champs, ospita oggi numerose scuole e istituti tecnici e molti negozi di abbigliamento.

La storia del Temple – L'ordine religioso e militare dei Templari, fondato nel 1118 in Terra Santa da nove cavalieri per proteggere i pellegrini, si stabilisce a Parigi nel 1140 e, nel corso del 13° sec., si sviluppa in modo incredibile, coprendo con le sue novemila sedi tutta l'Europa. L'indipendenza dalla Corona e la fondazione di un deposito bancario internazionale garantiscono a questo ordine, i cui membri vestono una tunica bianca con una croce rossa, un'enorme potenza finanziaria, a cui si affianca un ricchissimo patrimonio immobiliare: possiedono infatti circa un quarto di Parigi, tra cui il Marais.

La **cinta** fortificata e il mastio rappresentano un rifugio per coloro che vogliono sottrarsi alla giustizia reale; numerosi sono gli artigiani, esentati dalle tasse delle corporazioni. Nella fortezza vivono ben 4 000 persone; lo stesso sovrano vi si reca talvolta per trovare riparo.

Filippo il Bello decide tuttavia di eliminare questo «Stato nello Stato». Il 13 ottobre 1307, tutti i Templari di Francia sono posti agli arresti. Il re, dopo aver ottenuto dal papa lo scioglimento dell'ordine, fa bruciare vivi il grande maestro, Jacques de Molay (imprigionato con altri 140 cavalieri) e 54 templari. I due terzi dei beni dell'ordine sono confiscati dalla Corona, mentre il resto del patrimonio è devoluto agli Ospedalieri di San Giovanni di Gerusalemme, chiamati poi Cavalieri di Malta.

La prigione del Temple – Durante la Rivoluzione, gli Ospedalieri ed il loro Grande Priore, il duca d'Angoulême (nipote di Luigi XVI), sono perseguitati. Il 13 agosto 1792, il re, Maria Antonietta, Madame Élisabeth (sorella del re), il piccolo erede al trono e sua sorella sono rinchiusi nella torre del Temple. Al Musée Carnavalet sono esposti numerosi oggetti e testimonianze di questo periodo di prigionia.

L'11 dicembre inizia il processo davanti alla Convenzione e il 20 gennaio 1793 è firmata la condanna a morte. La mattina successiva, l'abate Edgeworth de Firmont, confessore del re, celebra la messa.

In luglio, l'erede al trono è separato da sua madre ed alloggiato al 4° piano, sotto la vigilanza del calzolaio Simon. Il 2 agosto, la regina è trasferita alla Conciergerie, da dove verrà condotta alla ghigliottina il 16 ottobre. Madame Élisabeth subirà la stessa sorte, mentre Madame Royale sarà liberata dopo il 9 Termidoro.

Il giovane che morì l'8 giugno 1795 nella torre del Temple e fu sepolto nel cimitero di Santa Margherita non era probabilmente il figlio di Luigi XVI; molti sconosciuti tentarono di farsi riconoscere come eredi al trono, ma il mistero di Luigi XVII non è mai stato risolto.

Nel 1808, la torre venne demolita per porre termine ai pellegrinaggi dei monarchici. All'interno delle mura di cinta si allestì poi un mercato di rigattieri, chiamato Carreau du Temple (Piastrella del Temple), perché le merci venivano esposte sul pavimento ricoperto da piastrelle quadrate. Nel 1857, Haussmann allestì il mercato coperto, fece costruire l'edificio di fronte (comune del 3° ar.), ed il giardinetto attuale.

Rue de Franche-Comté – All'incrocio con rue de Turenne si erge l'antica fontana Boucherat (1699). In rue Béranger, ai nn **3** e **5,** oggi una scuola, si trovava la casa dove morì lo chansonnier Béranger (1857).

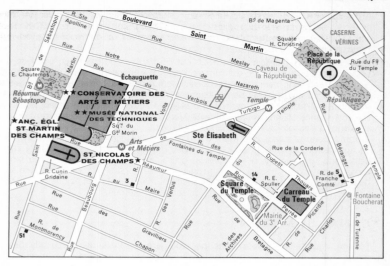

Square, Carreau du Temple – Sulla sinistra, al n° **14** di rue Perrée, si erge l'**hôtel de la Garantie**, dove sono eseguiti i controlli dei metalli e delle pietre preziose. All'uscita del giardinetto, a sinistra del comune, si potrà dare un'occhiata al **Carreau** ⊙.

Église Ste-Élisabeth – *195, rue du Temple*. Eretta tra il 1628 e il 1646 e dedicata a Santa Elisabetta di Ungheria, è di particolare interesse per i cento piccoli **bassorilievi**★ fiamminghi, risalenti agli inizi del 17° sec., disposti intorno al deambulatorio (scene bibliche), provenienti dall'antica abbazia di St-Vaast ad Arras. Oggi è la chiesa dei Cavalieri di Malta.

ARTS ET MÉTIERS

Rue Volta – Al n° **3** si erge una casa a tralicci di legno, del 17° sec., il cui frontone non esiste più.

Maison de l'alchimiste Nicolas Flamel – *51, rue de Montmorency*. Questo scrivano giurato dell'Università e famoso libraio, fondò nel 1407 la Maison d'Aumône (Ospizio dei poveri), probabilmente il più antico di Parigi. I piani inferiori dell'edificio erano dati in affitto a prezzi molto elevati, il che permetteva poi di alloggiare gratuitamente nei piani superiori i poveri, a cui, per sdebitarsi, era richiesta solo la recita di un Padre Nostro e un'Avemaria, come indica una lapide. I negozi di un tempo sono ora occupati da un ristorante.

★ **Église St-Nicolas-des-Champs** ⊙ – Questa chiesa venne fondata nel 12° sec. dal priorato di St-Martin-des-Champs per i servitori del convento ed i contadini dei dintorni, in onore di San Nicola, vescovo di Mira (Asia Minore), vissuto nel 4° sec. L'edificio, ricostruito nel 15° sec., fu poi ampliato nel 16° e 17° sec. Durante la Rivoluzione, divenne tempio del Matrimonio e della Fedeltà. La facciata ed il campanile (restaurati) sono in stile gotico fiammeggiante. Sul lato destro, bel **portale**★ rinascimentale del 1581.

L'interno presenta cinque navate. Le prime cinque campate risalgono al '400. A partire dal pulpito, la volta delle navate laterali diventa più alta, l'arco a tutto sesto sostituisce l'arco spezzato ed i pilastri interni sono scanalati. Il coro e le cappelle laterali custodiscono splendidi dipinti del 17°, 18° e 19° sec. All'altare maggiore un retablo dipinto da Simon Vouet e quattro angeli di Sarazin (17° sec.).

L'*Adorazione dei Pastori* nella Chapelle de la Vierge (da cui si gode una bella vista sulle colonne del doppio deambulatorio) è opera di Coypel; il grande organo è stato rifatto nel 18° sec.

Il suo titolare è ora il maestro Louis Braille. In questa chiesa sono inumate numerose personalità famose: l'umanista Guillaume Budé, il poeta Théophile de Viau, il filosofo ed astronomo Gassendi e Mme de Scudéry, autrice di romanzi eroico-galanti nel '600.

Sulla destra di rue de Turbigo, si erge l'**Ancienne Église St-Martin-des-Champs**★, oggi museo, la cui abside romanica ha subìto numerosi restauri (belli i capitelli). Fiancheggiare il campanile romanico, oggi ridotto al solo piano inferiore, procedendo poi lungo la navata gotica.

★★ **Conservatoire National des Arts et Métiers** – Il conservatorio Nazionale d'Arti e Mestieri è scuola di insegnamento tecnico, museo industriale e laboratorio di prove per l'industria. L'edificio ha conservato la chiesa ed il refettorio del convento di St-Martin-de-Champs, ex priorato benedettino (13° sec.).

Il **Refettorio★★**, oggi adibito a biblioteca, è stato realizzato da Pierre de Montreuil ed è un bellissimo esempio d'arte gotica. All'angolo con la rue de Vertbois sono ancora visibili una garitta di vedetta ed alcune vestigia del muro di cinta del convento risalenti al 1273.

★★ **Musée National des Techniques** ⊘ – *292, rue St-Martin.* Questo museo possiede una bella collezione di macchine e strumenti originali e modelli in scala ridotta. Le sale al pianterreno sono dedicate ai mezzi di locomozione (bicicletta, automobile, aereo e ferrovia) ed alla raccolta sia di strumenti matematici ed astronomici (globi celesti, astrolabi, quadranti solari), che di orologi ed automi. Nella prima sala *(sala 10),* che corrisponde all'interno dell'Église St-Martin-des-Champs *(si veda sopra),* si può osservare il pendolo di Foucault appeso alla volta.

Il primo piano presenta invece la ricostruzione di botteghe di artigiani del 18° sec. ed apparecchi storici e strumenti che illustrano le grandi tappe dei diversi campi della fisica, dall'energia all'elettrofisica, ottica, acustica e meccanica. Sono inoltre esposti vetri e cristalli *(sala 28)* e strumenti musicali *(sala 31).* Le ultime sale sono dedicate alla nascita ed evoluzione dei moderni mezzi di comunicazione: radio, televisione, fotografia, cinema, macchina da scrivere, telefono.

★CANAL ST-MARTIN

Scavato durante la Restaurazione per collegare il canale dell'Ourcq alla Senna, scorre lungo 4,5 km su un dislivello di 25 m, in alcuni punti più in alto della strada. Le sue 9 vecchie chiuse, le passerelle che lo attraversano e le file di alberi che si riflettono nell'acqua conferiscono a questo luogo un fascino tutto particolare. A partire dallo square F. Lemaître, il canale scorre a livello sotterraneo (boulevard Richard-Lenoir) e ricompare solo dopo la place de la Bastille, dove forma la darsena dell'Arsenale, antico fossato delle mura di cinta di Carlo V; oggi è stato riattivato e valorizzato per dare impulso alla navigazione turistica nell'Ile-de-France.

Square des Récollets – Si trova all'altezza della rue de la Grange-aux-Belles ed è particolarmente pittoresco e delimitato da due passerelle. Il fascino di questo luogo ispirò il regista Marcel Carné, che vi ambientò una scena del film *Albergo Nord* (1938), di cui si scorge la facciata.

Hôpital St-Louis – I suoi edifici in mattoni e pietra, separati da cortili fioriti, possiedono alti tetti ripidi ed ornati di abbaini, che ricordano vivamente la place des Vosges e la place Dauphine. In questo antico ospedale nacque la dermatologia francese, come testimonia il **Musée des Moulages** ⊘, che raccoglie oltre 4000 calchi di patologie, utilizzati a fini di studio fino al 1960.

Patibolo di Montfaucon – Un tempo, nel quadrilatero delimitato dal canale e dalle rue Louis-Blanc, de la Grange-aux-Belles e des Écluses-St-Martin, si ergeva un sinistro patibolo, dove potevano essere impiccati contemporaneamente ben

Canal St-Martin

60 condannati. Vi furono uccisi anche i soprintendenti alle finanze Marigny, il costruttore di questo strumento di morte all'epoca di Filippo il Bello, e Montaigu, che lo riparò. Nel 1572 vi fu esposto il cadavere di Coligny. Non venne più usato a partire dal '600, ma scomparve definitivamente solo nel 1760.

Porto turistico di Paris-Arsenal – Questo porto, lungo 540 m e fiancheggiato da giardini a terrazze, può accogliere oltre 200 imbarcazioni.

Rotonde de la Villette – E' uno degli antichi Padiglioni del Dazio costruiti da Ledoux, oggi adibito a deposito per i reperti archeologici.

> **Gita in battello** – *Si veda la sezione dedicata a Parigi sulla Senna nell'INTRO-DUZIONE.*
>
> Il battello supera nove chiuse, di cui quattro doppie: la più bella è l'Écluse des Récollets, il cui nome deriva dalla vicinanza con un antico convento di Francescani recolletti. L'imbarcazione attraversa poi la galleria sotterranea, lunga 1 854 m ed illuminata da lucernari d'aerazione, che fu costruita per volere del barone Haussmann nel 1860. Sotto la volta della Bastiglia, ai due lati del basamento della Colonna di Luglio, è possibile scorgere, passando, le grate della cripta in cui riposano le vittime dei moti del 1830 e del 1848.

Faubourg ST-GERMAIN★★

Carte Michelin n° 12 e 14 (pp. 29 e 30): da H 10 a J 12.

Il «nobile quartiere», situato tra gli Invalides, la rue de Varenne, la rue du Bac e la Senna, possiede diverse dimore d'epoca, oggi sedi di ministeri e ambasciate. Talvolta è possibile intravedere alcune belle facciate edificate da Delisle-Mansart, Boffrand o altri architetti del 18° sec.
Il faubourg St-Germain rappresenta l'estensione di un borgo (un sobborgo per l'esattezza, come indica il nome, *faubourg*) formatosi attorno all'abbazia di St-Germain-des-Prés. Il luogo, sino alla fine del 16° sec., è costituito da terreni agricoli e riserve di caccia, tranne una grande striscia di prato, lungo la Senna (tra l'Istitut e lo Champ-de-Mars attuali), dove gli studenti e gli scrivani delle Scuole e degli studi dei legulei venivano a divertirsi. Dopo lunghe contese con l'Università, l'abbazia deve cederle l'usufrutto di questo terreno. Il luogo prende allora il nome di Prato degli Scrivani (Pré aux Clercs).
Agli inizi del 17° sec., Margherita di Valois, prima moglie di Enrico IV, sottrae all'Università la parte orientale del prato e vi costruisce una vasta dimora, il cui bel giardino costeggia la Senna. L'operazione è fatta in modo così sfacciato che il Lungosenna prende il nome di Malacquis (trasformato poi in Malaquais), che significa «mal acquistato». Alla morte della regina, l'Università tenta di rientrare in possesso del terreno ma, dopo vent'anni di processi, ottiene soltanto che la strada principale del nuovo quartiere porti il proprio nome (rue de l'Université).
Nel 18° sec., il faubourg St-Germain vive il suo grande momento. Nobili e finanzieri vi fanno costruire palazzi che conferiscono alle strade un aspetto particolare: portoni monumentali si susseguono aprendosi su cortili d'onore, in fondo ai quali sorgono le abitazioni; dietro, si stendono vasti giardini.
Queste sontuose dimore vengono chiuse durante la Rivoluzione, per riaprirsi poi solo con la Restaurazione; il loro declino ha tuttavia inizio con Luigi Filippo e Napoleone III, quando la zona alla moda diviene quella degli Champs-Élysées.
L'apertura del boulevard St-Germain e del boulevard Raspail comporta la demolizione di alcuni vecchi palazzi. I più begli edifici sono oggi utilizzati dallo Stato francese o dai governi stranieri per ospitarvi i propri diplomatici. Alcune arterie (rue de Lille, de Grenelle, de Varenne) ricordano ancora l'antico borgo.

Passeggiando per il faubourg

★★★ **Viste** – Dal centro del pont de la Concorde, raddoppiato in larghezza nel 1932, si gode di un notevole panorama lungo il fiume ed oltre place de la Concorde, fino alla Madeleine.

★ **Palais-Bourbon** ⊙ – *128, rue de l'Université / quai d'Orsay.* Nel 1722, la duchessa di Borbone, figlia di Luigi XIV e di Mme de Montespan, fa costruire, in rue de l'Université, un palazzo i cui magnifici giardini degradano in terrazze sino alla Senna.
Luigi XV l'acquista nel 1756 per farne un elemento decorativo della piazza della Concordia. Nel 1764 lo vende al principe di Condé che lo abbellisce. L'**hôtel de Lassay**, contiguo, viene incorporato e prende il nome di Petit-Bourbon (Piccolo-Borbone). Diviene la residenza ufficiale dei presidenti dell'Assemblea Nazionale a partire dal 1879.

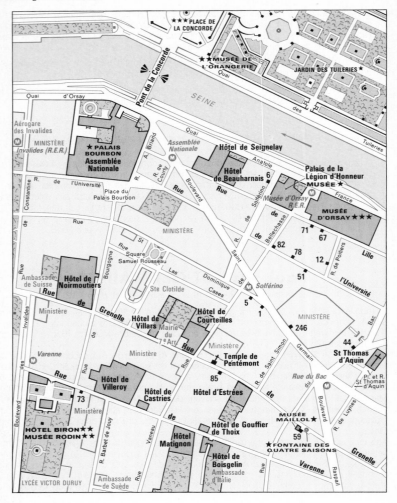

Lo scoppio della Rivoluzione coincide con il termine dei lavori. Il palazzo viene confiscato e serve al Consiglio dei Cinquecento per il quale viene costruita una sala delle sedute.

Dal 1794 al 1804, l'hôtel de Lassay e le dipendenze ospitano la Scuola Politecnica. Nel 1807 Napoleone fa erigere, da Poyet, l'attuale facciata sulla Concordia, in armonia con il peristilio greco della Madeleine.

Durante la Restaurazione il palazzo viene restituito ai Condé per poi essere riacquistato nel 1827 al fine di sistemare la sala delle sedute per il Corpo Legislativo.

Esterno – Sulla facciata di stile antico, il portico possiede un frontone allegorico scolpito da Cortot (1842). Le statue (copie) di Minerva e Temi risaltano rispetto a quelle in primo piano: Colbert, d'Aguesseau, il cancelliere de l'Hospital e Sully. Ai muri delle ali laterali, si trovano bassorilievi allegorici realizzati da Rude *(a destra)* e da Pradier *(a sinistra)*.

Imboccare, a sinistra, la rue Aristide-Briand che conduce alla place du Palais-Bourbon. Questo lato presenta una serie di edifici del 18° sec.

Interno – Numerose sale sono ornate di dipinti e sculture. Si notino la sala dei Passi Perduti (soffitto di Horace Vernet), il salone Casimir-Périer (bassorilievo in bronzo di Dalou raffigurante la risposta di Mirabeau alla seduta degli Stati Generali del 23 giugno 1769) e soprattutto la bellissima **biblioteca★★**, magnificamente decorata da Delacroix (1838-1847), che vi ha dipinto la *Storia della Civiltà*. La biblioteca conserva i busti di Voltaire e Diderot, opera di Houdon, ed anche un manoscritto (con il sigillo del vescovo Cauchon), che sarebbe l'originale del resoconto del processo a Giovanna d'Arco. Durante la visita se ne può vedere una copia.

Sala delle Sedute – *Per assistere ad una seduta, presentarsi al 33, quai d'Orsay prima del suo inizio o inviare una richiesta scritta ad un deputato.*
Il presidente, seduto dietro alla scrivania appartenuta un tempo al Consiglio dei Cinquecento e proveniente dal castello di St-Cloud, dirige i dibattiti dell'**Assemblea Nazionale** di fronte all'emiciclo dove i 577 deputati si riuniscono al completo solo durante le grandi occasioni. La suddivisione tra i gruppi politici dipende dalla loro ubicazione rispetto al presidente; il pubblico pertanto vede la «Sinistra» a destra e viceversa. Il governo è sempre rappresentato in prima fila, davanti alla tribuna dove si alternano gli oratori.

Rue de Lille – La strada prese il nome quando la Convenzione volle onorare l'eroica resistenza di Lille agli attacchi austriaci (autunno del 1792). E' una via molto caratteristica del «nobile quartiere» dove il tempo sembra quasi non essere trascorso. I due bei palazzi, situati ai nn 80 e 78, furono costruiti, nel 1714, dall'architetto Boffrand: l'**hôtel de Seignelay** (sede del Ministero del Commercio, dell'Artigianato e dei Servizi), abitato inizialmente dal nipote di Colbert, appartenne in seguito al duca di Charost, precettore del giovane Luigi XV e aristocratico filantropo, che fu salvato dalla ghigliottina, durante il Terrore, dai propri contadini ed ex vassalli; nel 1839 fu dimora del maresciallo Lauriston, discendente del banchiere Law.
Accanto, l'**ex-hôtel de Beauharnais** ricevette il nome del principe Eugenio, figliastro di Napoleone, che lo acquistò nel 1803 e lo decorò sontuosamente per sé e per sua sorella, la regina Ortensia. Nel 1818, il palazzo fu acquistato dal re di Prussia e divenne legazione di tale stato, poi ambasciata tedesca. Restaurato, è oggi la residenza degli ambasciatori della Repubblica Federale Tedesca.
In **rue de Solferino**, al n° **6**, visse Jules Romains, dal 1947 sino alla morte, avvenuta nel 1972.

Palais de la Légion d'Honneur – *L'ingresso è in rue de Bellechasse al n° 2.* L'**hôtel de Salm** fu costruito nel 1786 dall'architetto Pierre Rousseau per il principe tedesco Federico di Salm Kyrbourg.
Dopo la morte del principe, ghigliottinato durante il Terrore, il palazzo è dato in affitto a Claude Leuthreau, personaggio stravagante. L'affittuario successivo Collin Lacombe fu uno dei fondatori del Club Costituzionale, le cui riunioni si tenevano nel palazzo. Mme de Staël, che ne fu la musa ispiratrice, vi si recò spesso. Nel 1804 l'edificio viene acquistato da Napoleone e diviene il Palazzo della Legion d'Onore. Incendiato durante la Comune nel 1871, è stato restaurato a spese dei Legionari. Sulla facciata posteriore, quai Anatole-France, un grazioso padiglione semicircolare contrasta con la severità dell'edificio.

★ **Musée de la Légion d'Honneur** ⊙ – Il museo della Legion d'Onore e degli ordini di cavalleria presenta i cimeli degli ordini cavallereschi e nobiliari dell'Ancien Régime (l'ordine della Stella, di San Michele, di Santo Spirito, di San Luigi); vi è poi testimoniata la creazione della Legion d'Onore da parte del Primo Console (19 maggio 1802) nonché il suo rapido sviluppo, dall'Impero sino ai giorni nostri, attraverso medaglie, quadri, uniformi, armi, manoscritti. Le sale successive sono dedicate alle altre onorificenze militari e civili della Francia e agli ordini dei paesi stranieri.

Di fronte all'ingresso del Palais de la Légion d'Honneur sorge l'ex stazione d'Orsay, trasformata nell'omonimo museo *(si veda alla voce).*
Riprendere la rue de Lille ove, al n° **71**, si erge l'**hôtel de Mouchy** (1775) mentre al n° **67**, l'**hôtel del Presidente-Duret** (1706). Imboccare a destra la **rue de Poitiers**; al n° **12**, l'**hôtel de Poulpry** (1700), dove, nel 1850, si riuniva il partito monarchico, detto «Comitato della via di Poitiers». Voltare a destra nella **rue de l'Université**, antica via principale del quartiere, ai cui lati si trovano interessanti palazzi: al n° **51**, l'**hôtel de Soyecourt** (1707); al n° **78**, edificio costruito nel 1687; al n° **82**, una targa ricorda che qui dimorò Lamartine, dal 1837 al 1853.

Rue St-Dominique – Prima che l'apertura del viale St-Germain ne eliminasse una parte, questa via, che deve il proprio nome a un antico noviziato dei Domenicani, era tra le più interessanti del quartiere. All'incrocio della via con il boulevard St-Germain si scorge poco oltre, sul lato sinistro, il Ministero della Difesa, un grande edificio che ha inglobato l'**hôtel de Brienne**, a sua volta composto da due palazzi ed un convento. Al n° **5** di rue St-Dominique l'**hôtel de Tavannes** presenta una bella porta a volta arrotondata, sormontata da una conchiglia e da un frontone triangolare. Mme Swetchine, durante la prima metà del 19° sec., vi tenne un salotto frequentato da Lacordaire e Montalembert. Il disegnatore Gustave Doré vi morì nel 1883. All'interno ⊙ si può vedere una tromba di scale con ringhiera in ferro battuto. Al n° **1**, si trova l'**hôtel de Gournay** (1695).
Immettendosi nel **boulevard St-Germain** si incontra, al n° **246**, l'ex hôtel de Roquelaure (bello il cortile d'onore), residenza di Cambacérès, poi sede del Consiglio di Stato. Oggi ospita il Ministero degli Affari Esteri e della Segreteria di stato per la città che si estende anche al n° 244.

Rue du Bac – Al n° **44** visse André Malraux, scrittore famoso per aver scritto, nel 1933, *La condizione umana*, che gli valse il premio Nobel per la letteratura.

Église St-Thomas-d'Aquin – E' l'ex cappella del noviziato generale dei Domenicani. La sua costruzione fu avviata nel 1682, in stile gesuita, su progetto di Pierre Bullet. La facciata fu completata solo nel 1769. All'interno si possono ammirare quadri del 17° e 18° sec. Il soffitto della cappella absidale, dipinto da Lemoyne nel 1723, rappresenta la *Trasfigurazione di Cristo*. La sagrestia è ornata di rivestimenti lignei in stile Luigi XV.

Rue de Grenelle – Conserva numerosi antichi palazzi. È ornata dalla **Fontana delle Quattro Stagioni★** (Fontaine des Quatre-Saisons), scolpita da Bouchardon dal 1739 al 1745 e commissionata dal prevosto dei mercanti Turgot, padre del famoso ministro di Luigi XVI, per rispondere a numerose lamentele: il nobile quartiere era infatti quasi privo d'acqua. Un avancorpo, a colonne ioniche, è ornato di una statua raffigurante la Città di Parigi seduta, ai cui piedi sono distese la Senna e la Marna. Le ali sono decorate con i geni delle Stagioni e con splendidi bassorilievi dove alcuni putti si dedicano ai lavori tipici delle diverse stagioni.

Al n° **59**, attuale hôtel Bouchardon, abitò Musset dal 1824 al 1839. Qui scrisse la maggior parte dei suoi lavori teatrali *(I capricci di Marianna, Lorenzaccio)* e dei «canti disperati». L'hôtel ospita attualmente il Musée Maillol.

★ **Fondation Dina-Vierny – Musée Maillol** ⊘ – *59-61 rue de Grenelle*. La collezione privata di Dina Vierny, modella di Maillol e nota commerciante d'arte, non comprende solo le sculture e i dipinti dell'artista catalano **Aristide Maillol** (1861-1944), ma anche di molti suoi contemporanei: Bonnard, Cézanne, Degas, Duchamps, Dufy, Gauguin, Kandinskii, Renoir, Rousseau, Poliakoff. Questo piccolo gioiello di arte contemporanea viene completato da una collezione di arte russa contemporanea che include la «cucina» ricreata da Ilya Kabakov. Di origine russa, Dina Vierny fu strumento essenziale nell'introdurre gli artisti sovietici nel mercato europeo degli anni '70. La fondazione ha anche donato 18 bellissimi nudi femminili in bronzo di Maillol ora ai giardini delle Tuileries.

Al n° 79, il grande **hôtel d'Estrées** risale al 1713. Al n° **85**, l'**hôtel d'Avaray** (1728) è proprietà dello Stato olandese. Il **Temple de Pentémont**, con la sua cupola ionica del 1750, costituisce l'ex cappella di un convento, occupato poi dalle Guardie imperiali ed oggi sede del Ministero degli Ex Combattenti. Al n° 110, l'**hôtel de Courteilles** (1778), che domina la via con la sua immensa facciata, ospita il Ministero dell'Educazione Nazionale. Al n° 116, il palazzo costruito nel 1709 per il maresciallo de Villars è stato molto rimaneggiato e ospita il municipio del 7° arrondissement. Accanto (n° 118), il piccolo **hôtel de Villars** (1712) è più discreto, ma molto elegante con le sue due finestre ovali circondate da ghirlande. Al n° 136 sorge l'**hôtel de Noirmoutiers** (1722), ex sede dello Stato Maggiore dell'Esercito: il maresciallo Foch vi morì il 20 marzo 1929. Attualmente è la residenza del prefetto della regione dell'Ile-de-France.

Rue de Varenne – Tracciata su una garenna (il termine diventerà poi Varenne) appartenuta un tempo all'abbazia di St-Germain-des-Prés, possiede anch'essa, come la rue de Grenelle, numerosi splendidi palazzi: l'hôtel Biron (n° **77**) che ora ospita il musée Rodin *(si veda Les INVALIDES)*, al n° **73**, il grande **hôtel de Broglie** (1735), ai nn **80-78** l'**hôtel de Villeroy** (1724), oggi Ministero dell'Agricoltura; al n° 72, il grande **hôtel de Castries** (1700).

Il più celebre è certamente l'**hôtel Matignon** (n° 57): costruito nel 1721 da Courtonne per il mare-

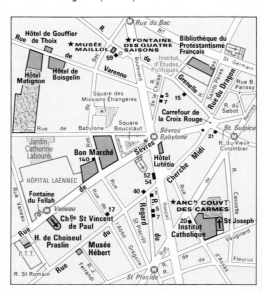

sciallo di Montmorency-Luxembourg, è stato molto rimaneggiato. Proprietà di Talleyrand dal 1808 al 1811, poi di Madame Adelaide, sorella di Luigi Filippo, ospitò, dal 1884 al 1914, l'ambasciata austro-ungherese. Riacquistato dal governo francese, divenne, nel 1935, la sede del Presidente del Consiglio. Dal 1958 è la residenza del Primo Ministro.

Al n° 56, l'**hôtel de Gouffier-de-Thoix** possiede un magnifico portale sormontato da una conchiglia scolpita. Al n° 47 sorge l'**hôtel de Boisgelin**, attualmente l'Ambasciata italiana.

SÈVRES-BABYLONE

E' l'area che si estende a sud del faubourg St-Germain. E' ricca di negozi ed è una zona residenziale di Parigi.

Rue de la Chaise – Ai nn **5-7** si trova l'ex hôtel Vaudreuil, donato da Napoleone ai Borghese, suoceri di sua sorella Paolina. Di fianco sorgeva il convento dell'Abbazia dei Boschi (Abbaye aux Bois), famoso perché ospitava il salotto letterario di Mme Récamier e Chateaubriand.

Carrefour de la Croix-Rouge – L'incrocio era probabilmente il sito di un antico tempio pagano dedicato a Iside. Nel 16° sec. venne eretta una croce per seppellirne il ricordo. Da qui il nome. La statua bronzea del *Centauro* è di César, famoso per le statuine che portano il suo nome e date come premio per l'omonima rassegna cinematografica.

La fontaine du Fellah, rue de Sèvres

Hôtel Lutétia – *45, boulevard Raspail.* Costruito nel 1907 da Louis Boileau e Henri Tanzin, presenta una facciata decorata da ghirlande e grappoli d'uva scolpiti da Léon Binet e **Paul Belmondo**. L'interno, in stile rétro con un lampadario di Lalique, è stato rifatto dalle stiliste Sonia Rykiel e Sybille de Margerie nel 1983.

Prigione dello Cherche-Midi – *52-54 boulevard Raspail.* Dal 1853 al 1954 qui sorgeva una prigione ove, nel 1894, venne rinchiuso il capitano Dreyfus, accusato di aver venduto informazioni militari ai tedeschi. Il caso Dreyfus sollevò un aspro dibattito sui pregiudizi religiosi ed i diritti dell'uomo che portò alla formazione di un partito di sinistra (1899). Durante la seconda guerra mondiale, la prigione fu usata per interrogatori.

Rue de Sèvres – Al n° 22 il **Bon Marché** è il primo grande magazzino di Parigi, aperto nel 1852 da Aristide Boucicaut nel luogo in cui, in precedenza, sorgeva uno dei tre lebbrosari della città.

Alle spalle, al n° **140** di rue du Bac, si trova la Chapelle Notre-Dame-de-la-Médaille-Miraculeuse dove, nel 1830 la Vergine apparve ad una novizia. Vi risiedono le religiose di San Vincenzo de Paoli. Poco più avanti in rue de Sèvres si incontra la **fontaine du Fellah**, del 1806, di fronte alla **chapelle St-Vincent-de-Paul** che custodisce la teca di San Vincenzo de' Paoli, sacerdote e missionario fondatore dell'Opera dei Tovatelli.

Musée Hébert ⊘ – Ospitato in un bell'hôtel del 18° sec., ospita opere dell'omonimo pittore romantico (1817-1908), tra cui paesaggi italiani, una serie di ritratti femminili e disegni.

Il caso Dreyfus

L'*affaire* Dreyfus si inserisce nel clima politico acceso che caratterizza la storia francese degli ultimi anni dell'800. Nato da un'accusa basata solo su prove vaghe (la somiglianza della scrittura di Dreyfus con quella di una lista contenente informazioni militari riservate, trovata nelle mani di un maggiore tedesco), il caso si trasforma ben presto in un dibattito politico tra l'ala conservatrice, monarchica, e quella sinistra repubblicana. La prima vuole una condanna esemplare, la seconda sostiene invece l'innocenza di Dreyfus accusando la destra di antisemitismo (Dreyfus era ebreo). Il militare viene condannato e deportato. Qualche anno dopo, Émile Zola pubblica *J'accuse*, lettera in cui accusa le alte gerarchie militari di avere prodotto prove false: il caso viene riaperto. Dopo una seconda condanna ed una attenuazione della pena, Dreyfus viene infine liberato e riabilitato nel 1906.

Maison de Laënnec – Si trova al n° **17** di rue de l'Abbé-Grégoire ed è l'abitazione di **René Laënnec**, inventore dello stetoscopio. Il vicino ospedale che una volta si occupava delle malattie incurabili porta il suo nome.

Hôtel de Rochambeau – E' al n° **40** di rue du Cherche-Midi. E' stata l'abitazione del comandante dell'esercito inviato nel 1780 da Luigi XVI a sostegno degli americani durante la guerra d'indipendenza contro l'Inghilterra.

QUARTIER DES CARMES

L'ordine delle Carmelitane è originario del Monte Carmel in Palestina. Dopo la riforma attuata da S. Teresa d'Avila, diviene noto come l'ordine delle Carmelitane Scalze.

★ **Ancien Couvent des Carmes** ⊙ – *70, rue de Vaugirard*. L'antico convento dei Carmelitani viene fondato nel 1610 dai Carmelitani Scalzi provenienti dall'Italia, che, nel giardino, coltivano la melissa, destinata alla fabbricazione della famosa «Acqua dei Carmelitani». Il 30 agosto 1792, la Patria è dichiarata in pericolo; il 2 settembre i preti ed i realisti sono massacrati. Il convento vede scorrere il sangue di 115 religiosi. Durante il Terrore, l'edificio, adibito a carcere, accoglie 700 prigionieri, di cui 120 verranno ghigliottinati. Nel 1797, una religiosa, Mlle de Soyecourt, riscatta la proprietà per ospitarvi un gruppo di Carmelitane.

Dal 1613 al 1620 si procede alla costruzione dell'**Église St-Joseph-des-Carmes** che, realizzata sul modello delle chiese barocche romane, è il primo edificio a Parigi in stile gesuita. In alcune cappelle è ancora possibile ammirare una interessante decorazione Luigi XIII. Sulla sinistra del transetto, mirabile **Madonna**★ del Bernini. Il massacro della maggioranza dei preti refrattari avvenne nel giardino.

Nella cella dove furono rinchiuse Giuseppina Beauharnais, Mme Tallien e Mme d'Aiguillon sono ancora visibili alcune tracce di sangue e scritte sui muri. Nella cripta sono raccolte le ossa delle vittime del massacro; nelle altre cripte si trovano la lapide funeraria di Mlle de Soyecourt e le tombe di Ozanam e del cardinale Baudrillart, un tempo rettore dell'Istituto Cattolico.

ST-GERMAIN-DES-PRÉS★★

Carte Michelin Parigi n° 12 e 14 (pp. 30, 31): J 12, J 13 – K 13.

Questo vecchio quartiere della riva sinistra della Senna gode di una grande fama sia per la sua bella chiesa che per le stradine con i numerosi negozi di antiquariato. Molto vivace è anche la vita notturna che vi si svolge.

★★ ABBAYE DE ST-GERMAIN-DES-PRÉS

Una potente abbazia – Childeberto, figlio di Clodoveo, porta da una spedizione in Spagna (542) un frammento della Croce e la tunica di San Vincenzo. Per custodire queste reliquie fa erigere un monastero in mezzo ai campi, dove verrà sepolto. Nel 576 qui sarà inumato anche San Germano, vescovo di Parigi; la chiesa prende allora il nome di St-Germain-des-Prés (San Germano dei Prati).

Accoglierà le spoglie dei sovrani merovingi (eccetto Clodoveo, inumato sulla collina di Santa Genoveffa), fino alla morte di Dagoberto (639), che invece vorrà essere seppellito a St-Denis.

Dall'8° sec., St-Germain-des-Prés è abbazia benedettina. L'abate, dal punto di vista temporale, rappresenta la massima autorità, mentre, sul piano spirituale, è sottoposto solo al potere papale.

In quarant'anni, il monastero è distrutto quattro volte ad opera dei Normanni. La chiesa attuale è ricostruita dal 990 al 1021; il coro, ampliato poco dopo, è consacrato personalmente da papa Alessandro III, nel 1163. Il vescovo di Parigi non può assistere alla cerimonia, poiché l'abate rifiuta di celebrare l'ufficio in sua presenza per sottolineare la propria indipendenza dal potere centrale.

Il chiostro ed il refettorio, gotici, e soprattutto la chapelle de la Vierge, opera di Pierre de Montreuil, ne fanno uno dei più bei complessi monastici del Medioevo.

Nel 14° sec. l'abbazia viene cinta da mura merlate e da torri. Questa fortificazione è demolita alla fine del 17° sec. ed al suo posto sono costruite abitazioni. Ad ovest nasce così il «nobile quartiere», il faubourg St-Germain.

Un centro di erudizione – La regola di Cluny, seguita dall'11° al 16° sec., perde rigore e severità quando i re innalzano gli abati commendatari, spesso non appartenenti al clero, al rango di principi e cardinali. L'abbazia è quindi riformata due volte, nel 1515 e 1631: i monaci si affiliano allora all'austera congregazione di San Mauro, che, fino al 1789, ne preserverà la spiritualità e l'amore per le scienze e l'erudizione.

Grazie all'intenso lavoro intellettuale di questi Benedettini, l'abbazia diviene un centro molto importante per gli studi storici. I monaci posero le basi per lo studio delle iscrizioni (epigrafia) e delle scritture antiche (paleografia), dei Padri della Chiesa (patristica), dell'archeologia, degli archivi e documenti del Medioevo.

Il declino – Durante la Rivoluzione, l'abbazia è chiusa e la ricca biblioteca è confiscata; nella chiesa viene allestita una raffineria di salnitro e le tombe dei re sono spogliate. Quasi tutte le costruzioni sono vendute, demolite o incendiate.

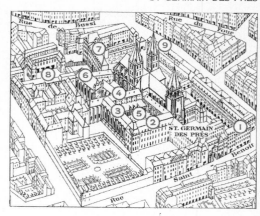

St-Germain-des-Prés nel 1734

1) Casa in affitto
2) Sale degli ospiti
3) Refettorio
4) Capitolo
5) Chiostro principale
6) Cappella della Vergine
7) Palazzo abbaziale
8) Scuderie
9) Prigione

Nonostante gravi infiltrazioni, la navata è salvata sotto la Restaurazione, perdendo tuttavia le due torri del transetto. Dal 1841 al 1863 si procede ad una nuova decorazione con affreschi dipinti da Flandrin.

Esterno – Dall'11° sec. la bella chiesa abbaziale romanica ha subìto notevoli modifiche. Dei tre campanili di un tempo rimane solo la massiccia torre della facciata, una delle più antiche di Francia. Il piano superiore con serie di arcate, rifatto nel 12° sec., fu restaurato da Baltard nel 19° sec. e contemporaneamente fu aggiunta la guglia attuale. Il portico originario è nascosto dal portale esterno, risalente al 1607. Sulla destra si apre un presbiterio del 18° sec. Alla base del coro sono state abbattute le altre due torri quadrangolari, i cui piani minacciavano di cadere.

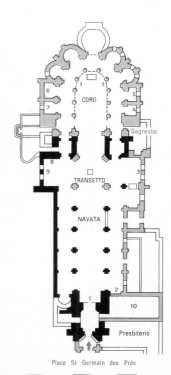

Place St- Germain des Prés

■ 11° S.   ▨ 12° S.   ▨ 17° S.

Il coro, ricostruito verso la metà del 12° sec., è contemporaneo a Notre-Dame. I contrafforti originari sono stati rinforzati con una bella serie di archi di spinta.

Il piccolo giardinetto che costeggia il fianco destro occupa il luogo dove si trovava il cimitero dei monaci. Nel 18° sec. era fiancheggiato dalla prigione dell'abbazia e, nel settembre 1792, vide compiersi il massacro dei 318 religiosi che vi erano rinchiusi.

Il rilievo in ceramica sul muro posteriore è stato realizzato dalla Manifattura di Sèvres che lo utilizzò per ornare il proprio padiglione all'esposizione del 1900.

Interno ⊘ – La chiesa, un tempo conventuale e non parrocchiale, è lunga 65 m, ha una larghezza di 21 m ed un'altezza di 19 m. Il restauro del 19° sec. ha coperto le volte, i muri ed i capitelli con una decorazione multicolore che non consente di apprezzare le proporzioni architettoniche ed i dettagli delle sculture.

Sotto il portico con volta a botte, sulla destra, in un piccolo santuario merovingio furono accolte le spoglie di San Germano; qui oggi si trova la **chapelle St-Symphorian** ⊘ dove gli scavi hanno portato alla luce alcuni sarcofaghi decorati, in pietra o gesso. E' stato inoltre trovato un frammento di fondamenta.

La navata e il transetto romanici possedevano soffitti lignei, sostituiti nel 1646 da volte gotiche, simili a quelle del coro. I capitelli scolpiti sono copie di quelli originari dell'11° sec., custoditi al museo di Cluny.

Sopra ogni arcata, Flandrin, allievo di Ingres, ha dipinto due composizioni un po' accademiche: ad una scena del *Nuovo Testamento* fa riscontro un episodio del *Vecchio Testamento* (ad esempio la *Resurrezione* e *Giona che esce dal ventre della balena*).

Il coro e il deambulatorio hanno conservato quasi interamente l'architettura del 12° sec. Le arcate, che in parte sono ancora a tutto sesto, sostenevano un tempo una serie di tribune, come a Notre-Dame; nel 1646 furono trasformate in triforio a scopo esclusivamente decorativo. I fusti di marmo, riutilizzati nelle colonnine del triforio, provengono dall'edificio di Childeberto: hanno ben 14 secoli di storia e rappresentano, con i resti ritrovati nella cappella di San Sinforio e a Notre-Dame, le uniche vestigia merovinge di Parigi.

La maggior parte dei capitelli del coro raffigura elementi tradizionali del periodo romanico: fogliame, uccelli, mostri.

1) Moderna cancellata di Raymond Subes.
2) Nostra Signora della Consolazione (1340).
3) Tomba dei fratelli Castellan, opera di Girardon (17° sec.).
4) Mausoleo di Jacques Douglas (17° sec.).
5) Pietre sepolcrali di Cartesio e degli eruditi benedettini Mabillon e Montfaucon.
6) Pietra sepolcrale di Boileau (prima inumato nella Ste-Chapelle).
7) Tomba di Guillaume Douglas, gentiluomo scozzese al servizio di Enrico IV.
8) San Francesco Saverio, statua di N. Coustou.
9) Tomba di Giovanni Casimiro, re di Polonia, divenuto abate commendatario di St-Germain-des-Prés e morto nel 1672 (opera di Gaspard Marsy).
10) Cappella di San Sinforio *(chiusa)*.

★ IL QUARTIERE

Rue de l'Abbaye – Nel piccolo giardinetto, all'angolo della place St-Germain-des-Prés si erge una scultura di Picasso, *Omaggio ad Apollinaire*, collocata tra alcuni frammenti della chapelle de la Vierge, costruita da Pierre de Montreuil nel Medioevo e demolita nel 1802; il portale di tale cappella è conservato al museo di Cluny.

Ai nn **14** e **12** sorgeva lo stupendo refettorio costruito nel 1239 dallo stesso Pierre de Montreuil e distrutto da un incendio nel 1794. Il n° 11 era occupato un tempo dalla sala del Capitolo.

Palazzo abbaziale – L'antico palazzo abbaziale (n° 5) è un'imponente costruzione in pietra e mattoni, eretta nel 1586 dal cardinale abate Carlo di Borbone; già capo della Lega cattolica, fu proclamato re ed assunse il nome di Carlo X (1589). Regnò tuttavia per un periodo molto breve: morì infatti l'anno successivo, prigioniero di suo nipote Enrico IV, a Fontainebleau. Il palazzo fu rimaneggiato nel 1699 dal Cardinale di Fürstemberg.

Nel 1797 venne venduto come bene nazionale; grazie ad alcuni lavori di restauro è stato possibile ripristinare l'aspetto originario del padiglione d'angolo e della facciata rinascimentale, la cui austerità è attenuata dalla presenza di finestre a doppia croce e, sul piano superiore, dall'alternanza di frontoni rotondi e triangolari. L'edificio ospita attualmente l'Istituto di Studi agostiniani.

★ **Rue de Fürstemberg** – Questa vecchia stradina, di aspetto molto caratteristico, con la piazzetta ombreggiata da paulonie ed i lampioni bianchi, fu creata dall'omonimo cardinale nel 1699, sottraendo terreno al cortile delle scuderie dell'abbazia, conservate ancora in parte ai nn 6 e 8.

Musée Eugène-Delacroix ⊙ – Delacroix (1798-1863) stabilì il proprio atelier al n° **6**, dove trascorse gli ultimi anni di vita. Il museo raccoglie opere e ricordi del maestro della scuola romantica francese.

Rue Cardinale – Venne aperta nel 1700 da Fürstemberg, dove si trovava il gioco della pallacorda del monastero. Dal n° 3 al n° 9 si allineano vecchie case. L'incrocio tra la rue de l'Échaudé (1388) e la rue de Bourbon-le-Château è molto caratteristico.

Rue de l'Échaudé – Fino al 1870, qui esisteva un incrocio di stradine (eliminato in seguito all'apertura del boulevard St-Germain), dove l'abbazia aveva innalzato una gogna e un patibolo per punire coloro che commettevano delitti o furti sulle sue terre. La gogna fu soppressa da Luigi XIII nel 1636.

L'antica fiera di Saint-Germain – Dopo aver attraversato il boulevard St-Germain e la rue du Four, imboccare la rue de Montfaucon che conduceva un tempo alla fiera di Saint-Germain. Il terreno è stato soprelevato, come testimoniano le case ai nn **6, 8** e **10** della rue Mabillon, sulla destra (disposte più in basso), collegate alla strada da passerelle.

Questa fiera annuale fu fatta allestire nel 1482 da Luigi XI, a beneficio dell'abbazia di St-Germain-des-Prés; fino alla Rivoluzione svolse un ruolo molto importante nell'economia parigina. Nel 1790 essa è soppressa e sostituita, nel 1818, dal mercato di St-Germain.

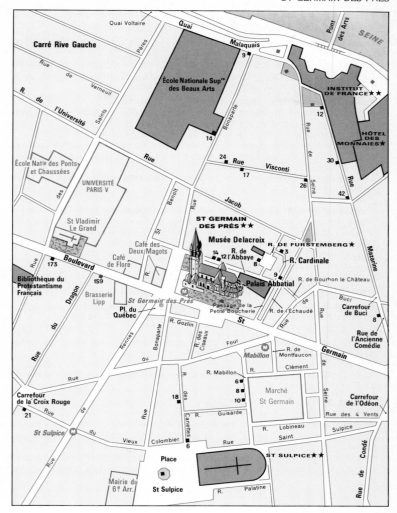

Rue Guisarde – Aperta agli inizi del 17° sec., prende probabilmente il nome dai partigiani dei Guisa che, all'epoca della Lega, si riunivano non lontano da qui.

Place du Québec – L'acqua della fontana, opera di Charles Daudelin, riproduce l'effetto dello scioglimento delle nevi che provoca la formazione di grossi blocchi di ghiaccio.

Boulevard St-Germain – Vicino alla place St-Germain-des-Prés, sulla destra, si affacciano il café des Deux-Magots ed il café de Flore, dove, un tempo, si davano appuntamento famosi letterati ed artisti della riva sinistra. Di fronte, la birreria Lipp (n° **151**) è oggi frequentata da scrittori, uomini politici ed altre personalità famose. Sullo stesso lato del viale esistono ancora palazzi patrizi del 18° sec., in particolare ai nn **159** e **173.**

Il quartiere degli Antiquari – Tra il boulevard e la Senna si snodano molte strade su cui si affacciano numerosi negozi d'arte e di antiquariato (rue des Saints-Pères, Jacob, Bonaparte e rue de Seine). Nel **Carré Rive Gauche** (rue des Sts-Pères, de l'Université, du Bac e quai Voltaire), sono organizzate ogni anno, a maggio «le 5 giornate dell'oggetto straordinario» *(si vedano le Principali Manifestazioni).*

Rue des Sts-Pères – Vi si trova la vecchia chapelle St-Pierre (17° sec.), che, un tempo, apparteneva al famoso Ospedale della Carità. Per deformazione, il nome è divenuto Saints-Pères. Oggi la cappella è dedicata a San Vladimiro il Grande (culto cattolico ucraino). Al n° 28, un palazzo del 18° sec. ospita oggi la scuola nazionale dei Ponti e delle Strade. Di fronte, gli edifici dell'Università di Parigi V (la porta in bronzo è di Paul Landowski) occupano il posto del vecchio ospedale della Carità.

Rue de l'Université – Al n° 13 si trova l'École nationale d'Administration (ENA), che ha formato molti importanti funzionari dello Stato francese.

Quai Malaquais – Al n° **19** (targa al n° 15) nacque lo scrittore Anatole France (1844-1924).
Oltre l'École Nationale des Beaux-Arts *(si veda sotto)*, all'angolo con la rue Bonaparte si erge una casa in mattoni e pietra (n° **9**), che risale al 17° sec.; in essa l'abate Prévost ambientò alcune scene di Manon Lescaut.

École Nationale des Beaux-Arts – *17, quai Malaquais.* Nel 1608, Margherita di Valois, la regina Margot, prima moglie di Enrico IV, fondò in questo luogo un convento; la regina aveva fatto voto di consacrare infatti un monastero al patriarca Giacobbe se avesse potuto ritrovare la libertà. Esaudito questo voto, il convento ospita monaci dell'ordine di Sant'Agostino, chiamati Piccoli Agostiniani. Nel 1791, il convento viene chiuso e l'edificio è adibito a deposito delle opere d'arte provenienti dai monumenti distrutti o sconsacrati.
L'archeologo Lenoir vi fonda il Museo dei Monumenti Francesi, che ha ospitato oltre 1 200 piccoli busti e statue. Grazie al suo lavoro, è stato possibile conservare parte dei tesori della basilica di San Dionigi, del Louvre, di Versailles e di molte altre chiese. Il museo è stato chiuso nel 1816 e sostituito dalla Scuola di Belle Arti. Gli architetti Debret e Duban lasciarono in piedi solo la chiesa ed il chiostro. Nel 1860, la scuola accorpa l'**hôtel de Conti** *(11, quai Malaquais)* e, nel 1885, anche l'hôtel de Chimay (15 e 17 dello stesso Lungosenna).

Visita – Al n° **14** della rue Bonaparte è possibile vedere il cortile ed alcuni monumenti, in particolare un portale proveniente dal castello di Anet, frammenti dell'hôtel Legendre, demolito nel 1841, ed alcuni bassorilievi dell'ala sud del Louvre. Negli altri cortili e gallerie sono esposti calchi e copie.

Rue Bonaparte – Segue lo stesso percorso di un canale che, un tempo, faceva confluire l'acqua della Senna nei fossati dell'Abbaye St-Germain-des-Prés.

Rue Visconti – Questa stretta via era chiamata, nel corso del '500, la «piccola Ginevra», poiché era la residenza di numerosi protestanti, tra cui Bernard Palissy. Al n° **24** morì **Racine** (1699), mentre al n° **17** Balzac aveva allestito, nel 1826, una stamperia, ben presto fallita. Questo edificio fu anche l'atelier di Delacroix, dal 1836 al 1844. Notare, sulla destra, al n° **26** della rue de Seine, l'insegna del Petit-Maure, famoso cabaret del 17° sec.

★★ **Institut de France** – La famosa cupola lo rende visibile già da lontano. Le mura di cinta di Filippo Augusto, anteriori all'attuale edificio, terminavano in questo punto e, sul lato della Senna, erano difese dalla **tour de Nesle**, resa celebre da un dramma di Alexandre Dumas; questo luogo è oggi occupato dal padiglione sinistro dell'Istituto (verso la Zecca). Quando, nel 1661, il cardinale Mazzarino, tre giorni prima di morire, distribuisce le sue immense ricchezze, decide di lasciare 2 milioni di franchi per costruire un collegio destinato ad ospitare sessanta studenti, provenienti dalle province accorpate

L'Institut de France

alla Francia durante il suo ministero: Piemonte, Alsazia, Artois (Fiandre) e Roussillon (Spagna). I lavori iniziano nel 1663: il collegio, detto delle Quattro Nazioni, è inaugurato nel 1688 e sarà chiuso nel 1790. Gli edifici servirono prima da prigione e ospitarono in seguito la scuola delle Arti.

L'Istituto, fondato nel 1795 dalla Convenzione ed installato in un primo tempo al Louvre, è trasferito qui da Napoleone, nel 1805. E' composto da cinque Accademie: l'Académie Française, creata da Richelieu nel 1635 (la più famosa), l'Accademia delle Iscrizioni e Belle Lettere (1663), delle Scienze (1666), delle Belle Arti (1803) e delle Scienze morali e politiche (1832).

Le riunioni di ciascuna Accademia si svolgono in seduta ordinaria una volta alla settimana e in seduta solenne (sotto la cupola) una volta all'anno. Ogni elezione è sottoposta al consenso del Capo dello Stato, «protettore» dell'Istituto. Esclusa l'Académie Française, le altre hanno associati ed accademie corrispondenti anche all'estero.

L'Académie Française – Il numero dei membri dell'Académie Française è limitato a 40. Dopo la morte di un membro, si procede all'elezione del successore, avvenimento che riveste anche un carattere molto mondano. Circa 400 privilegiati sono ammessi ad ascoltare il «ringraziamento» del neo-eletto e la risposta dell'«immortale». Da 300 anni, l'Académie Française è preposta alla salvaguardia della purezza linguistica e, in tale funzione, deve redigere il Dizionario della lingua francese, di cui è in corso la nona edizione. Oltre ad esponenti dei generi letterari tradizionali, l'Académie Française accoglie anche rappresentanti della chiesa, dell'esercito, della diplomazia, della medicina e del giornalismo.

Esterno – Il palazzo si apre a forma semicircolare sulla Senna; le due ali sboccano in padiglioni quadrati. Al centro si erge la cappella, in stile gesuita. Sul tamburo della cupola sono scolpite le armi di Mazzarino: fasci littori, cinghie (suo padre era infatti sellaio). Il collegio delle Quattro Nazioni doveva essere realizzato in armonia architettonica con la residenza dei re e, a tale scopo, la costruzione fu affidata a **Le Vau**, uno degli architetti del Louvre. Nel cortile, a sinistra della cupola, si fanno eco due portici: quello di sinistra appartiene alla **Bibliothèque Mazarine★**, costituita in parte dalle collezioni del cardinale; l'altro, di destra, si apre sulla sala delle sedute solenni. Intorno al secondo cortile si ergono gli edifici in cui vivevano gli studenti. Nel cortile delle ex cucine è ancora visibile il vecchio pozzo. L'edificio in fondo ospita l'Ufficio delle Longitudini.

Interno ⊙ – E' possibile visitare la sala delle sedute solenni che, dal 1806, occupa l'ex cappella Mazzarino ed è sovrastata dalla cupola. Nella cappella si trova il cenotafio di Mazzarino, opera di Coysevox.

Rue Mazarine – Al n° **12**, subito dopo lo square G.-Pierné, sorgeva il teatro in cui il giovane Poquelin, divenuto poi famoso con il nome di **Molière**, iniziò la carriera artistica. La sua compagnia comprendeva, tra gli altri, anche i due fratelli e le due sorelle Béjart ed alloggiava al n° 10. Nel 1643, Poquelin ha 21 anni e, opponendosi al padre, che, in qualità di arazziere del re, lo aveva avviato agli studi di diritto per prepararlo ad assumere la stessa ambìta carica, è posseduto dalla passione per il teatro si lancia allora in questa avventura, assumendo il nome di Molière. La compagnia affitta i locali occupati in precedenza dal gioco della pallacorda e monta un palcoscenico improvvisato, battezzato ambiziosamente l'«Illustre Teatro», purtroppo disdegnato dal pubblico. I debiti intanto si accumulano e, dopo un anno, gli attori, ormai ridotti alla fame, si trasferiscono con le loro povere attrezzature al quai des Célestins.

Al n° **30**, l'**ex-hôtel des Pompes** ospitò la prima **Compagnia dei Pompieri**, fondata nel 1722 da François Dumouriez du Perrier, ex valletto di Molière, divenuto poi membro della Comédie-Française. Fino alla fine del 17° sec., Parigi non disponeva di mezzi per lottare contro gli incendi; nei casi più gravi, ci si affidava al Santo Sacramento, trasportato sul luogo del sinistro. Nel 1699 sono costruite tredici pompe mobili, elevate poi, grazie a Dumouriez, a trenta ed installate in locali speciali. Per manovrarle, sono scelte le cosiddette «guardie delle pompe», seriamente allenate a tale compito. La moderna denominazione di «pompieri» è coniata nel 1811, quando Napoleone organizza i servizi antincendio.

Dove sorge l'attuale n° **42** si trovava un tempo un gioco della pallacorda, divenuto poi **teatro Guénégaud**, dove fu rappresentata nel 1671 la prima opera (Pomona). Lulli, geloso del successo di tale spettacolo, replicato per ben otto mesi, fece chiudere la sala. Dopo la morte di Molière (1673), la sua compagnia, cacciata dal Palais-Royal dallo stesso Lulli, si stabilì qui fino al 1689.

Carrefour de Buci – Nel 18° sec. questo era il centro della riva sinistra della Senna; vi si trovavano, tra l'altro, una stazione di portantine ed un corpo di guardia composto da 20 sergenti. Il luogo aveva anche un'infausta «egemonia», grazie alla gogna ed al patibolo che vi erano innalzati.
Qui hanno anche inizio, nel 1792, i massacri di settembre.

Jeux de Paume – Nel quartiere esistevano numerosi **giochi della pallacorda**, tre dei quali proprio qui, nella rue de Buci. Questo gioco, antesignano del tennis, era molto amato. Fino al 15° sec. la palla era lanciata con la mano nuda; in seguito si utilizzò un guanto e poi una racchetta. Nel 1687 i migliori giocatori, anticipando i moderni professionisti dello sport, iniziano a farsi pagare per esibirsi in pubblico.

ST-LAZARE

Carta Michelin n° 12 o 14 (p. 18) : E 11, E 12, F 11, F 12.
Ⓜ St-Lazare, St-Augustin.

QUARTIER ST-LAZARE

Il quartiere di San Lazzaro deve la sua fisionomia alla vita borghese, sviluppatasi alla fine del 19° sec., unita alla frequentazione regolare di una numerosa popolazione della periferia che vi ha radicato le sue abitudini... e i suoi fornitori.
La stazione di St-Lazare è stata più volte ritratta nei dipinti di Monet.

Le Printemps – *64, boulevard Haussmann.* Aperto nel 1865 da Jules Jalupot, questo negozio conobbe un rapido sviluppo grazie alla vicinanza della stazione St-Lazare. Fu il primo ad essere munito di ascensori; il suo reparto «Primavera», destinato a diffondere una certa arte del vivere, è aperto dal 1912. Famosissime sono le vetrine natalizie dedicate ai bambini.

La Gare St-Lazare di Claude Monet

Galeries Lafayette – *40, boulevard Haussmann.* Sono eredi della piccolissima merceria aperta nel 1895 da Alfonso Khan. La cupola e le balaustre, disegnate da Ferdinand Chanut nel 1910, hanno segnato una svolta nell'architettura commerciale. Il 19 Gennaio 1919, Védrines atterrò sul terrazzo con il suo aereo, un Caudron G3.

★ **Église St-Augustin** – *Place St-Augustin.* La chiesa fu eretta tra il 1860 e il 1871 da Baltard, che impiegò per la prima volta in un edificio religioso un'armatura metallica, eliminando in tal modo gli abituali contrafforti esterni. La costruzione, adattandosi alla conformazione a punta del terreno, si amplia dall'atrio verso il coro, dominato da un'alta cupola.
Sulla piazza, di fronte al Circolo Militare costruito nel 1927, si erge la statua in bronzo di Giovanna d'Arco, replica di quella di Reims, scolpita da Paul Dubois nel 1896.

Chapelle Expiatoire ⊘ – *Square Louis-XVI. Ingresso: 29, rue Pasquier.* Qui, nel 1722, era stato aperto un piccolo cimitero dove saranno seppelliti gli svizzeri uccisi alle Tuileries il 10 agosto 1792. Vi riceveranno sepoltura anche le 1 343 vittime della ghigliottina, tra cui Luigi XVI e Maria Antonietta. Appena ritornato a Parigi, Luigi XVIII fa effettuare alcuni scavi all'interno del recinto del cimitero. Il 21 gennaio 1815 sono esumate le spoglie di suo fratello e di sua cognata, che vengono poi traslate nella necropoli reale di St-Denis. Dal 1816 al 1821, su progetto di Fontaine, il re vi fa erigere un monumento. Il luogo dove si stendeva l'antico cimitero è occupato dal chiostro. Le tombe di Charlotte Corday (colei che pugnalò Marat al fine di vendicare i Girondini) e Filippo Égalité si trovano ai due lati della scala che conduce alla cappella. All'interno, due gruppi marmorei raffigurano Luigi XVI (opera di Bosio) e Maria Antonietta sostenuta dalla Religione, raffigurata con le fattezze di Madame Élisabeth, sorella del re (opera di Cortot). L'altare della cripta è stato innalzato sul luogo in cui furono ritrovati i corpi dei sovrani.

QUARTIER DE L'EUROPE

Place de l'Europe – Scavalcando i binari della stazione St-Lazare nel punto in cui si allargano, la place de l'Europe (dal ponte rifatto nel 1930) è allo stesso tempo il centro e il polo di divergenza di questo quartiere più borghese ad Ovest, più popolare ad Est, che venne creato sotto la Restaurazione e modellato sotto il Secondo Impero.

Nel 1839, la costruzione degli edifici era già a buon punto, ma il numero degli inquilini era esiguo, nonostante gli attraenti nomi dati a questi grandi assi: Londra, Madrid, Amsterdam, Vienna, Roma, Stoccolma, Milano, Mosca. Nel 1842, l'imbarcadero della linea St-Germain viene spostato dalla rue de Londres alla rue St-Lazare. Alla fine del 19° sec., **Stéphane Mallarmé** (1842-1898), il maestro dei poeti simbolisti, riceve a casa sua, al N° 89 della rue de Rome, dei rappresentanti di questo movimento letterario, come Verlaine e Rimbaud.

LA NOUVELLE ATHÈNES

La Nouvelle Athènes ed il quartiere di St-George si svilupparono intorno al 1820 grazie alla nascita di una classe di piccola-media borghesia che di fatto stava prendendo il posto dell'aristocrazia dell'Ancien Régime. Vennero costruiti sobri edifici di cinque o sei piani. Grazie ai nuovi processi industriali si riescono a costruire grandi vetrate, si possono scolpire fregi, balconi in ferro battuto ed inferriate. Questo determina il nuovo stile della zona residenziale. Inoltre i francesi trasferitisi in Inghilterra dopo la rivoluzione scoprono lo stile urbano di John Nash (1752-1835), con le sue *Terraces*, fila di edifici senza divisioni.

Avenue Frochot – In questa strada privata risiedettero Dumas, Mme Sabatier, musa di Baudelaire, Renoir e Toulouse-Lautrec.

Place St-George – Non esiste più alcun edificio del 1824. Gli edifici che circondano questa incantevole piazza sono del 1840. Al centro della piazza si ergeva una fontana che fungeva da abbeveratoio per i cavalli. La colonna centrale è ornata da rilievi che rappresentano caricature spesso tratte dall'illustratore e caricaturista Gavarni che viveva qui.

Square d'Orléans – *80, rue Taibout*. La piazza è un piccolo frammento d'inghilterra, progettata tra il 1829 ed il 1845 da Edward Creasy per sistemare 46 appartamenti e 6 studi d'artista. Il successo fu immediato: vi arrivarono scultori (Dantan), pittori (Dubufe), ballerini, cantanti e musicisti. Il pianista Zimmermann vi riceveva Rossini, Berlioz e Chopin. George Sand viveva al n° 5, al primo piano.

★ **Musée Gustave-Moreau** ⊙ – *14, rue de La Rochefoucauld*. Gustave Moreau (1826-1898) donò allo stato sia la casa che le sue opere a patto che la collezione rimanesse intatta: 850 dipinti, 7 000 disegni, 350 acquarelli e sculture in cera.

Influenzato dalle tecniche coloristiche di Delacroix e da Chassériau, prediligeva i soggetti mitologici, fantastici e biblici, rielaborando figure come quelle di Saffo, Salomè, Orfeo, Leda. Tra i suoi studenti ci furono Roualt, Matisse e Desvallière.

L'abitazione si trova al 1° piano. Si notino, nel corridoio, uno studio di Poussin, e la fotografia dei *Giorni della creazione* di Burne-Jones. In sala da pranzo vi sono belle ceramiche di Palissy e Moustiers. In camera sono raccolti parecchi ricordi di famiglia: mobili, tavoli, fotografie, incisioni, due ritratti del pittore dipinti da Degas e da Ricard. Nella sala sono raccolti gli effetti personali di Alexandrine Dureux, grande amica del pittore.

Musée de la Vie Romantique ⊙ – *16, rue Chaptal*. Seguendo un viale fiancheggiato da alberi si giunge alla bella dimora dove, per 30 anni, visse

Musée Gustave Moreau

Ary Scheffer (1795-1858), pittore di ispirazione romantica, molto apprezzato da Luigi Filippo. Tutti i venerdì riceveva tra queste mura i suoi amici, appartenenti al mondo dell'arte e delle lettere: Delacroix, Liszt, George Sand, Ernest Renan (quest'ultimo sposò sua nipote).

Il museo espone dipinti, gioielli, disegni appartenuti a **George Sand**, alla sua famiglia ed ai suoi amici, lasciati in donazione dalla nipote Aurore Lauth-Sand. Al primo piano, quando non vi sono esposizioni temporanee, si possono ammirare opere di Ary Scheffer (*Annibale mentre giura di vendicare la morte di Asdrubale*, dipinto all'età di 13 anni) ed anche il suo ritratto, eseguito da Thomas Phillips.

Nello studio sono riuniti gli oggetti cari all'artista, in un ambiente completamente riammobiliato (cavalletto, piano, libreria, tele).

TROCADÉRO★★

Carte Michelin n° 12 e 14 (pp. 28): H 7.
Ⓜ *Trocadéro*.

Il Palais de Chaillot con la sua grande terrazza e l'imponente fontana, nei giardini del Trocadéro, offre bellissimi scorci su alcuni dei luoghi più significativi di Parigi. E' questo, unito alla ricca scelta di musei ospitata nel palazzo, ad attirare il visitatore.

★★COLLINE DE CHAILLOT

La casa di Bassompierre – Alla fine del 16° sec., Caterina de' Medici fa costruire sulla collina di Chaillot, a quel tempo in piena campagna, una casa che verrà in seguito acquistata dal maresciallo di Bassompierre, compagno d'arme di Enrico IV. Di bell'aspetto, spiritoso, valente soldato, egli è anche un grande *viveur* ed un accanito giocatore. Per aver suscitato l'ira di Richelieu, nel 1631 viene mandato alla Bastiglia dove brucia le seimila lettere d'amore ricevute dalle sue amanti.

Il convento della Visitazione – Dopo la morte di Bassompierre la regina Enrichetta d'Inghilterra istituisce nella sua proprietà il convento della Visitazione di Santa Maria (le religiose che vi sono ospitate vengono innocentemente chiamate dai parigini «le figlie di Bassompierre»), dove Bossuet pronuncia l'orazione funebre per la regina. Vi predicano Bourdaloue e Massillon.

In questo convento si ritirano numerose principesse e grandi dame. Maria Mancini, nipote di Mazzarino (allontanata da Luigi XIV per ragioni di stato e dopo aver tentato di riconquistare il re) è invitata ad entrare alla Visitazione. Mlle de la Vallière tenta a due riprese di rifugiarvisi per dimenticare il suo legame amoroso con Luigi XIV, innamorato di Mme de Montespan.

Grandi progetti – Napoleone I sceglie Chaillot come sede di un palazzo per il Re di Roma. Percier e Fontaine stabiliscono progetti di enormi dimensioni. Il convento è demolito, viene livellata la cima della collina, sistemato il pendio e costruito il ponte di Iena. La caduta dell'Impero causa l'interruzione dei lavori. Blücher vuole far abbattere il ponte di Iena che ricorda troppo vivamente il disastro subito dai prussiani, ma tale iniziativa viene impedita dalla decisione di Luigi XVIII di farvi trasportare, in tale eventualità, la propria poltrona e di «saltare in aria» insieme al ponte.

Il Trocadero – Nel 1827 questo luogo prende il nome di Trocadero, un forte di Cadice conquistato dai francesi nel 1823, quando vennero inviati dalla Santa Alleanza per ristabilire la monarchia assoluta in Spagna. Nel corso di una parata militare che ricostruiva questa battaglia, la collina di Chaillot simboleggiava il Trocadero e doveva essere conquistata partendo dal Campo di Marte. La piazza è stata disegnata nel 1858. In occasione dell'esposizione del 1878 era stato eretto un edificio che voleva evocare la suggestione dell'arte moresca, sostituito poi, nel 1937, dal nuovo palazzo di Chaillot.

Place du Trocadéro-et-du-11-Novembre – Questa piazza, su cui domina la statua equestre del maresciallo Foch, ha forma semicircolare e da essa partono a raggiera importanti arterie in direzione dell'Alma, dell'Étoile e del Bois de Boulogne. All'angolo con l'avenue Georges-Mandel si innalza il muro di sostegno del cimitero di Passy.

★★ **Palais de Chaillot** – E' il risultato dell'opera congiunta degli architetti Carlu, Boileau e Azéma. Un'ampia terrazza circondata da statue in bronzo dorato separa due padiglioni, prolungati a loro volta da ali ricurve ornate di otto statue di bronzo dorato. La più celebre è la *Flora* di Marcel Gimont, davanti alla facciata nord.

★★★ **Terrazza** – Di fronte alla nobile prospettiva dello Champs-de-Mars, il turista può godere una magnifica vista sulla Senna e sui quartieri della riva sinistra, dominati dalla torre Eiffel. Davanti al padiglione di sinistra si trova il gruppo monumentale dell'*Apollo* in bronzo di **Henri Bouchard** *(si veda l'omonimo museo)* e sull'aile de Passy, l'elegante gruppo dell'*America* di Jacques Zwoboda. Su una lapide, collocata sul sagrato «delle Libertà e dei Diritti dell'uomo», è inciso il messaggio di Padre Wrésinski, fondatore del movimento di carità A.T.D. Quarto Mondo.

Théâtre National de Chaillot – Il Teatro Nazionale di Chaillot si trova sotto la terrazza. E' una grandissima sala per gli spettacoli (accesso attraverso l'atrio del padiglione sinistro). Sotto la direzione di Jean Vilar, poi di Georges Wilson, il Teatro Nazionale Popolare, grazie al talento artistico di Maria Casarès, Gérard Philipe e di un'eccellente compagnia, ha saputo farne un importante centro di arte drammatica. Questa sala, in grado di ospitare 1 200 spettatori, si è recentemente data una nuova impostazione. Grazie alla struttura interna estremamente mobile (palcoscenico trasformabile, soffitto dotato di tutti gli elementi scenici necessari, gradini smontabili), questo teatro può essere adattato alla rappresentazione di spettacoli molto diversi, ed è diventato un grande centro di animazione culturale.

Scendendo le gradinate che portano ai giardini si accede, sulla sinistra, alla piccola sala Gémier, realizzata nel 1966 per ospitare il teatro sperimentale.

★ **I giardini** – La grande vasca è fiancheggiata sui due lati, sul prolungamento del ponte di Iena, da belle file di alberi ombrosi che ricoprono i pendii della collina di Chaillot fino al lungofiume.

La vasca è ornata di sculture in pietra e in bronzo dorato. I potenti getti d'acqua creano uno spettacolo estremamente suggestivo, soprattutto di notte, quando vi si accendono le luci dei proiettori.

Palais de Chaillot,
statua Art Déco

R. Besse/MICHELIN

I musei

★★ **Musée de la Marine** ⊙ – Il Museo della Marina fu realizzato nel 1827 su decreto di Carlo X ed attualmente conserva modelli ed oggetti provenienti per la maggior parte dagli arsenali della marina. A ravvivarne l'interesse sono esposti polene, quadri, diorami, oggetti appartenuti a grandi navigatori. La grande galleria celebra l'arte navale e la storia marittima, a partire dal 17° sec. Nella galleria laterale, che corre lungo i giardini del Trocadero, sono presentati, suddivisi per temi, alcuni aspetti scientifici, tecnici o tradizionali relativi allo sviluppo della navigazione.

1) **L'Océan**, vascello della fine del 18° sec.

2) Velieri del 17° e 18° sec.: il **Louis XV**, costruito per il giovane re, **la Royale** ed il **Louis le Grand**. Bel gruppo di galere su cui spicca la **Réale** (decorazione attribuita a Puget).

3) I **Porti di Francia★**, serie di quadri di Joseph Vernet. Il **Royal Louis**, raro modello d'epoca Luigi XV, e vestigia del vascello **Il Juste** andato perduto nella bassa Loira nel 1759. Specchi di poppa e di prua del canotto di Maria Antonietta a Versailles.

4) La Rivoluzione ed il Primo Impero. **Canotto dell'Imperatore** (1811) e la **Belle Poule**, sulla quale vennero traslate da Sant'Elena le ceneri di Napoleone (1840).

5) La Restaurazione, il Secondo Impero e la Terza Repubblica. Il **Valmy**, costruito in ebano, avorio ed argento, ultimo veliero della marina francese. **La Gloire**, prima nave corazzata del mondo (1859). Diorami che raffigurano prelevamento, trasporto ed innalzamento dell'obelisco di Luxor. Oggetti appartenuti a grandi figure legate al mare: Ferdinand de Lesseps, Brazza, Charcot.

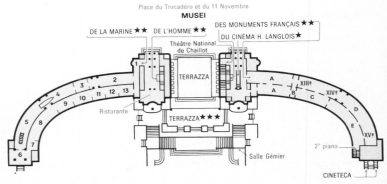

6) Marina da guerra contemporanea. Ricostruzione di una passerella di avviso.

7) Esplorazione sotto i mari (sottomarini, scafandri, oceanografia).

8) Pesca e tradizioni marinare.

9) Modello di una delle prime navi a vapore (Jouffroy d'Abbans). Laboratorio per il restauro dei modelli.

10) Storia dei trasporti marittimi.

11) Le costruzioni navali in legno (18° e 19° sec.). Le grandi esplorazioni. L'**Astrolabe**, corvetta di Dumont d'Urville. Relitti della spedizione Lapérouse.

12) Carte nautiche e strumenti di navigazione.

13) Sala per le esposizioni temporanee.

★★ **Musée de l'Homme** ⊙ – Le ricche collezioni del Museo dell'uomo riguardano le diverse razze umane ed i loro modi di vita. Al 1° piano la galleria di antropologia illustra le origini dell'uomo e le caratteristiche fondamentali delle razze umane. Le sale di paleontologia consentono di prendere visione di alcuni caratteristici fossili umani: si noti nella galleria *La Nuit des temps* la famosa *Venere di Lespugue* in avorio di mammut e più avanti, in un'altra sala, la tomba *Grossgartach* (località neolitica tedesca) della valle del fiume Yonne.

Africa: collezioni di preistoria, etnografia (abiti, utensili, armi, gioielli) e di arte (affreschi medievali dell'Abissinia, sculture dell'Africa Nera). La visita al 1° piano si conclude con la galleria d'Europa. 2° piano: paesi delle regioni artiche (artigianato eschimese), asiatiche (Vicino ed Estremo Oriente) e isole del Pacifico (Isola di Pasqua). Le gallerie dedicate alla storia delle popolazioni delle Americhe, dall'Alaska alla Terra del Fuoco, sono disposte secondo un percorso didattico. Numerose ricostruzioni (Maison Haïda degli Indiani d'America, mercato d'ambientazione sudamericana, tempio meso-americano) permettono di familiarizzare con la ricchezza e la diversità delle culture americane antiche e contemporanee. I pezzi esposti provengono in parte dalle collezioni dei gabinetti di oggetti rari dei Re di Francia, scelte in base al loro interesse etnologico, al loro valore come testimonianza storica ed alla loro bellezza (Wampum delle Quattro nazioni, pelli di caribù dipinte, ceramiche).

Salone della musica: importante collezione di strumenti. Bellissimo gamelan di Giava del 19° sec., composto da 15 strumenti a percussione, e litofono preistorico del Vietnam formato da 10 pietre tagliate di diversa lunghezza.

★★ **Musée National des Monuments Français** ⊙ – Creato verso il 1880 su idea dell'architetto e scrittore Viollet-le-Duc, questo museo è dedicato all'arte monumentale in Francia, presentata attraverso calchi e riproduzioni a grandezza naturale. Le opere, raggruppate per regioni, scuole ed epoche, consentono di confrontare l'evoluzione degli stili e delle tematiche e di analizzare le particolari caratteristiche, le somiglianze e le influenze reciproche.

Scultura – *A sinistra. Doppia galleria al pianterreno.* Sale 2-6 (**A**): sculture e timpani romanici di Moissac, Vézelay, Autun. Sala 7 (**B**): architettura militare delle crociate: fortezza dei cavalieri in Siria. Sale 8-11 (**C**): statuaria gotica delle cattedrali (Chartres, Amiens, Reims, Notre-Dame). Sale 12-18 (**D**): sculture del 13°, 14° (figure giacenti di St-Denis, chiese) e 15° sec. (palazzi, fontane, calvari). Sale 19-21 (**E**): rinascimento (tombe di Tours, Nantes).

2° piano. Sale 22-24: opere di Jean Goujon, Ligier Richier, Germain Pilon. Sala 25: scultura del parco di Versailles. Sale 26-29: modellini ed esposizioni temporanee.

Pittura murale *(sulla destra, piani del padiglione)* – Su architetture a stucco sono riprodotti i più famosi dipinti romanici e gotici della Francia.

L'insieme più importante dell'epoca romanica è quello della chiesa di St-Savin-sur-Gartempe nel dipartimento della Vienne, costituito dalla volta della navata, il portale e la tribuna. Le più antiche pitture murali sono quelle della cripta dell'abbazia di St-Germain d'Auxerre. La celebrità della cappella del priorato di Berzé-la-Ville nella Saône-et-Loire è dovuta alle pitture del coro e dell'abside. Ammirare, tra le pitture gotiche, la cupola della cattedrale di Cahors, la *Danza macabra* di La Chaise-Dieu.

★ **Musée du Cinéma Henri-Langlois** ⊙ – Attraverso una sessantina di sale è ripercorsa la storia del cinema mondiale, fin dalle origini della fotografia. Teatro ottico di Reynaud (1888), fucile ad immagini di Marey, cinetoscopio di Edison (1894), cinematografo e fotorama dei fratelli Lumière, manifesti, gigantografie, modelli (alcuni di questi sono stati realizzati da Eisenstein), scenografie famose (strade del *Gabinetto del Dottor Caligari*, robot del film *Metropolis* di Fritz Lang), ricostruzioni di studi cinematografici (*Méliès ed il Gigante delle Nevi, Pathé,* da lui creato), costumi ed abiti (dei primi western, di *Ivan il Terribile* e di Rodolfo Valentino nel *Figlio dello Sceicco;* costumi indossati da Greta Garbo e la «pelle d'asino» di Catherine Deneuve). Cinquemila oggetti illustrano l'evoluzione della tecnica di ripresa, proiezione, regia, ricreando al contempo il magico fascino del mondo del cinema.

Cinémathèque – *Accesso attraverso i giardini, lato avenue Albert-de-Mun.* All'interno della sala di proiezione qui allestita, la Cineteca Francese propone da 3 a 4 film al giorno. Essa costituisce anche un luogo di incontro per professionisti, cinefili ed amatori.

VAUGIRARD

Tra il muro dei Fermiers Généraux e la cinta fortificata di Thiers *(si veda Parigi Ieri nell'introduzione)*, il faubourg de Vaugirard fu dapprima una proprietà campestre che apparteneva all'abbazia di St-Germain-des-Prés, in seguito divenne un villaggio di 700 abitanti (18° sec.), per arrivare a quasi 40 000 anime quando fu annesso a Parigi nel 1860.

I suoi due grandi assi sono: la rue de Vaugirard, la più lunga di Parigi, fiancheggiata da locande fino alla fine del 19° sec., e la rue Lecourbe, vecchia grande «uscita» di Parigi verso Sèvres e Meudon.

L'Institut Pasteur ☉ –
25, rue du Docteur-Roux.
Fondazione scientifica di fama internazionale, l'Istituto Pasteur consta di un centro di ricerche fondamentali ed applicate, di un centro d'insegnamento e di documentazione, di un centro di vaccinazione, di un ospedale specializzato per le malattie infettive e di due centri di produzione: uno per i sieri e vaccini e l'altro per i test di diagnosi.

> **Louis Pasteur** (1822-1895) è uno dei più grandi uomini che il genere umano abbia mai avuto. A 25 anni, nel suo laboratorio della Scuola Normale Superiore *(si veda la Montagne Ste-Geneviève)*, stabilì il principio della dissimetria molecolare; a 35, quello delle fermentazioni; a 40, getta le basi dell'asepsi che fa piazza pulita dei preconcetti sulle generazioni spontanee; studia poi le malattie nefaste della birra, del vino e del baco da seta, e a 58 anni i virus ed i vaccini. Isola il virus della rabbia, studia la sua profilassi e per la prima volta ne inocula il siero il 7 luglio del 1885.

Con le sue due filiali di Lille e Lione e altre 22 disseminate in tutto il mondo, l'istituto prosegue la grande opera del suo fondatore. Si può vedere l'appartamento di Louis Pasteur dove, in una stanza, sono conservati alcuni ricordi scientifici, e la **cripta**★ neobizantina in cui riposa.

Émile Roux che, alla fine del 19° sec., aveva studiato le tossine della difterite e ne aveva descritto la profilassi, diventato animatore e amministratore dell'Istituto Pasteur, fece venire a Parigi i suoi ricercatori di Lille Albert Calmette e poi Camille Guérin che già dal 1915, aveva sperimentato il vaccino preventivo contro la tubercolosi (BCG) messo a punto nei suoi laboratori.

★**Parc Georges-Brassens** – *Rue des Morillons*. Si tratta di uno dei più grandi spazi di verde creati a Parigi nel secolo scorso ed è situato ove sorgevano gli antichi mattatoi di Vaugirard, di cui ha conservato qualche elemento: il mercato dei cavalli, i due tori di bronzo dello scultore di animali Cain all'entrata principale e la torre delle aste che si specchia nella vasca centrale.

Una collina boscosa domina il parco con aree di gioco per i bambini, un belvedere, un apiarioscuola ed una vigna la cui vendemmia all'inizio di ottobre è occasione di festeggiamenti. Per i non-vedenti è stato appositamente creato un giardino con 80 differenti specie di piante odorose.

DINTORNI

★★**Parc André-Citroën** – *Entrata principale: Rue Balard*. Le officine Citroën, adibite ad altro uso nella metà degli anni 70, sono ora la sede di un ampio parco futurista di 14 ettari, dove la vegetazione si fonde con la pietra, e dove il vetro e soprattutto l'acqua sono onnipresenti. Il simbolismo del giardino presenta l'originalità d'unire diverse tradizioni: giardino bianco, nero, giardino «in movimento», giardini «seriali», dove ad un metallo e ad un colore è associato un significato.

Il parco trae il suo carattere minerale, i colori scuri, gli angoli retti, la simmetria (canale, ninfee) dall'architettura francese tradizionale; la tradizione inglese s'esprime nelle serre e nel giardino in movimento: i piccoli spazi (giardini seriali, bianco, nero) s'improntano alla tradizione giapponese.

Il giardino bianco – *Dall'altra parte della rue Balard, prima d'entrare nel parco stesso.* Sempre aperto, è un'area dedicata ai giochi e alla passeggiata. Alte mura nascondono un piccolo steccato quadrato ricoperto di piante perenni a fioritura bianca. Al Nord, troviamo una serie di blocchi striati da dove sgorgano fontane; da qui si gode una bella vista sulle serre.

★**Il giardino nero** – Gli amanti della botanica penetrano nel paradiso delle spiree, delle spighette, degli acanti, dei rododendri, dei papaveri, degli iridi... Nel giardino nero vivono vegetali dai colori più scuri. Magnifiche conifere tagliate ricordano i bonzai. Il percorso, a labirinto, porta ad una piazzetta dove zampillano 64 getti d'acqua.

L'aiuola – Il prato centrale rappresenta un'area di riposo molto gradevole. Ad ovest, la massa imponente dei portici e degli stabili di vetro è alleggerita dai getti d'acqua e dalle ninfee che fiancheggiano il canale: due delle torri di granito sono utilizzate

Parc André Citroën

come belvedere. Le immense serre di vetro fanno da contrasto offrendo la loro trasparenza. La prima, l'Orangerie, accoglie esposizioni in estate, la seconda ospita
delle essenze originarie d'Australia. Tra le serre, un «peristilio d'acqua» è formato
da un centinaio di getti con i quali ci si può rinfrescare. Ad ogni lato delle serre,
delle magnolie sagomate a forma di colonna sono allineate su piccole isole.

★ **I giardini seriali** – I sei giardini seriali sono separati gli uni dagli altri da
cascate. Alcune rampe consentono d'ammirarli dall'alto e d'accedere alle piccole
serre, luoghi ideali per i conciliaboli. Ognuno di questi giardini è un'invenzione
deliziosa: il giardino dorato associato all'oro e al sesto senso, quello argentato al
denaro e alla vista, quello rosso alla bauxite e al gusto, quello arancione alla rug-
gine e al tatto, quello verde al rame ossidato e all'udito, quello blu al mercurio
e all'olfatto. Il visitatore che penetra nei folti viali, può rifugiarsi sotto una pergola al fondo di una distesa di verde e sedersi sulle panchine o le sdraio di
legno.

Il giardino in movimento – Dei bambù ed alcuni alberi crescono in mezzo ad un terreno incolto dove sbocciano fiori che vengono rinnovati tutto l'anno.

Aquaboulevard ⊘ – Dalla circonvallazione, sotto il ponte dove bisogna passare
per raggiungere l'entrata, si possono notare i tetti piramidali di questo gigantesco complesso sportivo e balneare. Una scala mobile porta alla caffetteria e basta
soltanto seguire le frecce che indicano «Parc Aquatique».
Dopo aver oltrepassato la doppia porta degli spogliatoi, il bagnante entra in una
vasca dal decoro esotico (l'altezza sotto la volta è impressionante), dalle forme
curvilinee, arricchita da idromassaggio, ponti, zone di verde, scivoli giganti. Le
onde muovono regolarmente la superficie dell'acqua e si approfitta dei momenti
di tregua per massaggiarsi la schiena sotto i getti. La vasca si estende all'esterno
con una spiaggetta leggermente in declivio.
Qui è difficile fare lunghe nuotate, ma si può sguazzare nell'acqua, rilassarsi
e divertirsi. Uno degli scivoli sbuca nella vasca esterna: è corto ma vi farà
sicuramente gustare il brivido; persone adulte sorvegliano l'entrata d'ogni scivolo
per evitare incidenti o scontri. Centinaia di persone frequentano questo luogo.
Attorno alle vasche ci sono prati e spiagge piene di sdraio e di minigolf;
all'interno troverete: bowling, halfcourt, campi da tennis e da squash, biliardo,
palestre e sale per il body-buiding, ristorante, negozi di articoli sportivi.

Se volete partecipare alla nostra costante attività di aggiornamento,
inviate osservazioni e suggerimenti a:
Michelin Italiana S.p.A., Servizio Turismo,
corso Sempione 66, 20154 Milano.

La VILLETTE★★

Carte Michelin n° 12 e 14 (pp. 10 e 11): B20, B21, C20, C21.

Tra la Porte de la Villette e quella di Pantin, si estende il parc de la Villette, il più grande parco entro le mura di Parigi. Questo posto accoglie un progetto urbanistico completo: la Città delle Scienze e dell'Industria, la città della Musica ed il parco, con la Grande Halle e lo Zenit. Situato sul posto dei vecchi mattatoi di Parigi (la Maison de la Villette di fianco alla Città delle Scienze e dell'Industria ritraccia la storia del quartiere), il parco è uno spazio attivo, un nuovo quartiere d'incontri, di cultura e di svaghi.

★★★ La Cité des Sciences et de l'Industrie

Inaugurata nel 1986, la Città delle Scienze e dell'Industria ⊘ è stata ristrutturata dall'architetto Adrien Painsilber, sulle basi della vecchia sala delle aste dei mattatoi.

L'edificio – Tre temi sottolineano la sua concezione:
– l'acqua, «tema centrale» tra l'universo e la vita, circonda l'edificio principale;
– la vegetazione penetra all'interno attraverso tre serre bioclimatiche, orientate verso i parchi:

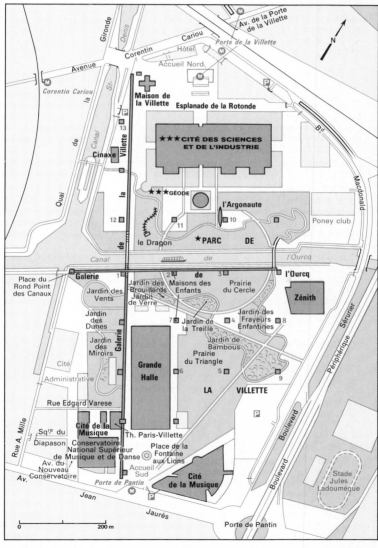

LES FOLIES:
1. Brasserie
2. Laboratorio video
3. Giardino d'infanzia
4. Belvedere

5. Caffè «La Ville»
6. Posto di pronto soccorso
7. Laboratorio di arti plastiche
8. Centro di accoglienza e biglietteria Zenit

9. Club di Jazz
10. Il sottomarino
11. Osservatorio
12. Padiglione dell'orchestra
13. Caffetteria

La Città delle Scienze e dell'Industria risponde ad un bisogno sempre crescente di comprensione del nostro universo scientifico e industriale. Il pubblico stesso diventa protagonista dell'avventura tecnologica contemporanea. Le scienze sono presentate in modo che ognuno possa divertirsi, scoprire ed imparare. Sul posto, piante e guide vengono distribuite nelle zone di accoglienza, per orientare il visitatore verso i suoi campi d'interesse. In ogni spazio animatori specializzati sono a disposizione del pubblico. La concezione del museo si discosta molto da quella tradizionale e si basa sull'interattività tra gli apparecchi esposti ed il pubblico. L'esposizione permanente dei piani superiori della città è un immenso campo di esperimenti che vengono presentati come fossero giochi e permettono quindi un accostamento anche da parte dei più giovani. Il visitatore si trova dunque ad essere protagonista di una avventura tecnologica e scientifica e non più spettatore passivo.

– la luce «sorgente di energia per il mondo vivente» illumina gli spazi dell'esposizione permanente, grazie a due cupole di 17 m di diametro.

Explora – Offre una grande varietà di esposizioni che permettono di affrontare i grandi temi del presente e del futuro e di giungere ai principi della tecnica, attraverso la scoperta della realtà sensibile. Distribuiti su più livelli, il visitatore troverà spettacoli interattivi, manipolazioni e modellini didattici. L'esposizione permanente è divisa in tre settori:

- la **società industriale contemporanea** attraverso 6 poli di attività: automobile, aeronautica, spazio, oceano, energia e ambiente (*livello 1*);
- gli **strumenti sensoriali** suddivisi in 5 esposizioni che illustrano i diversi modi in cui l'uomo comunica e apprende: immagini, informatica, espressioni, comportamenti, suoni e matematica (*livello 1*);
- la **Terra e l'Universo**, con 6 esposizioni (rocce e vulcani, stelle e galassie, vita e salute, medicina, biologia e giochi di luce - *livello 2*) che esplorano il rapporto tra l'Uomo, la Terra e l'Universo.

Il **Planétarium** (*livello 2, ingresso vietato ai bambini sotto i 3 anni*) con la sua cupola emisferica di 21 m di diametro, invita ad un viaggio al centro dell'Universo e ai confini delle galassie.

Tra le altre attività proposte dalla Cité:

- La **Cité des Enfants**, destinata a bambini dai 3 ai 12 anni, propone visite di 1 h e 30 min con attività ricreative, educative e di ricerca. Attraverso un percorso definito, i bambini giocano, osservano e sperimentano i diversi temi che consentono loro di familiarizzarsi con la scienza e la tecnica.
- **Techno Cité** è organizzata intorno a 5 temi: meccanismi in movimento, creare un programma informatico, tecniche di fabbricazione, messa a punto di un prototipo, ricettori e meccanismi automatici. Una visita di 1 h e 30 min permette ai maggiori di 10 anni di avvicinarsi ai misteri della tecnologia.
- La **Salle Sciences-Actualités** è una sorta di *giornale* multimediale preparato da un gruppo di giornalisti scientifici. Vengono trattati i grandi temi di attualità a partire da dispacci d'agenzie, da rassegne stampa o da servizi realizzati dalla stessa sala, sotto forma di brevi notizie o esposizioni.
- La **Médiatèque** è una biblioteca multimediale fornita di un grande numero di libri, riviste, videodischi e software educativi. Tutti possono accedervi, ma è anche parzialmente specializzata (pubblico esperto), con servizi diversi ed aiuto ai lettori per accedere a banche dati esterne. I titolari con abbonamento possono anche prenotare a distanza i documenti che desiderano chiedere in prestito.

La Salle Louis-Braille permette ai non-vedenti di consultare i documenti in un ambiente realizzato specialmente per loro.

- La **Cité des Métiers** propone servizi sulla formazione e l'impiego, dalla redazione di un *curriculum vitae* all'impostazione di un colloquio di lavoro.
- Il **Centre des Congrès de la Villette** ospita conferenze, dibattiti e convegni.

★★★ **La Géode** ⊙ – *Davanti alla facciata sud della Cité des Sciences et de l'Industrie*. La sfera di 36 m di diametro, realizzata da **Adrien Fainsilber** e posta su uno specchio d'acqua, risplende sia per la luminosità della sua superficie in acciaio levigato che per la qualità innovativa delle strutture e della sistemazione interna.

Su un piano con pendenza di 30°, le poltroncine offrono alla vista uno schermo emisferico di 1 000 m³ in alluminio perforato per la diffusione del suono. Queste condizioni eccezionali sono fornite da un sistema multimediale, un proiettore Omn max (film di 70 mm a scorrimento orizzontale) ed un suono potenziale di 16 800 W distribuito da 12 impianti quadriamplificati e 6 impianti a frequenza molto bassa. L'aderenza alla realtà è notevole soprattutto nelle vedute panoramiche. Grazie all'ampiezza dell'obiettivo grandangolare e al campo di proiezione, maggiore del campo visivo dell'uomo, la vista dello spettatore si avvicina a quella degli uccelli. Il repertorio attuale della Géode è costituito da film a carattere scientifico.

La Géode

L'Argonauta – Questo sottomarino da caccia, varato il 29 giugno 1957 a Cherbourg, ha percorso, nel Mediterraneo, 210 000 miglia, cioè quattro volte il giro della terra e ha trascorso 32 700 ore in immersione prima di riposare, trasformato in luogo di esposizione, accanto alla Géode.

Il Cinaxe ⊘ – Si tratta di una cabina, posta ad ovest della Géode, che può accogliere fino a 60 persone: per una durata di 4 o 5 minuti si prova la sensazione di vivere «fisicamente» e simultaneamente l'azione del film che viene proiettato. Nel repertorio: simulazione di un viaggio nello spazio, di un circuito automobilistico. I movimenti multidirezionali con oscillazioni da + 30° a − 30° sono tecnicamente possibili grazie ai martinetti idraulici che sostengono la cabina. Questa installazione sarà la prima di questo tipo in Europa.

★ Il parco

L'ideatore, **Bernard Tschumi** ha organizzato la zona intorno a tre sistemi: **gli edifici** *(folies)* segnano la posizione e sono punti di riferimento. Essi sono costruiti tutti sullo stesso principio: armatura in cemento, rivestita da lamiera smaltata rosso vivo. Ogni *folie* (termine del 18° sec. per i padiglioni ornamentali) è dotata di un elemento di riferimento: scivolo, banderuola, belvedere.
Le circolazioni combinano due gallerie perpendicolari: Nord / Sud (galerie de la Villette) e Est / Ovest (galerie de l'Ourcq) con una passeggiata sinuosa che segue alcuni giardini a tema, attrezzati con giochi per bambini e in cui si possono vedere opere contemporanee. Il giardino dei bambù, realizzato da Alexandre Chemetoff, permette di scoprire una creazione di Daniel Buren ed il cilindro sonoro, opera di Bernhard Leitner. Il giardino della pergola, realizzato da Gilles Vexiard, ha prospettive che cambiano attraverso le sculture di Jean-Max Albert mentre nel giardino d'acqua, concepito da Alain Pelissier, l'acqua diventa scultura, grazie all'intervento di FujiKo Nakaya. Le **superfici** (7 ettari), prati e terreni attrezzati per lo sport, sono completamente a disposizione per la passeggiata e i giochi.

Grande Halle – Il Grande Capannone venne costruito nel 1867 da Jules de Mérindol e veniva utilizzato, nell'ambito del mercato del bestiame della Villette, per la vendita dei buoi. La sua architettura è un accostamento moderno di ghisa (colonne), ferro (strutture) e zinco (tetto). Fu riconvertito a partire dal 1983 ed è ora uno spazio polivalente grazie alla sua architettura interna mobile e consente di accogliere oltre 15 000 persone.
Vi si svolgono regolarmente svariati avvenimenti artistici o popolari: esposizioni, saloni, concerti (di musica classica, jazz, rock), spettacoli di danza e teatrali.

Lo Zenith – Questa sala, inaugurata nel 1984 e destinata principalmente ai concerti rock, segna la nascita di una nuova generazione di spazi per concerti. La sua struttura leggera e modulare, ricoperta da un telone teso, può ospitare 6 400 persone. I concerti di Renaud, Johnny Halliday, Tina Turner, Prince, I Rita Mitsouko hanno già segnato dei momenti storici per questa sala.

Théâtre Paris-Villette – Ex-padiglione della Borsa, vi si tengono per lo più rappresentazioni di pezzi di autori contemporanei.

La Cité de la Musique

Posta all'entrata Sud del Parco, vicino alla Porte de Pantin su ambedue i lati della Fontana dei Leoni, la Città, costruita da **Christian de Portzamparc**, raggruppa gli impianti necessari per lo studio della danza e della musica odierna. Essa ospita nella parte ovest il Conservatoire National Supérieur de Musique et de Danse de Paris, prima situato in rue de Madrid.

Quest'istituzione è stata promossa da Sarrette. All'inizio si trattava di una scuola destinata a formare i musicisti della Guardia Nazionale, fondata ufficialmente nel 1795 durante la Convenzione, con il nome d'Istituto Nazionale di Musica. Nella parte Est si trovano una **Sala per concerti** (1 200 persone) ed il **Musée de la Musique** ⊙ che possiede circa 4 500 strumenti dal 16° sec. ai nostri giorni. Un percorso sonoro e visivo attraverso la storia della musica occidentale permette di ammirare dei violini Stradivari e Amati, una cinquantina di clavicembali e spinette, fortepiano e pianoforti, un centinaio di chitarre, flauti dolci, viole da gamba e liuti. Si possono anche ammirare alcuni attrezzi da liutaio e da costruttore di piano, alcuni strumenti a fiato di Adolphe Sax e quelli appartenuti a musicisti celebri come Berlioz, Chopin o Fauré.

Bois de VINCENNES★★

Carta Michelin n° 14 – pianta dettagliata.

Un famoso castello medievale, legato alla storia della Francia, un bosco con laghetti pittoreschi, uno zoo ed uno stupendo giardino botanico, fanno di Vincennes una meta piacevole e molto varia.

★★IL CASTELLO

Questo castello, la «Versailles del Medioevo», si presenta ancor oggi con due volti diversi: da un lato un austero mastio del '300, dall'altro un superbo complesso architettonico del '600.

Nell'11° sec., la Corona acquista dall'abbazia di San Mauro la foresta di Vincennes; nel 12° sec., Filippo Augusto vi erige un **maniero** a cui Luigi IX il Santo aggiungerà una Santa Cappella; il re, amante degli animali, vieterà inoltre la caccia nel bosco. Sotto una quercia, il grande sovrano riceve chiunque voglia chiedergli giustizia, senza alcun preavviso e in tutta semplicità.

Filippo VI Valois avvia la costruzione della **fortezza**, Giovanni il Buono la continua e Carlo V la porta a termine nel 1369. Lo scopo è creare una città fortificata che, in caso di necessità, funga da dimora per la famiglia reale, la Corte ed il governo. Invita poi i signori che più ha a cuore a risiedere entro la cinta, ma la sua offerta cade nel vuoto.

Nel 17° sec. il complesso assume le caratteristiche del **castello classico**. E' Mazzarino che, divenuto governatore di Vincennes nel 1652, fa erigere da Le Vau i due padiglioni simmetrici del Re e della Regina. Nel 1660, un anno dopo la conclusione dei lavori, Luigi XIV, che, all'età di 22 anni, ha appena sposato Maria Teresa di Spagna, trascorre con la sovrana la luna di miele nel padiglione del Re.

Dagli inizi del 16° sec. fino al 1784, il mastio, non più residenza dei sovrani che si sono trasferiti a Saint-Germain e poi a Versailles, diviene

Ph. Gajic/MICHELIN

Vincennes: il mastio del castello

prigione di Stato. Vi vengono incarcerati membri della Lega, giansenisti, capi della Fronda, libertini, aristocratici e filosofi: il soggiorno in questo carcere è comunque meno «duro» e infamante rispetto alla Bastiglia. Le sue mura rinchiudono numerose personalità famose: il Grand Condé, il principe di Conti, il cardinale di Retz, Fouquet (sotto la guardia di d'Artagnan), il duca di Lauzun, Diderot, Latude, Mirabeau.

Nel 1738 il castello diviene per puro caso una **fabbrica di porcellane.** Due operai, fuggiti dalla manifattura di Chantilly, chiedono asilo a Vincennes e, applicando metodi noti solo a loro, iniziano a costruire vasellame, oggetti a pasta tenera e fiori dipinti al naturale che compongono un vero e proprio «giardino di porcellana». Nel 1756 la manifattura si trasferisce a Sèvres.

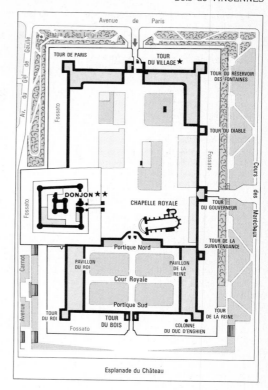

Napoleone I trasforma Vincennes in un potente **arsenale:** le torri sono scapitozzate all'altezza delle mura e vi vengono disposte batterie di cannoni. I piombatoi e le merlature sono eliminati. Il mastio diviene ancora una volta prigione di Stato.

A partire dal 19° sec. Vincennes è teatro di numerosi scontri (durante i 100 giorni, nei moti del 1830) e, nel 20° sec., sotto Luigi Filippo, viene incorporata alla linea difensiva di Parigi. Accanto al castello viene eretto un **forte,** le cui mura sono rinforzate da massicce casematte, e, tutt'intorno, si innalzano spalti.

Napoleone III affida l'opera del restauro di Vincennes a Viollet-le-Duc. I lavori procedono con molte interruzioni e si concludono solo ai nostri giorni.

Il 24 agosto 1944, i tedeschi fucilano 26 partigiani e fanno scoppiare tre mine che danneggiano gravemente le fortificazioni ed il padiglione del Re, mentre il padiglione della Regina viene dato alle fiamme.

Dopo il restauro dei due padiglioni, lo sgombro del largo fossato intorno al mastio e la demolizione delle casematte (19° sec.), il cortile Reale ha ritrovato l'elegante aspetto che presentava nel 17° sec.

Il castello stesso mostra di nuovo la fierezza caratteristica di una grande dimora reale.

Giro delle mura *(si veda la pianta)*

Prima di entrare all'interno delle fortificazioni, si consiglia vivamente di compiere il giro esterno, seguendo la scarpa che fiancheggia i fossati.

★★ **Donjon (mastio)** – E' una delle più compiute opere di fortificazione del 14° sec.

La torre, alta 52 m, è fiancheggiata da quattro torrette agli angoli. Lo sporto a nord possedeva un tempo alcune latrine, un guardaroba ed un piccolo oratorio. Le merlature ed i piombatoi del cammino di ronda della torre non esistono più.

Il mastio vero e proprio è circondato da una cinta fortificata (detta anche «camicia»), con un fossato.

La base delle mura possiede una scarpa murata a protezione contro lo scalzamento. Agli angoli si ergono torrette a sporto. Un cammino di ronda coperto fa il giro della «camicia»: esistono ancora le merlature ed i piombatoi di un tempo, sotto i quali sono state praticate alcune cannoniere. Fu proprio da questo cammino di ronda che evase il **duca di Beaufort,** uno dei capi della Lega Santa, il famoso «re delle Halles», incarcerato per ordine di Mazzarino.

La Tour du Bois e la Colonne du Duc d'Enghien – Di fronte alla spianata del castello si trova il portico ad arcate che chiude le mura a sud. Le Vau ha ridotto la torre del Bosco, al centro, trasformandola in ingresso d'onore (dall'interno ha l'aspetto di arco di trionfo).

Sui due lati si ergono le arcate aperte sul bosco. Dal ponte che attraversa il fossato è possibile vedere, ai piedi della torre della Regina, una colonna che indica il luogo dove fu fucilato il **duca d'Enghien**, principe di Condé.

Accusato di complotto contro il Primo Console, egli venne catturato in territorio tedesco e trasferito a Vincennes il 20 marzo 1804. La condanna a morte viene eseguita. Le spoglie mortali dell'ultimo dei Condé, esumate sotto Luigi XVIII, sono state traslate nella cappella reale del Castello.

Cours des Maréchaux – Proseguendo lungo le mura di cinta, ci si trova sul cours des Maréchaux. La sua apertura (1931) ha comportato la demolizione di varie dipendenze della fortificazione. Il muro est possiede cinque torri, tutte scapitozzate. Nella penultima, detta la *tour du Diable* (torre del Diavolo), era un tempo installata la manifattura di porcellane.

Visita dell'interno ⊙

★ **Tour du Village** – Fortunatamente la torre, un'imponente costruzione alta 42 m, non è stata scapitozzata durante l'Impero. Nel Medioevo era la residenza dei governatori di Vincennes (tra cui Olivier le Daim, famoso barbiere di Luigi XI), che, da qui, potevano sorvegliare l'ingresso e, in caso di attacco, dirigere la difesa della fortezza.

Nel corso dei secoli, la torre, a volte gotiche, è stata depauperata delle statue che ne ornavano la facciata esterna; tuttavia, la sua funzione militare è ancora riconoscibile da alcuni dettagli: scanalature per le catene del ponte levatoio e della saracinesca, feritoie.

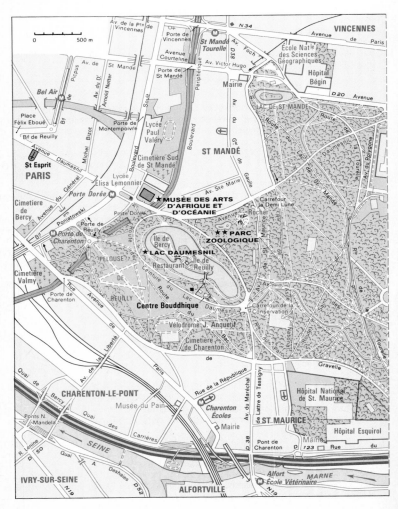

Entro la cinta, sulla sinistra, un **Musée des Chasseurs** ⊙ ripercorre la storia del corpo dei cacciatori (a piedi, alpini, ciclisti e motorizzati), dalla fondazione (1838) ai giorni nostri. Percorrendo un viale selciato si lascia, sulla sinistra, il luogo dove, un tempo, sorgeva il maniero di San Luigi (le fondamenta di un piccolo edificio, con lapide, risalgono a Luigi XIV).

Chapelle Royale – Iniziata da Carlo V in sostituzione di quella di San Luigi, su modello della cappella superiore del Palazzo di Giustizia, la cappella reale fu terminata solo sotto Enrico II. Eccettuati alcuni dettagli decorativi e le vetrate, l'edificio, che ha perso la guglia, è in stile gotico puro; la facciata, con bei rosoni di pietra, è in stile gotico fiammeggiante. L'interno presenta un'unica navata estremamente elegante; la decorazione delle mensole e del fregio che incornicia la base delle enormi finestre è di notevole bellezza. Le sette stupende **vetrate rinascimentali★** del coro raffigurano, con colori insoliti, alcune scene dell'Apocalisse. Nell'oratorio nord si trova la tomba del duca d'Enghien.

★★ **Donjon (Mastio)** – La «camicia» esterna, sgombrata da costruzioni inutili, è qui protetta da una testa di ponte fortificata (castelletto) che, un tempo, controllava l'accesso al ponte levatoio. Il mastio vero e proprio si erge al centro di un cortile interno; è possibile ripercorrerne la storia, nonché quella dei suoi abitanti, visitando un **museo**, allestito attualmente nelle casematte. I vari piani del mastio, eccetto l'ultimo, presentano una disposizione identica.

Il vano più importante, nel mezzo di ognuno dei tre piani, è occupato da una grande sala a volta, su unico pilastro centrale. Nelle torrette angolari si trovano quattro salette che, un tempo, fungevano da gabinetto d'attesa, oratorio, confessionale, guardaroba, tesoro; successivamente furono trasformate in celle di prigione.

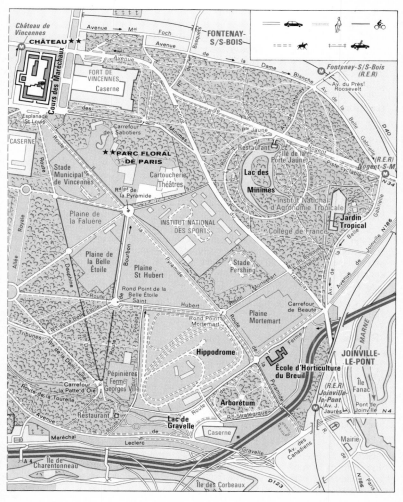

Pianterreno – Qui si trovavano le cucine. Nella grande sala a sud si possono vedere un pozzo profondo 17 m ed una porta appartenente alla tour du Temple (torre del Tempio), trasportata qui dopo la demolizione della prigione dove furono rinchiusi Luigi XVI ed i componenti della sua famiglia.

Primo piano – Era possibile accedervi direttamente dal Castelletto attraverso una passerella ricostruita. La sala del 1° piano era destinata ai ricevimenti reali. Alla base delle volte ogivali erano appesi preziosi arazzi, per attenuare il freddo delle mura di pietra. Qui Carlo V ricevette sontuosamente l'imperatore del Sacro Romano Impero; proprio in questa sala fu imprigionato il ministro delle Finanze Fouquet. Mirabeau trascorse tre anni in una delle torrette, dove compose uno scritto polemico contro gli arbitrari ordini di incarcerazione del re, che contribuirono a screditare tale privilegio del sovrano. Sotto Napoleone, il vescovo di Troyes, imprigionato qui, dipinse i muri della sua cella.

Secondo piano – Una bella e larga scala a chiocciola conduce al 2° piano, dove un tempo si trovava la camera reale. Nel 1422, qui morì di dissenteria Enrico V d'Inghilterra, genero di Carlo VI, riconosciuto dalla Corte erede al trono, e il suo corpo fu bollito nella cucina del castello. Nel 1574 vi morì anche Carlo IX, appena ventiquattrenne.

Gli edifici classici – Secondo i progetti di Le Vau, il cortile Reale è chiuso a nord da un portico ad arcate. Su entrambi i lati si ergono i due padiglioni reali. Nel **pavillon de la Reine** (padiglione della Regina) risiedettero Anna d'Austria, madre di Luigi XIV, ed il fratello di questi, detto «Monsieur». Nel 1832, qui Daumesnil morì di colera. L'ultimo personaggio di sangue reale ad abitarvi in qualità di direttore dell'Artiglieria della Senna (1840-1848) fu il duca di Montpensier, figlio minore di Luigi Filippo. Nel **pavillon du Roi** (padiglione del Re) morì Mazzarino (1661), che vi aveva preso provvisoriamente dimora in attesa del completamento dei suoi appartamenti nel padiglione della Regina. Al pianterreno si può visitare il **Musée de la Symbolique Militaire** (Museo dei Distintivi) ⊘, dove sono raccolti 8 500 distintivi dell'esercito francese di terra, dal 1920 ai giorni nostri.

★★ IL BOSCO

Il bosco di Vincennes, oltre ad offrire un pittoresco paesaggio naturale, possiede anche altre attrattive: il famoso zoo, lo stupendo giardino botanico, un giardino tropicale, un museo di arti africane ed oceaniche. E' inoltre un importante centro sportivo e di orticoltura.

Al suo interno è possibile seguire due sentieri segnalati (strisce gialle e rosse per il circuito completo, strisce gialle e blu per il Piccolo Circuito).

La storia – Filippo Augusto fa erigere intorno al territorio di caccia di Vincennes un muro di 12 km ed introduce all'interno una grande quantità di animali (cervi, daini). Nella foresta, su una delle collinette che dominano la Marna, **Carlo V** erige il piccolo castello di Beauté.

A partire dal 17° sec. diviene una meta privilegiata per le passeggiate: sei porte nelle mura di cinta ne consentono l'accesso. All'epoca di Luigi XV si procede ad un rimboschimento generale.

Nel 1798 è fondato il Poligono di Artiglieria; inizia in tal modo la serie di imprese che, per motivi militari o sportivi, sono compiute nella foresta di Vincennes e che continuano fino ai giorni nostri.

Nel 1860 Napoleone III cede Vincennes, esclusi il castello ed i terreni militari, al Comune di Parigi, perché sia trasformato in parco inglese. Haussmann fa scavare il lago di Grevelle, altri laghi (Daumesnil, Minimes, St-Mandé) ed alcuni ruscelli che attraversano il bosco. I lavori prevedono anche la costruzione di un ippodromo per il trotto. Presso l'Istituto Nazionale degli Sport, dominato da un moderno stadio coperto, si allenano i campioni di atletica e nuoto.

Sul prato di Reuilly (pelouse de Reuilly), vicino al lago Daumesnil, si svolge ogni anno in primavera *(dalla domenica delle Palme alla fine di maggio)* la secolare **fiera del Trono**, detta anche mercato dei Panpepati, che rappresenta, con le sue montagne russe e bancarelle rumorose, la principale giostra della capitale.

Parte occidentale del bosco

★★ **Parc zoologique de Paris** ⊘ – *Ingresso: Avenue Daumesnil.* Questo zoo, uno dei più belli d'Europa ed il più ricco di Francia (su una superficie di 14 ettari), si trova vicino al **Lac Daumesnil**★. Lo zoo ospita 550 mammiferi e 700 uccelli di oltre 200 specie diverse, in un ambiente che vuole ricreare il più possibile il loro habitat naturale. La grande roccia artificiale, alta 72 m, forma una sorta di belvedere.

★ **Musée des Arts d'Afrique et d'Océanie** ⊘ – La facciata dell'edificio, costruito per l'Esposizione Coloniale del 1931, presenta un enorme fregio scolpito raffigurante l'apporto delle colonie d'oltremare alla madrepatria.

Il pianterreno e la parte destra della sala d'onore sono dedicati all'**Oceania**: ricchissima collezione di cortecce dipinte dell'Australia, maschere in «tapa» (corteccia d'albero battuta) della Nuova Guinea, allucinanti fantocci funerari con la testa costituita dal cranio di un morto, sculture su radice di felce arborescente a forma di area di danza per cerimonie di onorificenza.

Musée des Arts d'Afrique et d'Océanie, Salon Paul Raynaud

La parte sinistra della sala è dedicata all'arte dell'**Africa Nera** ed ai suoi temi principali: la vita, simbolizzata mediante animali, spesso rappresentati con tratti antropo-
morfi (maschera Banda, maschera Molo), e la morte, espressa nell'esaltazione delle
figure degli antenati (figure in legno e rame dei Kota del Gabon). Al 1° piano, **Mali**
con i cimieri di maschere per la danza della civiltà dei Bambara e maschere, la **Costa
d'Avorio** e il **Ghana** con maschere-ciondolo in oro ed il **Congo** con statue magiche.
Il 2° piano è riservato ai paesi del **Maghreb**, con un'enorme ricchezza artistica, legata
alla vita quotidiana ed alla tradizione rurale (linee pure, decorazione semplice) e cittadina (decorazione vegetale ed epigrafica, molto raffinata). Si notino i bei **gioielli★**,
le ceramiche, le cinture in broccato di Fez, i copricapo algerini, le ceramiche tuni-
sine, i mobili scolpiti, incrostati di madreperla e avorio, gli immensi tappeti di lana.
Il seminterrato ospita un grande **acquario★** tropicale, con la presenza di pesci delle zone
calde e temperate. Ad esso si affiancano due terrari dove vivono coccodrilli e tartarughe.

Centre bouddhique du Bois de Vincennes ⊙ – A sud del lago Daumesnil, uno dei
quattro padiglioni dell'Esposizione Coloniale del 1931 ospita attualmente il tempio buddista di Parigi. Si ammiri il tetto ricostruito utilizzando 180 000 piccole tegole tagliate
a mano in legno di castagno. All'interno, statua dorata di Budda, alta 9 m.

Parte orientale del bosco

★★ **Parc floral de Paris** ⊙ – *Esplanade du Château.* Il giardino botanico venne realizzato
nel 1969 dall'architetto paesaggista D. Collin ed occupa una superficie di 30 ettari; vi
sono raccolte centinaia di varietà di fiori. Ad ogni stagione, lo stupendo spettacolo
della Valle dei Fiori offre nuove meraviglie. I padiglioni sotto ai pini o intorno alla
vasca ed il salone (Hall de la Pinède) ospitano più volte all'anno esposizioni o manifestazioni di vario genere (fotografie artistiche, danza, manifesti, orticoltura). Nella
parte orientale del parco è stato allestito un grande spazio giochi che vuole stimolare
la fantasia dei bambini. E' stato inoltre ricostruito l'antico Giardino della Dalia del
parco di Sceaux *(fioritura a settembre-ottobre).* La vasca è ornata di stupendi fior di
loto e ninfee *(fioritura da luglio a settembre).* Sono stati creati anche un Giardino delle
4 Stagioni, un Giardino di piante medicinali *(da visitare soprattutto da maggio a ottobre)* ed un Giardino di iris *(da visitare a maggio).* Nei primi giorni di marzo è allestita
ogni anno l'esposizione delle orchidee, quella dei tulipani a partire da aprile ed infine
quella dei rododendri e delle azalee da maggio.
Nella parte est del bosco può essere piacevole passeggiare o fare una sosta per un
pic-nic intorno al **Lac des Minimes** o nel **Jardin Tropical.**

École de Breuil – *Route de la Ferme.* Questa scuola, specializzata in orticoltura,
possiede bellissimi giardini. L'**arboretum** ⊙ ha un'estensione di oltre 12 ha ed include
2 000 alberi di 80 specie differenti.

Hippodrome de Vincennes – E' dotato di una pista di trotto e di un impianto di
illuminazione che consente lo svolgimento delle corse anche in notturna. Ogni anno
vi si svolgono 140 gare. Dall'altro lato della route de la Ferme si trova il **lago di
Gravelle,** dove crescono stupende ninfee gialle.

Castello di Versailles - Salone della Pace

Dintorni di Parigi

Cathédrale ST-DENIS★★★

Carta Michelin n° 101 (piega 16).
Ⓜ St-Denis-Basilique.

Uno dei maggiori centri industriali della periferia Nord di Parigi, St-Denis è conosciuto per la presenza della sua cattedrale, necropoli dei re e delle regine di Francia.

«Monsieur saint Denis» – San Dionigi, evangelizzatore e primo vescovo di Lutezia, subisce il martirio, insieme a due seguaci, sulla collina di Montmartre. La leggenda narra che il santo, portando tra le mani il proprio capo mozzato, giunge morente nella campagna ed il suo corpo viene segretamente sepolto da una pia donna nel cimitero della colonia gallo-romana di Catolacus. Sulla tomba di questo grande personaggio, chiamato dal popolo «Monsieur (Monsignor) saint Denis», è eretta una abbazia, che presto diviene meta di numerosi pellegrinaggi. Se questa è la tradizione, è pur vero che, dove oggi si trova St-Denis, sorgeva Catolacus, una città fondata dai Romani nel 1° sec., in un punto da cui era possibile sorvegliare facilmente sia la via Parigi-Beauvais che il fiume.

Nel 475 è costruita una prima grande chiesa. Re Dagoberto I la sostituisce nel 630 con un edificio più ampio e sontuoso, in cui fa custodire in un'urna i resti dei martiri. Il re erige anche un'abbazia benedettina, ben presto divenuta la più famosa e ricca della Francia. Nel 750 Pipino il Breve ricostruisce nuovamente la chiesa e fa allestire sotto il coro un «martyrium», destinato alla venerazione dei santi. L'aspetto attuale dell'edificio è dovuto comunque all'**abate Suger** (12° sec.) e a Pierre de Montreuil (13° sec.).

Per dodici secoli, da Dagoberto a Luigi XVIII, quasi tutti i sovrani di Francia sono inumati in questa chiesa. Durante la Rivoluzione, gli insorti vogliono distruggere il mausoleo ed i corpi sono gettati in alcune fosse. L'architetto Alexandre Lenoir riesce fortunatamente a trasportare le tombe più preziose a Parigi, presso il deposito dei Piccoli Agostiniani, che diverrà poi il museo dei Monumenti francesi. Nel 1816, Luigi XVIII restituirà le tombe alla basilica.

Fin dal 1109, viene allestita nella pianura di St-Denis la **fiera del Lendit**, che per sei secoli attira numerosi mercanti e curiosi. L'Università di Parigi acquistava qui la pergamena utilizzata dai suoi scolari.

St-Denis – Statua giacente di Giovanna di Borbone

Costruzione – La cattedrale occupa un ruolo di primo piano nella storia dell'architettura; fu il primo grande edificio religioso in stile gotico ed ispirò gli architetti di altre cattedrali francesi della fine del 12° sec., tra cui Chartres, Senlis e Meaux.

Suger fa erigere la facciata e le prime due campate della navata dal 1136 al 1140, il coro e la cripta tra il 1140 ed il 1144; la navata del periodo carolingio viene conservata e rimaneggiata solo tra il 1145 ed il 1147.

Agli inizi del 13° sec., sulla torre sinistra viene collocata una stupenda guglia di pietra; successivamente vengono ampliati il coro ed il transetto e si procede alla ricostruzione della navata. Luigi il Santo affida i lavori a Pierre de Montreuil che li esegue dal 1247 fino alla morte (1267).

Declino – Nei secoli successivi, la manutenzione della chiesa è alquanto trascurata e l'edificio subisce un notevole declino. Durante la Rivoluzione, soprattutto l'interno è fortemente danneggiato; lo stesso tetto di piombo è scoperchiato. Napoleone fa eseguire le riparazioni più urgenti e la chiesa è nuovamente adibita al culto nel 1806.

Restauro – Nel 1813, l'architetto Debret intraprende il restauro della chiesa, ma, non possedendo sufficienti cognizioni sullo spirito medievale, i risultati del suo intervento sono disastrosi. Nel 1846 è necessario demolire la guglia, poichè i materiali impiegati da Debret, troppo pesanti, rischiano di farla crollare. Compiendo studi molto accurati, **Viollet-le-Duc** riesce con abilità a restaurare la chiesa, riconferendole fedelmente l'aspetto originario; l'edificio attuale è frutto del suo meticoloso lavoro.

Gli scavi nella cripta hanno portato alla luce alcuni muri del «martyrium» del periodo carolingio ed una necropoli merovingia (tomba della principessa Aregonda, moglie di Clotario I, risalente alla fine del 6° sec.; stupendi sarcofaghi e mirabili gioielli). Sono state anche scoperte alcune fondamenta appartenenti ai santuari anteriori.

VISITA *1 ora*

Esterno – Nel Medioevo, questo complesso architettonico era fortificato; da ciò deriva la presenza di merlature alla base delle torri e di quattro robusti contrafforti, che conferiscono alla cattedrale un aspetto alquanto asimmetrico. La facciata occidentale è animata da portali con archi a tutto sesto, finestre, loggette cieche ed una galleria di figure. E' questo il primo esempio di impiego, nel gotico, di un rosone, divenuto poi un motivo ornamentale assai frequente in questo stile.

Sul lato sinistro della cattedrale, una serie di doppi archi rampanti fungono da contrafforti per la navata. La facciata del transetto, ornata di un bellissimo rosone, doveva originariamente contenere due torri, la cui costruzione fu però interrotta al 1° piano.

Interno – Lunga 108 m, larga 39 m al transetto ed alta 29 m sotto la volta, la cattedrale risulta leggermente più piccola rispetto a Notre-Dame.

Il nartece è formato dalle due campate in corrispondenza delle torri, le cui volte ad ogiva, sostenute da massicci pilastri, risalgono in parte all'epoca di Suger. L'interno a tre navate, opera di Pierre de Montreuil, è di notevole eleganza. Il triforio presenta finestroni aperti verso l'esterno. Le vetrate della navata sono moderne.

★★★ **Tombe** ⊙ – Accanto ai re, riposano anche le spoglie di regine, di figli di sovrani e di alcuni fedeli servitori della Corona, come nel caso del conestabile Du Guesclin (**1**). L'insieme costituisce il più ricco museo di scultura funeraria francese del Medioevo e del Rinascimento (79 statue giacenti). Le tombe sono state profanate durante la Rivoluzione e sono quindi vuote.

A partire dal 14° secolo, venne introdotta l'usanza di prelevare dal cadavere dei re cuore e viscere e di conservarli in luoghi differenti rispetto al corpo, ognuno in un proprio monumento. A St-Denis erano destinate le salme dei sovrani.

Fino al Rinascimento, la scultura delle tombe prevede solo **statue giacenti**. Si ammirino soprattutto le stupende lastre tombali di Clodoveo (**2**) e di Fredegonda (**3**), in mosaico «cloisonné» con filetti di rame, realizzate nel 12° sec. per St-Germain-des-Prés.

Nel 1260 circa, Luigi il Santo fece eseguire una serie di effigi di tutti i suoi predecessori dal 7° sec.: queste figure, pur essendo puramente simboliche, rivelano in modo molto significativo come i personaggi regali erano raffigurati nella statuaria della metà del 13° sec. Si notino l'imponente tomba di Dagoberto (**4**), ornata di scene molto animate, e le statue giacenti di Carlo Martello (**5**), di Pipino il Breve (**6**) e di una figura femminile in marmo di Tournai (**7**).

Con la statua di Filippo III l'Ardito (**8**), morto nel 1285, inizia una scultura

funeraria più attenta a riproduzioni somiglianti, spesso eseguite quando i personaggi da raffigurare sono ancora in vita; nascono in tal modo veri e propri ritratti, come per Carlo V (**9**), opera di Beauneveu, Carlo VI e Isabella di Baviera (**10**).

Durante il Rinascimento, si privilegia la costruzione di mausolei, sontuosamente decorati e suddivisi in due parti distinte: su quella superiore, i re e le regine sono inginocchiati ed indossano sontuosi abiti da cerimonia; sul piano inferiore, i corpi dei defunti, nudi, sono invece raffigurati nell'estrema rigidità cadaverica con minuzioso realismo. Grande interesse rivestono i monumenti di Luigi XII e di Anna di Bretagna (**11**), di Francesco I e della moglie Claudia di Francia (**12**), realizzati da Philibert Delorme e Pierre Bontemps.

Caterina de' Medici, sopravvissuta per 30 anni al marito Enrico II, affidò il disegno della sua tomba (**13**) a Francesco Primaticcio, ma, alla vista del proprio cadavere, inorridì a tal punto da incaricare Germain Pilon di eseguirle un secondo monumento (**14**), dove un dolce sonno sostituisce la rigidità della morte.

Coro – Gli stalli prerinascimentali (**15**) dell'avancoro provengono dal castello normanno di Gaillon e raffigurano alcune scene bibliche. Sulla destra, si ammiri la **Madonna col Bambino**★ romanica, in legno policromo (**16**), proveniente da St-Martin-des-Champs (12° sec.). Il trono episcopale che le fa riscontro (**17**) riproduce il trono di Dagoberto (l'originale è oggi custodito nel Cabinets des Médailles alla Bibliothèque Nationale di Parigi).

In fondo, nel coro, una moderna teca (**18**) con le reliquie dei Ss. Dionigi, Rustico ed Eleuterio. Il **deambulatorio**★ risale ai tempi di Suger e presenta cappelle a raggiera. Molti retabli e frammenti di vetrate gotiche ornano le cappelle absidali.

★★ **Cripta** ⊙ – Il deambulatorio inferiore della cripta costruita da Suger nel 12° sec., in stile romanico, è stato notevolmente restaurato da Viollet-le-Duc (capitelli con motivi vegetali). La cappella centrale a volta (9° sec.) custodisce la tomba collettiva dei Borboni, dove, tra gli altri, sono inumate le salme di Luigi XVI, Maria Antonietta e Luigi XVIII. Nel transetto Nord, in una fossa comune sono stati sepolti nel 1817 i resti di circa 800 re e regine, principi e principesse delle dinastie dei Merovingi, Capetingi, Orléans e Valois.

St-Denis – Luigi XVI e Maria Antonietta

Attenzione – c'è stella e stella!
Non sono comparabili

  – *le stelle delle regioni turistiche più ricche di arte e storia e quelle di zone meno note*
  – *le stelle di città d'arte e quelle di paesi pittoreschi o in posizione amena*
  – *le stelle delle grandi città e quelle di eleganti luoghi di soggiorno*
  – *le stelle delle grandi creazioni architettoniche e quelle dei musei*
  – *le stelle attribuite a un complesso e quelle che valorizzano un particolare.*

VERSAILLES★★★

Carta Michelin n° 101 (pieghe 22, 23).

Treno: Gare des Invalides – Fermata: Versailles-Rive Gauche.

Versailles venne creata durante l'apogeo della monarchia francese ed, eccetto durante il periodo della Reggenza, fu sede del governo e capitale politica della Francia dal 1682 al 1789. Il luogo deve la propria fama al mirabile insieme costituito dal castello, dai giardini e dal Trianon, modello per tutta l'Europa. La città, costruita a completamento del castello per ospitare tutti i personaggi che ruotavano intorno alla corte, ha mantenuto un aspetto solenne che le conferisce un fascino un po' austero.

Il castello di Luigi XIII – Agli inizi del 17° sec., Versailles è ancora un villaggio circondato da paludi e boschi ricchi di selvaggina. Spesso Luigi XIII si reca in questi luoghi per cacciare. Nel 1624, acquista un terreno per costruirvi una residenza di campagna. Nel 1631, ottiene da Gondi, arcivescovo di Parigi, la signoria di Versailles. Ben presto, grazie all'architetto Philibert Le Roy, la costruzione viene ampliata e trasformata in un piccolo castello di mattoni, pietra e ardesia.

Il glorioso compito di domare la natura – Nel 1661 inizia il regno personale di Luigi XIV, il Re Sole. Particolarmente affezionato a Versailles, che gli suscita gioiosi ricordi di gioventù e di caccia, decide di ampliare il possedimento ed assume gli stessi artisti, architetti e giardinieri che avevano realizzato la magnifica struttura di Vaux-le-Vicomte, per creare un castello ancora più maestoso. Per l'ampliamento del castello tuttavia le condizioni del terreno e la stessa posizione non sono molto favorevoli: la collina su cui sorge la costruzione è infatti troppo piccola per consentirne altre; i terreni circostanti, se da un lato sono impregnati d'acqua per la presenza di paludi, dall'altro non ne possiedono a sufficienza per alimentare vasche, fontane, canali e giochi d'acqua indispensabili per un giardino di quell'epoca e soprattutto per soddisfare i desideri ambiziosissimi del Re Sole. Il sovrano decide quindi di eliminare tutti gli ostacoli frapposti dalla natura: fa trasportare enormi quantità di terra per ampliare la collina e prevede il drenaggio e la captazione delle acque in tutta la regione. I grandi progetti si realizzano a tappe successive: nel 1668 **Louis Le Vau** «avvolge» il piccolo castello in una costruzione in pietra all'italiana, André Le Nôtre progetta i nuovi giardini e traccia le prospettive. Dal 1664 si inizia a dare feste reali.

Un'opera gigantesca – Nel 1678, **Jules Hardouin-Mansart**, appena trentenne, assume la direzione dei lavori che manterrà fino alla morte (1708). **Charles Le Brun** dirige, tra il 1661 e il 1683, un esercito di pittori, scultori, tappezzieri. Insieme a Le Nôtre, a cui è affidata la responsabilità dei giardini, collaborano i Francine, figli di ingegneri italiani, grandi realizzatori di opere idrauliche e giochi d'acqua. Tutto è comunque controllato personalmente da Luigi XIV, che apporta modifiche e suggerimenti.

Nel 1684, due anni dopo l'installazione definitiva della corte a Versailles, vi lavorano 22 000 operai e vengono impiegati 6 000 cavalli. Viene creata una collina destinata a sostenere i 680 m di lunghezza del castello; altre vengono spianate per consentire lo scavo dei canali. Sono trapiantate intere foreste; ogni anno i giardinieri producono 150 000 piante floreali; l'aranciera ospita 3 000 arbusti: aranci, melograni, mirti e oleandri.

I maggiori problemi sono causati dall'apporto di acqua. Il corso della Bièvre viene sbarrato e si procede al drenaggio degli altipiani di Saclay. Tra il 1681 ed il 1684 si installa la macchina di Marly, che fa convogliare l'acqua pompata dalla Senna.

I lavori durano, con varie interruzioni nei periodi di guerra, quasi 50 anni. Solo nel 1710, Luigi XIV entra nella cappella del castello, terminata da Robert de Cotte: il sovrano ha ora 72 anni.

La vita alla corte – La corte comprende circa 3 000 persone (tra nobili e servitori), che abitano anch'essi nel castello e negli edifici attigui; il re, ancora memore delle umiliazioni della Fronda, riunisce intorno alla propria persona tutta la nobiltà, divenuta in tal modo un docile strumento nelle sue mani. Assegna uffici e onori, così da impedire la nascita di forze d'opposizione alla Corona, tendenti a spezzare l'unità del regno.

Tutta la vita di corte è organizzata secondo una rigida etichetta; le feste, per alcuni anni numerosissime ed assai spettacolari, divengono in seguito meno frequenti, a causa dell'influenza esercitata sul re dalla devota Mme de Maintenon. Quando Luigi XIV muore (1715), l'erede al trono è ancora un bimbo ed il Reggente, Filippo d'Orléans, trasferisce nuovamente la corte a Parigi. Nel 1722, tuttavia, Luigi XV ritorna definitivamente a Versailles, facendo però trasformare gli appartamenti privati. Nonostante le finanze non consentano l'esecuzione di tutti i lavori progettati, si intraprende comunque la costruzione del Piccolo Trianon. Luigi XVI e Maria Antonietta apportano solo lievi modifiche; il 6 ottobre 1789, la famiglia reale è costretta dal popolo a ritornare a Parigi. Da allora il castello non ha mai più ospitato sovrani.

«In onore della Francia» – Dopo la presa delle Tuileries e la caduta della monarchia, il 10 agosto 1792, tutto l'arredamento del castello è disperso, fatta eccezione per alcuni mobili importanti, quadri e arazzi, destinati al museo del Louvre. Nonostante i restauri effettuati da Napoleone e Luigi XVIII, l'edificio cade sempre più in rovina, fino a rischiare di essere demolito all'epoca di Luigi Filippo; il re tuttavia riesce a proprie spese a salvarlo e lo trasforma, nel 1837, in Musée de l'Histoire de France.

L'opera di restauro – Grazie a sovvenzioni statali e a generose donazioni private (J.D. Rockefeller), dopo la prima guerra mondiale è stato possibile promuovere l'opera di restauro del castello. Agli inizi degli anni '50, furono intrapresi importanti lavori che consentirono di ricostruire l'Opéra, riammobiliare i locali ed effettuare la manutenzione, oltre che installare il riscaldamento e l'illuminazione elettrica. Questa enorme impresa ha ricevuto un nuovo impulso a partire dallo scorso decennio: nel 1980 la camera del re e la galleria degli Specchi sono state restituite all'antico splendore.

Ingressi

Entrata A: **Grands Appartements** ⊙ (singoli visitatori)
Entrata C: **Appartements du Roi et du Dauphin** ⊙ (visite con audioguida)
Entrata D: **Visite guidate** ⊙
Ingresso alla mostra permanente « **Les Grandes heures du Parlement** ⊙ » dall'ala sinistra, verso i giardini.

Programmi di visita

Visita in 1 giorno – Al **mattino**: esterno, appartamenti del Re e del Delfino, al **pomeriggio**: giardini, Grand e Petit Trianon (solo esterno) e Grandi Appartamenti.

Visita in 2 giorni – Il programma del primo giorno può essere integrato con la mostra«Les Grandes Heures du Parlement», la visita completa del Trianon, una visita-conferenza (informazioni alla porta D) o una passeggiata nel **parco** ⊙.

***IL CASTELLO

Esterno ⊙ *Visita rapida: circa 1 ora*

Place d'Armes – Su questa grande spianata sboccano le avenue de St-Cloud, de Paris e de Sceaux, separate dalle antiche **scuderie reali★**, opera di Jules Hardouin-Mansart. La Grande Écurie (Grande Scuderia) ospita un **museo delle Carrozze** ⊙.

I cortili – Dietro l'attuale cancellata del castello, risalente a Luigi XVIII, si aprono tre cortili successivi. Il primo, detto **Cour des Ministres** (cortile dei Ministri), è limitato dalle ali del castello che mettono in comunicazione i quattro padiglioni, occupati, sotto la monarchia, dai ministri.

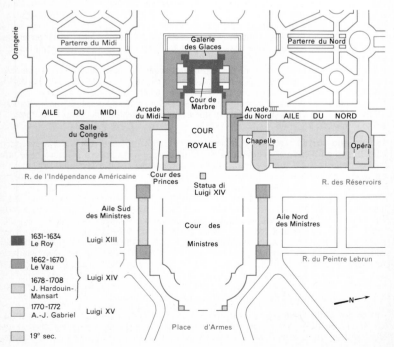

Al centro della prospettiva si erge la statua di Luigi XIV, voluta da Luigi Filippo.

Il secondo cortile, o **Cour Royale** (cortile Reale), era un tempo separato dal primo da un cancello e poteva essere attraversato in carrozza solo dai membri della famiglia reale, da duchi e pari. Al di là delle arcate nord (passaggio pubblico verso il parco) e sud, corrono tre cancelli dorati che segnano l'ingresso d'onore ai Grandi Appartamenti.

In fondo, si apre la **Cour de Marbre★★** (cortile di Marmo), pavimentato di marmo bianco e nero e riportato al livello originario. Su di esso si affaccia il castello di Luigi XIII, con facciate rimaneggiate ed arricchite di elementi decorativi da Le Vau e Hardouin-Mansart: balaustrate, busti, statue, vasi. Le tre finestre arcuate al 1° piano dell'avancorpo centrale, dietro il balcone dorato sostenuto da otto colonne di marmo, erano un tempo quelle della camera del re.

★★★ **Facciata sul parco** – Per evitare di rendere monotona questa facciata, lunga ben 680 m, il corpo centrale del castello fu costruito in modo da sporgere rispetto alle ali laterali; a tale ingegnoso artificio architettonico si accompagnò anche la costruzione di avancorpi a colonne che spezzano la continuità delle linee orizzontali. Il tetto terrazzato all'italiana è nascosto da una balaustrata animata da trofei e vasi. Le statue di Apollo e Diana, circondate dalle allegorie dei mesi, sovrastano gli avancorpi centrali, occupati un tempo dalla famiglia reale. I figli dei re di Francia abitavano con alcuni esponenti reali nell'ala sud.

La terrazza che si apre davanti al castello domina i giardini e tutto il parco. Alle due estremità sono collocati gli stupendi e giganteschi **vasi di marmo★**: all'angolo nord, il vaso di Coysevox dedicato alla Guerra, a sud, quello della Pace, opera di Tuby. Si trovano rispettivamente sotto le finestre del Salon de la Guerre e de la Paix del castello.

Ai piedi del corpo centrale, si allineano quattro statue di bronzo realizzate dai fratelli Keller secondo i modelli dell'antichità: *Bacco, Apollo, Antinoo* e *Sileno*. Questa terrazza offre una prima veduta d'insieme sui giardini e le prospettive del parco: in primo piano i parterre d'eau e la Grande Prospettiva (Axe du Soleil) con, in fondo, il Grand Canal; sulla sinistra, i parterres sud, sulla destra i parterres ed i bosquets Nord, interrotti dall'Allée d'Eau che termina nel bassin de Neptune.

Ritornare alla Cour de Marbre per il passage du Midi.

Interno *si veda la pianta*

Varcato l'ingresso Ⓐ si attraversa il vestibolo per raggiungere il salone della Cappella (**a**), al 1° piano, salendo le scale a chiocciola 4, oppure, se aperte, passando per le sale del 17° sec. del Musée de l'Histoire de France.

★★★ CHAPELLE ⊙

Dedicata a San Luigi (Luigi IX), questa cappella, capolavoro di Hardouin-Mansart e terminata dal cognato Robert de Cotte (1710), possiede un fascino estremamente armonioso, grazie anche alla decorazione molto semplice in bianco e oro. I bassorilievi dei pilastri e delle arcate, sormontate da una galleria di colonne corinzie, sono opera di Van Cleve, Robert Le Lorrain e Guillaume Coustou. Nella tribuna dell'abside è stato collocato il mirabile organo, ornato di sculture molto raffinate eseguite su disegno di Robert de Cotte. L'altare, opera di Van Cleve, è in marmo e presenta bassorilievi in bronzo dorato di Vassé, raffiguranti una Pietà. Nell'abside, La Fosse dipinse la *Resurrezione di Cristo*.

La tribuna era riservata alla famiglia reale, mentre i cortigiani rimanevano nella navata.

★★★ GRANDS APPARTEMENTS ⊙

I Grandi Appartamenti propriamente detti comprendono da un lato le sale di ricevimento, cioè il Salon d'Hercule, una serie di sei saloni conosciuti con il nome di «Grand Appartement» e la celebre Galerie des Glaces (Galleria degli Specchi); dall'altro le stanze d'abitazione ufficiali destinate alla vita pubblica del re e della regina.

★★ Salon d'Hercule

Il salone d'Ercole, iniziato nel 1712 e decorato da Robert de Cotte nel 1736 (sotto il regno di Luigi XV), ospita due splendide tele di Veronese: **La cena di Cristo in casa di Simone il Fariseo★**, per il quale in effetti era stato progettato il salone, ed **Elizier e Rebecca** (sopra il caminetto), entrambe donate dalla Repubblica di Venezia. Il soffitto rappresenta l'*Apoteosi di Ercole*, di Lemoyne.

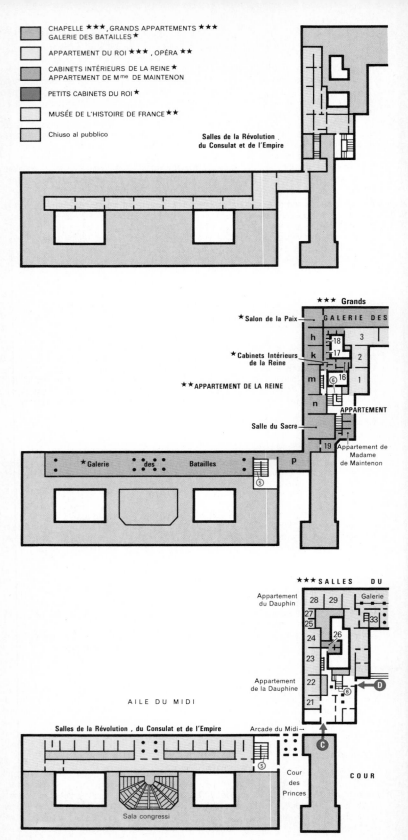

CHAPELLE ★★★, GRANDS APPARTEMENTS ★★★
GALERIE DES BATAILLES ★

APPARTEMENT DU ROI ★★★, OPÉRA ★★

CABINETS INTÉRIEURS DE LA REINE ★
APPARTEMENT DE Mᵐᵉ DE MAINTENON

PETITS CABINETS DU ROI ★

MUSÉE DE L'HISTOIRE DE FRANCE ★★

Chiuso al pubblico

Salles de la Révolution
du Consulat et de l'Empire

★★★ Grands

GALERIE DES

★ Salon de la Paix

h
3

18

★ Cabinets Intérieurs
de la Reine

k
17
2

★★ APPARTEMENT DE LA REINE

m
16
1

n

APPARTEMENT

Salle du Sacre

19   Appartement de
Madame
de Maintenon

★ Galerie   des   Batailles   p

★★★ SALLES   DU

Appartement
du Dauphin

28   29   Galerie

27
25
33

24   26

23

Appartement
de la Dauphine

22   D

21

AILE DU MIDI

Salles de la Révolution , du Consulat et de l'Empire

Arcade du Midi

C

Cour
des
Princes

COUR

Sala congressi

VERSAILLES: IL CASTELLO

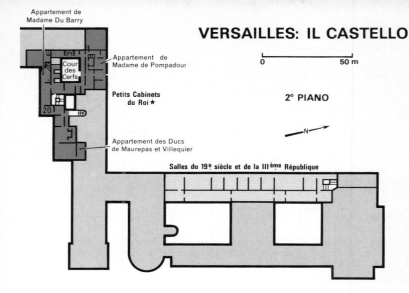

Appartement de Madame Du Barry

Appartement de Madame de Pompadour

Cour des Cerfs

20

Petits Cabinets du Roi ★

2° PIANO

0   50 m

N →

Appartement des Ducs de Maurepas et Villequier

Salles du 19e siècle et de la IIIème République

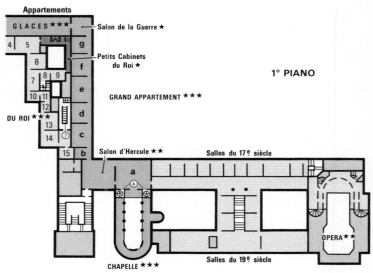

Appartements

GLACES ★★★ — Salon de la Guerre ★

4 | 5 | g

6 | f

7 | 8 | 9 | e

10 | 11

12

DU ROI ★★★ | 13 | c

14 | ⑦

15 | b

Petits Cabinets du Roi ★

1° PIANO

GRAND APPARTEMENT ★★★

Salon d'Hercule ★★

a

④

CHAPELLE ★★★

Salles du 17e siècle

Salles du 19e siècle

OPERA ★★

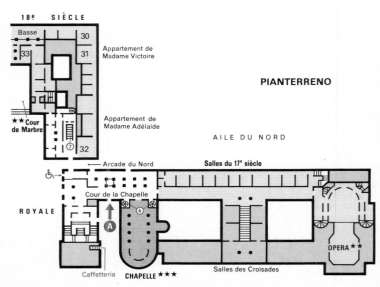

18e SIÈCLE

Basse | 30

33 | 31

Appartement de Madame Victoire

PIANTERRENO

★★ Cour de Marbre

Appartement de Madame Adélaïde

32 | ⑦

AILE DU NORD

Arcade du Nord

♿

Cour de la Chapelle

↑

Ⓐ

ROYALE

④

Salles du 17e siècle

Caffetteria

CHAPELLE ★★★

Salles des Croisades

OPERA ★★

311

★★★ Il Grand Appartement

Quest'ala del castello, costituita da 6 saloni ornati di marmi policromi, bronzi, rame cesellato o dorato, tipici del barocco italiano, rappresentano uno stupendo esempio del primo stile Luigi XIV, che privilegiò appunto l'uso di materiali preziosi e ricercati. Questa serie di saloni fu costruita da Le Vau nel 1668 e decorata da Le Brun. Il nome dato ai saloni si riferisce agli affreschi dipinti sul soffitto. Qui, il re, tre volte alla settimana (dalle 18 alle 22), dava ricevimento alla corte: gli intrattenimenti erano costituiti da giochi e danze.

Salon de l'Abondance (**b**) – Nel Salone dell'Abbondanza, rivestito di drappeggi in velluto verde, sono esposti quattro ritratti della famiglia reale, realizzati da Rigaud e Van Loo. Qui, durante i ricevimenti, erano collocati i cibi e le bevande alle quali erano destinati tre tavoli distinti: uno per le bevande calde e gli altri due per quelle fredde: vino, acqua, sorbetto, succo di frutta, ai tempi chiamato «acqua di frutta».

Salon de Vénus (**c**) – Il soffitto del Salone di Venere, dipinto da Houasse, è ripartito, come nei saloni seguenti, in stucchi dorati.

Salon de Diane (**d**) – Il Salone di Diana era, ai tempi di Luigi XIV, la sala da biliardo. Si ammiri il **busto di Luigi XIV**, capolavoro del Bernini (1665), mirabile esempio di scultura barocca. Quadri di De Lafosse e Blanchard.

Salon de Mars (**e**) – Le pareti tappezzate di tessuto indicano che ci troviamo nell'appartamento reale vero e proprio (sala delle guardie). Durante i ricevimenti, il Salone di Marte era riservato alla musica (ai musicisti erano destinate due tribune ai lati del caminetto, eliminate nel 1750); alle pareti laterali i ritratti di *Luigi XV*, opera di Rigaud, e di *Maria Leszczinska*, di Van Loo, collocati nella posizione originaria. Inoltre si ammirino *Dario davanti ad Alessandro*, di Le Brun, e *I Pellegrini di Emmaus*, del Veronese. Sopra il caminetto, *David che suona l'arpa*, del Domenichino, uno dei quadri preferiti da Luigi XIV (un tempo nella camera reale).

Salon de Mercure (**f**) – Il Salone di Mercurio era destinato al gioco. I soffitti sono stati dipinti da J.B. de Champaigne. Nel 1715 vi rimase esposta per otto giorni la salma di Luigi XIV.

Salon d'Apollon (**Sala del trono**) (**g**) – Qui termina il Grande Appartamento ed il Salone di Apollo è il più sontuoso dei saloni; era destinato alla musica ed alla danza, nonché ad accogliere gli ambasciatori. In Apollo, il dio dell'oracolo, della luce e delle arti, il Re Sole vedeva incarnati i propri ideali (il sole è infatti un elemento decorativo ricorrente). Qui era collocato il trono, come ancora visibile dai ganci a cui era fissato il baldacchino. Il soffitto reca dipinto il Carro del Sole, opera di De Lafosse. Sopra il caminetto, una copia del famoso dipinto di Rigaud, Luigi XIV.

★ Salon de la Guerre

Questo salone d'angolo collega il Grande Appartamento alla galleria degli Specchi. E' ornato di un grande bassorilievo ovale, opera di Coysevox, raffigurante il re in trionfo, che sfila a cavallo davanti ai suoi nemici distesi al suolo, ed è incoronato dalla dea della Vittoria.

★★★ Galerie des Glaces

La galleria degli Specchi (detta anche «Grande Galleria») fu terminata da Mansart nel 1687 e, con i due saloni che l'affiancano, rappresenta il capolavoro dell'arte decorativa di Le Brun e dei suoi collaboratori. Lunga 75 m, larga 10 m e alta 12 m, è illuminata da diciassette finestre a cui fanno riscontro, sulla parete opposta, altrettante specchiere. I 578 specchi che compongono tali pannelli sono i più grandi realizzati a quel tempo. Sul soffitto, Le Brun dipinse con colori fuoco e oro i primi 17 anni del regno di Luigi XIV, dal 1661 al 1678. Tra gli altri motivi decorativi, si notino i capitelli dei pilastri, in bronzo dorato, su cui Le Brun accostò ad elementi antichi anche i galli ed i fiori di giglio, simbolo della monarchia francese.

Nel 1980 sono stati completati i lavori di risistemazione della galleria, grazie ai quali ha potuto riacquistare l'aspetto che presentava nel 1770, in occasione del matrimonio del Delfino, futuro Luigi XVI, con Maria Antonietta: candelabri scolpiti (realizzati su sei originali ancora esistenti), lampadari di cristallo.

Qui si svolgevano le feste della corte, le solenni cerimonie ed il ricevimento di ambasciatori straordinari. In quelle occasioni, gli abiti e gli arredi erano resi ancor più splendenti e sfarzosi dalle migliaia di luci riflesse dagli specchi. Per dieci anni, sotto Luigi XIV, tutto l'arredo, le casse degli aranci ed i lumi furono in argento massiccio. Qui, il 18 gennaio 1871, fu proclamato l'Impero di Germania e fu siglato, il 28 giugno 1919, il trattato di Versailles.

Dalle finestre centrali si apre una stupenda **vista★★★** sulla Grande Prospettiva.

★ Salon de la Paix

Anche il salone della Pace, come quello della Guerra, era stato originariamente concepito come dipendenza della galleria degli Specchi, per essere successivamente annesso, alla fine del regno di Luigi XIV, all'appartamento della regina come salone di musica e poi di gioco. Sopra il caminetto, si ammiri un quadro di Lemoyne, *Luigi XV che dà la pace all'Europa*.

★★ Appartement de la Reine

Questo appartamento fu creato per la regina Maria Teresa di Spagna, moglie di Luigi XIV, mortavi nel 1683.

Chambre de la Reine (h) – Nel 1975, dopo trent'anni di lavori, questa camera ha finalmente ritrovato l'aspetto che presentava nel 1787. Dopo Maria Teresa, fu abitata da Maria Anna di Baviera, moglie del Grande Delfino, figlio del re, da sua nuora, Maria Adelaide di Savoia, madre di Luigi XV, da Maria Leszczinska (per 43 anni), moglie di quest'ultimo, ed infine da Maria Antonietta. Vi sono nati diciannove principi e principesse, tra cui Luigi XV e Filippo V di Spagna, che, secondo la tradizione, furono partoriti pubblicamente.
I rivestimenti lignei sono opera di Gabriel. Si ammirino soprattutto le tappezzerie dell'alcova, in seta, decorate di mazzi di fiori, nastri, code di pavone, che furono ritessute a Lione, identiche al modello originale.

Salon des Nobles de la Reine (k) – Nel salone dei Nobili della Regina avvenivano le presentazioni dei nobili e dei cortigiani alla regina ed il locale era anche adibito a camera mortuaria di parata per le regine e le delfine di Francia. Il salone è stato ripristinato come nel 1789, quando fu lasciato dalla famiglia reale (cassettoni, angoliere di Riesener).

Antichambre du Grand Couvert (m) – Sala delle guardie all'epoca di Maria Teresa, venne utilizzata da Maria Antonietta per le rappresentazioni teatrali ed i concerti; fungeva anche da sala da pranzo, in cui il re e la regina consumavano i loro pasti davanti a tutti. Questo salone è ornato di molti quadri; quello di Mme Vigée-Lebrun, *Maria Antonietta con i figli* (1787), rappresenta, da sinistra a destra, Mme Royale, il duca di Normandia (futuro Luigi XVII) e il delfino nell'atto di indicare una culla vuota (allusione alla morte prematura della sorella Sofia); egli stesso morirà due anni dopo.

Salle des Gardes de la Reine (n) – La decorazione di questa sala è ancora quella originariamente realizzata da Le Brun e N. Coypel, trasferita dal Salone de Jupiter (divenuto salone della Guerra in occasione della sistemazione della Galerie des Glaces). E' quindi rimasto intatto l'insieme in stile Luigi XIV. Qui, la mattina del 6 ottobre 1789, si svolse un cruento scontro tra le guardie della regina e gli insorti che tentavano di invaderne l'appartamento.

SALLE DU SACRE

La sala dell'Incoronazione, dapprima adibita a cappella, poi divenuta Grande Sala delle Guardie, era il luogo ove si tenevano le sedute del Parlamento per l'amministrazione della giustizia; in seguito fu modificata da Luigi Filippo per collocarvi i grandi dipinti eseguiti per l'incoronazione di Napoleone I; sulla sinistra dell'ingresso, il famoso quadro di David, *L'Incoronazione di Napoleone*, seconda versione (1808-1822) del quadro esposto al Louvre. Di fronte, un'altra composizione dello stesso pittore, *La Distribuzione delle Aquile al Campo di Marte*.

Salle du 1792 (p) – Questa sala, non ammobiliata, ospita grandi dipinti storici (guerrieri, battaglie). Notare il quadro di Cogniet, *La Guardia Nazionale di Parigi parte per la guerra*, in cui Luigi Filippo è ritratto in uniforme di luogotenente generale.

★ GALERIE DES BATAILLES

Le dimensioni della galleria delle Battaglie sono assolutamente eccezionali: 120 m di lunghezza e 13 m di larghezza.
Il nome deriva dalle 33 grandi composizioni militari con cui Luigi Filippo volle ornare le pareti, per celebrare le principali vittorie francesi.

Lasciando l'appartamento della Regina, scendere nella Cour des Princes attraverso la scala omonima (Escalier des Princes) ⑤.

★★★ APPARTEMENT DU ROI o Appartement de Louis XIV

L'appartamento del re è disposto intorno al cortile di Marmo e, tra il 1684 ed il 1701, fu sistemato da Hardouin-Mansart nel castello di Luigi XIII. La sua decorazione mostra una chiara evoluzione dello stile Luigi XIV: i soffitti non sono più a comparti, ma dipinti di bianco; non più rivestimenti di marmo alle pareti, bensì rivestimenti in legno e oro; sopra i caminetti sono disposti grandi specchi.

Escalier de la Reine ⑥ – Alla fine dell'Ancien Régime, la scala della Regina era l'ingresso normale agli appartamenti reali. Si ammiri la ricca decorazione in marmo policromo (tipica dell'arte di Le Brun).
La sala delle guardie (**1**) e la prima anticamera (**2**) introducono al salon de l'Œil de Bœuf.

Salon de l'Œil de Bœuf (seconda anticamera) (**3**) – Il salone dell'Occhio di Bue, il cui nome deriva dalla forma ovale della finestra, era l'anticamera in cui i nobili attendevano l'alzarsi *(lever)* ed il coricarsi *(coucher)* del sovrano. Sistemato sotto la direzione di Mansart e Robert de Cotte, mostra il notevole livello di eleganza e raffinatezza raggiunto agli inizi del regno: si noti lo stupendo fregio con i giochi infantili. Busto di Luigi XIV realizzato da Coysevox.
I quadri del Veronese e di Bassano sono stati sostituiti da alcuni ritratti della famiglia reale e da una rappresentazione allegorica della famiglia di Luigi XIV, opera di Nocret.

Chambre du Roi (**4**) – Luigi XIV vi si installò nel 1701. Il letto del re si trovava nel punto di intersezione degli assi del castello e del parco, in corrispondenza del sorgere del sole. Qui, dal 1701 al 1789, si svolsero le cerimonie del *lever* e del *coucher* del sovrano. Il 1° settembre 1715 vi morì Luigi XIV per una cancrena alla gamba.
Durante la giornata, chiunque passasse nella camera s'inchinava leggermente davanti al letto, simbolo della Monarchia per diritto divino.
La camera del Re è stata ricostruita quasi esattamente come si presentava nel 1723 (secondo anno di residenza di Luigi XV al castello): dietro la balaustrata è stato ricollocato un letto molto soprelevato, «alla francese», con baldacchino e drappeggi. Per questo letto, come per la tappezzeria dell'alcova, le sedie e le portiere, è stato ritessuto uno splendido broccato, ricamato in oro e argento. Si notino i sei quadri religiosi, tra cui *I Quattro Evangelisti*, di Valentin de Boulogne; sopra la porta, *Santa Maddalena*, del Domenichino, *San Giovanni Battista*, del Caracciolo, ed i ritratti di Van Dyck.

Grand Cabinet du Roi (o du Conseil) (**5**) – Il grande gabinetto del re o del Consiglio fu creato nel 1755, quando Luigi XV fece riunire due piccoli locali; Gabriel fu incaricato della decorazione. I rivestimenti lignei in sostituzione degli specchi dei tempi di Luigi XIV sono tra i massimi capolavori del rococò francese, leggiadro ed armonioso.
Questo locale fu teatro di decisioni importantissime per il destino della Francia, tra cui, nel 1775, quella per la partecipazione alla guerra d'Indipendenza Americana.

★★★ APPARTEMENT PRIVÉ DU ROI o appartement de Louis XV

Le sale che seguono, dette «gabinetti interni del re», decorate con i rivestimenti lignei disegnati da Gabriel, sono un mirabile esempio di stile rococò, qui al massimo fulgore.

Chambre à coucher (**6**) – L'etichetta alla corte esigeva un preciso e rigoroso cerimoniale: Luigi XV (dal 1738), poi Luigi XVI, fino alla fine dell'Ancien Régime, lasciavano ogni mattina il proprio letto per recarsi nella camera da letto di Luigi XIV, dove si svolgeva il *lever*; lo stesso valeva alla sera, per il *coucher*, dopo il quale potevano far ritorno nella loro camera. Luigi XV vi morì di vaiolo il 10 maggio 1774.
I quadri sopra la porta sono stati sostituiti da alcuni ritratti delle principesse della famiglia di Luigi XV.

Cabinet de la Pendule (**7**) – Sotto Luigi XV, il gabinetto della Pendola fungeva da salone di gioco. La magnifica pendola astronomica di Passemant e Dauthiau fu collocata qui nel gennaio 1754. Al centro, la statua equestre di Luigi XV è la copia di quella di Bouchardon (distrutta nel 1792), un tempo collocata a Parigi sulla piazza Luigi XV (oggi place de la Concorde).

Antichambre des chiens (**8**) – L'anticamera dei cani è un locale di passaggio allo sbocco della scala privata. Vi furono riutilizzati alcuni rivestimenti lignei Luigi XIV che comportarono una certa modifica dello stile decorativo.

Salle à manger detta dei Retours de Chasse (**9**) – E' chiamata anche dei Ritorni da caccia perché venne utilizzata dal 1750 al 1769 per le cene preparate per Luigi XV nei giorni di caccia.

Cabinet intérieur du Roi (**10**) – Luigi XV volle conferire a questo gabinetto un eccezionale fulgore: è infatti un capolavoro dell'arte decorativa e dell'ebanisteria francesi del 18° sec.
Il famoso **scrittoio a rullo★**, opera di Oeben e Riesener, si è salvato, insieme ad altri pezzi preziosi, dalla dispersione del 1792. Il medagliere di Gaudreaux (1739), a forma di cassettone, ornato di una profusione di bronzi dorati, fu completato da due angoliere (1755), opera di Joubert. Sul medagliere, tra due vasi di Sèvres, si trova il candelabro dell'«Indipendenza Americana».

Questo gabinetto, originariamente privato, assunse con Luigi XVI un carattere semiufficiale. Qui, nel 1785, si svolse il drammatico colloquio tra il re ed il cardinale di Rohan, compromesso nell'«Affare della Collana», a cui il sovrano comunicò l'imminente arresto.

Si raggiunge poi il gabinetto posteriore di lavoro (**11**), dove erano custoditi documenti segreti.

Cabinet de Mme Adélaïde (**12**) – E' la prima delle sale nuove, risistemate da Luigi XV per Adelaide, la figlia prediletta. Si ammirino, tra l'altro, gli stupendi rivestimenti rococò dorati e ornati di trofei (musica, pesca, giardinaggio). La fanciulla utilizzò questo locale come salone di musica e qui, probabilmente, Mozart si esibì davanti alla famiglia reale nell'inverno 1763-1764. Notevole il medagliere, opera di Bennemann, i cui cassetti sono decorati con cera fusa, mescolata a piume d'uccello ed ali di farfalla e colata su piastre di vetro.

Bibliothèque de Louis XVI (**13**) – Fu decorata da Gabriel e dallo scultore Rousseau, che ne fecero uno dei maggiori· esempi di stile Luigi XVI (1774). A fianco di elementi decorativi molto sobri (le porte sono nascoste da finte rilegature di libri), si possono ammirare i leggiadri tendaggi ed i tessuti delle sedie recanti motivi cinesi. Di notevole pregio, la scrivania di Riesener ed il grande tavolo rotondo di mogano.

Salon des Porcelaines (**14**) – Il salone delle Porcellane è l'antica sala da pranzo dei ritorni da Caccia di Luigi XV e di Luigi XVI, dal 1769 al 1789. Mirabili porcellane di Sèvres su disegno di Oudry, ordinate da Luigi XVI.

Salon des Jeux de Louis XVI (**15**) – Questo salone ha oggi riacquistato l'originaria unità decorativa e di arredo: angoliere di Riesener (1774), sedie di Boulard, sete color cremisi e oro per i tendaggi e le sedie.

Scendere la scala Luigi Filippo ed uscire attraverso l'arcata Nord (passaggio pubblico verso il parco). Nella sala a pianterreno è possibile vedere, su richiesta, il modello della scala degli Ambasciatori.

★★ GRANDE SALLE DE SPECTACLE (Opéra Royal)

Il teatro, iniziato da Gabriel nel 1768, fu inaugurato due anni dopo in occasione del matrimonio del Delfino, il futuro Luigi XVI, con Maria Antonietta. Di forma ovale (una novità per la Francia), fu decorato in modo sorprendentemente moderno per quell'epoca e dotato di attrezzature tecniche eccezionali. Il macchinista Arnoult ideò infatti un congegno per sollevare il palco di proscenio e la platea al livello del palcoscenico in caso di banchetti o ricevimenti. I rivestimenti lignei che coprono interamente le pareti consentono inoltre un'acustica di rara qualità. La sala poteva contenere 700 spettatori, ma anche il doppio, montando alcune gallerie sul palcoscenico.

La sala presenta una decorazione illusionistica che simula il marmo rosa e verde: le balaustrate sono ornate di bassorilievi dorati, medaglioni blu e vasi, tutto in raffinata armonia con gli affreschi del soffitto, realizzati da Louis Durameau. Lampadari e specchi esaltano il meraviglioso effetto cromatico della sala. Al centro del balcone si apre il palco privato del re, dotato di un cancelletto mobile.

In questo teatro, inizialmente riservato alla corte, si svolsero successivamente sontuosi ricevimenti in occasione delle visite del re di Svezia nel 1784, dell'Imperatore Giuseppe II nel 1777 e nel 1781, della regina Vittoria nel 1855. Tra il 1871 ed il 1875 fu sede dell'Assemblea Nazionale. Il termine dei lavori di restauro coincise con il ricevimento offerto per la regina Elisabetta d'Inghilterra, nel 1957.

★ CABINETS INTÉRIEURS DE LA REINE

Questi locali sono paralleli a quelli ufficiali della regina e presentano ancora l'aspetto conferito loro da Maria Antonietta.

Cabinet doré (**16**) – Nel gabinetto dorato la regina riceveva gli ospiti e posava per i pittori di corte. L'arpa di Nadermann testimonia l'amore della regina per la musica. Sul cassettone (Riesener), busto di Maria Antonietta, opera di Boizot.

Bibliothèque (**17**) – Si notino le maniglie dei cassetti a forma di aquila a doppia testa, stemma degli Asburgo.

Méridienne (Meridiana) (**18**) – Questo salottino ottagonale fu la camera di riposo di Maria Antonietta. Vi sono stati ricollocati mobili rivestiti di seta blu, due poltrone di Georges Jacob e l'ottomana, tutti pezzi originali.

Si notino in particolare la pendola sopra il caminetto (dono del Comune di Parigi) ed il tavolo con un piano in legno pietrificato (dono di una sorella di Maria Antonietta).

Al 2° piano, appartamento di Maria Antonietta (*visita su richiesta precedentemente inoltrata*).

APPARTEMENT DE Mme DE MAINTENON
Visita in occasione delle esposizioni temporanee

La posizione di questo appartamento, lontano dal brusio dei cortigiani, ma comunicante con l'appartamento del Re, mostra chiaramente il ruolo assunto da Mme de Maintenon negli ultimi 32 anni del regno di Luigi XIV.
Il Grande Gabinetto (**19**), tappezzato di rosso, era il salone dove Mme de Maintenon poteva ricevere privatamente i membri della famiglia reale; qui si recò anche Racine, invitato a leggere i suoi drammi più spirituali.

★ PETITS CABINETS DU ROI

La visita a questi gabinetti e appartamenti è di grande interesse per chi conosca già Versailles ed ami il gusto del 18° sec.; qui potrà infatti trovare mirabili esempi dell'armonia decorativa di quell'epoca.
Luigi XV era meno incline di Luigi XIV a mescolare vita pubblica e privata. Fece quindi allestire per sé, le proprie amanti ed i familiari una parte dei piccoli locali rivolti verso i cortili interni o situati sotto il tetto, accessibili attraverso un labirinto di scale e corridoi. Qui il re poteva leggere, studiare, tornire il legno e l'avorio, consumare i pasti tra voliere e minuscoli giardini a terrazza, sistemati sui tetti. Più volte comunque questi locali furono destinati ad altri usi e proprietari. Quattro di questi gabinetti costituirono per cinque anni il primo appartamento di Mme de Pompadour. Alcuni dei locali prospicienti il Cortile dei Cervi furono utilizzati anche da Luigi XVI per i suoi passatempi preferiti.

Appartement de Mme de Pompadour – *2° piano. Non visitabile.* Fu il primo appartamento assegnato alla favorita, vissuta in questi locali tra il 1745 ed il 1750. Il Grande Gabinetto possiede bei rivestimenti lignei scolpiti da Verberckt.

Appartement de Mme du Barry – *2° piano.* Questi locali, i cui rivestimenti lignei hanno ritrovato i colori originali, sono disposti intorno alla Cour des Cerfs (Cortile dei Cervi) ed alla Cour de Marbre (Cortile di Marmo). Si possono visitare il bagno, la camera da letto, la biblioteca ed il salone d'angolo (**20**), da cui si apre una bella prospettiva sulla città ed i dintorni.

Appartements des Ducs de Maurepas et Villequier – *2° piano.* Erano riservati a questi ministri di Luigi XVI e possiedono una relativa semplicità decorativa rispetto agli appartamenti reali; il mobilio proviene in gran parte da una donazione dei duchi di Windsor.

★★ MUSÉE DE L'HISTOIRE DE FRANCE

Il suo ricchissimo patrimonio artistico è costituito da migliaia di quadri e sculture ed offre al visitatore un'immagine della storia di Francia dal 17° al 19° sec.

Salles des Croisades *visita su richiesta*

Contengono quadri ordinati da Luigi Filippo.

Salles du 17e siècle

Occupano la maggior parte dell'ala Nord del castello; una serie di busti e mensole ornano questi localini dedicati alla ritrattistica ed alla pittura storica.

Galleria del pianterreno – A questa galleria, composta da una serie di undici sale, si accede attraverso il vestibolo della cappella. Le prime sei sale costituivano l'appartamento del duca di Maine, figlio di Luigi XIV e di Mme de Montespan, mentre le ultime quattro erano riservate ai principi di Borbone-Conti. Enrico IV, che già apprezzava Versailles, e Luigi XIII, che vi fece costruire il castello, sono particolarmente ben rappresentati. Alcune opere di Vouet, Philippe de Champaigne, Deruet, Le Brun raffigurano gli avvenimenti e le maggiori personalità del regno di Luigi XIII e degli inizi della monarchia di Luigi XIV. Di notevole interesse la sala dedicata a Port-Royal, con i ritratti di Philippe de Champaigne e gli acquerelli di Magdeleine de Boullongne, e la sala di Versailles, che presenta preziosi quadri sulla costruzione del castello.

Galleria del primo piano – La famiglia reale, la corte, Mme de Maintenon ed altri personaggi, dipinti da Le Brun, Mignard, Coypel, Rigaud ed altri grandi artisti animano queste sale, che raccolgono anche ritratti di Colbert, Racine, Molière, La Fontaine, Le Nôtre. Splendida la vista sui giardini.

★★★ Salles du 18e siècle

Occupano, al pianterreno del corpo centrale del castello, le stanze originariamente destinate al Delfino, figlio di Luigi XV, alla Delfina, Maria Giuseppina di Sassonia e a Mesdames, le figlie di Luigi XV. All'importanza storica dei busti e dei dipinti esposti si aggiunge anche un notevole appagamento artistico, poiché sono presentate le opere dei maggiori maestri del 18° sec.

Per seguire il corso della storia, occorre iniziare la visita partendo dall'escalier de la Reine (scala della Regina), attraversare poi gli appartamenti che si affacciano sui parterres sud, sulla terrazza e sui parterres nord e ritornare infine attraverso gli appartamenti che danno sulla Cour de Marbre.

Appartement de la Dauphine – Nella Sala delle Guardie (**21**), molti quadri ricordano i successori del Re Sole, il Reggente e Luigi XV all'età di 5 anni (Rigaud). Il camino che si trova nell'anticamera (**22**), abbellito da un busto del Reggente, fu tolto dalla camera da letto della regina, al tempo di Maria Leszczinska; il grande gabinetto della Delfina (**23**) evoca il matrimonio di Luigi XV e Maria Leszczinska. Vi sono esposti, inoltre, un prezioso barometro scolpito da Lemaire in occasione del matrimonio tra il Delfino – il futuro Luigi XVI – e Maria Antonietta, e i mobili d'angolo, opera di Bernard Van Risen Burgh (B.V.R.B.). La camera della Delfina (**24**) presenta un letto alla polacca e sei stupende poltrone di Heurtaut; si osservono anche i due ritratti di Madame Adelaïde e Madame Henriette, figlie di Maria Leszczinska, dipinte da Nattier rispettivamente nelle fattezze di Diana e Flora. Il gabinetto interno (**25**) è stato decorato nel 1748 con rivestimenti lignei in stile rococò. I gabinetti privati della Delfina (**26**) furono risistemati all'epoca di Luigi XVIII per la duchessa d'Angoulême, figlia di Luigi XVI; si compongono di un'anticamera, una biblioteca e gli alloggi dei servitori.

Appartement du Dauphin – Inizia dalla biblioteca (**27**): mirabili rivestimenti lignei dai toni ambra intensificati dallo splendido lavoro a rilievo in turchese. Di Nattier, divenuto pittore ufficiale di corte, sono presentati nel grande gabinetto (**28**) i ritratti delle figlie di Luigi XV, a cui si affiancano stupendi mobili di Jacob provenienti dal salone dei giochi di Luigi XVI a St-Cloud. La camera del Delfino (**29**), figlio di Luigi XVI, ha mantenuto la decorazione eseguita nel 1747; si notino l'armadio a pannelli laccati, il cassettone di Boudin e lo stupendo letto. Il caminetto è uno dei più belli del castello.

Galleria Bassa – Suddivisa in appartamenti sotto Luigi XVI e poi in parte ricostruita ai tempi di Luigi Filippo, ha definitivamente ritrovato l'aspetto originario che aveva all'epoca di Luigi XIV; dal 1782 al 1789, Maria Antonietta utilizzò i locali di questa galleria per sé e per i suoi figli.

Appartement de Mme Victoire – L'ex bagno di Luigi XIV, che conteneva due vasche in marmo, subì varie trasformazioni prima di divenire anticamera di Mme Victoire, figlia di Luigi XV.
Nel Grande Gabinetto (**30**), stupendo locale d'angolo, sono rimasti alcuni rivestimenti lignei e la cornice scolpiti da Verberckt.
L'antica camera da letto di Mme Victoire (**31**) è stata rivalorizzata grazie a mobili di qualità eccezionale ed al rifacimento dei rivestimenti tessuti secondo i modelli originali.

Appartement de Mme Adelaïde – Queste sale, dopo aver svolto la funzione di secondo appartamento della marchesa di Pompadour, che vi morì, furono assegnate a Mme Adelaïde nel 1769. La sala degli Hocquetons (**32**) (ex salone della Scala degli Ambasciatori, demolita nel 1752) presenta una decorazione a trompe-l'œil e pavimenti di marmo che consentono di immaginare lo sfarzoso splendore di un tempo, quando lo scalone era ancora presente.
Notare la **pendola★** monumentale del 1754, opera di Passemant, con bronzi firmati Caffieri, il cui motivo ornamentale è costituito dalla creazione del mondo.
Dell'appartamento che Maria Antonietta occupò al pianterreno, negli ultimi tempi trascorsi a Versailles, sono stati ricostituiti la camera da letto e il bagno (**33**), gli unici pezzi originali dell'epoca sono la consolle e il copriletto, i cui ricami sono stati rifatti recentemente.

Salles de la Rivolution, du Consulat et de l'Empire *attico Sud (visita con appuntamento)*

Numerosi documenti, disegni, incisioni, acquerelli, pitture, presentati con estrema cura dei particolari decorativi, illustrano alcuni avvenimenti storici o aneddotici, battaglie, cerimonie, grandi personaggi del periodo napoleonico e membri della famiglia Bonaparte.

Salles du 19e Siècle *2° piano – attico nord (visita con appuntamento)*

Salles de la Restauration, de la Monarchie de Juillet, du Second Empire et de la IIIe République – I numerosi quadri esposti illustrano gli avvenimenti più significativi di questi periodi: l'Intesa tra Francia e Inghilterra con le visite di Luigi Filippo e della regina Vittoria, la conquista d'Algeria, le Rivoluzioni del 1830 e 1848, la guerra del 1870 e la Comune, la sigla del Trattato di Versailles.
Ritratti di Luigi XVIII, Carlo X, Luigi Filippo e la sua famiglia, Napoleone III ed Eugenia.

★★★ I GIARDINI

I giardini di Versailles, spettacolare esempio di giardini alla francese, si stendono su circa 100 ettari. A parte questi, la tenuta comprendeva il **Piccolo Parco** (Petit Parc), che includeva il Grand Canal e il Trianon, la cui estensione originaria fu ricondotta da 17 000 a 600 ettari in seguito alle cessioni di terreno avvenute all'epoca del Secondo Impero. Il cancello Reale, all'uscita del Petit Parc, segnava l'ingresso al **Grande Parco** (Grand Parc), riserva di caccia di 6 000 ettari, che fu smembrata ai tempi della Rivoluzione.

I giardini furono realizzati grazie alla mirabile opera di Le Nôtre che riuscì ad assoggettare la natura alle regole dell'arte ed ai desideri del Re, creando al contempo intorno al castello un quadro veramente prestigioso e sfarzoso. Occorre aggiungere che, ai tempi di questo grande architetto, i vialetti erano a cielo aperto, mentre oggi gli alberi formano ormai una serie di volte ombrose. Dal castello, la vista si apre all'infinito sul Tapis Vert e sul Grand Canal. Ai due lati di questa prospettiva, numerosi vialetti, boschetti, vasche, fontane e sculture offrono agli occhi continue sorprese.

Ogni anno vengono fornite 150 000 piante per far sì che le aiuole del castello siano in piena fioritura nel mese di agosto. Ai tempi del Re Sole le piante venivano rinnovate fino a quindici volte l'anno.

★★★ **Grandi Giochi d'Acqua (Grandes Eaux)** – *Si svolgono da maggio a settembre tutte le domeniche dalle 15.30 alle 17 ☎ 01 39 50 36 22. Si consiglia di compiere il giro delle fontane velocemente, per poterle vedere tutte in funzione. Qualora al bassin de Neptune sia allestito uno spettacolo notturno (Fêtes de Nuit, alcuni sabati da giugno a settembre), al pomeriggio non sono presentati i giochi d'acqua. Per informazioni rivolgersi all'Ufficio Turistico.*

In occasione dei Grandi Giochi d'Acqua, si può accedere ai giardini solo attraverso i parterres du Nord e du Midi, l'escalier des Cent Marches (Scala dei cento gradini), i due cancelli all'imbocco del Grand Canal ed il cancello del Drago (al termine della rue de la Paroisse).

Versailles: les parterres d'eau ed il castello

Questo famoso spettacolo fa rivivere per un'ora i grandi giochi d'acqua delle fontane e dei bacini *(all'ingresso è distribuito un dépliant con l'esatto percorso)*. Gli spettatori ne attendono l'inizio disponendosi sulle scale che dominano il bassin de Latone. Appena cominciano a zampillare i primi getti d'acqua, procedere per il giro delle altre fontane, privilegiando la visita ai boschetti, accessibili solo in queste occasioni, e precisamente i boschetti della Salle de Bal e d'Apollon *(non visibile dai vialetti)*. La fine e l'apoteosi dello spettacolo *(ore 17.20 – durata: 10 minuti)* si svolgono ai bacini de Neptune e du Dragon: ben 99 getti d'acqua si alzano verso il cielo (quello del Bassin du Dragon raggiunge un'altezza di 42 m!).

★★★ **Fêtes de Nuit** – Gli spettacoli notturni hanno date stabilite ogni anno per la stagione. Si svolgono quattro volte ogni estate, di sera, al Bassin de Neptune e terminano con un fuoco d'artificio.

AXE DU SOLEIL (Grande prospettiva)

★★ **Parterres d'Eau** – Nelle due ampie vasche rettangolari si riflette la facciata del castello. Le statue sui bordi raffigurano i fiumi della Francia (rappresentati da personaggi maschili) ed i relativi affluenti (personaggi femminili). I putti in bronzo e le ninfe distese sono opera dei fratelli Keller.

Degré de Latone – Dall'alto dei gradini della Scala di Latona si gode una mirabile prospettiva★★★ sui giardini e l'Axe du Soleil.

Le due fontane – Ai due lati della scala di Latona, questi due gruppi di fontane meritano l'attenzione del visitatore. Un tempo erano chiamate «Gabinetti di Animali», poiché vi sono raffigurati alcuni cani in lotta contro le belve; oggi portano il nome della più notevole delle tre statue sui bordi delle vasche.

Fontaine du Point du Jour (**1**) – La fontana dell'Alba è un capolavoro di Marsy: l'alba è simboleggiata dalla figura centrale che rappresenta una fanciulla con una stella sopra il capo. Le altre due statue sono l'immagine dell'Acqua e della Primavera.

D. Hée/MICHELIN

★ **Fontaine de Diane** (**2**) − La statua che volge lo sguardo in direzione dell'*Alba* rappresenta l'Aria e fu scolpita da Le Hongre; accanto si erge Diana, dea della caccia ossia l'Ora della Sera, opera di Desjardins. L'altra figura allegorica è Venere, ossia l'Ora del Mezzogiorno, di Marsy. Questo gruppo di statue è sicuramente tra i più belli del parco.

★ **Bassin de Latone** − Il gruppo marmoreo di Latona, affiancata dai figli Apollo e Diana, fu scolpito da Balthasar Marsy nel 1670; rappresenta Latona (copia) che ha appena indotto Giove, padre dei suoi figli, a castigare i contadini di Licia per aver insudiciato l'acqua con cui voleva dissetarsi e per averla anche insultata: ecco che i colpevoli sono trasformati in animali acquatici. Nelle vasche laterali, dette delle Lucertole, la metamorfosi è ancora in corso.
Originariamente, Latona era rivolta verso il castello per sottolineare allegoricamente l'analogia tra la giustizia di Giove e quella di Luigi XIV.
A destra, in fondo alla rampa, statua della Ninfa dalla Conchiglia (**3**), copia moderna di Coysevox, il cui originale è al Louvre.

★★ **Tapis Vert** − Questo ampio tappeto erboso è l'elemento più rilevante della prospettiva che dal castello giunge al Grand Canal. Il Tapis Vert (o Allée Royale) è fiancheggiato da vasi e statue che costituiscono una meravigliosa decorazione. Si ammiri, tra l'altro, la *Venere di Richelieu* (**4**), scolpita da Le Gros sul modello di un antico busto conservato nelle collezioni del cardinale.
Lasciare l'Allée Royale ed entrare nei bosquets du Midi.

Bosquets du Midi

★ **Bosquet de la Salle de Bal** (**5**) − Il boschetto della Sala da Ballo è uno dei resti più belli della decorazione originaria e forma una sorta di anfiteatro naturale, al cui centro, all'epoca del Re Sole, si svolgevano le danze.

Bassin de Bacchus ou de l'Automne (**6**) − Il bacino di Bacco (o dell'Autunno) è opera di Marsy; le fontane con le quattro stagioni, eseguite su disegno di Le Brun, sono disposte a quadrilatero all'incrocio dei grandi viali. Le statue di piombo sono state di nuovo dorate e dipinte «al naturale».

Bosquet de la Reine (**7**) − Il boschetto della Regina fu creato nel 1775 in sostituzione del precedente labirinto ed al centro è ornato di busti e statue, tra cui spicca l'*Afrodite capitolina* (bronzo) ed il *Gladiatore che combatte* (bronzo), copie di modelli antichi.

Bassin du Miroir d'Eau (**8**) − Un tempo, due vasche qui formavano la cosiddetta «Isola Reale». Poiché la più grande stava impaludandosi, Luigi XVIII la sostituì con un giardino inglese, il giardino del Re. Dell'antica costruzione rimane solo il bacino dello Specchio d'Acqua, cinto da statue.

★ **Jardin du Roi** − Questo giardino molto fiorito costituisce una sorta di «isola» nei boschetti della Versailles classica e riveste particolare interesse per gli alberi dalle specie più diverse, armoniosamente mescolate, e per il prato centrale.

Bassin de Saturne ou de l'hiver (**9**) − Opera di Girardon, il bacino di Saturno (o dell'Inverno) mostra il dio, alato ed invecchiato, circondato da putti.

★★ **Colonnade** − *Questo boschetto è abitualmente chiuso, ma risulta ben visibile attraverso il cancello.* Il peristilio circolare fu realizzato da Mansart (1685) con la collaborazione di circa 15 scultori. Il suo fascino particolare risulta dal gioco di tonalità cromatiche del marmo blu, rosso, malva, bianco.

★ Bassin d'Apollon

Il bacino di Apollo segna il punto finale del Tapis Vert. Al centro si erge la statua del carro di Apollo (maestro del Sole), che esce dalle acque tra i mostri marini, per illuminare la Terra. Il gruppo marmoreo fu scolpito da Tuby. Nella spianata intorno alla vasca sono disposte statue composte in gran parte da frammenti antichi.

Bosquets du Nord

Bosquet des Dômes (**10**) − Il boschetto delle Cupole è ornato di belle statue e bassorilievi raffiguranti le armi in uso nelle diverse nazioni, opera di Girardon. Prende il nome da due padiglioni, che furono demoliti nel 1820.

★ **Bassin d'Encelade** (**11**) − Il forte realismo di quest'opera barocca di Marsy contrasta con le altre statue classiche che ornano il giardino. Solo il capo e le braccia del gigante Encelado, che, secondo la leggenda, accumulava montagne per espugnare l'Olimpo, emergono dalle rocce.

Bassin de l'Obélisque (**12**) − Il bacino dell'Obelisco, realizzato da Mansart e soprelevato, è circondato da gradini di pietra e da superfici erbose. In occasione dei Giochi d'Acqua, i getti centrali formano una sorta di obelisco liquido.

Bassin de Flore (**13**) – Il bacino di Flora (o della Primavera) è opera di Tuby.

Bassin de Cérès (**14**) – Il bacino di Cerere (o dell'Estate) è opera di Regnaudin.

★ **Bosquet des Bains d'Apollon** (**15**) – Il boschetto dei Bagni di Apollo è aperto solo in occasione dei Giochi d'Acqua. Fu sistemato agli inizi del regno di Luigi XVI ed introdusse una concezione fino ad allora sconosciuta: il giardino anglo-cinese, prediletto da Maria Antonietta e da lei voluto al Piccolo Trianon. Di notevole interesse è il **gruppo di Apollo★**, opera di Girardon e Regnaudin; il dio, stanco per la corsa del giorno, si riposa, servito dalle ninfe. Ai lati, i cavalli del Sole sono strigliati dai tritoni.

Carrefour des Philosophes (**16**) – Circondato da grandi erme (tra cui l'*Inverno*, di Girardon), l'Incrocio dei Filosofi offre un'interessante **vista★★** sul lato nord-occidentale del castello.

Bassin de Neptune, du Dragon, Allée d'eau

★★ **Bassin de Neptune** – Il punto migliore per vedere il bacino di Nettuno si trova sul suo asse, vicino alla statua della Fama. E' la vasca più grande del parco; costruita da Le Nôtre, assunse l'aspetto attuale sotto Luigi XV, nel 1741; al centro si ergono le statue di Nettuno con tridente e di sua moglie Anfitrite, circondati da dei ed animali marini (scolpiti da Adam, Lemoyne e Bouchardon).

Bassin du Dragon (**17**) – Il drago vinto simboleggia la vittoria del Re Sole sulla Fronda. Eccetto la statua del drago, le altre sculture sono rifacimenti del 1889.

★ **Allée d'Eau o des Marmousets (statuine grottesche)** – Si tratta di una doppia fila di 22 piccole vasche di marmo bianco, ornate di gruppi di tre putti bronzei (da cui deriva il nome), che sostengono una vasca di marmo rosa.

Parterres e Orangerie

Parterre du Nord – Si stendeva sotto le finestre del primo appartamento del re.

Bassin des Nymphes de Diane (**18**) – Il Bacino delle Ninfe di Diana è circondato da bei **bassorilievi★** di Girardon, ispirati ad un quadro del Domenichino e modello, a loro volta, per molti maestri del 18° e 19° sec., tra cui Renoir.

★★ **Parterre bas** – E' incorniciato, a nord ed a ovest, da allegorie dei continenti, delle stagioni, dei caratteri e dei poemi. La **Fontaine de la Pyramide★** (**19**), realizzata da Girardon su disegno di Le Brun, è decorata con tritoni, delfini, gamberi.
In cima alla scala che conduce ai parterres d'eau, sono disposte le statue dell'*Arrotino*, copia in bronzo di G.B. Foggini su modello antico, e la *Venere con la Tartaruga* (detta *Venere pudica* ai tempi di Luigi XIV), copia di uno dei capolavori di Coysevox (al Louvre).

★ **Parterre du Midi** – Un tempo vi si affacciavano le finestre della regina ed è ornato di moltissimi fiori. Dal bordo della terrazza dell'Orangerie, si apre una mirabile **vista★** sul Pièce d'Eau des Suisses (Lago Svizzero), lungo 700 m.

★★ **Orangerie** – Opera di Mansart, l'aranciera è fiancheggiata da due ali su cui si innalzano le ciclopiche scale dei Cento Gradini (escalier des Cents-Marches). Ai tempi di Luigi XIV, conteneva 3 000 arbusti in cassa, tra cui 2 000 aranci. Oggi ospita circa 1 200 arbusti, alcuni dei quali risalgono all'Ancien Régime.

★★ Le Grand Canal

E' costituito da un braccio longitudinale, lungo 1 650 m e largo 62 m, intersecato da un braccio perpendicolare, lungo 1 070 m e largo 80 m (noleggio di imbarcazioni all'estremità superiore del canale).
Negli edifici della Petite Venise risiedevano un tempo i marinai veneziani della corte, giunti nel 1687 con una flottiglia di gondole. Oltre alle gondole, la corte disponeva anche di modelli in scala ridotta di navi da guerra o commerciali. *Qui è previsto l'allestimento di un centro di informazioni per i visitatori del parco.*

★★ TRIANON ☉

Accesso per i pedoni – *L'avenue de Trianon (1 Km) conduce direttamente dal cancello di Nettuno (grille de Neptune) ai castelli del Trianon. Un altro viale inizia all'estremità superiore del Grand Canale.*

Accesso in automobile – *Vedere pianta.*

★★ GRAND TRIANON *Visita: ore 2*

Dal 1670 al 1687 qui si trovava un piccolo castello costruito da Le Vau, il «Trianon di Porcellana», rivestito esternamente da piastrelle di faenza di Delft e destinato unicamente agli spuntini di Luigi XIV con Mme de Montespan. L'edificio, non essendo molto resistente, andò ben presto in rovina ed il re fece allora erigere da Mansart il «Trianon di Marmo», dove il sovrano riceveva Mme de Maintenon.

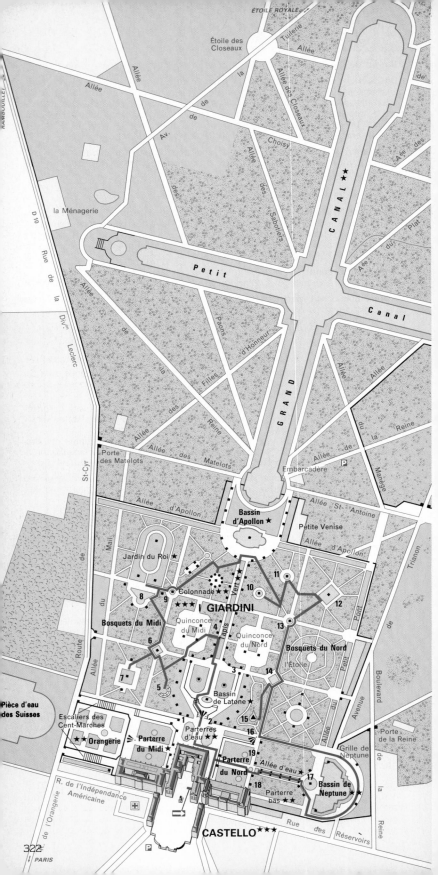

ÉTOILE ROYALE

Étoile des
Closeaux

CANAL ★★

Petit   Canal

Allée des Closeaux

la Ménagerie

Porte
des Matelots

Allée   d'Apollon

Bassin
d'Apollon ★

Petite Venise

Allée St- Antoine

Allée   d'Apollon

Embarcadère

Jardin du Roi ★

11

10

Colonnade ★★

8   9

★★★ I GIARDINI

Quinconce
du Midi

Bosquets du Midi

4

Quinconce
du Nord

13

Bosquets du Nord

6

l'Étoile

7

3

14

5

Bassin
de Latone ★

15 ▲

Pièce d'eau
des Suisses

16

1

Escaliers des
Cent-Marches

2

★★ Orangerie

▶ Parterre
du Midi ★

Parterres
d'eau ★★

19

Parterre
du Nord

Grille de
Neptune

R. de l'Indépendance
Américaine

Allée d'eau

17

Porte
de la Reine

18

Parterre
bas ★★

Bassin de
Neptune ★★

CASTELLO ★★★

Rue   des   Réservoirs

RAMBOUILLET

D 10

Rue de la Div^on Leclerc

St-Cyr

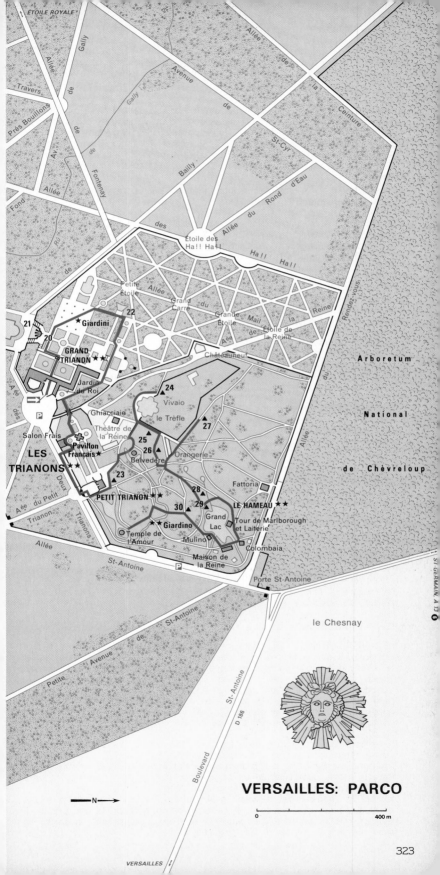

VERSAILLES: PARCO

323

Durante la Rivoluzione, i preziosi mobili Luigi XIV vengono tutti venduti. Il palazzo è fatto ricostruire e riarredare da Napoleone I, mentre il restauro è eseguito sotto Luigi Filippo. Gli ultimi lavori di ristrutturazione, voluti dal generale de Gaulle nel 1962, hanno consentito di destinare il Grande Trianon ai ricevimenti ufficiali.

★★ **Castello** — Attraversando il cortile ad emiciclo, chiuso da una bassa cancellata, ci si trova di fronte a due corpi di fabbrica con tetto a terrazza, collegati da un peristilio in marmi policromi, tra cui domina il rosa. Perpendicolare all'ala con la galleria, non visibile dal cortile d'onore, si erge il cosiddetto Trianon sous Bois (Trianon sotto Bosco) *(non aperto al pubblico)*. Il peristilio, affacciato sia sul cortile che sui giardini, è opera di Robert de Cotte. Vi si organizzavano cene e ricevimenti.

Gli appartamenti — La decorazione interna, molto sobria, non ha subìto grandi modifiche dai tempi di Luigi XIV; il mobilio risale invece all'Impero ed alla Restaurazione.

Il Salon des Glaces (Salone degli Specchi), nell'ala sinistra, fungeva un tempo da gabinetto del Consiglio; è arredato con bei mobili in stile Impero ed i tendaggi in seta sono stati ritessuti secondo il modello commissionato da Maria Antonietta. Nella camera da letto si trova il letto di Napoleone, destinato alle Tuileries e poi modificato per Luigi Filippo.

Nell'ala destra, i saloni ufficiali o di ricevimento furono trasformati da Luigi Filippo in locali più intimi. I quadri alle pareti furono eseguiti dai maestri francesi del 17° sec. e recano motivi mitologici.

Nel salone di famiglia, voluto da Luigi Filippo, sono collocati due tavoli con cassetti numerati, destinati ai lavori di ricamo delle principesse.

Il Salon des Malachites (salone delle Malachiti), prima Grande Gabinetto di Luigi XIV, poi camera da letto della duchessa di Borgogna, prende il nome dai preziosi oggetti realizzati con questo minerale (candelabri, coppe), donati dallo zar Alessandro I a Napoleone.

Nel Salon Frais (salone fresco), esposto a nord, si possono ammirare quattro dipinti della vecchia Versailles, progettata da Mansart.

Una serie di quadri di grande interesse documentaristico è custodita nella **galleria**★ dell'appartamento dell'imperatore *(visita su richiesta)*: 24 vedute dei boschetti di Versailles e del Trianon all'epoca di Luigi XIV. Si ammirino gli stupendi lampadari stile Impero, realizzati da famose cristallerie francesi.

Il Salon des Jardins (salone dei giardini), all'estremità della galleria, presenta una bella collezione di sedie provenienti dal castello di Meudon.

★ **Giardini** — Il Grand Trianon è circondato da meravigliosi giardini fioriti. Dalla terrazza del Giardino Inferiore (**20**), in posizione dominante su una scalinata a doppia rampa che scende verso il bacino (**21**) dello stesso nome, si gode una bella vista sul braccio perpendicolare del Grand Canale.

Dietro le aiuole, si stende un bosco con bei vialetti ed alcuni mirabili bacini d'acqua (le fontane sono in funzione in occasione dei Grandi Giochi d'Acqua del Trianon).

Di notevole bellezza è soprattutto il Buffet d'Eau (**22**), costruito da Mansart nel 1703, ornato dell'unica scultura mitologica del Trianon, Nettuno ed Anfitrite.

Girando intorno al Trianon sous Bois, giungere all'antico giardino privato del re.

Per visitare il Petit Trianon, attraversare il ponte (pont de Réunion), fatto costruire da Napoleone.

★★ **PETIT TRIANON** *Visita: 1 ora e 1/2*

Nel parco del Trianon, Luigi XV, appassionato di botanica ed agronomia, si fece costruire una piccola fattoria «sperimentale«, un orto botanico ed alcune serre. Nel 1768, poco dopo la fine del regno, Gabriel terminò il castello del Piccolo Trianon, ove morì Mme de Pompadour, ispiratrice del progetto.

Poco dopo l'ascesa al trono, Luigi XVI fece dono di questo piccolo edificio a Maria Antonietta che vi si recò spesso con la cognata, Mme Élisabeth, ed i figli, soprattutto per sfuggire all'etichetta ed agli intrighi di corte. Per soddisfare la regina, il paesaggio fu in parte trasformato e si intraprese la costruzione di un teatro.

La realizzazione dei giardini, dei laghetti e del villaggio è dovuta all'architetto Richard Mique ed al pittore Hubert Robert.

E' proprio sul Belvedere del Trianon che Maria Antonietta, il 5 ottobre 1789, riceve la notizia dell'imminente arrivo del popolo parigino in rivolta ed in tutta fretta lascia il castello per non farvi mai più ritorno.

Nel 1867, l'imperatrice Eugenia, molto affezionata alla memoria di Maria Antonietta, tenta di riconferire al castello l'antico aspetto: ne intraprende il restauro e lo fa arredare con mobili di quell'epoca, appartenuti in parte alla stessa regina.

★ Pavillon Français – Questo piccolo capolavoro di Gabriel fu eretto nel 1750 per Mme de Pompadour. Attraverso le porte-finestre, si possono ammirare i preziosi rivestimenti lignei del salone rotondo. La cornice è ornata di sculture di animali.

A Sud del padiglione si trova il Salon Frais (salone fresco), ricostruito nel 1982.

★★ Castello – La facciàta sul cortile è molto austera. Sul lato dei giardini, è possibile ammirare tutta la maestria di Gabriel: quattro colonne scanalate, coronate da una leggiadra galleria, si innalzano fino al cornicione sotto la balaustrata. Dalla terrazza, una scala a doppia rampa conduce al giardino.

Appartamenti del 1° piano – La decorazione è costituita da splendidi **rivestimenti lignei★★** realizzati da Guibert (oggi visibili solo nella sala da pranzo e nel salone di compagnia). Nella sala da pranzo si ammirino i motivi ornamentali: fiori, frutti, arabeschi su sfondo verde chiaro. Nel Grand Salon (o salone di compagnia), già riarredato in parte nel 19° sec. dall'imperatrice Eugenia (sedie, forte-piano del 1790), è stata collocata una preziosissima scrivania di Riesener (1791).

★★ Giardino – In questo giardino anglo-cinese sono piantati alberi di estrema bellezza e rarità, alcuni dei quali di 150-200 anni. Il più vecchio è probabilmente la sofora (**23**), piantata durante il regno di Luigi XV, all'angolo nord-est del castello.

Belvédère – Il Belvedere, o salone di Musica, affacciato sul Petit Lac, è un elegante padiglione realizzato da Mique, decorato internamente con grande raffinatezza.

Raggiungere il «giardino Charpentier» ed attraversare il cancello che delimita il Grand Trianon; vicino al Bassin du Trèfle (bacino del Trifoglio), si ammirino un cedro del Libano (**24**) e, dietro, due ghiacciaie, ricostruite come si presentavano nel 17° sec. Ritornare nel giardino Charpentier, dove sono piantati alberi eccezionali: due sequoie (**25**), una quercia fastigiata (**26**). Tenendosi sempre a sinistra, dopo l'orangerie, si può vedere un vecchissimo olmo siberiano (**27**), il cui tronco presenta solchi molto profondi. Riprendere la direzione del villaggio. Vicino al lago si trovano una tulipifera della Virginia (**28**) e due gruppi di cipressi calvi secolari (**29**).

★★ Le Hameau – Questo villaggio, costruito nel 1783-1785 per Maria Antonietta, è costituito da una decina di graziose casette con tetto per lo più in paglia o tegole piatte, su modello del villaggio di Chantilly, disposte intorno al grande lago. Estremamente pittoresche sono la Latteria e la Tour de Malborough (o della Pescheria), il cui nome deriva da una canzone introdotta alla corte di Luigi XVI da una nutrice del Delfino; qui erano collocate le attrezzature per la pesca.

Lungo il cammino che conduce al Temple de l'Amour, si ammiri un platano di dimensioni eccezionali (**30**).

Temple de l'Amour – Questo tempietto dell'Amore, costruito nel 1778 da Mique, si erge su una piccola isola; dietro alle sue colonne corinzie si cela la copia di una statua di Bouchardon: l'Amore che si intaglia un arco dalla clava di Ercole (originale al Louvre).

GUIDE VERDI MICHELIN

Italia, Toscana, Sicilia, Roma, Venezia, Bretagna, Castelli della Loira, Corsica, Costa Azzurra Francia, Parigi, Provenza, Austria, Vienna e Spagna sono le Guide Verdi in italiano che vi accompagneranno nei vostri viaggi. In inglese o francese troverete anche Barcellona e Catalogna, Belgio, Berlino, Bruxelles, California, Canada, Chicago, England West Country, Europa, Florida, Galles, Germania, Gran Bretagna, Grecia, Guadalupa e Martinica, Irlanda, Londra, Marocco, New York, Nuova Inghilterra, Olanda, Paesi del Reno, Portogallo, Quebec, San Francisco, Scandinavia-Finlandia, Scozia, Svizzera, Thailandia, Vienna, Washington e le Guide Regionali francesi.

La Tour Eiffel, vista dal pont Alexandre III

Consigli pratici

Prima della partenza

Indirizzi utili

In Italia – Ente Nazionale francese per il Turismo, via Larga 7, 20122 Milano, ☎ 02 58 48 62 19.

In Francia – Ambasciata d'Italia: 51, rue de Varenne, 75007 Parigi (7ᵉ ar.), ☎ 01 49 54 03 00. Consolato italiano: 5, bd Émile-Augier, ☎ 01 44 30 47 00.

Formalità

Documenti personali e per l'automobile – Per recarsi in Francia occorre la carta d'identità valida o il passaporto. Per un soggiorno inferiore a 3 mesi non è necessario il permesso di soggiorno. I documenti italiani, patente e certificato di assicurazione sono validi sul territorio francese. E' tuttavia consigliabile munirsi di Carta Verde (indispensabile se si entra in Francia passando per la Svizzera) rilasciata dagli uffici A.C.I. in città o alla frontiera.

Per l'entrata in Francia di automobili e rimorchi da campeggio non è richiesto nessun documento di temporanea importazione, se il soggiorno è inferiore ai 6 mesi.

Assistenza sanitaria – Prima della partenza è necessario munirsi presso l'Unità Sanitaria Locale competente del modulo E 111 che permette di ottenere in Francia una completa assistenza ed il rimborso delle spese mediche e farmaceutiche fino all'80% (anche in caso di ricovero ospedaliero o di intervento chirurgico) purché l'ente ospedaliero o il medico siano convenzionati. Le spese di autoambulanza non vengono rimborsate.

Come arrivare a Parigi

In automobile – L'itinerario proposto qui di seguito favorisce il percorso in autostrada.

Roma-Parigi: 1 404 km (circa 13 ore e 30 min.) di cui 1 327 in autostrada. Passare per Firenze, Pisa, Lucca, Genova, Voltri, Alessandria, Ivrea, Aosta, traforo del Monte Bianco, Mâcon Nord e seguire la A6 fino a Parigi.

Milano-Parigi: 847 km (circa 8 ore e 40 min.) di cui 764 in autostrada. Passare per Novara, Ivrea, Aosta, traforo del Monte Bianco, Mâcon Nord e seguire la A6 fino a Parigi.

Per indicazioni più complete è bene consultare le carte stradali Michelin 988 (Italia) e 989 (Francia). Il sito Internet **http://www.michelin-travel.com** permetterà di calcolare ed ottimizzare l'itinerario e di ottenere informazioni su alberghi, ristoranti e campeggi delle città attraversate durante il viaggio.

In treno – I principali collegamenti ferroviari si effettuano tramite Eurocity, in partenza dalle principali città italiane. Si può scegliere una coincidenza con il TGV via Losanna, Aix-les-Bains o Lione e il **TGV Alexandre Dumas**, in partenza da Milano con sosta a Torino Porta Susa, che arriva a Parigi dopo circa 7 h. Si può inoltre effettuare il percorso prenotando una cuccetta o un wagon-lit sui treni notturni in partenza da Milano, Venezia, Firenze, Roma e Napoli. Dopo 20 ore massimo (da Napoli), il treno giunge alla **Gare de Lyon**, ottimamente servita dalle linee della metropolitana e della RER (Réseau Express Régional) che la mettono in diretto collegamento con il centro-città.

In aereo – I collegamenti sono gestiti principalmente dalle due compagnie di bandiera, Alitalia ed Air France. I voli diretti per Parigi si effettuano da numerose città italiane con arrivo agli aeroporti Roissy-Charles-de-Gaulle ed Orly.

Roissy-Charles-de-Gaulle – *23 km a Nord, autostrada A1.*
Autocars Air France: partenze ogni 12 min dalle 5.40 alle 23 da Place de la Porte Maillot e Place Charles-de-Gaulle (angolo av. Carnot). Tragitto medio: 35 min. 55 FF. ☎ 01 41 56 89 00. Dalla Gare Montparnasse, rue du Commandant-Réné-Mouchotte, partenza dalle 7 alle 21 ogni ora (tra le 9 e le 14 ogni 30 min). Tragitto medio: 50 min. 65 FF.
Bus R.A.T.P.: da rue Scribe (angolo rue Auber), **ROISSYBUS**, ogni 15 min dalle 5.45 alle 23. Tragitto medio: 45 min. 40 FF. ☎ 08 36 68 77 14.
In treno: RER B fino a Roissy-Aéroport CDG Terminal 1 o 2, partenze ogni 15 min dalle 4.56 alle 0.15 verso l'aeroporto e dalle 4.55 alle 23.56 verso Parigi. Tragitto medio fra Roissy e la Gare du Nord: 35 min. 47 FF.
Taxi: tragitto medio 1 h. Circa 250 FF.

Orly – *14 km a Sud, autostrada A6.*
Autocars Air France: partenze ogni 12 min dalle 5.50 alle 23 dall'Aérogare des Invalides, 2, rue Esnault-Pelterie e da Montparnasse, 36, av. du Maine. Tragitto medio: 30 min. 40 FF. ☎ 01 41 56 89 00.
Bus R.A.T.P.: da place Denfert-Rochereau (uscita Stazione RER), **ORLYBUS**, ogni 12 min dalle 5.35 alle 23.20. Tragitto medio: 30 min. 30 FF. ☎ 08 36 68 77 14.

In treno: RER C fino a Pont-de-Rungis e poi con la navetta, ogni 15
23.15 verso Parigi e dalle 5.50 alle 22.50 verso l'aeroporto. Tr
Gare d'Austerlitz e Orly: 35 min. 30 FF. **RER B** fino a Antony e poi
min dalle 6.30 alle 21.15 (domenica dalle 7 alle 22.55). Tragitto n
e Orly: 30 min. 45 FF.
Taxi: tragitto medio 30 min. Circa 180 FF.
P.A.S. (Paris Aéroport Service) fornisce un servizio di minibus a domicilic
145 FF da/per Roissy, 115 FF da/per Orly. Per prenotazioni ☎ 01 49 62 78 78, fax
01 49 62 78 79.

Dove alloggiare

A Parigi esiste una vastissima scelta di alberghi, dai più lussuosi alle modeste pensioni
a conduzione familiare. Per disporre di una lista selezionata, con i relativi prezzi, consultate la **Guida Rossa Michelin Paris et Environs** (estratto della Guida Rossa Francia)
dell'anno in corso.
Esistono inoltre svariate possibilità di alloggio a prezzi contenuti per giovani e studenti.
Rivolgersi a A.J.F. (Accueil des Jeunes en France): 119, rue St-Martin, 75004
Paris, ☎ 01 42 77 87 80; bd St-Michel, Paris, ☎ 01 43 54 95 86; Fédération unie
des Auberges de Jeunesse: 27, rue Pajol, 75018 Paris, ☎ 01 44 89 87 27; U.C.R.I.F.
(Union des Centres de Rencontres Internationales de France), 72, rue Rambuteau,
75001 Paris, ☎ 01 40 26 57 64; Ligue Française des Auberges de Jeunesse, 38, bd
Raspail, 75007 Paris, ☎ 01 45 48 69 84.
In Parigi esiste un solo campeggio al Bois de Boulogne, spesso completo durante
l'estate. Nelle vicinanze di Parigi si trovano campeggi situati in posizione gradevole e
tranquilla: ad Euro Disney (campeggio Davy Crockett; terminale Est della RER-linea A),
a Champigny-sur-Marne, Choisy-le-Roi e Maisons-Laffitte. Per informazioni dettagliate
consultare la **Guida Michelin Camping Caravaning France** dell'anno in corso. E' opportuno
ricordare che la circolazione nel centro di Parigi è vietata alle auto trainanti roulotte.

Al ristorante

Parigi offre un'ampia gamma di soluzioni, dai ristoranti più raffinati ai locali dove è
possibile consumare un pasto veloce o anche panini. Se l'intenzione è quella di fare
esperienze culinarie ed assaporare le specialità francesi si consiglia di consultare la **Guida
Rossa Michelin Paris et Environs**.
Generalmente in Francia si pranza a partire dalle ore 12 e si cena dalle ore 19.30 in poi.
Non si paga il coperto né il servizio, già compresi nel costo dei vari piatti. E' d'uso
lasciare una mancia.

Il menu – Il tipico pranzo francese è composto da un'*entrée* (piatto d'entrata) seguita
da un *plat*, il piatto principale di carne o pesce che di solito comprende anche un contorno di verdura, pasta *(pâte)* o riso *(riz)*. Si conclude poi con il *fromage* (formaggio),
il *dessert* (dolce) o la frutta *(fruit)* ed il *café* (caffè).
Oltre al menu à la carte, numerosi ristoranti propongono dei menu a prezzo fisso che
normalmente comprendono l'*entrée*, il piatto principale (a volte due), formaggio o dessert. A volte bevanda e caffè sono compresi, cosa che viene comunque precisata.
Nelle **brasserie** e nei piccoli ristoranti si può ordinare il *plat du jour* (piatto del giorno),
il cui prezzo include a volte una bevanda. Locale tipicamente francese, la brasserie (letteralmente fabbrica di birra o birreria) è una via di mezzo tra un café ed un ristorante: è infatti possibile prendervi una bibita o un caffè, magari con un dolce, ma
anche pranzare, normalmente a prezzi più contenuti rispetto ad un ristorante. L'atmosfera che vi regna è normalmente vivace ed allegra.
E' utile precisare che chiedendo semplicemente «*du vin*» vi sarà portato del vino in
bottiglia, mentre per ordinare del vino della casa o sfuso (sempre buono, ma di costo
più contenuto) si deve chiedere del *vin en carafe* o un *pichet de vin*, che verrà servito
in quantità di 33 cl o di 50 cl.
L'acqua minerale viene indicata con il nome della marca. Tra le acque minerali più diffuse vi sono la Volvic, l'Évian, la Vittel e la Contrexéville, mentre tra le acque minerali
gasate la Badoit e la St-Yorre. La famosissima Perrier è molto frizzante.
Un'altra possibilità di ristoro è offerta dai **café** dove si possono ordinare piatti freddi o
panini tipici come il *croque-monsieur*, farcito di prosciutto e guarnito da formaggio fuso.
Fra i café ve ne sono alcuni, situati in un quadro storico, che per la loro atmosfera e
soprattutto per la loro storia sono tipicamente parigini. Anche se la maggior parte ha
perduto una buona dose di autenticità ed il loro arredo è molto diverso da quello originale, chi entra in questi luoghi, frequentati in altri tempi da numerosi personaggi
famosi, si sente pervaso da una sorta di emozione.
Parigi possiede inoltre **bars à vin**, luoghi destinati agli amanti del vino che è possibile
degustare con piatti semplici di affettati.
Per i golosi invece, si consiglia una sosta in pasticceria dove gustare il *pain au chocolat* (farcito di una o due barrette di cioccolato), lo *chausson aux pommes* (sfoglia riem-
pita di composta di mele) o il *pain aux raisins* (con uvette e crema pasticciera). A queste *viennoiseries* si aggiungono tutta una serie di specialità tra cui moltissime
tartelettes, paste alla frutta *(per gli indirizzi si veda la sezione Parigi Ghiotta
nell'INTRODUZIONE)*.

Parigi

Informazioni turistiche

– Ufficio del Turismo e dei Congressi di Parigi, 127, rue des Champs-Elysées (8° ar.), Ⓜ Charles-de-Gaulle-Étoile, ☏ 01 49 52 53 54 (aperto tutti i giorni ore 9-20; da novembre a marzo domenica e festivi dalle 11 alle 18, chiuso il 1° maggio.

Altri uffici:
– Gare du Nord, ☏ 01 45 26 94 82 (da lunedí o sabato ore 8-20);
– Gare de Lyon, ☏ 01 43 43 33 24 (da lunedì a sabato ore 8-20);
– Tour Eiffel, ☏ 01 45 51 22 15 aperto tutti i giorni da maggio a settembre ore 11-18.
– Carrousel du Louvre, place de la Pyramide-Inversée, 99, rue de Rivoli, ☏ 01 42 44 10 50, tutti igiorni tranne il martedì ore 10-19.
– Mairie de Paris 29, rue de Rivoli, 4° ar., Ⓜ Hôtel-de-Ville, ☏ 01 42 76 43 43, aperto tutti i giorni tranne la domenica ed i giorni di festa ore 9-18.

Trasporti

La metropolitana e la RER

Metro – *La piantina è alla fine, in penultima e terzultima pagina.* Il 19 luglio 1900 viene inaugurata la prima linea della metropolitana tra Vincennes e Maillot, una rete quasi interamente sotterranea progettata dall'ingegner Fulgence Bienvenüe.

La rete oggi si snoda su una lunghezza totale di più di 200 km, 13 linee principali e 2 brevi, a cui si aggiungono le due linee della rete RER (metropolitana veloce). La zona urbana possiede 370 stazioni, di cui 87 con possibilità di coincidenza *(correspondance)*. Nessun punto di Parigi quindi dista più di 500 m da una stazione.

Alcune stazioni sono ornate da vetrine (Pasteur), da pietre decorative e ceramiche (Franklin-Roosevelt, Cluny, Bastille) o da riproduzioni di opere d'arte (Louvre-Rivoli, Varenne, Hôtel-de-Ville) o ancora da statue figurative policrome (Esplanade-de-la-Défense).

Stazione di Porte Dauphine

Il prolungamento della linea n° 1, fino alla Défense, ha permesso di integrare concretamente il quartiere degli affari nella capitale.

RER (**Réseau Express Régional**) – Questa rete comprende 4 linee di cui 3 si incrociano alla stazione centrale Châtelet-Les-Halles. La linea A, Ovest-Est, collega St-Germain-en-Laye a Marne-la-Vallée. La linea B, Nord-Sud, collega Robinson e St-Rémy-lès-Chevreuse alla Gare du Nord ed alla rete S.N.C.F., raggiungendo l'aeroporto di Roissy o Mitry-Claye. La linea C, Ovest-Est, collega Versailles Rive Gauche e St-Quentin-en-Yvelines a Dourdan ed Étampes. La linea D, Nord-Sud-Est, parte da Orry-la-Ville e termina a Malesherbes o Melun.

L'autobus

Nel 1996 la rete ha raggiunto un'estensione di 530 km. Per evitare eventuali ingorghi sono state riservate corsie preferenziali ad autobus e taxi per un totale di 126 km nell'area urbana.

Informazioni pratiche – Si utilizzano i biglietti validi anche per la metropolitana. Quelli singoli possono anche essere acquistati direttamente sull'autobus.
I bambini viaggiano gratuitamente fino ai 4 anni e pagano metà tariffa dai 5 ai 10.

330

Alcuni autobus circolano la notte, dall'1 alle 5 circa. Questi «Noctambus» partono tutti da Châtelet (rue St-Martin o av. Victoria, a seconda della linea) per diramarsi poi verso la periferia di Parigi. Nei giorni di bel tempo si può decidere di prendere una versione modernizzata dei vecchi e caratteristici autobus a piattaforma che percorrono linee quali la **20** (Gare St-Lazare-Gare de Lyon), **29** (Gare St-Lazare-Port de Montempoivre), **56** (Pte de Clignancourt-Château de Vincennes), **93** (Esplanade des Invalides-Levallois).

Turismo in autobus – Alcune fra le numerose linee d'autobus regolari si prestano in particolare alla scoperta di Parigi:

il **Montmartrobus**, circolare della *Butte* (la collina di Montmartre), collega il municipio del 18° ar. alla place Pigalle.

il **Balabus** attraversa Parigi da est ad ovest, dalla Gare de Lyon fino alla Défense (le fermate dell'autobus sono segnate *Balabus Bb*). Circola unicamente la domenica ed i giorni di festa dall'ultima domenica di aprile all'ultima domenica di settembre, dalle 12 alle 20. Questo autobus permette di scoprire un buon numero di luoghi e monumenti importanti della capitale.

Bus 21 (Gare St-Lazare-Porte de Gentilly) e **27** (Gare St-Lazare-Porte de Vitry). Il loro percorso permette di scoprire l'Opéra, il Palais-Royal, il Louvre, i Lungosenna, il Quartier Latin e quello del Luxembourg.

Bus 52 (Opéra-Pont de St-Cloud-Hôtel de Ville). Sul suo itinerario passa davanti alla Madeleine, place de la Concorde, rotonda degli Champs-Elysées, St-Philippe-du-Roule, Arco di Trionfo, avenue Victor-Hugo, rue de la Pompe ed Auteuil.

Bus 72 (Pont de Saint-Cloud-Hôtel de Ville). La linea segue la riva destra della Senna: Alma-Marceau, Grand-Palais, Concorde, Palais Royal, Louvre, Châtelet, Hôtel de Ville (Municipio).

Bus 73 (La Défense-Museo d'Orsay). Sul suo itinerario: Charles-de-Gaulle-Étoile, Champs-Élysées, Concorde e Museo d'Orsay.

Il **Paribus** infine, facilmente riconoscibile perché rosso ed a due piani (cosa che lo rende molto simile ai tipici bus londinesi) prevede nove fermate, i principali luoghi turistici della città: Trocadéro, Tour Eiffel, Champ de Mars, Louvre, Notre-Dame, Musée d'Orsay, Opéra, Champs-Élysées-Étoile e Grand Palais. Il tragitto dura 2 ore e 15 min. circa. Il biglietto si acquista sull'autobus, è valido due giorni e permette di scendere dall'autobus alle varie fermate e di riprenderlo più tardi. Il primo bus parte alle 9.45 dalla Tour Eiffel.

Per informazioni: **Les Cars Rouges** (Le vetture rosse). ☎ 01 42 30 55 50.

Altre compagnie di autobus «panoramici»:

Paris Vision, 214, rue de Rivoli, 1° ar., M° Tuileries, ☎ 08 00 03 02 14; Paris Vision Plus, in minibus da 8 posti, ☎ 01 49 27 00 06

Cityrama, 147, rue St-Honoré, 1er, M° Louvre, ☎ 01 44 55 61 00

Excursions parisiennes voyages, 51, rue de Maubeuge, 9° ar., ☎ 01 42 80 42 54

London Cab in Paris, 16, rue Chevreul, 11° ar., ☎ 01 43 70 18 18, in particolare per i gruppi, ma propone anche mezzi per le famiglie.

Il taxi

A Parigi circolano più di 14 000 taxi, che hanno le loro stazioni di chiamata in prossimità di incroci o su vie piuttosto frequentate, sotto l'insegna *Tête de station*. Supplementi alla tariffa normale, oltre che in orario notturno (dalle 19 alle 7), vengono applicati per i dipartimenti della regione parigina, gli aeroporti e se si trasportano bagagli di più di 5 kg, una quarta persona o un animale.
Il prezzo della corsa è visibile sul tassametro. E' d'uso lasciare una mancia pari al 15 % circa.

Compagnie di radio-taxi – **Taxis Bleus** ☎ 01 49 36 10 10; **Alpha Taxis**, ☎ 01 45 85 85 85; **Artaxi**, ☎ 01 42 41 50 50; **Taxi G7**, ☎ 01 47 39 47 39; **Taxi-radio Étoile**, ☎ 01 41 27 27 27.

L'automobile

Attualmente il parco automobilistico parigino è composto da circa 1 milione di veicoli con il conseguente rischio di paralisi del centro e dei quartieri commerciali. Notevoli sono gli sforzi che il Comune di Parigi ha compiuto e compie costantemente per evitare gli intasamenti del traffico e facilitare il parcheggio. Per migliorare la circolazione è stata creata una serie di arterie che alleggeriscono la circolazione cittadina: la superstrada (**voie express** des quais de la rive droite) che costeggia i Lungosenna della riva destra (13 km) ed attraversa la capitale da ovest ad est, nonché il raccordo anulare (**boulevard périphérique**), lungo 35 km, parallelo ai boulevard esterni, detti *des Maréchaux*.

A partire dal 1990 sono stati istituiti i cosiddetti **axes rouges**, grandi strade di scorrimento lungo le quali è tassativamente vietato parcheggiare.

Come nel resto dell'Europa comunitaria, l'uso delle cinture di sicurezza è obbligatorio per il conducente e i passeggeri dei sedili anteriori, sia fuori che dentro i centri urbani. Dal 1° gennaio 1991 è obligatorio l'uso delle cinture anche per i passeggeri dei sedili posteriori, qualora il veicolo ne sia provvisto. Tale obbligo non è esteso ai bambini di età inferiore a 10 anni, ai quali è assolutamente proibito viaggiare sui sedili anteriori.

Limiti di velocità: 50 km/h in città; 90 km/h fuori dai centri abitati; 110km/h sulle strade a carreggiate separate tipo autostrada e 130km/h su autostrada.

Parcheggio – Le zone disco sono rare. Più frequenti sono i parcheggi a pagamento con parchimetro (le macchine che emettono i biglietti sono collocate entro i 50 m dal luogo della sosta. Attenzione perché non danno monete di resto). Alle porte di Parigi, è possibile disporre di grandi aree di parcheggio, in corrispondenza delle principali linee di trasporto pubblico. Dato il consistente traffico, è più conveniente lasciare l'auto ed avvalersi degli efficienti mezzi pubblici. Nei parcheggi a pagamento (dalle 9 alle 19 nei giorni feriali) la sosta è limitata a due ore. Durante il mese di agosto invece, il traffico diventa molto scorrevole ed è permesso parcheggiare quasi ovunque.

Il servizio riparazioni **SOS Dépannage** ☏ 01 47 07 99 99 è attivo 24 h al giorno.

Poste e telefoni (Bureau de Poste o PTT)

In Francia poste e telefoni sono raggruppati. Gli uffici postali (indicati sulle piante n° 12 e 14 dal simbolo F) sono aperti dal lunedì mattina al sabato dalle 8 alle 19 senza interruzione (il sabato fino alle 12). Vi sono però molti uffici postali che godono di una riduzione d'orario e sono quindi aperti dalle 8.30 alle 12 e dalle 14.30 alle 18 (il sabato dalle 8.30 alle 12). L'ufficio postale in rue du Louvre, 52 è aperto 24 ore su 24, quello in av. des Champs-Élysées, 71 è aperto dalle 8 alle 22, mentre quello nella Hall Napoléon della Piramide del Louvre è aperto i giorni feriali (eccetto il martedì) dalle 9.30 alle 19 (lunedì e mercoledì fino alle 21.30), domenica e festivi dalle 10.30 alle 18.

I francobolli (la cui tariffa è uguale sia per lettera che per cartolina postale) possono essere acquistati, oltre che negli uffici postali, presso i distributori automatici gialli all'esterno degli stessi uffici e nelle rivendite di tabacchi.

Servizio di fermo posta: Poste restante, 52, rue du Louvre, 75001 Paris, ☏ 01 40 28 20 00. Per ritirare la corrispondenza è necessario presentare un documento d'identità e si deve pagare una tassa.

Telefoni – Gli uffici postali sono dotati di cabine da cui è possibile chiamare direttamente senza bisogno di moneta o schede telefoniche (l'importo viene poi pagato alla cassa).

Ovunque in Europa sembrano sparire le cabine telefoniche a moneta e la Francia non fa eccezione. La maggior parte dei telefoni pubblici utilizza carte prepagate *(télécartes)* da 50 o 120 unità, in vendita negli uffici postali, negli uffici di France Télécom, nelle tabaccherie e dai giornalai. In alcuni telefoni è possibile utilizzare le carte di credito (Visa, Mastercard/Eurocard), mentre nelle cabine contraddistinte da una campanella blu è possibile ricevere telefonate.

La tariffa ridotta è in vigore tra le 21.30 e le 8 dal lunedì al venerdì, a partire dalle ore 14 del sabato durante il week-end e nei giorni di festa.

Per telefonare:
– **dalla Francia in Italia**, comporre 0039 + prefisso della città con lo 0 + numero desiderato (es. per Milano 00 39 02);
– **dall'Italia in Francia**, comporre 0033 + numero desiderato senza lo 0 (es per Parigi 00 33 1);
– **dalla Francia in Francia**, comporre il numero di 10 cifre. I numeri telefonici francesi sono infatti costituiti da un prefisso zonale – 01 per Parigi e la regione parigina, 02 per la Bretagna ed il nord della Francia, 03 per il nord-est della Francia, 04 per il sud-est e la Corsica e 05 per il sud-ovest – più il numero di 8 cifre del corrispondente.

Numeri verdi – Tutti i numeri che iniziano con 08 00 sono gratuiti.

Servizi telefonici:

informazioni: 12

informazioni internazionali: 003312 + indicativo del paese

pompieri: 18

polizia: 17

urgenze mediche assolute (SAMU-Service d'Assistance Médicale d'Urgence): 15

Cambio

Le **banche** sono aperte generalmente dalle 9 alle 16.30 dal lunedì al venerdì. Nei giorni prefestivi la chiusura è anticipata alle 12. Il cambio di valuta può essere effettuato anche in certi **uffici postali** e nei numerosi **uffici di cambio**. E' sempre prevista una commissione. Sono aperti 7 giorni su 7: Banco Central alla Gare d'Austerlitz; Thomas Cook alla Gare de l'Est, alla Gare St-Lazare e alla Gare Montparnasse; la C.I.C. alla Gare de Lyon; la U.B.P. in av. des Champs-Élysées, 154; la Société Nationale in bd Haussmann, 154; il Change de Paris in rue de l'Amiral-de-Coligny, 2 e due uffici in place St-Michel, 2 e in place Vendôme, 2.

Minitel

Il servizio telematico di France Télécom permette di accedere all'elenco telefonico e di ottenere un cospicuo numero di informazioni grazie al terminale **Minitel**. Il servizio è attivato presso alcuni grandi alberghi, stazioni di servizio e uffici postali. Ecco alcuni codici utili:

3615 CAPITALE   mostre, concerti, teatri, festival, spettacoli per bambini

3615 HORAV   aeroporti di Parigi, informazioni sui voli e sugli orari degli aerei

3615 LOUVRE   mostre ed attività del museo

3614 RATP   informazioni sui trasporti parigini

3615 SIMA   manifestazioni sportive, indirizzi di club e federazioni

3615 THEA   spettacoli in programma

3615 VILLETTE   programmi ed attività della Villette, prenotazioni per gli spettacoli della Géode e della Cité des Sciences

Acquisti

Parigi offre ampie possibilità a chi desideri fare acquisti o semplicemente curiosare. Avenue Montaigne, avenue des Champs-Élysées, place e avenue de l'Opéra, rue Tronchet, rue Royale e rue du Faubourg-St-Honoré sono il paradiso dell'alta moda e delle boutique di lusso; nell'ultima sono concentrati gli show-room parigini delle firme di spicco della moda italiana. I grandi nomi della gioielleria hanno le loro vetrine in place Vendôme e rue de la Paix. Rue St-Lazare e boulevard St-Michel sono conosciuti per i negozi di scarpe e le pelletterie; per la moda prêt-à-porter invece rue de Sèvres e rue de Passy.

Agli appassionati d'antiquariato non resta che l'imbarazzo della scelta: Louvre des Antiquaires, Village Suisse, Carré Rive Gauche e il Mercato delle Pulci. In ogni quartiere della città ci sono inoltre vivaci mercatini all'aperto *(per informazioni dettagliate si veda l'INTRODUZIONE)*.

I negozi sono generalmente aperti tutti i giorni dalle 9 alle 18.30 escluso la domenica; alcuni di essi chiudono tra le 12.30 e le 14.30. Le rivendite di generi alimentari aprono anche la domenica tra le 9 e le 12.30, ma sono spesso chiuse il lunedì.

Se si vogliono acquistare capi d'abbigliamento, è bene sapere che le taglie italiane non sono uguali a quelle francesi. Vi sono infatti due taglie di differenza: la 42 italiana corrisponde a una 38 francese. Per le scarpe francesi si deve aggiungere una misura: il numero 36 italiano corrisponde ad un 37 francese.

Giorni festivi in Francia

1° Gennaio
Domenica e lunedì di Pasqua
1° Maggio
8 Maggio (armistizio del 1945)
Giovedì dell'Ascensione
Domenica e lunedì di Pentecoste

14 Luglio (festa nazionale)
15 Agosto
Ognissanti
11 Novembre (armistizio del 1918)
25 Dicembre

Principali manifestazioni turistiche

FESTIVAL

21 giugno
Vari luoghi della città .... Festa della Musica

Fine giugno-inizio luglio
La Villette .... La Villette Jazz Festival

Metà luglio-metà agosto
Vari luoghi della città .... Festival di Parigi

Metà settembre-metà dicembre
Vari luoghi della città .... Festival d'autunno

Novembre (anni pari)
Vari musei e gallerie della città .... Mese della fotografia

Fine novembre-metà dicembre
Varie chiese della città .... Festival d'arte sacra

CELEBRAZIONI E FESTE RELIGIOSE

24 Giugno
Jardin du Sacré-Cœur de Montmartre .... Notte di S. Giovanni (fuochi di artificio)

14 luglio
Champs-Élysées .... Parata militare
Palais du Trocadéro .... Fuochi d'artificio
Vari luoghi della capitale .... Balli

Terzo week-end di settembre
Vari luoghi della capitale .... Giornate del Patrimonio (ingresso gratuito in musei e palazzi, alcuni dei quali visitabili solo in questa occasione)

11 novembre
Arc de Triomphe .... Parata militare

Dicembre
Place de l'Hôtel-de-Ville .... Presepe gigante

ANTICHITÀ

Inizio giugno
Carré Rive Gauche .... Cinque giorni dell'oggetto particolare

Maggio
Carré Marigny, Marché aux Timbres .... Giornate filateliche di primavera

Settembre
Carrousel du Louvre .... Biennale internazionale degli antiquari

NATURA

Aprile
Bagatelle, jardin des Serres d'Auteuil .... Esposizione di azalee
Parc Floral .... Esposizione di tulipani

Fine aprile-inizio giugno
Parc Floral .... Esposizione di rododendri

Settembre-ottobre
Parc Floral .... Esposizione di dalie

Primo sabato di ottobre
Montmartre .... Festa della vendemmia

FIERE E SALONI

La Camera di Commercio ed Industria di Parigi pubblica ogni anno una guida delle Fiere e dei Saloni che si tengono a Parigi. ☎ 01 42 89 77 15.

Marzo
Paris-Expo-Porte de Versailles .... Salone del Libro
Paris-Expo-Porte de Versailles .... Salone mondiale del turismo
Paris-Expo-Porte de Versailles .... Salone dell'escursionismo e del turismo verde

Aprile
Grande Halle de la Villette .... Musicora (Salone della musica classica)
Fine aprile-inizio maggio
Paris-Expo-Porte de Versailles .... Fiera internazionale di Parigi
Fine settembre-inizio ottobre
Paris-Expo-Porte de Versailles .... Mondiale delle due ruote
Ottobre (anni pari)
Paris-Expo-Porte de Versailles .... Mondiale dell'automobile
Ottobre
Espace Eiffel Branly .... Fiera Internazionale di Arte Contemporanea

MANIFESTAZIONI SPORTIVE

Gennaio
Tour Eiffel .... La 20 km di Parigi
Ultima domenica di gennaio
Hippodrome de Vincennes .... Premio d'America
Aprile
Attraverso la città .... Maratona di Parigi
Una domenica della prima metà di aprile
Hippodrome d'Auteuil .... Premio del Presidente della Repubblica
Una domenica di maggio
Rue Lepic .... Corsa delle auto d'epoca
Fine maggio-inizio giugno
Stadio Roland-Garros .... Internazionali di Francia di tennis
Giugno
Place de l'Hôtel-de-Ville .... Corsa di camerieri e cameriere dei caffè
Terza domenica di giugno
Hippodrome d'Auteuil .... Grand Steeple-Chase
Ultima domenica di giugno
Hippodrome de Longchamp .... Gran Premio di Parigi Louis-Vuitton
Luglio
Champs-Élysées .... Arrivo del Tour de France
Un sabato intorno a metà settembre
Hippodrome de Vincennes .... Premio d'estate
Prima domenica di ottobre
Hippodrome de Longchamp .... Premio dell'Arco di Trionfo

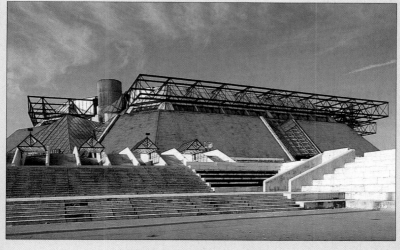

Palais Omnisports de Paris-Bercy

Condizioni di visita

Nella parte descrittiva della guida i luoghi di interesse di cui vengono fornite le condizioni di visita sono accompagnati dal simbolo ⓥ. La lista segue l'ordine con cui essi sono presentati all'interno dei capitoli. Il simbolo ＆ indica l'agibilità per le persone portatrici di handicap.

Per alcuni monumenti o musei (in particolare se la visita è guidata) può accadere che mezz'ora prima dell'orario di chiusura i visitatori non siano più ammessi.

Le indicazioni fornite si applicano a turisti che viaggiano da soli e non beneficiano di riduzioni. I gruppi organizzati possono in genere ottenere, previo accordo, condizioni particolari relative ad orari e tariffe.

Si tenga presente che gli edifici religiosi non si visitano durante le celebrazioni e che l'orario normale di chiusura è dalle 12 alle 14. Alcune chiese e buona parte delle cappelle sono sovente chiuse e vengono fornite indicazioni sulle condizioni di visita solo relativamente agli edifici il cui interno presenta un interesse particolare. Nel caso in cui la visita sia accompagnata da un custode è d'uso lasciare un'offerta.

Le festività nazionali francesi sono le seguenti: 1° gennaio, Pasqua e lunedì dell'Angelo, 1° e 8 maggio. giovedì dell'Ascensione, Pentecoste e lunedì di Pentecoste, 14 luglio (Presa della Bastiglia), 15 agosto, 1° e 11 novembre (Giorno dell'armistizio), Natale. **Si consiglia di telefonare per accertarsi che musei e monumenti siano aperti.**

L'indirizzo dell'Ufficio del Turismo di Parigi è 127, avenue des Champs-Élysées – 75008 Paris, ☎ 01 49 52 53 54.

Carte «Musées et Monuments»

E' possibile acquistare una tessera Musei e Monumenti valida per 1 giorno (80 FF), 3 (160 FF) o 5 giorni consecutivi (240 FF) in alcune stazioni del metrò, nei musei, presso l'Ufficio del Turismo e dei congressi di Parigi e al Carrousel du Louvre; dà diritto all'ingresso a 70 musei e monumenti. ☎ 01 44 78 45 81.

Visite con commento

I seguenti enti ed associazioni organizzano visite-conferenze per una conoscenza più approfondita di monumenti, quartieri ed esposizioni.
– La Cassa Nazionale dei Monumenti Storici e dei Luoghi (C.N.M.H.S.). 62, rue St-Antoine, 75004 Parigi, ☎ 01 44 61 21 29. Aperta da lunedì a venerdì ore 9-12 e 14-18 (fino alle 17 il venerdì).
– L'Associazione per la Salvaguardia e la Valorizzazione della Parigi storica, 44-46, rue François-Miron, 75004 Parigi, ☎ 01 48 87 74 31. Aperta ore 14-18.
– L'Associazione Parigi e la sua Storia, 82, rue Taitbout, 75009 Parigi, ☎ 01 45 26 26 77.
– La Federazione per la Conoscenza di Parigi e lo Sviluppo del Turismo, 21, rue du Repos, 75020 Parigi, ☎ 01 43 70 70 87.
– L'Associazione Internazionale del Turismo culturale, 39, av. des Champs-Élysées, 75008 Parigi, ☎ 01 45 53 94 25 (solo al mattino).
– Ascolto del passato, 77, av. de St-Mandé, 75012 Parigi, ☎ 01 43 44 49 86.

Queste visite hanno luogo ogni giorno a Parigi e vengono segnalate in alcuni grandi quotidiani nazionali e sulla stampa specializzata in spettacoli.

Esposizioni

Grazie alla presenza di circa 100 musei, 200 gallerie d'arte, una trentina di esposizioni temporanee e del Centre G.-Pompidou, Parigi mantiene viva la propria tradizione di centro artistico e culturale a livello internazionale.
Alcuni grandi musei, come il Louvre o il Musée d'Orsay, organizzano non solo esposizioni temporanee ma anche conferenze, dibattiti ed «esposizioni-dossier» all'interno delle collezioni permanenti.

Facciata Belle-Époque

Turismo e portatori di handicap

La guida «Paris Île de France pour tous», pubblicata dal Comitato Nazionale Francese di Collegamento per il Reinserimento del Portatore di Handicap (236 bis, rue de Tolbiac, 75013 Paris, ☎ 01 53 80 66 66) fornisce indicazioni sui musei e monumenti accessibili ai portatori di handicap.

Alcuni musei di Parigi (Bourdelle, Carnavalet, Rodin, Zadkine) propongono visite-conferenza per i non vedenti associate ad un approccio tattile dell'opera originale (facilitata da note in braille). Per informazioni rivolgersi alla Direction des Affaires Culturelles, Service pédagogique du Bureau des Musées, 37, rue des Francs-Bourgeois, 75005 Paris ☎ 01 42 76 65 86.

ALMA

Musée d'Art moderne de la Ville de Paris – Visita dalle 10 alle 17.30. Chiusura: lunedì e alcune feste nazionali. 24 FF. ☎ 01 53 67 40 80.

Musée national des Arts asiatiques Guimet – Chiuso per lavori fino al 1999.

Panthéon bouddhiste – Visita alle gallerie dalle 9.45 alle 17.45. Chiusura: martedì e alcune feste nazionali. 16 FF. ☎ 01 45 05 00 98.

Musée de la Mode et du Costume – Visita dalle 10 alle 17.15. Chiusura: lunedì, Natale, Capodanno, la mattina dei giorni di festa nazionale e 4 mesi all'anno per mostre temporanee. 45 FF. ☎ 01 47 20 85 23.

Les Égouts – Visita dalle 11 alle 17 (fino alle 16 da ottobre ad aprile). Chiusura: giovedì, venerdì e le ultime 3 settimane di gennaio. 25 FF. ☎ 01 53 68 27 81.

AUTEUIL

Maison de Radio-France – Visita guidata (1 h e 30 min) dalle 10.30 alle 16.30. Chiusura: domenica e feste nazionali. 20 FF. ☎ 01 42 30 15 16.

Fondation Le Corbusier – Visita dalle 10 alle 12.30 e dalle 13.30 alle 18 (venerdì fino alle 17). Chiusura: sabato, domenica, agosto, feste nazionali e da Natale a Capodanno. 15 FF. ☎ 01 42 88 41 53.

Musée Bouchard – &. Visita mercoledì e sabato dalle 14 alle 19. Chiusura: gli ultimi 15 giorni di marzo, giugno, settembre e dicembre. 25 FF. ☎ 01 46 47 63 46.

BASTILLE

Biblioteca dell'Arsenal – Solo visite guidate. Vedere gli annunci sulla stampa o rivolgersi alla Caisse nationale des Monuments historiques et des Sites, Hôtel de Sully, rue St-Antoine, 75004 Paris, ☎ 01 44 61 20 89.

Pavillon de l'Arsenal – &. Visita dalle 10.30 alle 18.30, domenica dalle 11 alle 19. Chiusura: lunedì e Capodanno. Ingresso gratuito. ☎ 01 42 73 33 97.

Petit musée de l'Argenterie Insolite – Solo visite guidate (1 h) dalle 10 alle 17, da prenotare con almeno 1 settimana di anticipo. Ingresso gratuito. ☎ 01 48 87 77 66.

Cimètiere de Picpus – Visita dal 15 aprile al 15 ottobre dalle 14 alle 18 , il resto dell'anno dalle 14 alle 16. Chiusura: lunedì e feste nazionali, domenica in inverno e dal 15 luglio al 15 agosto. ☎ 01 43 44 18 54.

BERCY

Bibliothèque nationale de France François-Mitterrand – Visita dalle 10 alle 19, domenica dalle 12 alle 18. Chiusura: lunedì, giorni festivi e dal 1° al 3° lunedì di settembre. Stessi orari per la visita alle mostre temporanee. 20 FF (biglietto valido per tutta la giornata). ☎ 01 53 79 59 59.

Bois de BOULOGNE

Visita: noleggio biciclette – Noleggio (30 FF 1 h, 20 FF 1/2 h) di fronte all'ingresso principale del Jardin d'Acclimatation, al carrefour des Sablons, e nei pressi del Pavillon Royal, al carrefour du Bout-des-Lacs, tutti i giorni da metà aprile a metà ottobre; mercoledì, sabato, domenica e festivi il resto dell'anno.

Jardin d'Acclimatation – &. Visita dalle 10 alle 19 (fino alle 18 in inverno). 12 FF. ☎ 01 40 67 90 82.

Musée en Herbe – &. Visita dalle 10 alle 18 (dalle 14 alle 18 il sabato durante il periodo scolastico). Chiusura: Natale e Capodanno. 16 FF. ☎ 01 40 67 97 66.

Musée National des Arts et Traditions Populaires – &. Visita dalle 9.30 alle 17.15 (orario limite d'ingresso 16.30). Chiusura: martedì, Natale, Capodanno e 1° maggio. 22 FF. ☎ 01 44 17 60 00.

Bois de BOULOGNE

Parc de Bagatelle – Visita da marzo a settembre dalle 8.30 alle 18.30 (apertura fino alle 20 nei mesi estivi), il resto dell'anno dalle 9 alle 18 (chiusura anticipata alle 16.30 a dicembre e gennaio). 10 FF. ☎ 01 40 71 75 60.

Jardin des Serres d'Auteuil – Visita dalle 10 alle 18 (fino alle 17 da metà ottobre a metà aprile). 5 FF. ☎ 01 40 71 75 30.

Musée National du Sport – Le sale espositive sono chiuse.

Lac Inférieur: noleggio barche – Dalle 10 alle 19. Chiusura: dal 1° novembre al 15 febbraio. 54 FF l'ora, 24 FF la mezz'ora supplementare. ☎ 01 45 25 44 01.

Jardin Shakespeare – Visita dalle 15 alle 15.30 e dalle 16.30 alle 17. 5 FF. ☎ 01 40 71 75 60.

Musée Armenien – Visita giovedì e domenica dalle 14 alle 18. Chiusura: feste nazionali e mese di agosto. Ingresso gratuito.

Musée d'Ennery – Visita giovedì e domenica dalle 14 alle 18. Ingresso gratuito. ☎ 01 45 05 00 98.

Musée de la Contrefaçon – Visita da lunedì a giovedì dalle 14 alle 17, venerdì dalle 9.30 alle 12, domenica dalle 14 alle 18. Chiusura: sabato e feste nazionali. 10 FF. ☎ 01 45 01 51 11.

Les CHAMPS-ÉLYSÉES

Terrazza dell'Arc de Triomphe – Visita da aprile a settembre dalle 9.30 alle 23, il resto dell'anno dalle 10 alle 22. Ultimo ingresso 30 min prima della chiusura. Chiusura: Natale, Capodanno, 1° maggio e 14 luglio. 35 FF. ☎ 01 55 37 73 77.

Musée du Petit Palais – Visita dalle 10 alle 17.15. Chiusura: lunedì e feste nazionali. 27 FF. ☎ 01 42 65 12 73.

Palais de la Découverte – Visita i giorni feriali dalle 9.30 alle 18, domenica dalle 10 alle 19. Chiusura: lunedì e feste nazionali. 27 FF, 17 FF dai 7 ai 18 anni; planétarium 13 FF. ☎ 01 40 74 80 00.

Musée de l'Orangerie – &. Visita dalle 9.45 alle 17. Chiusura: martedì e feste nazionali. 30 FF. ☎ 01 42 97 48 16.

La CITÉ

Cripta archeologica – Visita dalle 10 alle 17.30 (fino alle 16.30 da ottobre a marzo). Chiusura: feste nazionali. 32 FF. ☎ 01 43 29 83 51.

Notre-Dame

Salita alle torri – Accesso a piedi dalla Tour Nord (386 gradini). Visita da aprile a settembre dalle 9.30 alle 19.30, il resto dell'anno dalle 10 alle 17. Chiusura: feste nazionali. 32 FF. ☎ 01 44 32 16 70

Tesoro – &. Visita dalle 9.30 alle 12 e dalle 13 alle 17.45. Chiusura: domenica e alcune feste nazionali. 15 FF. ☎ 01 42 34 56 10.

Musée de Notre-Dame-de-Paris – Visita mercoledì, sabato e domenica dalle 14.30 alle 18. 15 FF.

Mémorial de la Déportation – Visita dalle 10 alle 12 e dalle 14 alle 19 (fino alle 17 da ottobre a marzo). Chiusura: ultima domenica di aprile. Ingresso gratuito. ☎ 01 49 74 34 05.

Palais de Justice – Visita dalle 8.30 alle 18. Chiusura: domenica e feste nazionali. Normalmente è possibile assistere alle udienze civili o penali; l'accesso alla Galleria dei Busti e al Tribunale dei Minori è invece vietato al pubblico. ☎ 01 44 32 50 00.

Sainte Chapelle – Visita da aprile a settembre dalle 9.30 alle 18, il resto dell'anno dalle 10 alle 16.30. Chiusura: feste nazionali. 32 FF. ☎ 01 53 73 78 50.

Conciergerie – Visita da aprile a settembre dalle 9.30 alle 18, il resto dell'anno dalle 10 alle 16.30. Chiusura: feste nazionali. 32 FF. ☎ 01 53 73 78 50.

Église St-Louis-en-l'Île – Chiusa il lunedì

Musée Adam Mickiewicz – Solo visite guidate (1 h) il giovedì alle ore 14, 15, 16 e 17. Chiusura: alcune feste nazionali. 10 giorni a Pasqua e 2 settimane a Natale. 30 FF. ☎ 01 55 42 83 83.

La DÉFENSE

Info Défense – Visita da lunedì a venerdì dalle 10 alle 13 e dalle 14 alle 18. Per le visite nel fine settimana contattare il numero sottoindicato. Chiusura: feste nazionali. ☎ 01 47 74 84 24.

La Grande Arche – Visita dalle 10 alle 19 (orario limite di ingresso ore 18). 40 FF. ☎ 01 49 07 27 57.

Musée de l'Automobile de la Colline de la Défense – &. Visita dalle 12.30 alle 19.30 (orario limite di ingresso ore 18.30), il sabato fino alle 22. 35 FF, bambini 25 FF. ☎ 01 46 92 45 50.

Dôme Imax – Spettacoli variabili secondo il programma dalle 12.30 alle 18.45, sabato doppio spettacolo alle 20. 57 FF, bambini 44 FF. Per informazioni e programmi ☎ 08 36 67 06 06.

Tour EIFFEL

Salita alla Tour Eiffel – Accesso ai tre piani da metà giugno a fine agosto dalle 9 alle 24, il resto dell'anno dalle 9.30 alle 23. Salita in ascensore: 1° piano 20 FF (11 FF fino ai 12 anni), 2° piano 42 FF (bambini 21 FF), 3° piano 59 FF (bambini 30 FF). ☎ 01 44 11 23 23.

Maison de l'U.N.E.S.C.O. – Visita dalle 9 alle 12.30 e dalle 14.30 alle 17. Chiusura: sabato, domenica e feste nazionali. Ingresso gratuito. ☎ 01 45 68 10 60.

Les GOBELINS

Manufacture des Gobelins – Visita accompagnata ai laboratori (1 h e 30 min) martedì, mercoledì e giovedì dalle 14 alle 14.45 (orario limite di ingresso). 45 FF.

Les GRANDS BOULEVARDS

Casa d'Aste Drouot-Richelieu – Visita dalle 11 alle 18. Chiusura: domenica eccetto 5 domeniche all'anno, feste nazionali e da fine luglio a inizio settembre. ☎ 01 48 00 20 20.

Musée Grévin – Visita dalle 13 (dalle 10 durante le vacanze scolastiche) alle 19. 55 FF, bambini 36 FF. ☎ 01 47 70 85 05.

Musée de l'Éventail – Visita lunedì, martedì e mercoledì dalle 14 alle 18. Chiusura: feste nazionali settimanali e agosto. 30 FF. ☎ 01 42 08 90 20.

La Bourse – &. Visite accompagnate (1 h) da lunedì a venerdì dalle 13.15 alle 16. 30 FF. ☎ 01 40 41 62 20.

Musée Baccarat – Visita dalle 10 alle 18. Chiusura: domenica e feste nazionali. 15 FF. ☎ 01 47 70 64 30.

Hôtel Bourienne – &. Visite accompagnate (45 min) nella prima metà di luglio e a settembre dalle 13 alle 19, il resto dell'anno visite su appuntamento. 30 FF. ☎ 01 47 70 51 14.

Église St-Laurent – Chiusa il fine settimana dalle 12 alle 16.

Musée du Grand Orient de France – Visita dalle 14 alle 18. Chiusura: domenica, feste nazionali e prima metà di settembre. Ingresso gratuito. ☎ 01 45 23 20 92.

Les HALLES-BEAUBOURG

Temple de l'Oratoire – Visita guidata la domenica, previa domanda scritta alla segreteria, 4, rue de l'Oratoire. ☎ 01 42 60 21 64 (solo al mattino).

Bourse du commerce – Visita dalle 9 alle 18. Chiusura: sabato, domenica e feste nazionali. Ingresso gratuito. ☎ 01 45 08 39 44.

Église St-Leu-St-Gilles – Visita in settimana dalle 14 (lunedì dalle 17) alle 17.30.

Centre George-Pompidou – Il museo è chiuso fino alla fine del 1999. All'interno dell'edificio sono accessibili vari spazi espositivi e di documentazione, tra cui la Galerie Sud. Un "tepee" allestito sulla piazza antistante fornisce informazioni sul centro e le sue attività. La Biblioteca pubblica è trasferita in rue de Brantôme n° 25. Per informazioni ☎ 01 44 78 12 33.

Atelier Brancusi – Visita da lunedì a venerdì dalle 12 alle 22, sabato, domenica e festivi dalle 10 alle 22. Orario limite di ingresso ore 21. Chiusura: martedì. ☎ 01 44 78 12 33.

Les INVALIDES

Église St-Louis-des-Invalides – Visita dalle 10 alle 18 (fino alle 17 in inverno).

Musée de l'Armée – Visita dalle 10 alle 18 (fino alle 17 da ottobre a marzo). Chiusura: feste nazionali. Il biglietto è valido per l'intera giornata per permettere una visita completa del Musée de l'Armée, del Musée des Plans-Réliefs, del Musée de l'Ordre de la Libération e dell'Église du Dôme. 37 FF. ☎ 01 44 42 37 72.

Musée des Plans-Réliefs – Stesse condizioni di visita del Musée de l'Armée, eccetto la chiusura tra le 12.30 e le 14.

Musée de l'Ordre de la Libération – Visita dalle 10 alle 18 (fino alle 17 da ottobre a marzo). Chiusura: Natale, Capodanno 1° maggio, 17 giugno, 1° e 11 novembre. Ingresso gratuito. ☏ 01 47 05 04 10.

Église du Dome – Stesse condizioni di visita del Musée de l'Armée. La chiesa rimane aperta fino alle 19 da giugno a metà settembre.

Musée Rodin – Visita dalle 9.30 alle 17.45 (fino alle 16.45 da ottobre a marzo). In estate il parco è aperto fino alle 18.45. Chiusura: lunedì, Natale e Capodanno. 28 FF. ☏ 01 44 18 61 10.

Galerie de la Seita – Visita dalle 11 alle 19. Chiusura: domenica (eccetto che per qualche mostra), feste nazionali e negli intervalli tra le varie mostre. 25 FF. ☏ 01 45 56 60 17.

JUSSIEU

Institut du Monde Arabe – Visita dalle 10 alle 18. Chiusura: lunedì, 1° maggio e festa musulmana dell'Aïd. 25 FF. ☏ 01 40 51 39 60.

Musée de Minéralogie – Presso l'Université Pierre-et-Marie-Curie. Visita dalle 13 alle 18. Chiusura: martedì e feste nazionali. 25 FF. ☏ 01 44 27 52 88.

La Mosquée – Ingresso da place du Puits-de-l'Ermite. Visita accompagnata (20 min) dalle 9 alle 12 e dalle 14 alle 18. Chiusura: venerdì e feste musulmane. 15 FF. ☏ 01 45 35 97 33.

Jardin des Plantes

Jardin d'Hiver – Visita dalle 13 alle 17. Chiusura: martedì e 1° maggio. 15 FF.

Jardin Alpin – Visita dalle 8 alle 11 e dalle 13.30 alle 17 da aprile a settembre. Chiusura: sabato e domenica. Ingresso gratuito.

Ménagerie – Visita dalle 9 alle 18 (fino alle 17 in inverno). 30 FF.

Microzoo – Visita nei mesi estivi dalle 10 alle 12 e dalle 14 (domenica dalle 14.30) alle 17.45; il resto dell'anno dalle 10 alle 12 e dalle 13.30 alle 16.30. 30 FF. ☏ 01 40 79 37 88.

École de Botanique – Visita dalle 8 alle 11 e dalle 13.30 alle 17. Chiusura: sabato e domenica. Ingresso gratuito.

Galerie de Minéralogie – Visita dalle 10 alle 18 (fino alle 17 da novembre a marzo). Chiusura: martedì e 1° maggio. 30 FF.

Galérie de Paléobotanique – Visita dalle 10 alle 18 (fino alle 17 da novembre a marzo). Chiusura: martedì e 1° maggio. 30 FF.

Galérie de Paléontologie – Visita dalle 10 alle 18 (fino alle 17 da novembre a marzo). Chiusura: martedì e 1° maggio. 30 FF.

Galérie d'Entomologie – ♿. Visita dalle 13 alle 16.30. Chiusura: martedì, sabato, domenica e feste nazionali. 15 FF. ☏ 01 40 79 34 00.

Muséum National d'Histoire Naturelle – ♿. Visita dalle 10 alle 18, giovedì apertura serale fino alle 22. Chiusura: martedì e 1° maggio. 40 FF. ☏ 01 40 79 39 89.

Le LOUVRE

Si veda anche il riquadro "Informazioni pratiche" alla voce Le LOUVRE.
♿. Visita dalle 9 alle 18; apertura serale fino alle 21.45 il lunedì (parzialmente) e il mercoledì (tutto il museo). Orario limite d'ingresso 30 min prima della chiusura. Il Louvre medievale e le sale di storia del Louvre si visitano dalle 9 alle 21.45; librerie, ristoranti e caffè sono aperti dalle 9.30 alle 21.45. Visita alle mostre temporanee sotto la piramide dalle 10 alle 21.45. Chiusura: martedì e alcune feste nazionali. Ingresso alle collezioni permanenti 45 FF, 26 FF dopo le ore 15 e la domenica tutto il giorno (ingresso gratuito per i minori di 18 anni e per tutti la 1ª domenica del mese). Il biglietto è valido per l'intera giornata e consente di uscire dal museo. Per evitare lunghe attese alle casse è possibile acquistare in anticipo i biglietti rivolgendosi alla FNAC, contattando il ☏ 01 49 87 54 54 (prezzo maggiorato di 4 FF per la commissione) o attraverso il Minitel 3615 LOUVRE: i biglietti sono validi fino al 31 gennaio dell'anno seguente a quello di acquisto.
La carte Musées et Monuments (in vendita alle casse o nella galleria commerciale del Carrousel du Louvre) valida per 1, 3 o 5 giorni, dà accesso a 70 musei e monumenti senza attesa alle casse. La carte Louvre giovani (fino ai 26 anni, valida per 1 anno e in vendita sotto la piramide o per corrispondenza) dà accesso alle collezioni permanenti e alle mostre temporanee, ad attività culturali riservate agli aderenti e a visite guidate; garantisce inoltre sconti per l'Auditorium. La carta degli Amis du Louvre (valida per 1 anno, in vendita agli sportelli degli Amis du Louvre, di fianco alla calcografia, tra la Piramide e la Piramide rovesciata) dà libero accesso al museo e alle mostre temporanee e offre sconti su numerose altre mostre di Parigi. Per informazioni generali: ☏ 01 40 20 53 17, segreteria telefonica (5 lingue) ☏ 01 40 20 51 51, Minitel 3615 LOUVRE, sito Internet http://www. louvre.fr

Le LUXEMBOURG

Palais – Possibilità di visite guidate (1 h e 30 min) la prima domenica del mese alle 10.30. 45 FF, 35 FF fino ai 25 anni. Contattare la Caisse nationale des Monuments historiques et des sites. ☎ 01 44 61 20 89.

MADELEINE-Faubourg ST-HONORÉ

Musée Bouilhet-Christofle – Visita dalle 10 alle 18. Chiusura: domenica e feste nazionali. Ingresso gratuito. ☎ 01 49 22 41 15.

Église St-Philippe-du-Roule – Visita dalle 8 alle 19.30. Chiusura: sabato e domenica dalle 12 alle 16.

Cathédrale St-Alexandre Nevskij – Visita martedì, venerdì e domenica dalle 15 alle 17.

Musée Jacquemart-André – Visita dalle 10 alle 18 con audioguida multilingue. ☎ 01 42 89 04 91.

Le MARAIS

Maison de Victor Hugo – Visita dalle 10 alle 17.40. Chiusura: lunedì e feste nazionali. 17,50 FF. ☎ 01 42 72 10 16.

Musée Carnavalet – Visita dalle 10 alle 17.40. Chiusura: lunedì ed alcune feste nazionali. 27 FF, 35 FF con ingresso alla mostra. ☎ 01 42 72 21 13.

Église St-Denys -du-St-Sacrement – Chiusa durante le vacanze scolastiche dalle 12 alle 16.30.

Musée Picasso – Visita dalle 9.30 alle 18 (fino alle 17 da ottobre a marzo): Chiusura: martedì, Natale e Capodanno. 30 FF. ☎ 01 42 71 25 21.

Musée de la Serrurerie Bricard – Visita dalle 10 alle 12 e dalle 14 alle 17. Chiusura: lunedì mattina, sabato, domenica e feste nazionali. 30 FF. ☎ 01 42 77 79 62.

Hôtel de Rohan – Visita in occasione di mostre temporanee. Per informazioni ☎ 01 40 27 60 96.

Cathédrale Ste-Croix-de-Paris – Visita domenica dalle 10 alle 13; per le visite nei giorni feriali rivolgersi a rue du Perche 13. ☎ 01 44 59 23 50.

Musée de la Chasse et de la Nature – Visita dalle 10 alle 12.30 e dalle 13.30 alle 17.30. Chiusura: martedì e feste nazionali. 25 FF. ☎ 01 53 01 92 40.

Musée de l'Histoire de France – Visita dalle 12.30 (dalle 13.45 nel week-end) alle 17.45. Chiusura: martedì e feste nazionali. 20 FF. ☎ 01 40 27 60 96.

Église e cloître des Billettes – Visita alla chiesa la domenica tutto il giorno, giovedì dalle 18.30 alle 20, gli altri giorni accesso attraverso il chiostro, aperto tutti i giorni dalle 11 alle 19 . Chiusura: Natale e Capodanno. Concerti d'organo tutte le domeniche alle 10 (tranne che in luglio e agosto). Ingresso gratuito.

Musée Cognac-Jay – Visita dalle 10 alle 17.40. Chiusura: lunedì e feste nazionali. 17, 50 FF. ☎ 01 40 27 07 21.

Maison européenne de la photographie – *Ingresso rue de Fourcy 5-7*. &. Visita ad orari variabili a seconda delle mostre. Chiusura: lunedì, martedì, feste nazionali e periodi in cui non ci sono mostre. 30 FF, mercoledì ingresso gratuito dalle 17 alle 20. ☎ 01 44 78 75 00.

Maison de l'Abbaye d'Ourscamp – Visita dalle 14 alle 18 (domenica su prenotazione). Chiusura: feste nazionali e agosto. Ingresso gratuito. ☎ 01 48 87 74 31.

Mémorial du Martyr Juif Inconnu – Visita dalle 10 alle 13 e dalle 14 alle 18 (fino alle 17 il venerdì). Chiusura: sabato e alcune feste nazionali. 15 FF. ☎ 01 42 77 44 72.

Bibliothèque Forney – Visita dalle 13.30 (il sabato dalle 10) alle 20. Chiusura: domenica, lunedì e feste nazionali. 20 FF per le mostre temporanee. ☎ 01 42 78 14 60.

Musée de la Curiosité et de la Magie – Visita mercoledì, sabato, domenica, più alcuni giorni nei periodi festivi, dalle 14 alle 19. 45 FF. ☎ 01 42 72 13 26.

Parc MONCEAU

Musée Cernuschi – &. Visita dalle 10 alle 17.40. Chiusura: lunedì e feste nazionali. 17,50 FF. ☎ 01 45 63 50 75.

Musée Nissim de Camondo – Visita dalle 10 alle 17. Chiusura: lunedì, martedì e alcune feste nazionali. 27 FF. ☎ 01 53 89 06 40.

Musée Henner – Visita dalle 10 alle 12 e dalle 14 alle 17. Chiusura: lunedì e alcune feste nazionali. 21 FF. ☎ 01 47 63 42 73.

MONTMARTRE

Musée d'Art naïf Max-Fourny – Visita dalle 10 alle 18. Chiusura: agosto. 40 FF per due mostre, 25 FF per una mostra. ☎ 01 42 58 72 89.

Espace Dalì – Visita dalle 10 alle 18. 35 FF. ☎ 01 42 64 40 10.

Basilique du Sacré-Cœur

Cupola – Accesso dalla cripta. Visita dalle 9 alle 19 (fino al 18 da ottobre a marzo). 30 FF biglietto cumulativo per cupola e cripta. 300 gradini.

Cripta – Visita dalle 9 alle 19 (fino alle 18 da ottobre a marzo). 15 FF. ☎ 01 53 41 89 00.

Musée de Montmartre – Visita dalle 11 alle 18. Chiusura: Natale, Capodanno e 1° maggio. 25 FF. ☎ 01 49 25 89 37.

Cimetière de Montmartre – Possibilità di visite guidate. Per informazioni ☎ 01 40 71 75 60.

Scalinata a Montmartre

R. Mazin/TOP

MONTPARNASSE

Tour Montparnasse – Visita da aprile a settembre dalle 9.30 alle 23.30; il resto dell'anno dalle 9.30 alle 22.30 (venerdì e giorni prefestivi fino alle 23). 44 FF. ☎ 01 45 38 52 56.

Musée du Maréchal Leclerc-de-Hautecloque e Musée Jean Moulin – Visita dalle 10 alle 17.15. Chiusura: lunedì e alcune feste nazionali. 17, 50 biglietto cumulativo per i due musei. ☎ 01 40 64 39 44.

Musée Bourdelle – Visita dalle 10 alle 17.40. Chiusura: lunedì e feste nazionali. 17, 50 FF, 27 FF durante le mostre. ☎ 01 49 54 73 73.

Musée de la Poste – Chiuso per lavori. Mostre temporanee dalle 10 alle 18. Chiusura: domenica e feste nazionali. ☎ 01 42 79 23 25.

Cimetière Montparnasse – Possibilità di visite guidate. Per informazioni ☎ 01 40 71 75 60.

Fondation Cartier – Visita dalle 12 alle 20. Chiusura: lunedì, Natale e Capodanno. 30 FF. ☎ 01 42 18 56 51.

Parc MONTSOURIS

Église du Sacré-Cœur – Visita dalle 9 alle 11 e dalle 15 alle 18. ☎ 01 46 57 70 18.

MOUFFETARD

Église St-Médard – Chiusa lunedì (tranne che dalle 17 alle 19.30) e domenica dalle 12.30 alle 16.30.

La MUETTE

Musée Marmottan – Visita dalle 10 alle 17. Chiusura: lunedì, 1° maggio e Natale. 40 FF. ☎ 01 42 24 07 02.

OPÉRA

Opéra-Garnier – Visita libera (tranne che nel caso di *matinées* o manifestazioni eccezionali) dalle 10 alle 16.30; visita guidata (1 h e 30 min) dei foyers e del museo tutti i giorni (tranne il lunedì) alle 13, senza prenotazione, incontro alle 12.45 nell'ingresso, davanti alla statua di Rameau. Visita libera 30 FF, ingresso gratuito fino ai 10 anni. Visita guidata 60 FF, 25 FF fino ai 10 anni. Chiusura: Capodanno e 1° maggio. ☎ 01 40 01 22 63.

Musée de la Parfumerie Fragonard – Visita dalle 9 alle 17.30. Chiusura: domenica. Ingresso gratuito. ☎ 01 47 42 04 56.

Paristoric – Spettacolo (45 min) da aprile a ottobre ogni ora dalle 9 alle 21, il resto dell'anno dalle 9 alle 18 (fino alle 21 venerdì e sabato). 50 FF, bambini 30 FF. ☏ 01 42 66 62 06.

Musée des Lunettes et Lorgnettes – Visita dalle 10 alle 12 e dalle 14 alle 18. Chiusura: domenica, lunedì e feste nazionali. 20 FF. ☏ 01 40 20 06 98.

Musée d'ORSAY

Si veda anche il riquadro "Informazioni pratiche" alla voce Musée d'ORSAY.
&. Visita dalle 10 alle 18; dalle 9 alle 18 la domenica e tutti i giorni dal 20 giugno al 20 settembre; giovedì apertura serale fino alle 21.45. La vendita dei biglietti termina 45 min prima della chiusura del museo. Sono disponibili audioguide anche in italiano, 30 FF. Chiusura: lunedì e alcune feste nazionali. 40 FF, ingresso gratuito sotto i 18 anni. ☏ 01 45 49 11 11, 01 40 49 48 48 o 01 49 49 49 94.

PALAIS ROYAL

Musée de la Mode et du Textile – Visita in settimana dalle 11 alle 18 (mercoledì fino alle 22), sabato e domenica dalle 10 alle 18. Chiusura: lunedì e feste nazionali. 30 FF biglietto cumulativo con il Musée des Arts Décoratifs. ☏ 01 44 55 57 50.

Musée des Arts Décoratifs – Attualmente sono visitabili solo le collezioni del Medioevo e del Rinascimento; le collezioni dei sec. XVII-XX sono in riallestimento e riapriranno nel 2000. Stesse condizioni di visita del Musée de la Mode et du Textile. ☏ 01 44 55 57 50.

Cabinet des Médailles et Antiques – Visita i giorni feriali dalle 13 alle 16.30, domenica dalle 12 alle 17.30. Chiusura: alcune feste nazionali. 22 FF. ☏ 01 47 03 83 30.

PASSY

Cimetière de Passy – Possibilità di visite guidate (2 h). Per informazioni ☏ 01 40 71 75 60.

Musée Clemenceau – Visita libera alla galleria e guidata (1 h) agli appartamenti, martedì, giovedì, sabato e domenica dalle 14 alle 17. Chiusura: Capodanno, 1° maggio e agosto. 20 FF. ☏ 01 45 20 53 41.

Musée du Vin – Caveau des Échansons – Visita dalle 10 alle 17.30. Chiusura: lunedì e da Natale a Capodanno. 35 FF. ☏ 01 45 25 63 26.

Maison de Balzac – Visita dalle 10 alle 17.40. Chiusura: lunedì e feste nazionali. 17,50 FF. ☏ 01 42 24 56 38.

Cimetière du PÈRE-LACHAISE

Possibilità di visita guidata (2 h). ☏ 01 40 71 75 60.

PORT-ROYAL

Ancienne abbaye de Port-Royal – Solo visite guidate. Contattare la Caisse nationale des Monuments historiques et des Sites, Hôtel de Sully, rue St-Antoine, 75004 Paris, ☏ 01 44 61 20 89 o seguire gli annunci relativi alle visite organizzate sulla stampa.

Val-de-Grâce

Chiesa – Visita dalle 12 alle 17.

Museo – Visita martedì e mercoledì dalle 12 alle 17, sabato e domenica dalle 13.30 alle 17. Chiusura: lunedì, giovedì, venerdì e feste nazionali. 30 FF. ☏ 01 40 51 51 94.

Observatoire – Visita accompagnata (2 h) il primo sabato del mese alle 14.30, previa richiesta scritta da presentare 4 mesi prima all'Observatoire de Paris, Service des relations extérieures, 61, avenue de l'Observatoire, 75014 Paris. 30 FF. ☏ 01 40 51 21 74.

Musée Zadkine – Visita dalle 10 alle 17.30. Chiusura: lunedì, Capodanno e 1° maggio. 27 FF. ☏ 01 43 26 91 90.

Catacombes – Visita in settimana dalle 14 alle 16, sabato e domenica dalle 9 alle 11 e dalle 14 alle 16 . Chiusura: lunedì e feste nazionali. 27 FF. ☏ 01 43 22 47 63. Numerosi gradini; si consiglia di munirsi di una pila tascabile.

Les QUAIS

Musée de la Monnaie – Visita in settimana dalle 11 alle 17.30, sabato e domenica dalle 12 alle 17.30. Possibilità di visite guidate (1 h e 15 min) domenica alle 15. 20 FF, 18 FF supplementari per le visite guidate. Chiusura: lunedì. ☏ 01 40 46 55 35.

Laboratori – Visite guidate (1 h) mercoledì e venerdì alle 14.15. Chiusura: agosto. 15 FF. ☏ 01 40 46 55 35.

Galleria commerciale – Visita in settimana dalle 9 alle 17.45, sabato dalle 10 alle 13 e dalle 14 alle 17.30. Chiusura: domenica e feste nazionali.

Musée de l'Assistance publique Hôpitaux de Paris – Visita da martedì a sabato dalle 10 alle 17, durante le mostre temporanee apertura con gli stessi orari da mercoledì a domenica. Chiusura: lunedì, agosto e feste nazionali. 20 FF. ☎ 01 40 27 50 05.

Hôtel de Ville – Visita guidata (1 h) il primo lunedì del mese alle 10.30, previa richiesta. Ingresso gratuito. ☎ 01 42 76 60 37.

QUARTIER LATIN

Panthéon – Visita da aprile a settembre dalle 9.30 alle 18.30, il resto dell'anno dalle 10 alle 18.15. Orario limite d'ingresso 45 min prima della chiusura. Chiusura: Natale, Capodanno, 1° maggio e 11 novembre. 32 FF. ☎ 01 44 32 18 00.

Bibliothèque Ste-Geneviève – Visita da lunedì a venerdì dalle 9 alle 10(fino alle 13 a luglio e nella seconda metà di agosto). Chiusura: sabato, domenica, feste nazionali e prima metà di agosto. Prendere appuntamento 2 giorni prima per la visita libera e 15 giorni prima per quella guidata. Ingresso gratuito. ☎ 01 44 41 97 95.

Église St-Étienne-du-Mont – Chiusa il lunedì in luglio e agosto.

Collège des Escossois – Visita dalle 9 alle 11 e dalle 14 alle 16. Chiusura: sabato mattina, domenica, feste nazionali, ultima settimana di dicembre, luglio e agosto.

Musée Curie – Visita guidata (45 min) dalle 13.30 alle 17. Chiusura: sabato, domenica, agosto e feste nazionali. Ingresso gratuito. ☎ 01 42 34 67 49.

Centre de la Mer et des Eaux – Visita in settimana dalle 10 alle 12.30 e dalle 13.15 alle 17.30, sabato, domenica e feste nazionali dalle 10 alle 17.30. Chiusura: lunedì, Natale, Capodanno, 1° maggio, 14 luglio e 15 agosto. 30 FF. ☎ 01 44 32 10 90.

Collezioni di Mineralogia – Visita in settimana dalle 13.30 alle 18, sabato dalle 10 alle 12.30 e dalle 14 alle 17. Chiusura: lunedì, domenica e feste nazionali. 30 FF. ☎ 01 40 51 92 90.

Église de la Sorbonne – Aperta solo in occasione di mostre o manifestazioni culturali.

Musée d'Histoire de la Médecine – Visita dalle 14 alle 17.30. Chiusura: domenica, feste nazionali, sabato in estate e giovedì in inverno. 20 FF. ☎ 01 40 46 16 93.

Musée national du Moyen Âge et Thermes de Cluny – Visita dalle 9.15 alle 17.45. Chiusura: martedì, Natale e Capodanno. 30 FF. ☎ 01 53 73 78 16.

Église St-Séverin-St-Nicolas – Aperta i giorni feriali dalle 11, domenica dalle 9.

Musée de la Préfecture de Police – ⅊. Visita dalle 9 (sabato dalle 10) alle 17. Chiusura: domenica e feste nazionali. Ingresso gratuito. ☎ 01 44 41 52 50.

RÉPUBLIQUE

Carreau du Temple – Visita dalle 9 alle 12 (12.30 sabato e domenica). Chiusura: lunedì, 14 luglio e 15 agosto.

Église St-Nicolas-des-Champs – Chiusa la domenica pomeriggio.

Conservatoire National des Arts et Métiers

Musée National des Techniques – Chiuso per lavori fino alla fine del 1998. Per informazioni ☎ 01 40 27 23 31.

Musée des Moulages – Visita dalle 9 alle 17 su appuntamento. Chiusura: sabato, domenica, festivi e tra Natale e Capodanno. 20 FF. ☎ 01 42 49 99 15.

Faubourg ST-GERMAIN

Palais Bourbon – Visita con audioguida dalle 9 alle 17.30 (fino alle 16.30 da ottobre ad aprile). Chiusura: lunedì, domenica e alcune feste nazionali. 20 FF. ☎ 01 39 67 07 73.

Musée de la Légion d'Honneur – Visita dalle 14 alle 17. Chiusura: lunedì. 25 FF. ☎ 01 40 62 84 25.

Hôtel de Tavannes – Visita guidata (10 min) dal 20 agosto al 30 settembre dalle 10 alle 12 e dalle 14.30 alle 18. Ingresso gratuito.

Musée Maillol – Visita dalle 11 alle 18. Chiusura: martedì e feste nazionali. 40 FF, ingresso gratuito sotto i 18 anni. ☎ 01 42 22 59 58.

Musée Hébert – Visita dalle 12.30 (dalle 14 nel week-end) alle 17.30. Chiusura: martedì, Natale e Capodanno. 16 FF. ☎ 01 42 22 23 82.

Ancien Couvent des Carmes – Visita guidata (1 h e 30 min) di chiesa, convento, cripta e giardino ogni sabato alle 15. ☎ 01 44 39 52 84.

ST-GERMAIN-DES-PRÉS

Abbaye de St-Germain-des-Prés – Visita guidata la 3ª domenica del mese alle 15. ☏ 01 43 25 41 71.

Chapelle St-Symphorien – Visita martedì e giovedì dalle 13.30 alle 17.30.

Musée Delacroix – Visita dalle 9.30 alle 16.30. Chiusura: martedì, Natale, Capodanno e 1° maggio. 22 FF. ☏ 01 44 41 86 50.

Institut de France – Visita guidata (2 h) sabato e domenica, previa richiesta da presentare all'Institut de France, Service des visites, 23, quai de Conti, 75006 Paris. 20 FF. ☏ 01 44 41 43 35.

ST-LAZARE

Chapelle Expiatoire – Visite a partire da aprile o maggio. Per informazioni contattare il Panthéon. ☏ 01 44 32 18 00.

Musée Gustave Moreau – Visita lunedì e mercoledì dalle 11 alle 17.15, da giovedì a domenica dalle 10 alle 12.45 e dalle 14 alle 17.15. Chiusura: martedì, Natale, Capodanno e 1° maggio. 22 FF. ☏ 01 48 74 38 50.

Musée de la Vie Romantique – Visita dalle 10 alle 17.40. Chiusura: lunedì e feste nazionali. 17.50 FF. ☏ 01 48 74 95 38.

TROCADÉRO

Musée de la Marine – Visita dalle 10 alle 18. Chiusura: martedì e 1° maggio. 38 FF. ☏ 01 53 65 69 69.

Musée de l'Homme – Visita dalle 9.45 alle 17.15. Chiusura: martedì e feste nazionali. 30 FF. ☏ 01 44 05 72 00.

Musée National des Monuments Français – Chiuso per lavori fino al 2000.

Musée du Cinéma Henri-Langlois – Chiuso al pubblico.

VAUGIRARD

Institut Pasteur – Visite guidate (1 h) dalle 14 alle 17.30. Chiusura: sabato, domenica, agosto e feste nazionali. 15 FF. ☏ 01 45 68 82 83.

Aquaboulevard – Visita da lunedì a giovedì dalle 9 alle 23, venerdì dalle 9 alle 24, sabato dalle 8 alle 24, domenica dalle 8 alle 23. Chiusura: 15 giorni in febbraio. 77 FF. ☏ 01 53 78 10 20.

La VILLETTE

La Cité des Sciences et de l'Industrie – &. Visita dalle 10 alle 18 (domenica fino alle 19); la mediateca è aperta dalle 12 alle 20. Chiusura: lunedì, Natale e 1° maggio. Personale addetto con conoscenza di varie lingue (tra cui il linguaggio dei segni) e audioguide multilingue a noleggio sono a disposizione dei visitatori ai punti di informazione. 50 FF biglietto Cité-Pass comprendente anche l'ingresso al Planétarium (limitatamente ai posti disponibili) e la visita al sottomarino "Argonauta". ☏ 08 36 68 29 30 (segreteria telefonica a 2,23 FF/min) o 01 40 05 70 00. Cité des Enfants 25 FF. Biglietti cumulativi: Cité-Géode 92 FF, Cité-Géode-Cinaxe 121 FF. La Géode e l'Argonauta sono vietati ai bambini sotto i 3 anni. Sito Internet: http://www.cite-sciences.fr

La Géode – &. Spettacoli ogni ora dalle 10 alle 21. Chiusura: lunedì tranne che nel periodo delle vacanze scolastiche. 57 FF. Per prenotazioni ☏ 01 40 05 12 12.

Cinaxe – Spettacoli ogni 20 min dalle 11 alle 18. Chiusura: lunedì. 34 FF. ☏ 01 40 05 12 12. Vietato ai bambini sotto i 4 anni, sconsigliato alle donne incinta e a chi soffre di disturbi cardiaci.

Musée de la Musique – &. Visita dalle 12 (domenica dalle 10) alle 18 (venerdì fino alle 18.30). Chiusura: lunedì, Natale, Capodanno e 1° maggio. 35 FF. ☏ 01 44 84 44 84.

Bois de VINCENNES

Castello – Visita guidata dalle 10 alle 17.15 (fino alle 16.15 da novembre a marzo). Circuito lungo (1 h e 15 min): presentazione generale, cammino di ronda, fossati e Ste-Chapelle; 32 FF. Circuito breve (45 min): presentazione generale e Ste-Chapelle; 25 FF. Biglietti al punto di accoglienza Charles V nel viale centrale del castello. Chiusura: Natale, Capodanno, 1° maggio, e 11 novembre. Il mastio è chiuso per lavori di restauro. ☏ 01 48 08 31 20.

Musée des Chasseurs – Chiuso per lavori

Musée de la Symbolique militaire – Visita mercoledì dalle 10 alle 12 e dalle 14 alle 17, domenica dalle 14 alle 17.30. Chiusura: feste nazionali. Ingresso gratuito. ☏ 01 41 93 35 14.

Parc zoologique – &. Visita nei mesi estivi dalle 9 alle 18, il resto dell'anno dalle 9 alle 17. Orario limite di ingresso 30 min prima della chiusura. 40 FF, bambini 30 FF. Accesso alla roccia artificiale 20 FF. ☏ 01 44 75 20 10.

Musée des Arts d'Afrique et d'Océanie – Visita in settimana dalle 10 alle 12 e dalle 13.30 alle 17.30, sabato e domenica dalle 12.30 alle 18. Chiusura: martedì e 1° maggio. 30 FF, 38 FF in occasione di mostre temporanee, ingresso gratuito sotto i 18 anni. ☏ 01 44 74 85 00.

Centre bouddhique – Visita in occasione delle feste religiose. Per informazioni ☏ 01 43 41 54 48.

Parc floral – Visita nei mesi estivi dalle 9.30 alle 20, il resto dell'anno chiusura tra le 17 e le 19 a seconda della stagione. 5 FF, 10 FF durante le mostre. ☎ 01 43 43 92 95.

Arboretum dell'École du Breuil – Visita in settimana dalle 8 alle 16.30, sabato e domenica dalle 10 alle 19 (fino alle 18 in marzo e ottobre, fino alle 17 da novembre a febbraio). 5 FF il fine settimana. ☎ 01 43 28 28 94.

Dintorni di Parigi

Cathédrale ST-DENIS

Tombe e cripta – Visita da aprile a settembre dalle 10 alle 18.30, il resto dell'anno dalle 10 alle 16.30. Chiusura: feste nazionali. 32 FF. ☎ 01 48 09 83 54.

VERSAILLES

Castello

Visite guidate – Tutti i giorni tranne il lunedì. È necessario prenotare il giorno stesso. 25 FF (1 h), 37 FF (1 h e 30 min), 50 FF (2 h). ☎ 01 30 84 76 20.

Les Grandes Heures du Parlement – Mostra permanente sulla storia della democrazia francese e sui parlamenti di varie parti del mondo. Visite audioguidate (1 h e 30 min) dalle 9 alle 17.30 dal martedì al sabato. 20 FF, ingresso gratuito sotto i 18 anni, 15 FF tra i 18 e i 25 anni. ☎ 01 39 67 07 73.

Esterno – I cortili, i giardini del Castello e del Trianon e il parco (accesso 23 FF per le automobili) si visitano liberamente tutti i giorni dall'alba al tramonto.

Museo delle Carrozze – Visita in luglio e agosto la domenica dalle 14 alle 17. Ingresso gratuito. ☎ 01 30 84 76 18.

Chapelle e Grands Appartements – Visita da maggio a settembre dalle 9 alle 18.30, il resto dell'anno fino alle 17.30. L'ingresso è consentito fino a 30 min prima. Chiusura: lunedì. 45 FF. ☎ 01 30 84 76 20.

Appartements du Roi et du Dauphin – Visita con audioguida (1 h) in 6 lingue. 25 FF. ☎ 01 30 84 76 18.

Trianon – Visita da maggio a settembre dalle 10 alle 18.30, il resto dell'anno in settimana dalle 10 alle 12.30 e dalle 14 alle 17.30, sabato e domenica dalle 10 alle 17.30. L'ingresso è consentito fino a 30 min prima. Chiusura: lunedì. 30 FF biglietto cumulativo per il Grand e Petit Trianon. ☎ 01 30 84 76 20.

Parco

Trenino turistico – Da marzo a settembre dalle 10 alle 18.15, in ottobre dalle 10.30 alle 17, in novembre dalle 11 alle 16.30, il resto dell'anno informazioni al ☎ 01 39 54 22 00. Partenza: terrazza del castello (arcade du Nord). Durata: 30 min. 32 FF.

Noleggio biciclette – Ci sono due punti di noleggio:
– all'ingresso del parco, alla **grille de la Reine** (cancello della Regina): in luglio e agosto da lunedì a venerdì dalle 13 alle 18.30, sabato, domenica e festivi dalle 10 alle 18.30; da febbraio a giugno e da settembre a novembre il mercoledì dalle 13 alle 18.30, sabato, domenica e festivi dalle 10.30 alle 18.30. 27 FF all'ora. ☎ 01 39 66 97 66.
– all'interno del parco, vicino al **Grand Canal**: da febbraio a novembre dalle 10 alle 18.30. 32 FF all'ora.

Noleggio barche – Sul Grand Canal è possibile praticare il canottaggio da marzo a metà novembre. Gli orari dipendono dalle condizioni meteorologiche. 72 FF all'ora (barca per 4 persone). ☎ 01 39 54 22 00.

Versailles - La capella

Glossario

In albergo:

Réserver .... prenotare
Avec / .... con /
sans salle de bain ...... senza bagno
Chambre double ... camera doppia
Avec douche .... con doccia
Chambre avec ...... camera
un grand lit .... matrimoniale
Pension complète / . pensione completa /
demi-pension .... mezza pensione
Chambre single .... camera singola
Eau chaude / froide
　　　　　　　　　　acqua calda / fredda
savon .... sapone
serviette .... asciugamano
Petit-déjeuner .... colazione
jus de fruit .... succo di frutta
thé .... tè
café au lait .... caffellatte
café noir .... caffè nero
pain .... pane
sucre .... zucchero
confiture .... marmellata
beurre .... burro
yaourt .... yogurt

Al ristorante:

Restaurant .... ristorante
Déjeuner .... pranzare
Fumeurs .... zona fumatori
Non fumeurs .... zona non fumatori.
　　　　　　　　　　(Alcuni ristoranti pos-
　　　　　　　　　　siedono le due zone
　　　　　　　　　　distinte.)
Menu (à prix .... menu a prezzo
fixe) .... fisso
A la carte .... alla carta
L'addition, ... il conto,
s'il vous plaît ...... per favore
fourchette .... forchetta
couteau .... coltello
cuillère .... cucchiaio
verre .... bicchiere
garçon .... cameriere
assiette .... piatto

Cibi e Bevande

pain .... pane
sel .... sale
Feuilleté .... sfoglia (salata o
　　　　　　　　　　dolce)
Potage .... brodo o passato di
　　　　　　　　　　verdure
Soupe de　　　　　 zuppa di verdure
légumes ....
viande .... carne
Entrecôte .... costata
Un biftek bien　　　una bistecca ben
cuit / à point /　　 cotta / cotta /
saignant / bleu ..... al sangue / molto
　　　　　　　　　　al sangue
Poulet .... pollo
Bœuf .... manzo
Porc .... maiale
Poisson .... pesce
Fromage .... formaggio
Jambon .... prosciutto
Salade .... insalata

Légumes

Légumes .... verdure
Frites .... patatine fritte
Gâteau .... dolce, torta
Fruit .... frutta
Eau minérale　　　 acqua minerale
plate .... naturale
Eau minérale　　　 acqua minerale
gazeuse .... gassata
Vin blanc /　　　　 vino bianco /
rouge / rosé .... rosso / rosato
Bière .... birra
(à la pression) ...... (alla spina)
Café .... caffè
Avec de la glace ... con ghiaccio
Sans glace .... senza ghiaccio

In giro per la città:

abbaye .... abbazia
avenue .... viale, corso
boulevard .... viale, spesso albe-
　　　　　　　　　　rato
chapelle .... cappella
château .... castello
cimetière .... cimitero
cloître .... chiostro
cour .... corte, cortile
couvent .... convento
écluse .... chiusa (di canale)
église .... chiesa
fontaine .... fontana
halle .... mercato
　　　　　　　　　　coperto
jardin .... giardino
mairie .... municipio
maison .... casa
marché .... mercato
monastère .... monastero
moulin .... mulino
parc .... parco
place .... piazza
pont .... ponte
port .... porto
quai .... banchina (a Parigi
　　　　　　　　　　è il nome dei
　　　　　　　　　　lungo-senna)
remparts .... bastioni
rue .... via, strada
square .... giardinetto pubbli-
　　　　　　　　　　co spesso recin-
　　　　　　　　　　tato
tour .... torre

In strada:

aéroport .... aeroporto
autoroute .... autostrada
avion .... aereo
billet .... biglietto
bus .... autobus
chemin de fer ...... ferrovia
essence .... benzina
feux .... semaforo
gare .... stazione
interdiction de　　 sosta vietata
stationner ....
location (d'une　　 noleggio (di
voiture, d'un vélo)　un'auto, di una
　　　　　　　　　　bicicletta)
parking　　　　　　parcheggio
(à) péage .... (a) pagamento

347

permis de conduire	patente	stationner	parcheggiare, sostare
pneu	pneumatico, gomma	tournez à gauche, droite	volti a sinistra, destra
sortie	uscita	tout droit	diritto
station de métro .	stazione della metropolitana	train	treno
station essence	rifornimento carburante		

Altri termini ed espressioni utili

aujourd'hui	oggi	lettre	lettera
demain	domani	téléphone	telefono
hier	ieri	carte de téléphone	scheda telefonica.
hiver	inverno		
été	estate	oui	si
automne	autunno	non	no
printemps	primavera	bonjour	buongiorno
lundi	lunedì	bonsoir	buonasera
mardi	martedì	bonne nuit	buona notte
mercredi	mercoledì	au revoir	arrivederci
jeudi	giovedì	merci	grazie
vendredi	venerdì	Parlez-vous l'Italien ?	sa l'italiano?
samedi	sabato		
dimanche	domenica	Je ne comprends pas	non capisco
semaine	settimana		
magasin	negozio	Où est... ?	Dov'è...?
ouvert	aperto	A quelle heure ..... part / arrive... ?....	a che ora parte / arriva...?
fermé	chiuso		
entrée	entrata	A quelle heure ? ..... ouvre le musée ? .	a che ora apre il museo?
		Combien cela coûte ?	quanto costa?
supermarché	supermercato		
banque	banca	Pour aller à	per andare a...
carte de crédit	carta di credito	Quel est le nom...	come si chiama...
Bureau de poste ..	ufficio postale		
timbre	francobollo		

Indice

MONTMARTRE | Luogo d'interesse e titolo di un capitolo in ordine alfabetico all'interno della sezione «Alla scoperta di Parigi»

La Sorbonne | Luogo d'interesse

Eiffel, Gustave | Personnaggio illustre o termine che costituisce l'oggetto di un testo esplicativo

351

I - J - K

Q

R

S

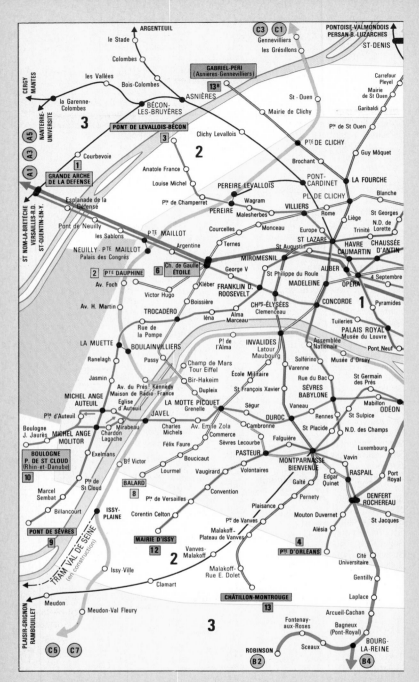

La rete della metropolitana è così fitta che le stazioni non distano più di 500 m una dall'altra. Ecco alcune delle fermate, monumenti ed i luoghi turistici più importanti: Arc de Triophe *RER Charles-de-Gaulle-Étoile*; Champs-Élysées Ⓜ *George-V, Fr.-D.-Roosevelt, Champs-Élysées Clemenceau*, Les Halles-Beaubourg Ⓜ *Rambuteau o Châtelet, RER Châtelet-Les-Halles*, Louvre Ⓜ *Louvre-Rivoli o Palais Royal-Musée du Louvre*, Notre-Dame Ⓜ *Cité, RER Saint-Michel;* Opéra, Musée d'Orsay: Ⓜ *Solferino, RER Musée d'Orsay;* Place de la Concorde Ⓜ *Concorde;* Tour Eiffel Ⓜ *Bir-Hakeim, RER Champ-de-Mars.*

Come muoversi in metropolitana ed in RER – Ogni linea è identificata da un numero (che sulle piantine corrisponde ad un colore) e dal nome del capolinea. Questo permette di orientarsi sulle banchine e di viaggiare nel senso desiderato. I cartelli posti ad ogni entrata indicano, a lato di ogni stazione della linea, le eventuali coincidenze. La RER (Réseau Express Régional) ha coincidenze con la rete urbana della metropolitana. Il servizio è assicurato dalle 5.30 alle 00.30.

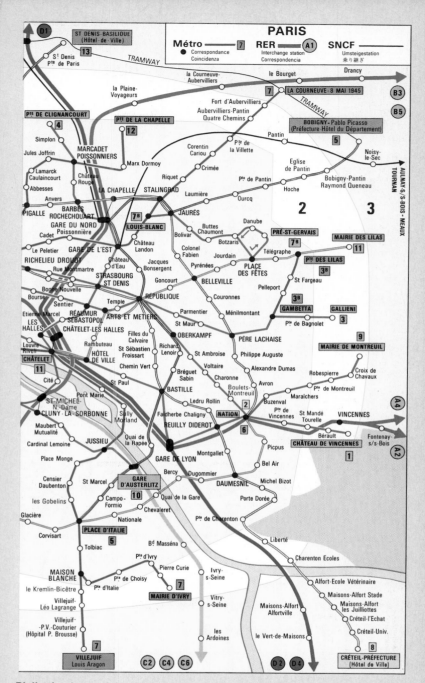

Bigletti – In metrò si utilizza un solo biglietto, indipendentemente dalla durata del percorso. I biglietti si acquistano singoli o in carnet da 10 presso le stazioni del metrò, i tabaccai, i chioschi R.A.P.T., i capolinea degli autobus e sono validi anche per gli autobus. Per i tragitti in RER i biglietti sono gli stessi nella tratta urbana. Nei tratti interurbani dipende dal percorso.

Bigletti turistici – Il **«Formule 1»**, in vendita in tutte le stazioni di metrò e di RER, consente un numero illimitato di tragitti nelle zone 1, 2 e 3 (si veda in piantina) nell'arco di un giorno. E' valido anche per la funicolare di Montmartre. Il **«Paris-Visite»** vale 3 o 5 giorni consecutivi, per un numero illimitato di tragitti in metrò, RER, autobus e treni SNCF nelle zone 1-5 (Parigi dentro le mura è coperta dalle zone 1 e 2, la periferia – la Défense, St-Denis e Le Bourget – dalla 3, Versailles, Euro Disney e gli aeroporti dalla zona 5). Il prezzo varia a seconda delle zone. Per informazioni rivolgersi alla R.A.T.P. ☎ 01 36 68 77 14.

MANUFACTURE FRANÇAISE DES PNEUMATIQUES MICHELIN
Société en commandite par actions au capital de 2 000 000 000 de francs
Place des Carmes-Déchaux - 63 Clermont-Ferrand (France)
R.C.S. Clermont-Fd B 855 200 507

© Michelin et Cie, Propriétaires-Éditeurs 1996
Dépôt légal juin 1996 – ISBN 2-06-335602-5 – ISSN 0764-1486

Printed in the EU 05-99/2
Compogravure : A.P.S., Tours - Impression et brochage : MAME Imprimeur-relieur, Tours

Illustration de la couverture par Alain SAGUEZ-Grégoire CIRADE

Semplificatevi
la vita!

internet
http://www.michelin-travel.com

Collezione
Guide *Verdi*
Michelin

Titoli Francia

- *Bretagna*
- *Castelli della Loira*
- *Corsica*
- *Costa Azzurra*
- *Parigi*
- *Provenza*

Titoli Europa

- *Austria*
- *Francia*
- *Grecia*
- *Italia*
- *Londra*
- *Marocco*
- *Olanda*
- *Roma*
- *Sicilia*
- *Spagna*
- *Toscana*
- *Venezia*
- *Vienna*